GUIDE RÉPUBLICAIN

L'idée républicaine aujourd'hui

GUIDE
RÉPUBLICAIN

ministère
éducation
nationale
enseignement
supérieur
recherche

Delagrave

Cet ouvrage a été édité avec le concours
de l'inspection générale de l'Éducation nationale

Photo de couverture : Royaltee - Free / Corbis

© Delagrave Édition, 2004
ISBN : 2-206-08835-5
Delagrave Édition - 15 rue Soufflot - 75254 Paris Cedex 05
www.delagrave-edition.fr
© CNDP, 2004
ISBN : 2-240-01565-9
CNDP - @4 avenue du Futuroscope Téléport 1
BP 80158 - 86961 Futuroscope Cedex
www.sceren.fr

SOMMAIRE

II. Repères chronologiques et textes de référence

JACQUES CHIRAC, PRÉSIDENT DE LA RÉPUBLIQUE

DISCOURS RELATIF AU RESPECT DU PRINCIPE DE LAÏCITÉ DANS LA RÉPUBLIQUE
PALAIS DE L'ÉLYSÉE
MERCREDI 17 DÉCEMBRE 2003

Monsieur le Premier ministre,
Messieurs les Présidents des Assemblées,
Mesdames et Messieurs les Ministres,
Mesdames et Messieurs les Parlementaires,
Mesdames, Messieurs,

Le débat sur le principe de laïcité résonne au plus profond de nos consciences. Il renvoie à notre cohésion nationale, à notre aptitude à vivre ensemble, à notre capacité à nous réunir sur l'essentiel.

La laïcité est inscrite dans nos traditions. Elle est au cœur de notre identité républicaine. Il ne s'agit aujourd'hui ni de la refonder, ni d'en modifier les frontières. Il s'agit de la faire vivre en restant fidèle aux équilibres que nous avons su inventer et aux valeurs de la République.

Voilà plus de deux cents ans que la République se construit et se renouvelle en se fondant sur la liberté, garantie par la primauté de la loi sur les intérêts particuliers, sur l'égalité des femmes et des hommes, sur l'égalité des chances, des droits, des devoirs, sur la fraternité entre tous les Français, quelle que soit leur condition ou leur origine.

Dans notre République, chacun est respecté dans ses différences parce que chacun respecte la loi commune. Partout dans le monde, la France est ainsi reconnue comme la patrie des droits de l'homme.

Mais le monde change, les frontières s'abaissent, les échanges se multiplient. Dans le même temps, les revendications identitaires ou communautaires s'affirment ou s'exacerbent, au risque, souvent, du repli sur soi, de l'égoïsme, parfois même de l'intolérance.

Comment la société française saura-t-elle répondre à ces évolutions ?

Nous y parviendrons en faisant le choix de la sagesse et du rassemblement des Français de toutes origines et de toutes convictions. Nous y parviendrons, comme aux moments importants de notre histoire, en cherchant dans la fidélité à nos valeurs et à nos principes la force d'un nouveau sursaut.

Sursaut des consciences, pour redécouvrir avec fierté l'originalité et la grandeur de notre culture et de notre modèle français. Sursaut de l'action, pour inscrire au cœur de notre pacte républicain l'égalité des chances et des droits, l'intégration de tous dans le respect des différences. Sursaut collectif, pour qu'ensemble, forts de cette diversité qui fait notre richesse, nous portions notre volonté, notre engagement, notre désir de vivre ensemble vers un avenir de confiance, de justice et de progrès. C'est dans la fidélité au principe de laïcité, pierre angulaire de la République, faisceau de nos valeurs communes de respect, de tolérance, de dialogue, que j'appelle toutes les Françaises et tous les Français à se rassembler.

Notre peuple, notre Nation, notre République sont unis par des valeurs communes. Ces valeurs ne se sont pas imposées aisément. Elles ont parfois divisé les Français avant de contribuer à les réunir. Souvent, elles se sont forgées dans l'épreuve douloureuse de ces luttes qui traversent notre histoire et qui marquent notre mémoire.

Depuis les origines de la monarchie jusqu'aux tragédies du siècle dernier, la longue marche vers l'unité a dessiné notre territoire et forgé notre État. De l'Édit de Nantes aux lois de séparation des Églises et de l'État, la liberté religieuse et la tolérance se sont frayé un chemin au travers des guerres de religion et des persécutions. Les droits de l'homme et ceux du citoyen ont été progressivement conquis, consolidés, approfondis, depuis la Déclaration de 1789 jusqu'au Préambule de 1946. Ils l'ont été par la consécration du suffrage universel et le droit de vote des femmes, la liberté de la presse, la liberté d'association et bien sûr le combat pour faire reconnaître l'innocence du capitaine Dreyfus.

De l'abolition des privilèges, la nuit du 4 août, à celle de l'esclavage le 27 avril 1848, la République a proclamé avec force sa foi dans l'égalité et elle a bataillé sans relâche pour la justice sociale, avec ces conquêtes historiques que sont l'éducation gratuite et obligatoire, le droit de grève, la liberté syndicale, la sécurité sociale. Elle a su tendre la main, faire vivre l'égalité des chances, reconnaître le mérite et permettre ainsi la promotion, jusqu'aux plus hautes fonctions, de femmes et d'hommes issus des milieux les plus modestes. Aujourd'hui, nous continuons d'avancer résolument pour consolider les droits des femmes.

Ces valeurs fondent la singularité de notre Nation. Ces valeurs portent notre voix haut et loin dans le monde. Ce sont ces valeurs qui font la France.

Terre d'idées et de principes, la France est une terre ouverte, accueillante et généreuse. Uni autour d'un héritage singulier qui fait sa force et sa fierté, le peuple français est riche de sa diversité. Une diversité assumée et qui est au cœur de notre identité.

Diversité des croyances, dans cette vieille terre de chrétienté où s'est aussi enracinée une tradition juive qui remonte à près de deux mille ans. Terre de catholicisme qui a su dépasser les déchirements des guerres de religion et reconnaître finalement toute leur place aux protestants à la veille de la Révolution. Terre d'ouverture enfin pour les Français de tradition musulmane qui sont partie intégrante de notre Nation.

Diversité des régions qui ont progressivement dessiné le visage de notre pays, de l'Ile-de-France aux duchés de Bretagne, d'Aquitaine, de Bourgogne, de l'Alsace et de la Lorraine jusqu'au comté de Nice, à la Caraïbe, l'océan Indien ou le Pacifique Sud.

Et bien sûr, diversité de ces femmes et de ces hommes qui, à chaque génération, sont venus rejoindre la communauté nationale et pour qui la France a d'abord été un idéal avant de devenir une patrie.

Immigrés italiens, arrivés massivement avec la première révolution industrielle pour apporter à notre pays leur talent et leur énergie. Espagnols, chassés par les terribles déchirements des années trente et venus trouver refuge en France. Portugais, arrivés dans les années soixante, pleins d'ardeur et de courage. Mais aussi Polonais, Arméniens, Asiatiques. Ressortissants du Maghreb et de l'Afrique Noire, qui ont si puissamment contribué à la croissance des « Trente Glorieuses » avant de faire souche sur notre sol. Tous ont contribué à forger notre pays, à le rendre plus fort et plus prospère, à accroître son rayonnement en Europe et dans le monde.

Notre drapeau, notre langue, notre histoire : tout nous parle de ces valeurs de tolérance et de respect de l'autre, de ces combats, de cette diversité qui font la grandeur de la France. Cette France, celle qui se bat pour la paix, pour la justice, pour les droits de l'homme, nous en sommes fiers. Nous devons la défendre. Plutôt que de la remettre en question, chacun doit prendre la mesure de ce qu'elle lui apporte et se demander ce qu'il peut faire pour elle.

C'est pour que la France reste elle-même que nous devons aujourd'hui répondre aux interrogations et désamorcer les tensions qui traversent notre société.

Ces facteurs de tensions, chacun les connaît.

Bien que porteuse de chances nouvelles, la mondialisation inquiète, déstabilise les individus, les pousse parfois au repli.

Au moment où s'affaissent les grandes idéologies, l'obscurantisme et le fanatisme gagnent du terrain dans le monde.

Entre la Nation française et cette Europe des citoyens que nous souhaitons, chacun de nous doit redéfinir ses repères.

En même temps, la persistance voire l'aggravation des inégalités, ce fossé qui se creuse entre les quartiers difficiles et le reste du pays, font mentir le principe d'égalité des chances et menacent de déchirer notre pacte républicain.

Une chose est sûre : la réponse à ces interrogations n'est pas dans l'infiniment petit du repli sur soi ou du communautarisme. Elle est, au contraire, dans l'affirmation de notre désir de vivre ensemble, dans la consolidation de l'élan commun, dans la fidélité à notre histoire et à nos valeurs.

Face aux incertitudes du temps et du monde, face au sentiment d'impuissance, parfois à l'étreinte du désarroi, chacun recherche des références plus personnelles, plus immédiates : la famille, les solidarités de proximité, l'engagement associatif. Et cette aspiration est naturelle. Elle est même un atout. Elle témoigne de la capacité des Françaises et des Français à se mobiliser, à agir, à donner libre cours à leur énergie, à leurs initiatives.

Pour autant, ce mouvement doit trouver ses limites dans le respect des valeurs communes. Le danger, c'est la libération de forces centrifuges, l'exaltation des particularismes qui séparent. Le danger, c'est de vouloir faire primer les règles particulières sur la loi commune. Le danger, c'est la division, c'est la discrimination, c'est la confrontation.

Regardons ce qui se passe ailleurs. Les sociétés structurées autour de communautés sont bien souvent la proie d'inégalités inacceptables.

Le communautarisme ne saurait être le choix de la France. Il serait contraire à notre histoire, à nos traditions, à notre culture. Il serait contraire à nos principes humanistes, à notre foi dans la promotion sociale par la seule force du talent et du mérite, à notre attachement aux valeurs d'égalité et de fraternité entre tous les Français. C'est pourquoi je refuse d'engager la France dans cette direction. Elle y sacrifierait son héritage. Elle y compromettrait son avenir. Elle y perdrait son âme.

C'est pourquoi aussi, nous avons l'ardente obligation d'agir. Ce n'est ni dans l'immobilisme, ni dans la nostalgie, que nous retrouverons une nouvelle communauté de destin. C'est dans la lucidité, dans l'imagination et dans la fidélité à ce que nous sommes.

La France a su cette année encore porter, dans tous les domaines de tensions et de crise, sa parole de paix et de tolérance pour inviter les peuples qui se déchirent au respect de l'autre.

À l'intérieur de nos frontières, au cœur de notre société, sachons vivre ensemble en portant la même exigence, la même ambition de respect et de justice !

L'égalité des chances a de tout temps été le combat de la République. La ligne de front de ce combat passe désormais dans les quartiers. Comment demander à leurs habitants de se reconnaître dans la Nation et dans ses valeurs quand ils vivent dans des ghettos à l'urbanisme inhumain, où le non-droit et la loi du plus fort prétendent s'imposer ?

Avec le renforcement de la sécurité, avec le programme de rénovation urbaine pour détruire les « barres », avec les zones franches destinées à ramener l'emploi et l'activité dans les cités, nous enrayons la fatalité et nous retrouvons l'espoir. C'est, pour le Gouvernement et pour moi-même, un défi et une exigence majeurs.

Faire vivre l'égalité des chances, c'est aussi redonner toute sa force à notre tradition d'intégration en nous appuyant sur les réussites déjà acquises mais aussi en refusant l'inacceptable.

Beaucoup de jeunes issus de l'immigration, dont le français est la langue maternelle, et qui sont, la plupart du temps, de nationalité française, réussissent et se sentent à l'aise dans une société qui est la leur. Ils doivent être reconnus pour ce qu'ils sont, pour leurs capacités, leur parcours, leur mérite. Ils veulent exprimer leurs succès, leur soif d'agir, leur insertion, leur pleine appartenance à la communauté nationale.

Ces réussites, il faut également les préparer avec les étrangers qui nous rejoignent légalement, en leur demandant d'adhérer à nos valeurs et à nos lois. C'est tout l'objet du contrat d'accueil et d'intégration mis en place par le Gouvernement, à ma demande, et qui leur est proposé individuellement. Il leur donne accès à des cours de français, à une formation à la citoyenneté française, à un suivi social, en contrepartie de l'engagement de respecter scrupuleusement les lois de la République.

Ces réussites, il faut aussi les rendre possibles en brisant le mur du silence et de l'indifférence qui entoure aujourd'hui la réalité des discriminations. Je sais le sentiment d'incompréhension, de désarroi, parfois même de révolte de ces jeunes Français issus de l'immigration dont les demandes d'emplois passent à la corbeille en raison de la consonance de leur nom et qui sont, trop souvent, confrontés aux discriminations pour l'accès au logement ou même simplement pour l'entrée dans un lieu de loisir.

Il faut une prise de conscience et une réaction énergique. Ce sera la mission de l'autorité indépendante chargée de lutter contre toutes les formes de discriminations qui sera installée dès le début de l'année prochaine.

Tous les enfants de France, quelle que soit leur histoire, quelle que soit leur origine, quelle que soit leur croyance, sont les filles et les fils de la République. Ils doivent être reconnus comme tels, dans le droit mais surtout dans les faits. C'est en veillant au respect de cette exigence, c'est par la refondation de notre politique d'intégration, c'est par notre capacité à faire vivre l'égalité des chances que nous redonnerons toute sa vitalité à notre cohésion nationale.

Nous le ferons aussi en faisant vivre le principe de laïcité qui est un pilier de notre Constitution. Il exprime notre volonté de vivre ensemble dans le respect, le dialogue et la tolérance.

La laïcité garantit la liberté de conscience. Elle protège la liberté de croire ou de ne pas croire. Elle assure à chacun la possibilité d'exprimer et de pratiquer sa foi, paisiblement, librement, sans la menace de se voir imposer d'autres convictions ou d'autres croyances. Elle permet à des femmes et à des hommes venus de tous les horizons, de toutes les cultures, d'être protégés dans leurs croyances par la République et ses institutions. Ouverte et généreuse, elle est le lieu privilégié de la rencontre et de l'échange où chacun se retrouve pour apporter le meilleur à la communauté nationale. C'est la neutralité de l'espace public qui permet la coexistence harmonieuse des différentes religions.

Comme toutes les libertés, la liberté d'expression des croyances ne peut trouver de limites que dans la liberté d'autrui et dans l'observation des règles de la vie en société. La liberté religieuse, que notre pays respecte et protège, ne saurait être détournée. Elle ne saurait remettre en cause la règle commune. Elle ne saurait porter atteinte à la liberté de conviction des autres. C'est cet équilibre subtil, précieux et fragile, construit patiemment depuis des décennies, qu'assure le respect du principe de laïcité. Et ce principe est une chance pour la France. C'est pourquoi il est inscrit à l'article premier de notre Constitution. C'est pourquoi il n'est pas négociable !

Après avoir déchiré la France lors de l'adoption de la grande loi républicaine de séparation des Églises et de l'État en 1905, une laïcité apaisée a permis de rassembler tous les Français. À l'épreuve de bientôt un siècle d'existence, elle a montré sa sagesse et recueille l'adhésion de toutes les confessions et de tous les courants de pensée.

Pourtant, malgré la force de cet acquis républicain, et comme l'ont notamment montré les travaux de la commission présidée par Monsieur Bernard Stasi, commission à laquelle je veux à nouveau rendre un hommage tout particulier, l'application du principe de laïcité dans notre société est aujourd'hui en débat. Certes, il est rarement contesté. Beaucoup même s'en réclament. Mais sa mise en œuvre concrète se heurte, dans le monde du travail, dans les services publics, en particulier à l'école ou à l'hôpital, à des difficultés nouvelles et grandissantes.

On ne saurait tolérer que, sous couvert de liberté religieuse, on conteste les lois et les principes de la République. La laïcité est l'une des grandes conquêtes de la République. Elle est un élément crucial de la paix sociale et de la cohésion nationale. Nous ne pouvons la laisser s'affaiblir. Nous devons travailler à la consolider. Pour cela, nous devons assurer effectivement le même respect, la même considération à toutes les grandes familles spirituelles. À cet égard, l'islam, religion plus récente sur notre territoire, a toute sa place parmi les grandes religions présentes sur notre sol. La création du Conseil français du culte musulman permet désormais d'organiser les relations entre l'État et l'islam de France. Les musulmans doivent avoir en France la possibilité de disposer de lieux de culte leur permettant de pratiquer leur religion dans la dignité et dans la tranquillité. Malgré les progrès récents, il faut reconnaître qu'il reste encore beaucoup à faire dans ce domaine. Un nouveau pas sera également franchi quand la formation d'imams français sera assurée et permettra d'affirmer la personnalité d'un islam de culture française.

Le respect, la tolérance, l'esprit de dialogue s'enracineront aussi avec la connaissance et la compréhension de l'autre auxquelles chacun d'entre nous doit attacher la plus grande importance. C'est pourquoi il me paraît aujourd'hui primordial de développer l'enseignement du fait religieux à l'école.

Il faut mener, aussi, avec vigilance et fermeté, un combat sans merci contre la xénophobie, le racisme et en particulier contre l'antisémitisme. Ne tolérons pas la banalisation de l'insulte ! Ne minimisons aucun geste, aucune attitude, aucun propos ! Ne laissons rien passer ! C'est une question de dignité.

Nous devons réaffirmer avec force la neutralité et la laïcité du service public. Celles de chaque agent public, au service de tous et de l'intérêt général, à qui s'impose l'interdiction d'afficher ses propres croyances ou opinions. C'est une règle de notre droit, car aucun Français ne doit pouvoir suspecter un représentant de l'autorité publique de le privilégier ou de le défavoriser en fonction de convictions personnelles. De la même manière, les convictions du citoyen ne sauraient l'autoriser à récuser un agent public.

Il faut aussi réaffirmer la laïcité à l'école car l'école doit être absolument préservée.

L'école est au premier chef le lieu d'acquisition et de transmission des valeurs que nous avons en partage. L'instrument par excellence d'enracinement de l'idée républicaine. L'espace où l'on forme les citoyens de demain à la critique, au dialogue, à la liberté. Où on leur donne les clés pour s'épanouir et maîtriser leur destin. Où chacun se voit ouvrir un horizon plus large.

L'école est un sanctuaire républicain que nous devons défendre, pour préserver l'égalité devant l'acquisition des valeurs et du savoir, l'égalité entre les filles et les garçons, la mixité de tous les enseignements, et notamment du sport. Pour protéger nos enfants. Pour que notre jeunesse ne soit pas exposée aux vents mauvais qui divisent, qui séparent, qui dressent les uns contre les autres.

Il n'est pas question, bien sûr, de faire de l'école un lieu d'uniformité, d'anonymat, où seraient proscrits le fait ou l'appartenance religieuse. Il s'agit de permettre aux professeurs et aux chefs d'établissement, aujourd'hui en première ligne et confrontés à de véritables difficultés, d'exercer sereinement leur mission avec l'affirmation d'une règle claire.

Jusqu'à récemment, en vertu d'usages raisonnables et spontanément respectés, il n'avait jamais fait de doute pour personne que les élèves, naturellement libres de vivre leur foi, ne devaient pas pour autant venir à l'école, au collège ou au lycée en habit de religion.

Il ne s'agit pas d'inventer de nouvelles règles ni de déplacer les frontières de la laïcité. Il s'agit d'énoncer avec respect mais clairement et fermement une règle qui est dans nos usages et dans nos pratiques depuis très longtemps.

J'ai consulté. J'ai étudié le rapport de la commission Stasi. J'ai examiné les arguments de la mission de l'Assemblée nationale, des partis politiques, des autorités religieuses, des grands représentants des grands courants de pensée.

En conscience, j'estime que le port de tenues ou de signes qui manifestent ostensiblement l'appartenance religieuse doit être proscrit dans les écoles, les collèges et les lycées publics.

Les signes discrets, par exemple une croix, une étoile de David, ou une main de Fatima, resteront naturellement possibles. En revanche les signes ostensibles, c'est-à-dire ceux dont le port conduit à se faire remarquer et reconnaître immédiatement à travers son appartenance religieuse, ne sauraient être admis. Ceux-là – le voile islamique, quel que soit le nom qu'on lui donne, la kippa ou une croix manifestement de dimension excessive – n'ont pas leur place dans les enceintes des écoles publiques. L'école publique restera laïque.

Pour cela une loi est évidemment nécessaire. Je souhaite qu'elle soit adoptée par le Parlement et qu'elle soit pleinement mise en œuvre dès la rentrée prochaine. Dès maintenant je demande au Gouvernement de poursuivre son dialogue, notamment avec les autorités religieuses, et d'engager une démarche d'explication, de médiation et de pédagogie.

Notre objectif, c'est d'ouvrir les esprits et les cœurs. C'est de faire comprendre aux jeunes concernés les enjeux de la situation et de les protéger contre les influences et les passions qui, loin de les libérer ou de leur permettre d'affirmer leur libre arbitre, les contraignent ou les menacent.

Dans l'application de cette loi, le dialogue et la concertation devront être systématiquement recherchés, avant toute décision.

En revanche, et la question a été soulevée, je ne crois pas qu'il faille ajouter de nouveaux jours fériés au calendrier scolaire, qui en compte déjà beaucoup. De plus, cela créerait de lourdes difficultés pour les parents qui travaillent ces jours-là. Pour autant, et comme c'est déjà largement l'usage, je souhaite qu'aucun élève n'ait à s'excuser d'une absence justifiée par une grande fête religieuse comme le Kippour ou l'Aït-El-Kebir, à condition que l'établissement en ait été préalablement informé. Il va de soi aussi que des épreuves importantes ou des examens ne doivent pas être organisés ces jours-là. Et des instructions en ce sens seront données aux recteurs par le ministre de l'Éducation nationale.

Il faut aussi rappeler les règles élémentaires du vivre ensemble. Je pense à l'hôpital où rien ne saurait justifier qu'un patient refuse, par principe, de se faire soigner par un médecin de l'autre sexe. Il faudra que la loi vienne consacrer cette règle pour tous les malades qui s'adressent au service public.

De la même manière, le ministre du travail devra engager les concertations nécessaires et, si besoin, soumettre au Parlement une disposition permettant au chef d'entreprise de réglementer le port de signes religieux, pour des impératifs tenant à la sécurité – cela va de soi – ou aux contacts avec la clientèle.

D'une manière générale, je crois souhaitable qu'un « Code de la laïcité » réunisse tous les principes et les règles relatifs à la laïcité. Ce code sera remis notamment à tous les fonctionnaires et agents publics le jour de leur entrée en fonction.

Par ailleurs, le Premier ministre installera auprès de lui un Observatoire de la laïcité chargé d'alerter les Français et les pouvoirs publics sur les risques de dérive ou d'atteinte à ce principe essentiel.

Enfin, notre combat pour les valeurs de la République doit nous conduire à nous engager résolument en faveur des droits des femmes et de leur égalité véritable avec les hommes. Ce combat est de ceux qui vont dessiner le visage de la France de demain. Le degré de civilisation d'une société se mesure d'abord à la place qu'y occupent les femmes.

Il faut être vigilant et intransigeant face aux menaces d'un retour en arrière et elles existent.

Nous ne pouvons pas accepter que certains, s'abritant derrière une conception tendancieuse du principe de laïcité, cherchent à saper ces acquis de notre République que sont l'égalité des sexes et la dignité des femmes. Je le proclame très solennellement : la République s'opposera à tout ce qui sépare, à tout ce qui retranche, à tout ce qui exclut ! La règle, c'est la mixité parce qu'elle rassemble, parce qu'elle met tous les individus sur un pied d'égalité, parce qu'elle se refuse à distinguer selon le sexe, l'origine, la couleur, la religion.

En matière de droits des femmes, notre société a encore beaucoup de progrès à faire. La nouvelle frontière de la parité, c'est désormais l'égalité professionnelle entre les femmes et les hommes. Chacun doit en prendre conscience et agir dans ce sens. Et je compte m'y engager personnellement dans les prochaines semaines.

Mesdames et Messieurs,

Les débats sur la laïcité, l'intégration, l'égalité des chances, le droit des femmes, nous posent une même question : quelle France voulons-nous, pour nous et pour nos enfants ?

Nous avons reçu en héritage un pays riche de son histoire, de sa langue, de sa culture, une Nation forte de ses valeurs et de ses idéaux.

Notre pays, la France, chacun doit en être fier. Chacun doit se sentir dépositaire de son héritage. Chacun doit se sentir responsable de son avenir.

Sachons transformer les interrogations d'aujourd'hui en atouts pour demain. En recherchant résolument l'unité des Français. En confirmant notre attachement à une laïcité ouverte et généreuse telle que nous avons su l'inventer année après année. En faisant mieux vivre l'égalité des chances, l'esprit de tolérance, la solidarité. En menant résolument le combat pour les droits des femmes. En nous rassemblant autour des valeurs qui ont fait et qui font la France.

C'est ainsi que nous resterons une Nation confiante, sûre, forte de sa cohésion.

C'est ainsi que nous pourrons réaffirmer l'ambition qui nous rassemble de bâtir, pour notre pays et pour nos enfants, un avenir de progrès et de justice.

C'est l'un des grands défis lancé à nos générations. Ce défi, nous pouvons, nous devons, nous allons le relever ensemble.

Tous ensemble.

Je vous remercie.

FRANÇOIS FILLON,
MINISTRE DE L'ÉDUCATION NATIONALE, DE L'ENSEIGNEMENT SUPÉRIEUR ET DE LA RECHERCHE

PRÉFACE

Depuis plus de deux siècles, les Français entretiennent une relation particulière avec la République.

Plus qu'un simple système juridique, la République est pour la France un projet politique et social ordonné autour de fondamentaux que l'on appelle les valeurs républicaines. Ces valeurs portent une dimension morale et universelle et inspirent nombre de peuples qui cherchent, encore aujourd'hui, les instruments de leur liberté.

C'est dire notre devoir de cultiver et de garder toujours à jour notre idéal républicain.

Initié par Luc Ferry, cet ouvrage « L'idée républicaine aujourd'hui » s'inscrit dans une démarche pédagogique. Avec talent et conviction, ses auteurs ont cherché à mettre en perspective nos valeurs communes pour mieux en restituer la pertinence et les faire connaître à tous. Qu'ils en soient remerciés. Leur expérience personnelle et intellectuelle, la diversité de leurs fonctions et de leurs origines, font la force de ce document.

Celui-ci se situe au centre du débat démocratique ; il nous renvoie vers une question essentielle qui se pose à nous : comment concevons-nous notre « vivre ensemble » ?

Cette interrogation est d'autant plus importante que nous vivons une période où se nouent et se décident des choix qui dessineront le visage de notre avenir. Or, le combat pour la République n'est jamais fini. Preuve en est, alors même que nous sortons d'un siècle de fer et de sang, voici que ressurgissent certains des démons qui ont fait le malheur du passé : la violence, l'antisémitisme, le racisme ou encore l'égoïsme identitaire... Autant de phénomènes d'intolérance auxquels nous devons opposer avec conviction la rigueur et la générosité des valeurs républicaines.

La République reste le meilleur atout de notre cohésion nationale. Gage de toutes les déclinaisons des libertés, c'est elle qui crée les conditions de l'égalité des chances indépendamment des caractéristiques sociales, spirituelles et culturelles. Elle fonde cette communauté de destin au sein de laquelle chacun d'entre-nous, ensemble, écrivons l'histoire de notre pays. Quelles que soient l'origine ou la couleur de peau ; nos appartenances philosophiques ou religieuses ; que l'on s'appelle Pierre, Djamila ou Deng : il n'y a que des citoyens égaux en droits et en devoirs, tous dépositaires de la France républicaine.

C'est à l'école qu'il revient de préparer à la citoyenneté. C'est dès le plus jeune âge que s'acquiert le sens de la fraternité, de l'égalité et du partage.

L'idéal républicain est toujours une idée moderne. Il doit sans cesse être enrichi et actualisé, tout en conservant de son sens et de sa force culturelle. Dans cette perspective, le Président de la République a donné, lors de son discours du 17 décembre 2003, une définition de la laïcité, ferme dans son principe et pragmatique dans son usage. Il nous a invités à ancrer la République dans la modernité.

C'est à ce devoir que se propose de contribuer ce guide. Il permettra aux enseignants et aux élèves d'accéder aisément à la connaissance de notions clés qui fondent l'idée républicaine. Il permettra de les enrichir de concepts nouveaux comme la mixité, la lutte contre les discriminations ou encore celui si essentiel de la place de la femme dans notre société…

À l'aube du XXIᵉ siècle, il nous faut plus que jamais offrir un nouveau sens à l'humanisme. Au cœur de cette ambition française, il y a la République.

I. ABÉCÉDAIRE

Antiracisme

Face au racisme, lorsqu'il est flagrant, et paraît donc intolérable, il faut à la fois s'efforcer de l'expliquer comme un fait et de le combattre comme un mal. Tenter aussi de comprendre sa persistance et sa résistance à la critique, à l'indignation morale consensuelle et aux mesures pratiques qui le visent. Pour qui le refuse et le combat, le racisme se présente donc à la fois comme un défi pour la pensée et un domaine de lutte pour l'action.

Le mal raciste est d'abord ce qui ne devrait pas être, ou ne devrait plus être, et qui doit en conséquence être combattu. La difficulté est de supprimer sans violence pour ne pas en rajouter. La visée morale réside dans l'exigence que soient abolies les souffrances infligées à l'homme par l'homme.

Qu'entend-on ordinairement par l'expression « le racisme » ? Tout d'abord, une idéologie, la théorie pseudo-scientifique de l'inégalité des races humaines, fondée sur un déterminisme biologique grossier, du type « telle race-telle culture », ou « telle race-tel ensemble d'aptitudes ». Ensuite, un ensemble de conduites et de pratiques discriminatoires, qu'accompagnent des attitudes d'intolérance, voire des passions négatives, comme la haine ou le ressentiment.

S'efforcer d'éliminer le racisme ainsi défini, c'est d'abord réfuter, sur la base des connaissances scientifiques actuelles, toutes les thèses fausses sur la diversité humaine, en les réduisant à leurs principes, c'est-à-dire à des préjugés et des stéréotypes, voire à des mythes (tel le mythe du « sang pur », qui a précédé celui des « races pures »). C'est ensuite construire une société sans discriminations, sans intolérance, sans haine ni mépris. Être antiraciste, c'est rejeter inconditionnellement toute discrimination ou ségrégation fondée sur les origines ou les appartenances, ethniques, nationales ou culturelles-religieuses, des citoyens.

Cependant, le racisme n'étant un phénomène ni stable ni homogène, la lutte contre le racisme ne peut être fondée sur une stratégie unique. Définir strictement le racisme par la thèse de l'inégalité entre les races et la thèse du déterminisme héréditaire des aptitudes, thèses jugées scientifiquement fausses, c'est se vouer à ne définir l'antiracisme que par la thèse abstraite de l'égalité de toutes les cultures, alors même qu'émerge le nouveau racisme fondé sur l'absolutisation de la différence culturelle.

Le nouveau racisme idéologique se présente comme un culturalisme et un différentialisme, l'un et l'autre radicaux, prenant ainsi à revers l'argumentation anti-raciste classique centrée sur la récusation du biologisme et de l'inégalitarisme, censés constituer les deux caractéristiques fondamentales du racisme doctrinal, auxquelles l'on croyait naïvement pouvoir opposer le relativisme culturel et le droit à la différence. Le principe de la métamorphose idéologique récente du racisme réside précisément dans le déplacement de l'inégalité biologique entre les races vers l'absolutisation de la différence entre les cultures. D'où la substitution, au thème classique de la « lutte des races », de la nouvelle évidence aveuglante du « choc des civilisations » ou celle de la fatalité des guerres ethniques ou des conflits identitaires.

La détermination des fins de l'action antiraciste se heurte à un dilemme fonda-mental :

1) Agir en vue de rendre possible l'unification de l'humanité, et de faire respecter également tout individu, quelle que soit son origine ; mais cette action en vue de réaliser l'unité de l'espèce humaine, par les échanges et les mélanges, ne peut échapper au risque de favoriser l'uniformisation de l'humanité, bref de contribuer à l'indifférenciation planétaire, sur la base d'une totale éradication des identités col-lectives. Telle est la visée universaliste ou unitariste, avec son envers. Elle suppo-se le primat des valeurs abstraites : l'égalité, la justice, la vérité.

2) Agir en vue de préserver la diversité culturelle de l'espèce humaine, et de la faire respecter ; et ce, au risque d'absolutiser les différences ou les identités collectives, et bien sûr d'y enfermer les individus de façon contraignante. Dérive autoritaire, voire raciste du principe différentialiste. Telle est la visée différentialiste ou plura-liste, avec son équivocité. Elle revient à privilégier les valeurs incarnées, faisant par-tie du réel, qui est diversité, soit toutes les formes du lien communautaire.

Le dilemme vient du heurt de deux obligations morales et politiques contradictoires : au respect inconditionnel des identités collectives ou des différences culturelles s'oppose le devoir impératif de contribuer à réaliser l'unité de l'espèce humaine, laquelle doit profiter à tous les hommes. Nulle synthèse finale ni troisième voie ne paraissent déterminables. Ne faut-il pas reconnaître la difficulté spéculative, quoi qu'il nous en coûte ?

Il est pourtant possible d'esquisser une solution de style universaliste faisant droit aux normes différentialistes, sous la condition de les « corriger » en leur imposant des limites. Corrigé par l'exigence d'universalité, l'impératif différentialiste est pour ainsi dire lui-même relativisé. Il a dès lors pour contenu le devoir de respecter chez nous comme chez les autres les seules valeurs et normes universalisables. Il en va ainsi des droits de l'Homme et de la démocratie pluraliste, du respect des libertés individuelles et du principe de laïcité. C'est là sortir de la prison de l'absolutisme culturel, auquel se réduit le relativisme culturel radical. Ce qui a été pensé ou créé « chez nous » n'a nulle vocation à ne valoir que « pour nous » : tel est le contenu formel de l'exigence d'universalité.

Pierre-André Taguieff

Antisémitisme

Au sens strict, antisémitisme signifie : hostilité à l'égard des Sémites. En fait, il vise les Juifs, comme groupe, et plus précisément, il y voit une race. En ce sens, il se distingue de l'antijudaïsme, qui s'en prend à eux pour leur religion. Le passage d'une opposition religieuse à une haine raciale s'est ébauché dans toute l'Europe au Moyen Âge et accentué dans l'Espagne du XVIe siècle, à la suite de l'expulsion des Juifs de ce pays (1492), lorsque ceux d'entre eux qui avaient choisi pour rester de se convertir au christianisme ont été soupçonnés de véhiculer un sang impur.

Le terme même d'antisémitisme n'a pourtant été forgé par le publiciste Wilhelm Marr qu'en 1879, dans un contexte historique qui lui a valu un succès foudroyant en Allemagne, puis dans le monde entier. Le phénomène est alors indissociable de mouvements et d'idéologies nationalistes, souvent inquiètes par la modernité, et s'il est largement véhiculé par le christianisme, il se réclame constamment de la science : les Juifs auraient des attributs physiques ou biologiques bien précis, ils constitueraient un groupe à la fois sous-humain, se rapprochant des animaux, et surhumain, diabolique.

L'antisémitisme conjugue, sous des modalités variables dans le temps et dans l'espace, des préjugés, des stéréotypes, des rumeurs, d'une part, et des conduites actives de discrimination et de ségrégation, d'autre part, avec dans certaines expériences une violence meurtrière, comme celle des pogromes en Russie et en Europe centrale.

Il se fixe sur un groupe unique, qu'il traite en bouc émissaire de problèmes dont les sources sont multiples, sociales, culturelles, politiques. Il accuse les Juifs en des termes irrationnels, hautement contradictoires, mais sans en être jamais embarrassé, car il fonctionne sur un mode imaginaire avant éventuellement de passer à l'acte.

L'antisémitisme a culminé avec le nazisme, dont le projet idéologique et politique avait pour cœur la destruction des Juifs. Après la Seconde Guerre mondiale, et la découverte de l'étendue de la barbarie nazie, il semblait ne pouvoir que régresser. En fait, il se redéploie aujourd'hui, sur fond de crise sociale, de carences des institutions républicaines, de montée des particularismes culturels en tout genre, et dans un contexte international marqué par la non-résolution du conflit israélo-palestinien, et l'essor de l'islamisme radical.

Michel Wieviorka

Citoyenneté

Bien que le terme de citoyen soit maintenant utilisé à tout propos, il a un sens précis. Il définit un ensemble de droits et de devoirs et il caractérise notre régime politique, dans lequel le citoyen est à la source de la légitimité politique.

Le citoyen n'est pas un individu concret. On ne rencontre pas le citoyen, c'est un sujet de droit. Il dispose à ce titre de droits civils et politiques. Il jouit des libertés individuelles, la liberté de conscience et d'expression, la liberté d'aller et venir, de se marier, d'être présumé innocent s'il est arrêté par la police et présenté à la justice, d'avoir un avocat pour le défendre, d'être traité par la justice selon une loi égale pour tous. Il dispose des droits politiques : participer à la vie politique et être candidat à toutes les fonctions publiques. En revanche, il a l'obligation de respecter les lois, de participer aux dépenses collectives en fonction de ses ressources et de défendre la société dont il est membre, si elle se trouve menacée. La citoyenneté définit un ensemble de droits et de devoirs réciproques. Le citoyen réclame légitimement de l'État le respect de ses droits parce que l'État réclame légitimement du citoyen l'accomplissement de certains devoirs.

La citoyenneté est aussi le principe de la légitimité politique. Le citoyen n'est pas seulement un sujet de droit individuel. Il est détenteur d'une part de la souveraineté politique. C'est l'ensemble des citoyens, constitués en collectivité politique ou en « communauté des citoyens », qui, par l'élection, choisit les gouvernants. C'est l'ensemble des citoyens qui est à la source du pouvoir. C'est pourquoi les décisions prises par les gouvernants élus par eux doivent être exécutées. Les citoyens doivent obéir aux ordres des gouvernants, parce que ceux qui leur donnent ces ordres ont été choisis par eux et restent sous leur contrôle par l'intermédiaire des élections.

La citoyenneté organise une société dont tous les membres sont juridiquement et politiquement égaux, quelles que soient leurs origines et leurs caractéristiques. Elle repose sur l'idée de l'égale dignité de tous les êtres humains.

Dominique Schnapper

Civilité et incivilité

L'emploi du mot civilité était encore rare il y a une dizaine d'années. Le terme souffrait de la confusion, d'un côté avec la notion plus étroite de politesse et de l'autre avec l'idée plus vaste de civilisation. Depuis, le mot est revenu en force, en même temps qu'on a vu se multiplier, et même se banaliser les phénomènes de petite délinquance, désignés du nom d'incivilités. Du coup, civilité a retrouvé son sens originel, qui désigne l'adoption par chacun de bonnes manières, de codes non écrits de respect mutuel. Dans l'Antiquité, Platon observait déjà, dans le *Protagoras*, que ni les techniques ni les institutions ne suffisent à créer au sein de la société les « liens créateurs d'amitié » qui lui sont nécessaires. Les individus, pour être pleinement citoyens, doivent être guidés par l'esprit de « justice » et par la « pudeur », qui conditionnent le respect de soi et de l'autre. Cicéron définissait la civilité comme un art de « concilier l'homme avec l'homme en vue d'une communauté de langage et de vie » (*De Oratore*). En d'autres termes, les comportements de civilité ne sauraient être, le plus souvent, contraints par la loi, puisqu'ils sont une des principales conditions du respect de la loi. Ils sont le fruit d'une sagesse, née de l'expérience, qui se transmet surtout par l'éducation et par la langue. Ce fut, au XIXe siècle, l'un des fondements de la doctrine des républicains.

Aujourd'hui, l'incivilité dans les rues, les bureaux, les stades, les écoles est devenue un problème de société. Toute la question est de savoir comment on en est venu là. Une première explication est inspirée de Norbert Élias, et remonte aux années 30. Dans *La civilisation des mœurs* et *La société de Cour*, celui-ci s'est attaché à montrer que, depuis la Renaissance et la *Civilité puérile* d'Érasme (1530), le modelage de mœurs plus douces aurait été étroitement associé à la formation de l'État-nation. Par imitation ou par contrainte, l'absolutisme monarchique aurait imprimé à l'ensemble des couches sociales dominantes le modèle des mœurs de Cour, afin de s'arroger le monopole de la violence.

Selon cette thèse, la cause du déclin actuel de la civilité serait à imputer à l'affaiblissement de l'État et de la loi. Or un certain nombre de travaux historiques récents autorisent une autre interprétation. Il semble que ce soit d'abord la noblesse de robe et la bourgeoisie cultivée des villes, et non la Cour, qui, à partir de François Ier, ont donné le ton. Les lecteurs français du *Courtisan* de Balthasar Castiglione, publié à Venise en 1528, étaient des citadins irrités par les mœurs brutales des nobles guerriers. Ce modèle a été diffusé par les Académies, les gazettes, les salons. Il a façonné la figure typiquement française de l'« honnête homme ».

Le génie de Louis XIV est d'en avoir fait un instrument de pouvoir politique, en le fixant dans l'étiquette de la Cour. Mais à l'origine des comportements de civilité, et contrairement à ce que pensait Élias, il n'est pas besoin de monarque, ni de Cour. On peut même supposer que, face à un État de plus en plus envahissant et fort, les citoyens ont d'eux-mêmes codifié leurs mœurs afin de donner à la puissance publique le moins d'occasions possibles d'intervenir. Ce fut le cas des corporations sous l'Ancien Régime et des associations ouvrières au XIXe siècle. L'autocontrôle de la violence a constitué pour chacun, au sein de la société civile, la meilleure des garanties contre les intrusions du pouvoir.

Dans cette perspective, le progrès de la civilité n'apparaît plus comme l'expression de la volonté du pouvoir, mais comme une conquête de la liberté. Il n'est plus à mettre en relation avec les avancées de l'État, mais avec la découverte de la vie privée. Réciproquement, l'incivilité est le produit de la dépendance : elle est le signe d'un besoin d'être protégé, surveillé. L'incivilité d'aujourd'hui est la fille naturelle de l'État providence. Elle est le produit de la crainte de s'assumer, d'une peur du conflit sans précédent. Le remède à ces dérives actuelles ne passe pas seulement par plus de police, mais surtout, comme l'a vu Cicéron, par plus d'éducation et par une meilleure maîtrise de la langue.

Alain-Gérard Slama

Civisme

La notion de civisme occupe une position intermédiaire entre celles de civilité et de citoyenneté – trois termes qui ont la même origine. Le civisme implique plus que la sociabilité du premier, qui ne concerne que les règles élémentaires de la vie en société, et moins que le second qui évoque l'appartenance et la participation à la communauté politique.

Le civisme, c'est se savoir partie prenante d'une collectivité qui n'est pas seulement une addition d'individualités. C'est aussi s'inscrire dans une continuité et reconnaître qu'on est bénéficiaire de l'héritage que vous laissent les générations précédentes : une société où, même s'il y a des sujets de désaccord, les rapports de force ont fait place à des rapports réglés par le droit. C'est encore admettre que ces avantages nous créent un devoir de réciprocité à l'égard de nos successeurs, celui en particulier de leur transmettre, amélioré, l'héritage reçu. Voilà pour les rapports avec la civilité.

Le civisme, c'est aussi s'intéresser à la chose publique, s'en tenir informé, y prêter attention, se former des convictions raisonnables et éclairées. C'est également participer aux divers processus dont dépendent les décisions intéressant les affaires communes, notamment les consultations électorales. Sur ce point, le civisme donne la main à la citoyenneté. Souhaitable sous tous les régimes, il est un impératif en démocratie qui repose sur le principe que tout citoyen est acteur : elle ne saurait se passer de son concours actif.

Le civisme, c'est enfin un comportement. C'est la citoyenneté vécue au quotidien. Il se pratique dans le respect des règles. Il s'exprime par des gestes élémentaires qui facilitent la vie commune. Ceux-ci peuvent paraître insignifiants. Mais le civisme, c'est aussi se dire que rien n'est inutile et se conduire à chaque instant comme si de notre comportement personnel dépendaient le cours de l'histoire et l'avenir du monde.

René Rémond

Communautarisme

Le terme de communautarisme désigne initialement un courant de la pensée politique nord-américaine s'en prenant, depuis les années 1980, aux excès de l'individualisme moderne.

Pour ces penseurs, le souci des bonheurs privés, la montée des incivilités, la perte des références communes se rattacheraient à l'illusion de la modernité : fonder la société sur la simple adhésion des volontés particulières à des principes juridiques de coexistence. C'est ce modèle contractuel qu'illustrait la conception libérale de la société comme lieu neutre où les individus échangent biens et services dans le respect du droit.

Plutôt que de tenir l'individu pour le seul sujet de droit, il faudrait prendre acte de la façon dont l'individualité est traversée par des normes collectives qui la précèdent et lui donnent son identité. Ces normes émanent des communautés (de culture, de sexe ou de « genre ») auxquelles l'individu appartient et qui lui transmettent leurs traditions. Ainsi la critique communautarienne de l'État de droit lui reproche-t-elle sa représentation désincarnée de la citoyenneté.

Pour les versions radicales de cette critique, substituer aux attachements communautaires l'appartenance à la Nation comprise comme communauté de citoyens ne fait que reconduire l'abstraction moderne de liens plus fondamentaux que ceux qui procèdent d'un contrat, y compris républicain. En vertu de quoi cette discussion de l'État de droit ouvre aussi sur une remise en question de l'État-nation, auquel elle oppose l'exigence d'une représentation politique des communautés.

Parce que le communautarisme fragilise la valeur de l'individu au profit de celle du groupe d'appartenance, il apporte une mauvaise solution à ce qui constitue néanmoins un vrai problème : comment l'État peut-il répondre aux besoins de reconnaissance, de plus en plus forts au sein de sociétés atomisées où chacun trouve dans les liens qui le solidarisent avec d'autres autour d'une identité distinctive une dimension de ce qu'il est ?

Alain Renaut

Le crime contre l'humanité

La conférence de La Haye, en 1907, a jeté les bases d'un droit de la guerre et d'un droit humanitaire en définissant les crimes de guerre comme le traitement inhumain de prisonniers ou de civils dans les pays occupés. Le tribunal international de Nuremberg (1945-1946) a condamné des responsables nazis pour crimes contre la paix, crimes de guerre, mais aussi « crimes contre l'humanité ».

Car certains crimes sont commis sur des personnes qui ne sont ni des ennemis ni des auteurs de violence, mais qui sont définies par leur naissance. On parle alors de « crime contre l'humanité » puisque le projet, exécuté massivement selon un plan concerté, de tuer chaque homme, femme, enfant, « sous le prétexte qu'il est né », comme l'a écrit le journaliste et résistant André Frossard, atteint l'humanité entière. L'extermination d'au moins 5 500 000 Juifs européens par les nazis entre 1941 et 1945, souvent nommée « Shoah », (en hébreu : « catastrophe »), est le type même du crime contre l'humanité, commis en fonction d'une conception du monde raciale et raciste : la race était, selon Hitler, la clef du triomphe des « Aryens » sur les « Juifs ». Dans l'hiver 1941-1942, la décision est prise de les exterminer, parce que Juifs : les Juifs allemands, déjà persécutés et exclus de la communauté nationale, ceux de l'Europe de l'Est, enfermés dans des ghettos, puis ceux de l'Europe de l'Ouest. Arrêtés, ils étaient envoyés dans des camps pour y être exterminés soit immédiatement soit par le travail. Sur les 76 000 Juifs de France, réfugiés ou français ainsi déportés, seuls 2 500 reviendront. Nombre de Tziganes connaîtront le même sort.

Voisine est la notion de génocide, apparue en 1944, pour désigner l'extermination méthodique dans un pays d'un ou de plusieurs groupes ethniques. Ce fut le cas des Arméniens, persécutés en 1915, de la population du Cambodge décimée entre 1975 et 1979, ou d'ethnies du Rwanda en 1994. On considère aussi que la traite des Noirs réduits en esclavage avait été une variante du crime contre l'humanité puisque pendant deux siècles au moins, jusqu'au milieu du XIXe siècle, on a nié tous les droits d'une catégorie d'êtres humains.

Dans le droit français, les crimes contre l'humanité sont, depuis la loi du 26 décembre 1964, « imprescriptibles », c'est-à-dire punissables sans limite de temps, alors que presque tous les autres crimes ne peuvent être poursuivis après un délai, qui est le plus souvent de dix ans.

Jean-Pierre Azéma

Distinction du privé et du public

Quand des jeunes femmes manifestent pour le port du voile à l'école publique en proclamant : « c'est mon choix », ne confondent-elles pas le Je et le Nous, l'individu et le citoyen, le privé et le public, l'intime et le collectif ? En reprenant à leur compte le titre d'une émission populaire de la télévision, elles se sont trompées de registre. L'expression « c'est mon choix » ne s'applique qu'à ce qui relève de l'intimité et de la vie privée. Par exemple, notre façon de penser, d'aimer, la gestion de notre corps, y compris le suicide, ou notre vie familiale, dès lors que cela ne nuit pas à d'autres. Comme dans l'émission en question, chacun peut dire publiquement : « Je suis homosexuel, célibataire ou masochiste, c'est mon choix. » Autant de décisions personnelles qui relèvent de la liberté individuelle à laquelle la collectivité n'a rien à opposer, même si ces choix ne sont pas conformes à ceux de la majorité.

Mais nous sommes aussi membres d'une collectivité nationale, citoyens d'un pays, et comme tels, soumis à la loi de la majorité pour tout ce qui regarde ce qu'on appelle aujourd'hui le « vivre ensemble ». Nous sommes partie prenante à un contrat social qui tire sa force et sa légitimité de l'adhésion collective à quelques principes essentiels, tels les droits de l'Homme, l'égalité des sexes ou la laïcité. L'expression « c'est mon choix » laisse place ici à « c'est notre choix ». Même si moi, en tant qu'individu du particulier, je n'y adhère pas, je m'y soumets en tant que citoyen.

Reste qu'il est toujours possible dans une démocratie de changer la loi et parfois de faire passer dans la sphère privée ce qui appartenait hier à la sphère publique. Ce fut le cas, par exemple, il y a 30 ans, de l'avortement. Interdit par la loi qui régissait alors le corps des femmes, il devint, grâce à une nouvelle loi, une affaire de libre choix personnel. Mais pour cela, il fallut d'abord qu'une majorité décide que c'était « notre choix ». Utiliser le slogan « c'est mon choix » en guise d'argument pour ce qui concerne la sphère publique est aller un peu vite en besogne. C'est une erreur qui peut même, si l'on n'y prend garde, engendrer l'anarchie. La démocratie exige plus qu'un argument d'autorité ou l'affirmation d'un choix personnel. Elle s'exprime par la discussion, l'argumentation et la conviction de la majorité des citoyens.

Élisabeth Badinter

Le droit à la différence

Au siècle dernier, l'arrivée de populations originaires d'Afrique du Nord est suivie par d'autres provenant de contrées plus lointaines. Une nouvelle réalité multi-culturelle de la société française se fait jour, en particulier dans les années 1980, à l'école où le pourcentage d'enfants issus de l'immigration devient significatif.

Avec la montée d'une génération « beur » et l'émergence d'un mouvement antira-ciste fort, l'idée du droit à la différence fait son chemin dans le débat public.

Les concepts « assimilation, insertion, intégration » sont explorés et chacun propose un modèle différent de la société française dans ses rapports avec les nouvelles minorités.

Face aux mutations démographiques en cours, les pouvoirs publics élargissent le droit d'association (loi 1901) aux étrangers, ce qui, avec l'ouverture de la bande FM aux radios privées, permet des expressions communautaires dans l'espace public. Une politique officielle d'intégration est initiée.

Cependant, c'est dans le sanctuaire qu'est l'école publique où la quasi-totalité des enfants issus de l'immigration récente est scolarisée que la question de l'intégra-tion prend toute son ampleur. Des pratiques éducatives nouvelles cherchent à inté-grer l'hétérogénéité culturelle des élèves. C'est par la « pédagogie interculturelle » que l'école fait place aux cultures du monde représentées en son sein par des élèves. Sans doute en raison de la complexité de la tâche et de l'impréparation qui a pré-valu au lancement de ces activités, cela s'est traduit concrètement par des ani-mations limitées aux traditions culinaires et à quelques éléments de folklore.

Néanmoins, cette expérience a donné lieu à un débat sur la mission de l'école opposant « différentialistes » et « universalistes ».

Inattendue, l'irruption du voile islamique exacerbera les oppositions. Cet événe-ment agite fortement l'école et l'opinion publique durant de longues années car, au-delà de la question des références culturelles, le port du voile porte atteinte à la laïcité. Le président de la République s'empare du sujet et l'Assemblée natio-nale vote une loi sur la laïcité à l'école, rappelant les règles devant prévaloir en ce domaine.

La révolution des techniques de communication, l'ouverture sur le monde sont de nouveaux défis pour l'école. Face à un environnement en mutation permanente, l'école saura-t-elle sauvegarder sa mission républicaine en tenant compte de la diversité culturelle liée à l'évolution démographique, tout en se préservant du communautarisme ?

Hanifa Cherifi

Droits de l'Homme

Les droits de l'Homme sont une des grandes idées de notre époque, dont chacun saisit facilement certains aspects : tous les membres de l'humanité, quels que soient leur religion, leur race ou leur pays d'origine, ont des droits qui doivent partout être respectés et protégés. Ces droits supposent à la fois la reconnaissance de la liberté et la revendication d'une certaine égalité ; parmi les droits de l'Homme figure ainsi la liberté de conscience, ce qui signifie que personne ne doit être contraint à professer des opinions ou des croyances religieuses qui ne sont pas les siennes ; mais cette liberté n'est pas garantie si, par exemple, on empêche quelqu'un, à cause de sa religion, d'exercer un métier pour lequel il est qualifié : la liberté suppose ainsi que les hommes aient les mêmes droits, qu'ils soient égaux en droits. Ces droits s'imposent à tout le monde, y compris à l'État : une loi qui serait contraire aux droits de l'Homme, en favorisant le racisme, en persécutant des hommes pour leur religion ou en supprimant la liberté d'expression doit pouvoir être annulée, comme le permet la Constitution française. Inversement, l'État doit réprimer les atteintes aux droits de l'Homme comme, par exemple, les violences racistes ou antisémites.

Les droits de l'Homme sont une idée moderne, qui s'est développée entre le XVIe et le XVIIIe siècle avant d'être proclamée par les deux grandes révolutions américaine (1776) et française (1789), mais cela ne veut pas dire qu'ils ne valent que dans une partie du monde ou qu'ils ne concernent que les pays occidentaux. En fait, ce qui est à la base des droits de l'Homme, c'est l'idée que chacun a le droit de vivre librement, à condition de respecter la liberté des autres hommes et de ne pas leur nuire. Cette idée peut et doit être admise par tous les peuples et par tous les hommes quelles que soient leurs croyances : elle demande simplement à chacun de traiter les autres comme il voudrait être traité.

Philippe Raynaud

École et République

Évoquer la République et l'école, c'est toucher à la plus éclatante des singularités françaises. Aucun autre pays n'a mobilisé autour de la question scolaire des passions aussi fortes. Aucun non plus n'a célébré de manière plus exaltée le lien qui unit l'école et le régime républicain.

Pour le comprendre, il faut revenir à la Révolution française. Les hommes de la Révolution n'ont inventé ni les salles de classe ni les écoliers, qui existaient bien avant eux, mais ils ont mis l'école au centre de leur ambition. Pourquoi ? C'est d'abord qu'ils font dépendre la liberté du peuple de l'instruction, seule capable de former des citoyens éclairés et des hommes libres. C'est aussi qu'ils voient dans une instruction unifiée la condition de la cohésion nationale. Ils élaborent donc une nouvelle image de l'école, qui doit être à la fois le lieu de l'émancipation individuelle et de l'unité collective, identique d'un bout à l'autre du territoire de la République : mêmes maîtres, mêmes programmes, mêmes livres. Ce rêve éducatif a beau être emporté par la défaite rapide de notre premier régime républicain, il continue à cheminer souterrainement tout au long du XIXe siècle, jusqu'à ce que l'installation, dans les années 1880, d'une République durable, permette enfin de l'incarner.

C'est alors, entre 1881 et 1886, l'époque des grandes lois qui organisent, aujourd'hui encore, notre enseignement : gratuité, car comment, sans elle, garantir le droit de tout petit Français à l'instruction ? Obligation, car comment, sans cette contrainte apparente, protéger la liberté enfantine ? Laïcité enfin, et c'est elle qui fait la singularité de notre pays. L'école républicaine se donne une mission unificatrice et civique, et doit donc enseigner une morale commune, exempte de tout ce qui particularise et divise les individus, et donc acceptable par chacun, quelles que soient par ailleurs ses convictions religieuses. C'est dire que la religion doit être tenue hors de l'école républicaine, qu'il s'agisse de ses représentants (les prêtres), de ses emblèmes (à cette époque, ce sont les crucifix), de son contenu (le catéchisme). Une entreprise qui a réussi dans la mesure où elle a progressivement amené l'Église catholique elle-même à admettre la neutralité en matière religieuse.

Mais ceci n'a été possible que parce que cet idéal de séparation entre l'esprit civique et la foi religieuse a eu une face positive, la tolérance. La République en effet n'a pu s'acclimater en France qu'en rompant avec le dogmatisme de la Révolution. Jules Ferry ne souhaitait pas être « l'apôtre d'un nouvel Évangile ». Dans leur majorité, les Républicains n'ont pas voulu le combat frontal avec l'Église et cherché plus souvent qu'on ne croit des accommodements pragmatiques. Ils n'ont pas exclu de l'école la liberté d'expression et la manifestation des croyances. Aujourd'hui, où la République trouve en face d'elle des communautés qui refusent de disjoindre l'opinion religieuse et le comportement public, le très difficile problème qui lui est posé est de rester fidèle à cette conception libérale de la laïcité.

Mona Ozouf

Égalité

Évidemment, nous ne sommes pas égaux naturellement : nous avons des tailles inégales, des poids inégaux, des talents inégaux, des forces physiques inégales. Nous ne pouvons pas tous être champion olympique ou prix Nobel. Une des merveilles de l'humanité réside dans les différences qui font que nous reconnaissons chaque femme et chaque homme comme une personne différente de toutes les autres personnes. La République ne nie pas cette réalité, ni ne veut supprimer les différences entre chaque homme et chaque femme. Mais elle leur reconnaît la même dignité et veut organiser la société pour que chacun ait les mêmes droits, c'est-à-dire des droits égaux quelles que soient sa taille, sa force ou son intelligence. C'est le rôle de la Loi qui s'applique de façon égale à toutes les femmes et à tous les hommes de la République.

C'est pourquoi l'égalité est un des trois éléments de la grande formule républicaine inscrite aux frontons de nombreux établissements de la République : « Liberté, Égalité, Fraternité ». Cette formule est tellement connue qu'elle s'est banalisée. On ne lui prête plus une attention suffisante… Pourtant, quand on veut tuer la République, on la supprime. Tel fut le cas en 1940 quand Pétain remplaça la belle formule par une autre : « Travail, Famille, Patrie ». Il le fit pour faire de la hiérarchie le fondement de son idéologie : le modèle du père remplace la référence au frère, à l'égal : à cette époque, le travail, c'est la sujétion au patron, la famille la sujétion au père et la patrie propose une même étymologie. Le citoyen doit toujours être soumis à plus fort que lui. Bien sûr, même aujourd'hui, personne ne s'oppose violemment aux valeurs du travail, de la famille ou de la patrie prises une par une. Mais c'est l'association des trois valeurs pour remplacer les trois références républicaines qui lui donne ce sens antirépublicain et dictatorial.

Autrement dit, l'égalité est, dans la formule républicaine, indissociable des deux autres termes, liberté et fraternité. Il n'y a pas de véritable liberté sans égalité. Il n'y a pas de fraternité possible sans égalité. Et réciproquement : l'égalité ne doit contredire ni la liberté, ni la fraternité. Par exemple une liberté n'a de sens que si chaque citoyen peut effectivement l'exercer. Que vaut la liberté, pour tous, de voyager, si seuls quelques-uns ont les moyens financiers de voyager ? Que vaut la liberté, pour tous, d'aller au cinéma, si seuls des privilégiés peuvent se payer le ticket nécessaire ?

C'est pourquoi la République essaie de réduire les inégalités naturelles en prenant par exemple des mesures spéciales pour que les handicapés physiques aient le même accès aux lieux qu'ils ont envie de fréquenter. L'égalité est un idéal et un programme : elle n'est jamais acquise. Elle signifie que la République doit toujours progresser dans le sens de l'égalité. Elle doit par exemple faire en sorte que les hommes ne dominent pas les femmes, que les forts n'écrasent pas les faibles, que les dirigeants respectent les dirigés. Elle doit lutter contre les égoïsmes qui poussent certaines personnes à profiter des inégalités naturelles. En même temps, elle doit ne pas brimer la liberté de ceux qui travaillent ou se dépensent plus que les autres à l'école ou dans leur profession. Dans la République, les femmes et les hommes doivent avoir des droits égaux, quelles que soient leurs inégalités naturelles. Mais le sens de l'égalité implique que soient reconnus les efforts inégaux que font les uns et les autres.

Alain Etchegoyen

L'égalité des chances

La chance, dès lors qu'elle se manifeste, est toujours inégale. Voyez le Loto, la santé, la beauté... Si tout le monde gagnait le gros lot, le Loto ne serait plus un jeu de hasard : ce ne serait plus chance mais justice. Pourquoi, alors, parler d'égalité des chances ? Parce que tous les joueurs ont autant de chances, à mise égale, de gagner : ils sont égaux devant le résultat à venir. Le calcul des probabilités l'annonce. La règle du jeu le garantit. Des huissiers y veillent. Cela nous met sur la voie. L'égalité des chances ne peut pas dépendre de la chance. C'est dire qu'elle dépend de nous, qu'elle doit être voulue, organisée, vérifiée – instituée. Elle relève non de la chance mais de la justice. Non de la nature, mais de la société. Non du hasard, mais de la politique et des lois. Ce n'est en cela qu'une égalité comme les autres : une égalité en droits, pour compenser les inégalités de fait, qui sont innombrables. Cela ne la condamne pas. C'est au contraire ce qui la rend indispensable. Ne comptons pas sur le hasard pour être juste à notre place.

Comment être égaux, face à ce qui est par définition inégal ? En donnant à chacun le droit, au même titre que tout autre, de tenter sa chance, de profiter pleinement de celles qu'il a, de compenser, autant que faire se peut, celles qui lui font défaut. Par exemple, il n'y a pas de droit au génie : le génie, étant l'exception, ne saurait être également réparti. Affaire de chance. Mais chacun, génie ou pas, doit avoir un droit égal à exploiter les talents inégaux qui sont les siens. Affaire de justice. On ne saurait accepter qu'un enfant, parce que ses parents sont trop pauvres ou trop peu cultivés, soit empêché de développer au mieux ses capacités, d'aller au bout de ses dons, de son courage, de son travail, enfin de réussir non pas forcément aussi bien que les autres, ce n'est pas la question, mais aussi bien que lui-même, avec les mêmes capacités mais issu d'un milieu différent, aurait pu réussir. Bref, il s'agit de compenser, spécialement à l'école, les inégalités que la nature, la société et même la culture ne cessent d'engendrer ou d'entretenir. L'égalité des chances, c'est le droit de ne pas dépendre exclusivement de la chance, ni de la malchance. C'est le droit égal, pour chacun, de faire ses preuves, d'exploiter ses talents, de surmonter, au moins partiellement, ses faiblesses. C'est le droit de réussir, autant qu'on le peut et qu'on le mérite. C'est le droit de ne pas rester prisonnier de son origine, de son milieu, de son statut. C'est l'égalité, mais actuelle, face à l'avenir. C'est le droit d'être libre, en se donnant les moyens de le devenir. C'est comme une justice anticipée, et anticipatrice : c'est protéger l'avenir, autant que faire se peut, contre les injustices du passé, et même du présent. On n'y parvient jamais tout à fait. Raison de plus pour s'efforcer toujours de s'en approcher.

André Comte-Sponville

Humanisme d'hier et d'aujourd'hui

On s'accorde à considérer que le mouvement humaniste est parti de l'Italie au XIVe siècle et a gagné progressivement toute l'Europe avec l'euphorie intellectuelle et culturelle de la Renaissance au XVIe siècle. La redécouverte des langues et des cultures grecques et latines a longtemps nourri chez les écrivains, les artistes, les penseurs des modèles d'écriture littéraire et de pensée philosophique. En France, on a enseigné les humanités dans lycées et collèges jusqu'aux années 1950-1960. Le terme « humanités » a été remplacé par « lettres » qui signifiait l'étude du grec et du latin à la faculté des lettres. [Dans les années 1950-1960, la licence de Lettres modernes a commencé à concurrencer la licence de Lettres classiques ; celle-ci a attiré de moins en moins d'étudiants à mesure que l'enseignement du grec et du latin au lycée perdait du terrain au profit des langues et littératures européennes modernes.] La France et l'Italie se distinguent de plusieurs pays européens par la place accordée à l'enseignement de la philosophie au lycée. Aujourd'hui, on discute avec véhémence sur la façon d'enseigner cette discipline et les heures hebdomadaires qu'il convient de lui consacrer. Cette évolution vers un retrait progressif des « humanités classiques », puis des « lettres » au bénéfice des sciences dites dures, est générale à travers le monde. En effet, l'appartenance au cercle des grandes puissances est conditionnée par les inventions technologiques et la croissance économique.
Aux États-Unis, on n'enseigne pas la philosophie dans les lycées ; mais la recherche scientifique dite fondamentale dispose toujours de moyens considérables.
L'attitude humaniste soulève de plus en plus de critiques de la part des penseurs et chercheurs humanistes eux-mêmes. Car l'humanisme s'intéresse à tout ce qui élargit les horizons et les activités de l'esprit humain. Il est donc nécessaire de propager la connaissance de toutes les cultures et les traditions de pensée produites par les hommes au cours de l'histoire de l'humanité. Or, il s'est trouvé des historiens qui ont longtemps ignoré l'humanisme d'expression arabe qui s'est développé et propagé dans tout l'espace méditerranéen entre 800 et 1300 environ, c'est-à-dire bien avant le mouvement humaniste parti d'Italie. L'attitude humaniste

s'est particulièrement affirmée à Bagdad, Ravy (actuelle Téhéran), Ispahan, Kairouan, Cordoue, Tolède… aux IXe-Xe siècles pour des raisons que l'histoire de la pensée dans l'espace méditerranéen incluant les pays du Sud et de l'Est de la Méditerranée doit désormais enseigner aux lycées pour montrer la continuité historique de la pensée philosophique grecque en interaction forte avec les pensées théologiques juive, chrétienne et musulmane depuis l'époque lointaine d'Alexandre et plus encore quand le message de Jésus de Nazareth a été transmis en langue grecque par les Évangélistes, puis les Pères de l'Église syriaque, autre langue sémitique comme l'hébreu et l'arabe.

Peu d'Européens ignorent le mot si souvent cité de Térence : « Rien de ce qui est humain ne m'est étranger ». Mais combien connaissent le nom d'Abû Hayyân Tawhîdî [mort après 1009] et son œuvre magistrale consacrée à l'idée humaniste que « l'homme est un problème pour l'homme » ? On peut parler d'une ignorance institutionnalisée en Europe humaniste à l'égard de la phase médiatrice d'un humanisme d'expression arabe développé et vécu en contextes islamiques dans ce même espace méditerranéen où s'enracinent les valeurs fondatrices de l'identité européenne. Des savants et des penseurs ont même soutenu que l'attitude humaniste s'est déployée exclusivement dans l'espace historique de l'Europe nourrie par les cultures de la Renaissance et les enseignements de la modernité laïque depuis le XVIe siècle. En France, dans les années 1930, Émile Bréhier, professeur d'histoire de la philosophie à la Sorbonne, refusait la possibilité d'une « philosophie chrétienne » que défendait le médiéviste Étienne Gilson. Ce débat s'applique à la « philosophie islamique » défendue par Henry Corbin dans les années 1960, mais rejetée par d'autres historiens de la pensée islamique. Cette « disputatio » si féconde s'est muée aujourd'hui en polémiques stériles et en conflits répétés entre ce qu'on appelle « Islam et Occident », opposant deux mots-sacs artificiellement gonflés par l'expansion ancienne et récente de deux puissants imaginaires collectifs nourris à la fois de postulats théologiques et d'interprétations idéologiques. Le religieux connaît un retour « sauvage » dans un contexte dominé le plus souvent par des ignorances tenues pour des « vérités » essentielles, voire divines. En ce qui concerne l'islam actuel, il faut rappeler qu'il est coupé depuis longtemps de l'humanisme évoqué ci-dessus. L'historien étudie les raisons et les conséquences de cette rupture.

Tous les élèves des lycées et plus largement les citoyens des démocraties avancées, doivent être initiés aux enjeux très anciens et toujours actuels de la controverse autour de l'humanisme centré sur « Dieu » et de l'humanisme centré sur l'homme.

Cette initiation ne peut produire ses effets les plus positifs que si les enseignants eux-mêmes se donnent les moyens scientifiques de maîtriser l'enseignement d'une histoire remembrée des systèmes de pensée et des cultures qui se sont affrontés et fécondés mutuellement dans l'espace méditerranéen. Il est urgent de libérer les peuples et les cultures des divisions séculaires qui ont fragmenté cet espace en « territoire de guerre » et « territoire de paix ». Selon l'historien belge Henri Pirenne dans son *Mahomet et Charlemagne* récemment réédité, la *Pax Romana* établie par les Romains dans la *Mare Nostrum* aurait été rompue dès l'émergence de l'islam conquérant à partir de 632. Une lecture critique de cette thèse lancée en 1937 permettrait aujourd'hui de reposer la question humaniste en ces termes nouveaux. Nos élèves doivent d'urgence être initiés à cette relecture humaniste d'un espace méditerranéen intellectuellement, spirituellement et culturellement remembré par-delà tous les fondamentalismes ravageurs.

Mohammed Arkoun

Humanitaire

On appelle humanitaire toute action qui vise à atténuer les souffrances de ceux qui sont frappés par un malheur collectif indépendant de leur volonté : guerre, catastrophe naturelle, famine, exode de réfugiés…

Toutes les grandes religions commandent d'aider les plus pauvres. Ainsi l'humanitaire s'est-il longtemps résumé à la charité religieuse. Au XVIIIe siècle cependant, les philosophes des Lumières, dont les idées préparaient les grandes révolutions démocratiques, ont insisté sur les limites et les dérives que connaît parfois la charité religieuse. Ils ont voulu séparer l'humanitaire et le religieux. L'action en faveur de ceux qui sont frappés par le malheur ne doit jamais être un instrument de prosélytisme ; l'aide ne doit pas être réservée à ceux qui pensent comme nous ou croient en un même Dieu : elle n'est pas non plus un moyen de perpétrer un ordre injuste, au motif qu'il serait conforme à la volonté d'un Créateur.

L'humanitaire dans son plein sens, que les philosophes ont aussi appelé « philanthropie », est un souci fraternel de l'autre, quel qu'il soit et où qu'il se trouve, sans contrepartie ni condition.

L'action humanitaire a pour effet, bien sûr, de sauver des vies menacées, de satisfaire les besoins élémentaires de ceux qui traversent une situation dramatique. Mais cette action en faveur des corps (nutrition, santé, construction d'abris, etc.) ne saurait laisser oublier que l'on s'adresse à des êtres humains dont il faut respecter la dignité, et souhaiter l'autonomie. L'action humanitaire n'est pas, ne doit jamais être, le méprisant secours que l'on concède à des inférieurs. Nourrir des affamés ne saurait se comparer à l'acte de jeter de la nourriture à des bêtes. Les soins prodigués à une victime dans une guerre civile par exemple, ne dispensent pas de considérer l'exigence de justice à laquelle elle a droit.

C'est pourquoi les organisations qui s'occupent d'action humanitaire font d'abord et avant tout partie du mouvement plus large de défense des droits de l'Homme. Leur caractéristique est l'action de secours. Mais elles ont aussi pour mission de témoigner, de dénoncer les bourreaux, d'attirer l'attention des médias sur les crises oubliées. Et leurs actions ne se terminent pas avec l'urgence. Elles ont le devoir, elles-mêmes ou en liaison avec d'autres organisations plus spécialisées dans les questions de développement économique, de permettre aux populations qui ont connu une crise grave de reprendre leur activité et de reconstruire une société indépendante.

Les 30 dernières années ont vu se multiplier les crises internationales et les populations civiles ont beaucoup souffert dans les campagnes comme dans les villes. Ces crises mettent en jeu un nombre énorme de victimes. Le monde humanitaire est donc devenu complexe. Les ONG capables d'agir efficacement, auprès des populations entières, dans des zones souvent lointaines et toujours dangereuses, sont peu nombreuses. On trouve de grandes organisations internationales, HCR, CICR, PAM et des associations privées telles, en France, que MSF, ACF, MDM, HI, Solidarités et quelques autres[1].

Depuis une dizaine d'années cependant, certains gouvernements ont mis en place des cellules d'action humanitaire. Dans plusieurs guerres récentes, des armées ont même été chargées de mener des actions dites humanitaires. Cette confusion des genres entre militaire (par définition engagé) et humanitaire (par nécessité indépendant et impartial) a suscité beaucoup de discussions. Pendant la dernière guerre d'Irak, cette confusion a été portée à son maximum.

De ces débats, il ressort que l'humanitaire requiert certaines conditions d'indépendance et d'impartialité que ne peuvent remplir des armées en guerre. En d'autres termes, on ne s'improvise pas humanitaire et on ne peut mener en même temps ces deux actions contraires que sont la guerre et l'action caritative.

Défendre l'humanitaire contre ses dérives, maintenir une mobilisation de l'opinion autour de ses objectifs, perpétuer la présence de volontaires sur les terrains les plus difficiles de la planète, voilà aujourd'hui un combat essentiel à mener.

Un combat qui n'est ni marginal ni lointain. Car comme l'avaient bien vu les philosophes des Lumières, l'action humanitaire est une dimension essentielle de la démocratie. Lorsque l'on vit dans un monde où chacun peut revendiquer l'égalité des conditions et des chances, on est naturellement porté à la compassion. La souffrance des autres, c'est aussi la nôtre.

Bien sûr, il ne faut pas trop en attendre. L'humanitaire ne suffit pas à ramener la paix ni à rééquilibrer l'écart croissant entre monde riche et zones chaotiques du Tiers-Monde. D'autres engagements sont nécessaires à un niveau politique et économique.

Cependant, le fait de se porter au secours de ceux qui souffrent est un devoir irremplaçable.

---

1. HCR : Haut Commissariat aux Réfugiés. CICR : Comité International de la Croix-Rouge. PAM : Programme d'Alimentation Mondial. MSF : Médecins Sans Frontières. ACF : Action Contre la Faim. MDM : Médecins Du Monde. HI : Handicap International.

À ceux qui seraient tentés de baisser les bras, de se détourner de l'humanitaire comme d'une mode passée ou d'un gadget inutile, il faut poser cette simple question : que serait une société où, face à un drame humain proche ou lointain, la réponse serait : « laissez-les crever » ?
Je ne souhaite à personne de vivre dans un tel monde.

Jean-Christophe Rufin

Individualisme

Individualisme : disons-le, l'expression ne bénéficie pas de la meilleure image qui soit. N'est-elle pas fréquemment associée au repli sur la sphère privée, au désengagement vis-à-vis des grandes causes collectives, au cynisme, au règne du « chacun pour soi » ? « L'individualiste », c'est alors celui qui, indifférent aux autres, ne pense qu'à lui-même et à ses intérêts propres. Pour toute une tradition de pensée, individualisme se confond avec égoïsme.

Cette approche est trop restrictive. Ne perdons pas de vue qu'individualisme signifie aussi et plus profondément un système de valeurs unique, caractéristique des sociétés modernes-démocratiques-laïques, posant l'individu libre et égal comme la valeur centrale de notre culture. Avec les Modernes, pour la première fois dans l'histoire, sont consacrés les principes de liberté individuelle et d'égalité de tous devant la loi : l'individu est devenu le référentiel ultime de l'ordre démocratique.

Est d'essence individualiste la société qui, récusant la religion ou la tradition comme source du savoir et de la loi, voit dans les hommes les seuls auteurs légitimes de leur mode d'être ensemble. Tandis que le pouvoir doit émaner du libre choix de chacun, nul ne doit plus être contraint d'adopter telle ou telle doctrine et de se soumettre aux règles de vie dictées par la tradition. Droit d'élire ses gouvernants, droit de s'opposer au pouvoir en place, droit de chercher par soi-même la vérité, droit de conduire sa vie selon son gré : l'individualisme apparaît comme le code génétique des sociétés démocratiques modernes. Les droits de l'Homme en sont la traduction institutionnelle. Contre tous les totalitarismes, contre les fanatismes de tous bords, nous nous devons, en tant que démocrates, de défendre le principe de l'individu autonome et souverain.

Fondement légitime de l'ordre pluraliste et libéral, l'individualisme désigne également un mode d'existence, un type d'homme social avec des goûts et des comportements spécifiques. Signalons en ce qui concerne notre époque : passions du bien-être et du consumérisme, culte des loisirs, du corps et de la santé, culte du relationnel et de la communication, tolérance sexuelle, mœurs plus égalitaires entre les sexes. Autant d'aspects qui dessinent une société marquée par l'ouverture des choix individuels et la « vie à la carte », la passion « d'être soi-même » et l'aspiration aux bonheurs privés, de même que par la pression accrue de différentes normes sociales :

l'individualisation ne progresse que de concert avec la standardisation, la singularité avec l'uniformité, l'autonomie subjective avec le mimétisme de masse.

Comment ne pas voir en même temps que l'individualisme, comme mode de vie dominant de notre époque détraditionnalisée, s'accompagne de manifestations parfaitement négatives ? Crimes et délinquances, corruptions, malhonnêtetés diverses : autant de phénomènes typiques d'un individualisme négatif qu'une société libre se doit de combattre pour assurer la liberté du plus grand nombre. Une société individualiste ne peut être viable et juste que moyennant des règles et des limites fixées au droit de chacun d'exercer sa liberté. Individualisme ne signifie pas droit de tout faire et anarchie des comportements mais souveraineté individuelle dans le cadre général de la loi.

Il ne fait pas de doute qu'une des pentes des sociétés marquées par l'éclatement des encadrements familiaux et religieux ainsi que par l'argent-roi ne conduise à l'affaiblissement de la force d'obligation de tout un ensemble de devoirs, au primat des intérêts privés, au « après moi le déluge », autrement dit un individualisme sans frein, sans souci des autres, sans respect de la loi. Tout simplement un individualisme irresponsable.

Néanmoins comment ne pas voir qu'une autre pente existe qui mène les individus à combattre les turpitudes et le racisme, à se soucier des autres, prendre en compte l'avenir de la planète, lutter pour plus de justice et de solidarité ? C'est ainsi que l'individualisation extrême de nos sociétés n'a nullement empêché la multiplication des associations et des bénévoles. C'est ainsi que les individus sont toujours capables de s'indigner, de faire acte de générosité pour les plus mal lotis de la planète. Tel est l'individualisme responsable, individualisme que l'on peut qualifier de raisonnable, autolimité, respectueux du droit des autres.

Ne diabolisons pas en bloc l'individualisme qui constitue le fondement d'une société de liberté et d'innovation. S'il y a un individualisme négatif, il existe aussi un individualisme positif qui signifie indépendance d'esprit, affirmation de la personnalité singulière, esprit d'initiative et de recherche. Et aussi respect de la loi et des droits de l'Homme. L'individualisme n'est pas une malédiction, c'est aussi la chance d'une société plus humaniste, plus tolérante, plus inventive de l'avenir.

L'école doit se proposer pour but non l'effacement de l'individualisme, mais le combat contre l'individualisme irresponsable afin de faire progresser l'individu libre et responsable. Aucune tâche n'est plus grande, plus cruciale pour l'avenir de nos sociétés que celle-là.

Gilles Lipovetsky

Intégration et contrat

L'idée d'intégration, lorsqu'elle est réservée aux seuls Français issus de l'immigration, peut paraître discutable. Pourquoi demanderait-on à des jeunes nés sur le territoire français un effort particulier qu'on ne réclame pas à leurs compatriotes ? En vérité, l'intégration n'est pas destinée à quelques-uns, elle concerne tout individu qui participe à l'espace civique. L'identité nationale se vit au travers de valeurs partagées : il ne suffit pas de naître sur le sol français pour se sentir Français. Pour s'associer, chacun de nous doit faire un effort pour oublier ses seules particularités et retrouver ce qu'il a en commun avec les autres.

L'idée d'intégration suppose, en effet, une certaine extériorité de départ. S'intégrer, c'est donc s'identifier à un groupe qui n'est pas nécessairement une communauté originaire. L'identité familiale fondée sur la filiation, l'identité culturelle établie sur un héritage et des traditions semblent plus immédiates, voire « naturelles ». L'intégration civique ne correspond pas exactement à ces premières formes d'identité, elle suppose la volonté d'adhérer à une communauté plus abstraite, la communauté politique, qui transcende nos origines familiales ou culturelles.

L'intégration nous relie donc au pacte, au contrat, à la volonté, trois éléments qui sont liés à l'aspect rationnel du politique et à l'engagement libre sur lequel il repose.

L'intégration nous reconduit alors à la célèbre doctrine du contrat républicain, au *Contrat social* (Jean-Jacques Rousseau). Il peut sembler surprenant de fonder l'unité d'un peuple sur un simple contrat et bien des critiques ont considéré qu'il s'agissait d'une construction artificielle qui ne tenait pas suffisamment compte des intérêts économiques ou des revendications sociales des individus, voire même de la dimension historique d'une nation. Malgré ces objections, l'idée d'un pacte au fondement de la République, garde une triple valeur.

D'abord, de rappeler qu'on ne peut « faire peuple », ou « faire France » que si on consent collectivement à passer d'une multitude chaotique à une communauté organisée et pacifiée sous les mêmes lois communes.

Ensuite de souligner que nous acceptons les lois communes parce qu'elles nous garantissent des droits individuels.

Enfin de signaler que c'est chaque individu, personnellement, homme ou femme qui est appelé à devenir citoyen.

L'idée de contrat désigne ainsi une participation voulue au lien social qui implique que la République doit toujours être soutenue par la volonté active de ses citoyens. Sans cette volonté, une désintégration est toujours possible.

Pour autant, l'intégration n'est pas exactement l'assimilation, avec laquelle on la confond trop souvent. S'assimiler, comme assimiler de la nourriture, c'est perdre totalement une identité première. On ne demande pas aux générations nouvelles d'être semblables en tous points aux générations antérieures. On ne doit pas non plus le réclamer à ceux qui viennent de loin et la diversité culturelle enrichit la culture nationale. Mais reconnaître l'autorité d'une tradition, ce n'est pas admettre la tradition comme autorité ; les traditions qui transgressent ou oppressent les droits fondamentaux des individus doivent toujours être critiquées et rejetées. Loin de nuire à la formation d'une culture commune, l'intérêt de la nation française pour la diversité des traditions qui viennent se couler dans le creuset de la langue française peut constituer un véritable levain de la culture commune, organique et intégrée.

On peut donc penser l'unité politique républicaine comme une unité composite, plurielle et constructive certes, mais qui tente toujours de se rassembler autour de lois et de principes communs, par l'intégration et le contrat.

Blandine Kriegel

La justice et les Justes[1]

La plupart des aventures qui nous fascinent, nous excitent, et auxquelles nous aimons nous identifier finissent par la mort d'hommes. D'hommes méchants, bien entendu. Du western, au film d'espionnage, ou au jeu vidéo, il s'agit d'éliminer l'autre.

Or, il existe une aventure, une seule, aussi exaltante, plus exaltante encore que les précédentes, mais qui touche à ce qu'il y a de meilleur en chacun de nous, c'est l'aventure des Justes. Celle des hommes et des femmes qui, dans une situation limite, sauvent des vies humaines.

Non, il ne s'agit pas des médecins dont c'est le métier ni des pompiers, mais de gens comme chacun de nous, ni stratèges, ni héros, ni saints, des gens qui de leur propre initiative sans aucun intérêt financier ou médiatique (cela reste difficile à comprendre de nos jours) ont, au péril de leur vie, accueilli et caché des enfants, parfois des familles entières, les soustrayant à la mort. On appelle ces gens-là des Justes.

À chaque génération, ils sont là, selon le *Talmud*, pour soutenir le monde : « le monde repose sur 36 Justes ». Et le philosophe Pascal estimait à 9 000 ce nombre inestimable...

Qui sont-ils ? Ils se sont révélés pendant la Deuxième Guerre mondiale, lorsque les nazis qui occupaient presque toute l'Europe exterminaient les Juifs. En France, ils le faisaient parfois avec la complicité de la population.

Arrivés à l'époque gallo-romaine, 300 000 Français d'origine juive vivaient dans notre pays avant la guerre. 100 000 à peu près, dont beaucoup d'enfants, ont été déportés, gazés, puis brûlés dans les fours crématoires. Plus de 200 000 survécurent. La plupart, grâce à ces Justes. Grâce à ces Français qui ouvraient leur porte aux persécutés, au risque de leur propre vie et celle de leurs proches. Certains d'entre eux organisèrent des réseaux pour sauver des enfants condamnés à mort, parce que Juifs. 5 000 ont survécu grâce aux habitants du Chambon-sur-Lignon, modeste village de quelques centaines d'habitants dans les Cévennes. Une centaine d'autres a été cachée par les habitants du Malzieu, un village en Lozère.

Un Juste est celui qui ne parle pas seulement de la justice, mais qui la met en pratique. Marie Brottes, 84 ans, de Chambon-sur-Lignon parle :

---

1. Voir le film *Les Justes* de Marek Halter sur le scénario de Clara Halter.

– Pourquoi avoir aidé les Juifs ? Vous courriez un risque formidable, non ?

– Formidable, sûr !

– Vous pouviez être arrêtée ? Et tous les autres du village ?

– Oui.

– Être fusillée ?

– Oui.

– Alors pourquoi ?

– Parce que… Parce que c'était juste… Parce que si nous ne l'avions pas fait, comment aurions nous pu nous regarder aujourd'hui dans le miroir ?

René Raoul, cordonnier à Malzieu, répond :

– Vous n'aviez pas peur ?

– Vous savez, quand on pense aux autres, on s'oublie et on n'a pas peur.

Savons-nous qu'en Allemagne nazie, sous le nez d'Hitler, à Berlin même, il s'est trouvé des hommes et des femmes qui ont risqué leur vie pour sauver des vies ? 5 000 Juifs ont ainsi survécu à la guerre. Steven Spielberg le raconte dans son film *La Liste de Schindler.*

L'existence, l'action des Justes ne diminue en rien l'infamie de ceux qui ont tué ou qui ont laissé faire. Elle les rend plus infâmes encore. Si des hommes ont tendu la main à des hommes en détresse, pourquoi d'autres ne l'ont-ils pas fait ?

Une société sombre, non pas parce qu'il y a trop de méchants, mais parce qu'il n'y a pas assez de Justes.

Partout où un État, où des groupes d'individus au sein de l'État décident d'exterminer des gens à cause de leur origine – religion ou appartenance politique –, il se trouve toujours des hommes pour l'accepter, se soumettre, et même y collaborer. Il y a aussi ceux qui s'y opposent en résistant. Et enfin il y a ceux qui font simplement leur travail d'homme : ils essaient de préserver des vies. Démontrant ainsi que même dans un monde inhumain, il ne faut pas désespérer de l'humanité.

« Sauver une vie humaine », dit le *Talmud*, et avec lui l'*Évangile* et le *Coran*, « c'est comme si ont sauvait toute l'humanité ».

C'est en France que les Justes ont sauvé le plus de vies humaines.

Aujourd'hui chacun de ces Justes possède un arbre planté à son nom aux flancs des collines qui entourent Jérusalem.

Marek Halter

Laïcité

La grande loi républicaine du 9 décembre 1905 qui sépare les Églises et l'État est le socle du « vivre ensemble » en France. C'est par elle que la laïcité s'est enracinée dans nos institutions.

Les trois valeurs indissociables qu'elle définit en font la pierre angulaire de notre pacte républicain. La liberté de conscience, d'abord, qui permet à chaque citoyen de choisir sa vie spirituelle ou religieuse ; l'égalité en droit des options spirituelles et religieuses, ensuite, qui interdit toute discrimination ou contrainte ; enfin la neutralité du pouvoir politique qui reconnaît ses limites en s'abstenant de toute ingérence dans le domaine spirituel ou religieux.

La loi de 1905 affirme donc la dissociation de la citoyenneté et de l'appartenance religieuse. La France cesse de se définir comme une nation catholique.

Si cette séparation fut douloureusement ressentie par beaucoup de Français et a suscité de nombreux conflits, la laïcité a finalement réussi à transformer le combat en valeur républicaine partagée.

Depuis 1905, le contexte a évolué. Sous l'effet de l'immigration, la France est devenue plurielle sur le plan spirituel et religieux. Il s'agit, dans le respect de la diversité de notre société, de forger l'unité. Si, au nom du principe de la laïcité, la France doit accepter d'accueillir les nouvelles religions, celles-ci doivent aussi respecter pleinement les valeurs républicaines. C'est à cette condition que leur intégration sera réussie.

La laïcité, c'est la liberté, mais c'est aussi l'égalité, l'égalité entre les citoyens quelle que soit leur croyance.

C'est à l'État que revient la mission de veiller, dans les relations avec les cultes et avec l'ensemble des familles spirituelles, à ce que tous puissent s'exprimer. C'est lui qui doit faire en sorte qu'aucun groupe, qu'aucune communauté ne puisse imposer à qui que ce soit une appartenance religieuse, en particulier en raison de ses origines. La laïcité est donc à l'avant-garde du combat contre les discriminations.

Mais la laïcité, c'est aussi et surtout la fraternité. Parce qu'elle reconnaît et respecte les différences culturelles, spirituelles, religieuses, elle a aussi pour mission, et c'est la plus noble de toutes, de créer les conditions permettant à tous de vivre ensemble, dans le respect réciproque et dans l'attachement commun à un certain nombre de valeurs.

Ces valeurs qui doivent nous unir, ce sont celles que l'on apprend à l'école. Et c'est en cela que l'école est un espace spécifique qui accueille des enfants et des adolescents auxquels elle doit donner les outils intellectuels leur permettant, quelles que soient leurs origines, leurs convictions ou celles de leurs parents, de devenir des citoyens éclairés, apprenant à partager, au-delà de toutes leurs différences, les valeurs de notre République.

C'est la raison pour laquelle, si l'école ne doit pas être à l'abri du monde, les élèves doivent être protégés de la « fureur du monde ». Face aux conflits qui divisent, face aux comportements et aux signes qui exaltent la différence, l'école doit apporter sa contribution à cette communauté de valeurs, de volontés et de rêves qui fondent la République.

Empreinte de liberté, d'égalité et de fraternité, la laïcité est le fondement du pacte républicain.

Bernard Stasi

Liberté

La liberté, pour emprunter à Saint-Exupéry, ce n'est pas d'errer dans le vide, mais de pouvoir choisir soi-même, parmi ceux disponibles, le chemin que l'on veut suivre, sans que puisse l'interdire aucun pouvoir extérieur, même (surtout ?) celui d'un État.

La liberté, loin d'exclure les limites, les impose au contraire. Pour la sécurité de tous, je dois respecter le Code de la route et le gendarme y veille, mais moi seul décide où je veux aller, quand, avec qui. Selon l'article 4 de la Déclaration de 1789, « La liberté consiste à pouvoir faire tout ce qui ne nuit pas à autrui. » Elle se révèle alors indissociable de l'égalité : c'est parce que les autres ont des droits égaux aux miens, que ma liberté est limitée par le respect de la leur et leur liberté limitée par le respect de la mienne. En même temps que complémentaires, pourtant, liberté et égalité sont contradictoires : la liberté absolue, c'est la loi du plus fort ; l'égalité absolue, c'est la négation de la liberté. Le défi de la civilisation est donc dans la juste mesure, hors d'atteinte mais toujours recherchée, sans jamais sacrifier complètement l'une à l'autre.

C'est la loi, quand besoin est, qui assure cette conciliation car, si elle est démocratique, elle protège bien plus qu'elle ne contraint. Cette liberté en droit est toujours insuffisante – le SDF jouit-il vraiment de sa liberté ? – mais cependant toujours nécessaire. Et même le SDF a plus de chance de cesser de l'être un jour dans une société libre que dans une autre : est-ce un hasard ou une coïncidence si les pays les plus riches du monde sont aussi les plus libres ?

Enfin la liberté a un corollaire : la responsabilité. Chaque fois que je décide seul de mes choix, j'en suis aussi seul responsable. Individuellement comme collectivement, l'on ne peut exercer sa liberté sans assumer la responsabilité qui va avec, à l'égard de soi-même et des autres. C'est pourquoi la liberté, qui donne à la vie sa saveur, lui donne aussi sa dignité.

Guy Carcassonne

La loi

La loi, c'est la règle qui s'impose : qu'elle soit d'origine divine, de droit naturel, qu'elle soit la loi du plus fort, celle de « la raison », ou une ébauche d'organisation des rapports sociaux dès les premiers groupes humains. Pourquoi la loi des écritures sacrées, des *Essais* de Montaigne, des *Pensées* de Pascal, du *Discours de la méthode* de Descartes, des *Sermons* de Bossuet, des tragédies de Corneille et de Racine, des *Fables* de La Fontaine, de *L'Esprit des lois* de Montesquieu a-t-elle suscité un élan aussi profond, inspirant des chants poétiques, ou gravés dans la pierre pendant la Révolution ? La Déclaration des droits du 26 août 1789 a défini, immédiatement après la liberté, la loi.

Pour tous les hommes, égaux en droit, n'est-elle pas indispensable, en effet, pour que la liberté de chacun respecte celle des autres ? Seule elle peut imposer à chacun les bornes nécessaires afin que tous aient la jouissance des mêmes droits. Excluant toute distinction sociale qui ne soit pas fondée sur l'utilité commune, elle est l'expression de la volonté générale à laquelle concourt le peuple souverain, personnellement ou par ses représentants. Là est l'origine, de là viendra la force de la loi, délibérée par les Assemblées élues (presque toujours), à moins qu'elle ne soit adoptée par référendum du peuple lui-même.

Mais il n'est pas de Constitution sans séparation des pouvoirs : le chef du pouvoir exécutif promulguera donc la loi votée, c'est-à-dire ordonnera « aux corps administratifs et aux tribunaux » de la publier et de l'exécuter avant qu'elle soit promulguée par le chef du pouvoir exécutif : le président de la République. La loi, œuvre des hommes, est acceptée parce qu'ils reconnaissent sa légitimité dans l'intérêt général. Que celui-ci puisse être, à la fois, la condition et la finalité de l'existence de leur société, implique pour chacun le sacrifice de tel ou tel intérêt particulier et l'acceptation de compromis.

Telle fut pendant trois quarts de siècle la loi de la République, adossée à la suprématie des Assemblées législatives pouvant intervenir en quelque domaine que ce soit. Proposée par les représentants élus ou plus souvent par l'exécutif, bien préparée, délibérée et adoptée suivant la procédure précise des règlements des Assemblées, elle évite les improvisations, est fondée sur des « principes simples et incontestables » comme le souhaitait la Déclaration de 1789, est destinée à durer. Mais dès le début du XXe siècle, la complexité croissante de la demande et des besoins sociaux entraînèrent un foisonnement législatif qui lui firent souvent perdre sa qualité : trop nombreuses, trop longues ou compliquées, trop vite modifiées ou abrogées. Les Assemblées allèrent jusqu'à déléguer au pouvoir exécutif la fonction législative, mais ne pouvaient le faire, rappela le Conseil d'État, que sous réserve des matières réservées à la loi par la Constitution, ou par « la tradition constitutionnelle républicaine », exprimée par le Préambule de la Constitution de 1946 et la Déclaration des Droits de 1789.

Le droit pouvait donc avoir une autre source que la loi. La Constitution de la IVe République en donnait d'ailleurs encore une autre : les traités régulièrement ratifiés.

Quelles étaient ces « matières » réservées à la loi ?

Si la compétence du législateur ne s'exerce que dans les matières qui lui sont réservées, celles-ci sont essentielles. Tantôt la loi fixe elle-même les règles. C'est le cas notamment pour les droits civiques, les garanties fondamentales accordées pour l'exercice des libertés publiques, pour le droit des personnes, pour la détermination des crimes, délits et des peines, le statut des magistrats, pour les impôts, pour le régime électoral des Assemblées parlementaires et locales…

Tantôt la loi ne détermine que les principes fondamentaux : ainsi par exemple pour l'organisation de la défense nationale, l'enseignement, la libre administration des collectivités locales, le régime de la propriété et celui du droit du travail, du droit des contrats et de la responsabilité, et de la Sécurité sociale…

C'est la Constitution de 1958 qui a réparti les domaines de la loi et des règlements de l'exécutif ainsi que créé le Conseil constitutionnel pour en assurer le respect. La loi trouve ses limites et même en son champ propre, encore faut-il qu'elle ne soit pas incompatible avec les articles de la Constitution, avec son Préambule se référant expressément aux principes, droits et libertés des Déclarations de 1789 et en 1946, avec les « principes fondamentaux reconnus par les lois de la République », avec les « principes politiques économiques et sociaux particulièrement nécessaires en notre temps », avec les principes généraux du droit reflétant la conscience juridique de la société.

La répartition des pouvoirs entre législatif et exécutif marque actuellement moins l'action du Conseil constitutionnel que le contrôle qu'il exerce depuis sa décision de 1971 sur la compatibilité de la loi avec ce « bloc de la constitutionnalité ». La possibilité de le saisir, ouverte à 60 députés ou à 60 sénateurs par la révision constitutionnelle de 1974, a été une nouvelle naissance de la « déclaration d'inconstitutionnalité » d'un projet de loi. Depuis 1980, une quinzaine de lois lui sont déférées, chaque année, par l'opposition au Parlement.

Si la Constitution a délimité le domaine propre de la loi, celui-ci a été étendu du fait que les Préambules et les Déclarations sont source de matière législative, ainsi que les principes du « bloc de la constitutionnalité ».

Les Constitutions de 1946 et de 1958 donnant aux traités régulièrement ratifiés une autorité supérieure à celle de la loi, ceux-ci constituent une source importante de législation. Les lois doivent respecter leurs stipulations, non seulement celles des traités eux-mêmes, mais aussi celles des règles nées par des institutions créées par ces traités ; celles de leur droit dérivé si important pour celui des traités instituant des Communautés européennes, les pactes de l'Organisation des Nations unies et la Convention européenne des droits de l'Homme et des libertés fondamentales. La prévalence du droit communautaire sur la loi est l'aboutissement d'une évolution qui a permis d'écarter l'application même d'une loi qui leur était postérieure. Les règlements des Communautés du traité de Rome sont directement applicables dans les États de l'Union, sans intervention des États, dès la publication au *Journal Officiel des Communautés et des États* étant tenus de transposer les directives dans le délai qui leur est imparti : toute règle incompatible avec leurs objectifs ne pouvant servir de base à une mesure d'application. Cette intégration du droit européen est considérable ; de l'ordre du tiers de l'ensemble des textes applicables dans notre ordre juridique.

La pénétration des décisions rendues par la Cour de justice européenne du Luxembourg et celle de la Cour européenne des droits de l'Homme de Strasbourg, vont de pair. Les litiges peuvent d'ailleurs impliquer directement ou indirectement les rapports de l'État avec ses ressortissants.

La Convention européenne, par exemple, a décidé à propos d'une validation législative, que le Conseil constitutionnel avait cependant déclarée conforme à la Constitution et justifiée par l'intérêt général, que la loi ne peut s'immiscer dans la justice, sauf nécessité exceptionnelle, ce qui n'avait pas été le cas en l'espèce.

De « la loi, expression de la volonté générale », il reste d'une part que les recours concernant les lois référendaires ne sont pas recevables par le Conseil constitutionnel, parce qu'elles expriment directement cette volonté, d'autre part qu'un traité ne saurait prévaloir dans l'ordre juridique interne sur une disposition de la Constitution.

L'« État de droit » a un sens plus large – la soumission de l'ensemble des rapports au sein de la société à la hiérarchie des normes juridiques – mais n'a pas fait disparaître l'attachement des citoyens à la « force de la loi ». Ne pouvant exercer de pression directe sur les décisions prises dans l'ordre européen ou dans l'ordre international, c'est en dernier recours vers la loi de la République qu'ils se tournent.

Marceau Long

Mixité

La mixité scolaire est, en France comme ailleurs, un fait récent : à peine un demi-siècle (1957, 1959)[1]. Auparavant, la séparation des sexes était la règle. Cette séparation repose sur une représentation forte de la différence des sexes. Hommes et femmes n'ayant ni la même nature, ni la même fonction, les garçons et les filles doivent recevoir une formation distincte et appropriée. Il faut instruire les premiers des savoirs de tous ordres susceptibles de les préparer à leurs rôles futurs et éduquer les secondes en vue de leur vocation maternelle et ménagère. Pendant longtemps l'instruction fut considérée comme inutile, voire néfaste, pour les filles qu'elle détournait de leurs devoirs et inclinait à la rêverie. C'est pourquoi les féministes, dès la fin du XIXe siècle, revendiquaient la « co-éducation des sexes », garantie d'un accès plus égalitaire au savoir.

La mixité revêt au moins trois dimensions : les programmes, l'espace, le corps enseignant, qui n'évoluent pas au même rythme. La mixité des programmes fut réalisée par la IIIe République. Les lois Ferry rendirent l'école primaire gratuite, laïque, obligatoire pour les deux sexes, dans des écoles séparées, mais avec les mêmes contenus pour le même certificat d'études. Créés par la loi Paul Bert (1880), les lycées de filles eurent d'abord des programmes propres, excluant le latin, et comportant des travaux manuels ; mais en 1924, l'unité fut réalisée par le baccalauréat unique, ouvrant ainsi aux filles l'université, où en 1939, les étudiantes formaient près d'un tiers des effectifs.

La mixité du corps enseignant se réalisa très diversement selon les niveaux : dès 1938, les institutrices représentaient la moitié des maîtres du primaire ; tandis qu'à la Sorbonne, en lettres, la première femme professeur le fut en 1947 (Marie-Jeanne Dury).

La mixité spatiale, c'était le risque d'une promiscuité indécente, voire dangereuse, surtout à l'époque de l'adolescence. D'où la résistance qu'elle suscita. Taxée d'immoralisme par ses adversaires, la République l'évita longtemps, l'aménageant au mieux dans les classes uniques des écoles de village et admettant parcimonieusement les filles dans les classes préparatoires aux grandes écoles après la Seconde Guerre mondiale. Mais bientôt, s'amorce le changement : à l'école primaire par une circulaire

---

1. 1957 : Circulaire sur les premiers établissements scolaires mixtes.
1959 : Mise en place progressive de la mixité dans l'enseignement secondaire.

de 1957 ; à tous les degrés de l'enseignement par la réforme Haby de 1975. Ces mesures ne visent pas d'ailleurs à promouvoir l'égalité des sexes, à la différence de l'ouverture concomitante des concours et des grandes écoles aux filles. Elles s'affirment avant tout comme un principe de gestion des flux et des moyens. Mais elles ont changé la physionomie des établissements et, à terme, le fonctionnement de l'institution scolaire, ainsi devenue le lieu privilégié de la rencontre des sexes. Des interrogations ont surgi, qui sont aujourd'hui les nôtres, quant aux effets de la mixité. Celle de la réussite comparée des filles et des garçons ; celle des orientations respectives des uns et des autres, qui demeurent fortement sexuées. Les filles persistent à éviter les filières scientifiques ou industrielles pour se concentrer en lettres, STT ou SMS. On a pu parler de la « fausse réussite scolaire des filles » qui, bien que plus performantes que leurs compagnons, n'en tirent pas les bénéfices sociaux qu'elles pourraient attendre. Au sein de la mixité, perdure une École des filles (Marie Duru-Bellat, 1990) dévalorisée. La question de « l'égalité des chances » est devenue un point nodal des sciences de l'éducation. De leur côté, les garçons semblent déstabilisés par la concurrence de leurs consœurs, au point que certains voudraient protéger leur identité menacée…

Bien d'autres fissures ont craquelé le vernis d'une mixité à laquelle on n'avait sans doute pas vraiment réfléchi : la conscience du caractère sexué des programmes (ainsi le silence de l'histoire sur les femmes) et parfois des méthodes ; la compétition sportive où la virilité prend une revanche qui annonce les tensions du stade ; la question de l'éducation sexuelle, rendue plus aiguë par l'apparition fulgurante du sida ; celle de la violence qui, de la cour de récréation aux abords des établissements, prend souvent les filles pour cible. Comme si les corps devenaient soudain plus présents de leur rencontre. Et peut-être, au-delà des affirmations et des manipulations de l'intégrisme religieux, y a-t-il parfois de la part de quelques jeunes filles, le désir de rendre invisible ce corps menacé. D'où la complexité de la question du voile. Toutes ces questions, et bien d'autres, se posent dans l'espace mixte de l'école, du primaire au lycée, comme elles se posent dans la société tout entière où la mixité est devenue la norme. On peut s'interroger sur le rôle propre de l'école comme apprentissage de l'Autre sexuel, comme lieu d'adaptation à de nouvelles cultures où la différence des sexes ne s'envisage pas forcément de la même manière. En dépit des difficultés, la mixité paraît un acquis, susceptible d'aménagements éventuels, mais à préserver comme une expérience, collective et individuelle, irremplaçable.

Michelle Perrot

Morale

Lorsqu'on entend le mot « morale », on a tort de penser à une vie sans joie, empreinte de règles, de rigueur et de conformisme. Car la morale, aujourd'hui, serait plutôt un défi. Le défi d'une réussite personnelle et collective.

Comment bien agir, dans le respect de sa conscience, de ses valeurs et de ses engagements ? Comment honorer des règles communes qui permettent à chacun de mener une vie libre et confiante ? Comment lutter contre le cynisme et le découragement, avec la conviction que la droiture et la loyauté peuvent contribuer à rendre le monde un peu moins mauvais qu'il n'est ? C'est à tout cela que vise la morale, la morale privée, celle que chaque homme pratique dans sa vie, son travail, ses relations avec autrui, mais aussi la morale publique. Façonner une morale républicaine fut en effet l'ambition des fondateurs de nos institutions.

Pour les républicains de la fin du XIXᵉ siècle, l'idéal de la République, c'est d'abord la morale transposée dans la politique. Être républicain, c'est exiger que l'État fonctionne selon le droit, sans violence ni arbitraire ; c'est souhaiter que les citoyens participent activement à la vie démocratique dans un État où ils puissent se former librement une opinion. Le régime républicain incarne aussi un ensemble de principes moraux et juridiques qui garantissent, au sein d'une nation, le suffrage universel, la laïcité de l'espace public, les droits fondamentaux et l'égalité de tous devant la loi. La République organise la réciprocité des droits et des devoirs. Elle est le creuset du bien public et de l'intérêt commun.

La conception de la République comme idéal moral a exercé une influence profonde. Celle-ci s'est manifestée avec toute sa force au temps de l'Affaire Dreyfus, lorsque les républicains se sont élevés contre l'injustice d'État faite à un homme. Elle s'est révélée aussi en 1940, lorsqu'au nom des valeurs de la République le général de Gaulle a appelé à la résistance. La République, c'est aussi la République des principes.

L'idéal d'une République morale est aujourd'hui, plus que jamais, à l'ordre du jour. Certes les conditions de la vie commune ont changé. Les individus sont plus soucieux de vivre comme ils l'entendent. Les repères collectifs, les valeurs traditionnelles d'autorité et d'ordre se sont affaiblis. La nation française existe à présent dans une communauté européenne et dans un monde internationalisé. Mais ces conditions nouvelles n'ôtent rien à la force des valeurs républicaines. Le souci du bien commun, le sens de la citoyenneté, la recherche de la justice, la volonté d'une solidarité démocratique restent parmi les premiers objectifs des gouvernements républicains.

Prenons des exemples. L'information et les médias jouent aujourd'hui un rôle décisif. C'est exact, il faut donc se servir des médias pour instruire les citoyens et éclairer leur jugement. Les personnes sont inquiètes devant les changements de nos sociétés. C'est vrai. Il faut donc les informer, leur présenter les différentes options de solutions, leur dire la vérité. Beaucoup aujourd'hui ne se sentent plus concernés par les décisions politiques. C'est possible. Il faut donc multiplier les occasions qu'ont les citoyens de participer à la vie politique, dans leur commune, leur région, leur nation.

La République des valeurs et des principes est celle où chaque citoyen peut développer son autonomie et sa liberté, dans la solidarité que permet une vie collective. Respecter, informer, expliquer, faire participer, résister à l'oppression et aux abus, tels sont les mots-clés de la République morale d'aujourd'hui.

Monique Canto-Sperber

Nation

Le mot vient du lointain des âges, – « peuples et nations », dit l'Ancien Testament –, et il garde de ses origines bibliques quelque chose de sacré.

Au sens moderne du mot, cependant, la nation est une création du XVIIIe siècle. Il a fallu, pour qu'elle se définisse comme formation politique originale par rapport à la cité, au royaume, à l'Empire, que le pouvoir monarchique de droit divin soit remplacé par un pouvoir fondé sur la volonté générale et la souveraineté du peuple. Là est l'œuvre principale de la Révolution de 1789.

C'est dans le feu de la Révolution, en effet, que se sont fixés et fondus les trois sens du mot. Son sens social : une population vivant sous les mêmes lois, réunie sur un même territoire et appartenant à la même nationalité. Son sens juridique : un corps de citoyens égaux devant la loi et personnifié par une autorité souveraine. Son sens historique, le plus important : une collectivité unie par le sentiment de sa continuité, un passé partagé, un avenir commun, un héritage culturel à transmettre.

À la Révolution revient aussi d'avoir donné son dynamisme et son énergie à cet ensemble désormais impossible à distinguer nettement de la constellation qui l'entoure : peuple, sans lequel la nation ne serait jamais ni établie, ni défendue ; République, longtemps marquée par la forme du régime, et qui est désormais, depuis 1880, la forme déclarée définitive de la nation française ; État, qui porte le poids de la longue tradition d'Ancien Régime et de la centralisation administrative, économique et financière de la monarchie ; et même France, dont l'identité reste pétrie de longue histoire, de culture et de volonté collective.

À l'idée même de nation s'attachent deux images contraires entre lesquelles a oscillé son histoire depuis deux siècles : une image positive, parce que la nation est liée à l'idée de civilisation, au progrès, à l'émancipation des peuples opprimés et désireux de devenir des nations libres, indépendantes et souveraines. Une image négative, parce que la préférence accordée à sa propre nation nourrit facilement un nationalisme xénophobe et un patriotisme chauvin.

La vie nationale et internationale est toujours tendue entre ces deux pôles. Chaque nation a tendance à se considérer comme unique et supérieure aux autres. Il n'y a pourtant de nation que par rapport à d'autres. C'est ainsi qu'on a pu autrefois parler d'équilibre puis du concert des nations, au temps où le monde était dominé par les grandes puissances européennes (XVIIIe et XIXe siècles). Il y a eu, après la Première Guerre mondiale, une Société des Nations (SDN). Il y a, depuis la fin de la Seconde, une Organisation des Nations unies (ONU) qui comprend aujourd'hui plus de 190 pays membres.

Pour la France, c'est l'Union européenne qui compte le plus, pour établir dans cet espace ravagé au siècle dernier par deux grandes guerres qui ont coûté des millions de vies, la paix, la prospérité, la démocratie et le respect des droits de l'Homme. Cette union est difficile à réaliser entre tant de nations différentes et elle suppose de la part de la France, qui est le plus vieux des États-nations de l'Europe, des adaptations particulièrement pénibles. Mais la France, qui a eu avec l'Allemagne l'initiative de cette union, a un rôle essentiel à y jouer, par l'importance que lui donnent sa situation géographique, son poids historique, sa vocation intellectuelle et morale. Europe et nation sont devenues aujourd'hui complémentaires.

Pierre Nora

Racisme

Le racisme est humain dans la mesure où tout être humain est susceptible d'avoir un comportement raciste. Il n'existe pas de société sans racisme.

Le racisme est le fait de considérer qu'il existe des catégories humaines inférieures à d'autres du fait de leur couleur de peau, de leur culture ou religion. Ce sentiment qui prend parfois la forme de conviction est un préjugé. On porte des jugements sur ce qu'on ne connaît pas. Cela s'appelle de l'ignorance, laquelle est encouragée par la peur, la peur de l'inconnu, la peur de l'étranger. Mais on est tous l'étranger de quelqu'un. Tout dépend du lieu où l'on se trouve.

On a pris l'habitude de croire que les racistes ce sont les autres. En fait, pour se rendre compte du mal que le racisme peut faire sur un être ou sur un peuple, il suffit de faire un petit effort d'imagination en se mettant à la place de la personne persécutée, insultée, humiliée, exclue. Il suffit de se dire : « Et si c'était moi ? Si c'était à moi que s'adresse l'injure « sale Arabe » ou « sale Juif » ? Si c'était moi le « Nègre » à qui on refuse un travail du fait de la couleur de ma peau ? Si c'était de moi qu'on se méfie parce que je suis simplement différent des gens en face de moi ? »

Il faut se poser des questions : d'où vient cette peur de l'étranger ? Pourquoi je perçois en lui une menace ? Que va-t-il me prendre ?

Très vite on se rend compte que rien ne justifie cette peur.

Alors que nous est-il demandé ?

Une chose est certaine : il ne s'agit pas de devenir l'ami de cet étranger ; on ne peut pas aimer tout le monde ; en tout cas ce n'est pas un devoir, une obligation : en revanche on doit absolument le respecter, tout simplement parce que nous avons, nous aussi, besoin d'être respectés. Cela s'appelle « apprendre à vivre ensemble ».

C'est quoi le respect ? C'est le fait de reconnaître à l'autre personne en face les mêmes droits et les mêmes devoirs que ceux qui sont les miens. Reconnaître, c'est accepter le fait de l'égalité : il n'y a pas d'infériorité ni de supériorité basées sur des apparences et des préjugés.

Le racisme s'est développé à partir du moment où des historiens ont cru ou ont fait croire qu'il existe plusieurs races humaines, attribuant à chacune une couleur.

Or, sur un plan scientifique, ceci est une erreur. « Les » races humaines n'existent pas. Il n'y a pas de « race noire » ou de « race blanche » ou de « race jaune ». Le sang qui coule dans les veines des hommes a la même couleur même s'il appartient à des groupes différents.

Il existe une race humaine, celle qui rassemble tous les êtres humains. En revanche il existe plusieurs races animales et végétales. Car un serpent ne ressemble pas à un cheval. Mais un homme ressemble à tout autre homme. Ce qui différencie deux hommes, c'est la taille, la couleur de la peau, l'intelligence, la volonté... Nous nous ressemblons tous et nous sommes tous différents ; chacun est unique. Il n'existe pas de par le monde deux êtres humains absolument identiques.

Enfin la lutte contre le racisme doit être une vigilance de tous les jours. Attention à la banalisation de l'incitation à la haine raciale.

Tahar Ben Jelloun

Le fait religieux

Il n'est pas nécessaire d'être ignare pour être laïque. Comment ignorer un phénomène aussi universel que l'existence des communautés de croyance qui coexis-
tent ou se mêlent sur toute la planète ? Dans chaque aire de civilisation, il y a une
façon particulière d'organiser le calendrier, avec des fêtes et des jours fériés. De
polariser l'espace, par des lieux de culte et de pèlerinage. De marquer les corps,
par la circoncision, les tatouages ou la barbe. De discipliner l'alimentation, par des
interdits ou des jeûnes. De scander, par des rites, notre vie, de la naissance à la
mort. Cette façon dérive le plus souvent d'une tradition religieuse, consciente ou
non. Pour éloigné qu'on puisse être personnellement des choses de la religion et
attaché à la neutralité de l'école publique, la connaissance de notre monde réel
passe par celle des grands cultes.

Le fait religieux s'inscrit en profondeur dans l'histoire, la géographie, comme dans
la littérature et le cinéma. Comment lire les *Provinciales* de Pascal ou savourer un
film de Buñuel sans un minimum d'informations sur la grâce et sur le sacrilège ?
La naissance d'Israël ou la politique étrangère américaine ? Les Croisades, les dra-
gonnades, ou la tragédie du 11 septembre ? Mais ce n'est pas seulement une clé
pour ouvrir les grandes portes. Le fait religieux, c'est aussi une donnée simple et
ordinaire. C'est quelque chose qui se voit – une cathédrale, une mosquée – ; qui
s'entend – un gospel, une cantate ; qui se respire – l'encens ou la crypte ; qui se lit –
la Bible ou le Coran. Et qui se croise dans n'importe quelle rue de Paris, sous forme
de jeunes musulmanes à foulard, juifs orthodoxes à chapeau noir, chrétiens en pro-
cession, ou hara krischna au crâne rasé. L'expérience spirituelle du sacré, très
respectable, est intime et incommunicable. Mais le fait religieux, lui, est partie intégrante de la réalité collective. Pour nous, élèves ou enseignants, son étude relève
de la culture générale. On doit l'aborder sans *a priori* ni préjugé, comme un trait de
comportement, même si cela peut être aussi, à l'extérieur de l'école, un objet de
culte, selon nos traditions familiales ou nos croyances personnelles.

L'enseignement du fait religieux n'a donc pas de caractère confessionnel, ni anticlérical. On ne doit pas le confondre avec un catéchisme ou un témoignage. Il a
la valeur, et les limites, d'une simple description compréhensive. Mais, entre catholiques, juifs, musulmans, orthodoxes, protestants, etc., mieux se comprendre,

c'est aussi apprendre à se respecter. Car le fait religieux ne privilégie aucune religion particulière, considérée comme plus vraie ou plus recommandable que les autres. Même si en France, nous sommes, de par notre histoire, plus axés sur les religions du Livre, son étude, dans le cadre des programmes existants, doit pouvoir nous ouvrir sur l'Asie lointaine, à travers Bouddha, sur l'Inde, à travers Vichnou et les yogis, sur l'Afrique, à travers le culte des ancêtres, sur l'Antiquité aussi, à travers Athéna et Jupiter. Au fait, les dieux et déesses de la mythologie gréco-latine, nous ne les rencontrons pas seulement à Delphes ou à Rome. Ils nous accompagnent tout au long de la semaine, et pas seulement le Dimanche, dont l'étymologie est « jour du seigneur ». Mardi, jour de Mars, Mercredi, de Mercure, Vendredi, de Vénus, Jeudi, de Jupiter.

En somme, le religieux n'est pas confiné dans les lieux de culte, églises, mosquées, ou synagogues. Il est en filigrane dans notre vie quotidienne, comme une longue mémoire. Un lycéen avisé en vaut deux.

Régis Debray

République

Au sens étymologique, le mot « République » (*res publica*) désigne les affaires communes, les choses de l'État, mot à mot la « chose publique » opposée aux affaires privées. Mais la République est aussi un régime politique, opposé à la Monarchie. Pour autant, la République n'est pas nécessairement démocratique ; c'est ainsi que dans la République romaine le pouvoir n'appartenait qu'à une minorité de citoyens. En France, la République a été pour la première fois proclamée le 21 septembre 1792, sur les ruines de la royauté. Ce régime était fondé sur la souveraineté du peuple et la communauté des citoyens.

Le langage, les rites, les références, la culture politique des républicains, plongent leurs racines dans la Révolution, dont la charte fondamentale a été la *Déclaration des droits de l'homme et du citoyen*. Instauré en 1792, restauré en 1848, le régime républicain a été par deux fois abattu par le coup d'État bonapartiste, en 1799 et en 1851. Il est devenu définitivement le régime politique des Français depuis le 4 septembre 1870, mis à part la parenthèse du régime de Vichy pendant la guerre, entre 1940 et 1944. Trois républiques se sont succédé depuis 1870 : la Troisième (1870-1940), la Quatrième (1944-1958), la Cinquième (depuis 1958).

Selon notre Constitution, « la France est une république indivisible, laïque, démocratique et sociale ». Chaque terme compte.

1. Indivisible, la France forme une nation dont chaque membre, individuel ou collectif, est subordonné à une communauté politique, à un vouloir-vivre-ensemble qui récuse les particularismes, les séparatismes, aussi bien que les individualismes et les corporatismes ignorant le bien commun.

2. Laïque, la République s'est affirmée historiquement à l'encontre du pouvoir ancestral de l'Église catholique, en affirmant l'indépendance du pouvoir politique de tout pouvoir religieux. Deux grandes décisions législatives ont établi la laïcité républicaine : les lois scolaires des années 1880 et la loi de Séparation des Églises et de l'État de 1905 qui assure la liberté de conscience mais ne privilégie aucune religion.

3. Démocratique, la République repose sur le suffrage universel (masculin en 1848, masculin et féminin depuis 1944), sur les libertés publiques, et sur l'égalité entre tous les citoyens, quels que soient leur sexe, leur religion, leur profession.

4. Sociale, enfin, la République s'assigne la tâche d'assurer l'éducation (l'école gratuite), la sécurité et la promotion des citoyens par des institutions qui ont été progressivement mises en place (impôt sur le revenu, Sécurité sociale, aides diverses aux familles, RMI, etc.).

Sa devise, qui date de 1848 : Liberté, Égalité, Fraternité, résume ses principes, dont la réalisation ne peut être que le fruit d'un effort toujours renouvelé. La République, en effet, n'est pas seulement un héritage, mais une dynamique visant à abattre ou à limiter les entraves aux libertés (individuelles et collectives), à l'égalité devant la loi et à la solidarité des citoyens les uns envers les autres. Toujours remise en cause par les intérêts particuliers, la République n'est pas réductible à un régime politique : c'est l'idéal d'une société d'hommes libres, épris de justice et de paix, que chacun est tenu de servir par l'esprit civique.

Michel Winock

Sexisme

Rien de plus ardu que d'imaginer et de vivre l'égalité entre les sexes. Toute la difficulté consiste à ne pas penser la différence en termes d'infériorité ou de supériorité. Traditionnellement, dans toutes les sociétés, les femmes ont été assignées à la nature : à elles la procréation, l'éducation des enfants en bas âge, le rôle de gardiennes du foyer. À l'homme les charges nobles du travail, de la culture, de l'entreprise. La femme serait du côté du corps, de la sauvagerie – ce pourquoi dans certaines civilisations on la cache, on lui demande de se couvrir la tête – et l'homme du côté de l'esprit. Il ne s'agit évidemment pas de nier les réalités du masculin et du féminin mais encore moins de les ériger en absolu. La biologie ne saurait plus être une fatalité. L'homme ne pourra jamais enfanter ; il possède toutefois un corps lui aussi, ni plus ni moins impur que celui de ses compagnes. C'est la grande subversion introduite par le féminisme depuis un siècle : le fait d'être né fille ou garçon ne détermine plus un destin préétabli.

Cette évolution est à la fois récente et fragile : n'oublions pas que le droit de vote n'a été accordé aux femmes en France qu'en 1945 par le général De Gaulle. Même dans les démocraties occidentales où l'ordre patriarcal a été fortement ébranlé, le sexisme, c'est-à-dire la discrimination en fonction du genre, persiste dans de nombreux domaines. Mis à part les cas évidents de viols ou de violences, l'inégalité de salaires, à compétences égales, reste la norme. Les charges ménagères à la maison demeurent l'apanage écrasant des filles, des mères et des épouses. En Europe comme en Amérique du Nord, nombreuses sont les professions, notamment dans les élites dirigeantes, qui restent réservées aux mâles. On n'empêchera jamais hommes et femmes de colporter les uns sur les autres les préjugés les plus archaïques. Mais le progrès démocratique va inexorablement vers une extension du droit des femmes surtout à une époque où, dans le travail comme à l'école, elles manifestent à tous les échelons leurs capacités, voire leur supériorité, soucieuses de faire leurs preuves et de n'être pas réduites au simple rôle de génitrice, cuisinière, potiche ou objet de plaisir. Les femmes se battent pour devenir des êtres humains à part entière. Leur dignité rejoint celle de tous les opprimés, de tous les humiliés et concerne chacun de nous au plus profond.

Pascal Bruckner

Tolérance

À l'origine, en Europe, la tolérance est religieuse. Au sein même du christianisme, plusieurs groupes de fidèles s'affrontent : orthodoxes, catholiques, protestants ; des guerres de religion éclatent qui conduisent à des massacres, bien éloignés de l'esprit chrétien dont tous se réclament. Le mouvement des populations et des idées s'accélérant, les chrétiens se trouvent mis en contact avec des juifs, des musulmans, des païens ou, dans leurs propres pays, des athées. Peut-on, simultanément, persister dans sa propre foi, croire donc qu'on est du côté de la vérité et du bien, et, néanmoins, respecter la foi des autres ? Oui, si l'on accepte de pratiquer la tolérance. Tolérer des croyances autres que la nôtre signifie qu'on admette une sorte d'égalité entre les différents groupes humains et qu'on accorde à chacun le droit de chercher et de formuler soi-même son idéal ; cela signifie que tout, dans une société, n'est pas soumis au contrôle des lois ou du pouvoir, mais qu'une partie des activités humaines sont laissées à la libre disposition des groupes ou des individus. Cette liberté ne se limite pas à la religion, elle s'étend progressivement à l'ensemble des mœurs : je tolère la manière dont mon voisin s'habille, mange ou organise sa journée.

Dire que tout ne doit pas être réglementé signifie-t-il que rien ne doit l'être ? Évidemment non. La tolérance est circonscrite par deux limites, le refus de la réglementation uniforme, d'une part, de l'intolérable, de l'autre. L'intolérable, c'est un ensemble de comportements que la société exclut du libre choix des individus et des groupes, parce qu'elle les juge dangereux pour son existence même. La tolérance n'est louable que si elle se conjugue avec l'idée d'un bien public, dont le refus constitue le seuil de l'intolérable. Si la tolérance était illimitée, elle consacrerait le « droit » du plus fort et se détruirait d'elle-même : la tolérance pour les violeurs signifie l'intolérance pour les femmes.

La tolérance est une acceptation – conditionnelle – de la différence entre groupes et individus, au sein d'une société ; sa pratique, à son tour, devient une caractéristique positive des démocraties modernes.

Tzvetan Todorov

II. REPÈRES CHRONOLOGIQUES ET TEXTES DE RÉFÉRENCE

REPÈRES CHRONOLOGIQUES

MONARCHIE ABSOLUE

1789

17 juin : les États généraux se proclament Assemblée nationale – cet acte marque la fin de l'Ancien Régime politique et la naissance de l'ère de la souveraineté nationale et de la représentation.

LA RÉVOLUTION (JUIN 1789-FÉVRIER 1848)

La Révolution ouvre une phase d'innovations et d'expériences politiques à la recherche du meilleur régime.

4 août : abolition des privilèges.
26 août : adoption de la Déclaration des droits de l'Homme et du citoyen.

« Les Hommes naissent et demeurent libres et égaux en droits. Les distinctions sociales ne peuvent être fondées que sur l'utilité commune. »

Déclaration des droits de l'Homme et du citoyen du 26 août 1789, article premier

1790

14 juillet : fête de la Fédération.

1791

27 septembre : tous les Juifs de France deviennent citoyens (à condition de renoncer à leur statut communautaire).

LA FRANCE EN GUERRE (1792-1815)

1792

22 septembre : proclamation de la République.

1799

13 décembre : Bonaparte est désigné Premier consul.

1802

8 avril : loi approuvant le concordat du 15 juillet 1801 entre la République française et le Saint-Siège et les articles organiques relatifs aux cultes reconnus.

1804

21 mars : promulgation du Code civil.

1833

28 juin : loi Guizot, étape importante de l'achèvement du réseau scolaire primaire.

1848

22, 23 et 24 février : journées révolutionnaires, marquant l'échec de la tentative de monarchie parlementaire en France.
25 février : proclamation de la République.

IIᵉ RÉPUBLIQUE (FÉVRIER 1848-DÉCEMBRE 1851)

2 mars : adoption du principe du suffrage universel masculin.
27 avril : abolition de l'esclavage.

« Que l'esclavage soit ou ne soit pas utile, il faut le détruire ; une chose criminelle ne doit pas être nécessaire. La raison d'impossibilité n'a pas plus de valeur pour nous que les autres, parce qu'elle n'a pas plus de légitimité. Si l'on dit une fois que ce qui est moralement mauvais peut être politiquement bon, l'ordre social n'a plus de boussole et s'en va au gré de toutes les passions des hommes. »

Victor Schœlcher, *Des Colonies françaises. Abolition immédiate de l'esclavage,* 1842

1850

15 mars : loi Falloux (liberté de l'enseignement secondaire mais assujettissement de l'enseignement au contrôle des notables).

1851

2 décembre : coup d'État de Louis-Napoléon Bonaparte.
Second Empire (décembre 1852-septembre 1870).

1867

Avril-octobre : le ministre Victor Duruy fait progresser la gratuité scolaire et la scolarisation des filles.

« Et, quant à moi, lorsqu'il m'échut ce suprême honneur de représenter une portion de la population parisienne dans la Chambre des députés, je me suis fait un serment : entre toutes les nécessités du temps présent, entre tous les problèmes, j'en choisirai un auquel je consacrerai tout ce que j'ai d'intelligence, tout ce que j'ai d'âme, de cœur, de puissance physique et morale, c'est le problème de l'éducation du peuple. »

Jules Ferry, conférence prononcée à Paris le 10 avril 1870

LA FRANCE EN GUERRE (1870-1871)

1870

4 septembre : proclamation de la République, après la défaite impériale à Sedan.

IIIe RÉPUBLIQUE (1870-1940)

1870-1879

Mise en place des institutions de la IIIe République (1875) et de la manière dont elles seront appliquées.

1881

30 juin : loi sur la liberté de réunion.
29 juillet : loi libérant la presse.

1879-1886

Grands textes Ferry/Sée/Goblet établissant le modèle républicain de l'École, au sein desquels se détachent les lois du 21 décembre 1880 (externats de jeunes filles), du 16 juin 1881 (gratuité des écoles primaires publiques), du 28 mars 1882 (obligation et laïcité de l'instruction primaire), du 30 octobre 1886 (laïcité du personnel et organisation générale de l'enseignement primaire).

« L'instruction primaire est obligatoire pour les enfants des deux sexes âgés de six ans révolus à treize ans révolus ; elle peut être donnée soit dans les établissements d'instruction primaire ou secondaire, soit dans les écoles publiques ou libres, soit dans les familles, par le père de famille lui-même ou par toute personne qu'il aura choisie. »

Loi du 28 mars 1882 sur l'organisation de l'enseignement primaire, article 4

1884

21 mars : loi relative à la création des syndicats professionnels.

1894

Début de l'affaire Dreyfus.

1901

1er juillet : loi sur les associations.

1905

9 décembre : loi sur la séparation des Églises et de l'État.

« La République assure la liberté de conscience. Elle garantit le libre exercice des cultes sous les seules restrictions édictées ci-après dans l'intérêt de l'ordre public. La République ne reconnaît, ne salarie ni ne subventionne aucun culte. »

Loi du 9 décembre 1905 sur la séparation des Églises et de l'État,
article 1er et début de l'article 2

LA FRANCE EN GUERRE (1914-1918)

1926

15 juillet : inauguration de l'Institut musulman de la Mosquée de Paris, premier lieu de culte musulman dans la capitale, subventionné par les pouvoirs publics en hommage aux soldats musulmans morts durant la Première Guerre mondiale.

1936

2 juillet : prolongation de la scolarité obligatoire jusqu'à 14 ans.

LA FRANCE EN GUERRE (1939-1945)

1940

18 juin : appel du général de Gaulle à la Résistance.

FRANCE LIBRE (JUIN 1940) PUIS GOUVERNEMENT PROVISOIRE DE LA RÉPUBLIQUE FRANÇAISE (JUIN 1944-OCTOBRE 1946)

ÉTAT FRANÇAIS (JUILLET 1940-AOÛT 1944)

Le régime met en œuvre une profonde régression démocratique et un nationalisme d'exclusion dont les statuts des Juifs, d'octobre 1940 et juin 1941, constituent le dramatique emblème.

1943

27 mai : création du Conseil national de la Résistance.

1944

9 août : ordonnance rétablissant la légalité républicaine - la parenthèse de plus de quatre années, ouverte par l'armistice puis la création de l'État français, se referme.

« Si le gouvernement est celui de la République, ce n'est pas seulement parce qu'il fait en sorte de conduire la nation, selon ses vœux et ses intérêts, jusqu'au nouveau départ de la démocratie française, mais c'est aussi pour cette raison qu'il fait et fera appliquer les lois, les justes lois que la nation s'était données au temps où elle était libre et qui s'appellent les lois républicaines. Sans doute n'affirmons-nous pas que toutes soient parfaites, mais, telles quelles, elles sont les lois ! »

Charles de Gaulle, discours prononcé à Paris le 12 septembre 1944

21 avril : le suffrage devient universel (égalité des femmes et des hommes devant l'élection et l'éligibilité).

1945

19 octobre : ordonnance instituant la Sécurité sociale.

21 octobre : consultation du peuple français sur les institutions – ce vote marque la réinstallation du référendum dans la pratique politique.

GUERRES COLONIALES (1945-1962)

Au cours de ces guerres coloniales l'autorité de l'État est souvent ébranlée et la conscience nationale confrontée à de redoutables choix moraux.

« Ceux-là seuls insultent l'armée et la déshonorent qui consentent, par leur silence, à ce que des citoyens français deviennent des bourreaux [...]. »

François Mauriac, *Bloc-notes*, 26 septembre 1957

1946

27 octobre : promulgation de la Constitution de la IVe République.

« Au lendemain de la victoire remportée par les peuples libres sur les régimes qui ont tenté d'asservir et de dégrader la personne humaine, le peuple français proclame à nouveau que tout être humain, sans distinction de race, de religion ou de croyance possède des droits inaliénables et sacrés. »

Préambule de la Constitution du 27 octobre 1946

IVe RÉPUBLIQUE (OCTOBRE 1946-OCTOBRE 1958)

La France s'engage dans la construction européenne.

1948

10 décembre : Déclaration universelle des Droits de l'Homme

1949

5 mai : création du Conseil de l'Europe, appelé à jouer un rôle dans l'affirmation de principes communs, la défense des droits de l'Homme, la coopération culturelle.

1957

25 mars : naissance de la Communauté économique européenne (Traité de Rome).

1958

4 octobre : promulgation de la Constitution de la Ve République.

« La France est une république indivisible, laïque, démocratique et sociale. Elle assure l'égalité devant la loi de tous les citoyens, sans distinction d'origine, de race ou de religion. Elle respecte toutes les croyances. Son organisation est décentralisée. »

Article 1er de la Constitution

Ve RÉPUBLIQUE

1959

6 janvier : prolongation de la scolarité obligatoire à 16 ans.

1962

3 juillet : la France reconnaît l'indépendance de l'Algérie – avec cette année 1962 s'achèvent à la fois le long cycle colonial et le quart de siècle continu de guerre commencé en 1939.

28 octobre : référendum instituant l'élection du Président de la République au suffrage universel direct.

1974

29 octobre : extension du droit de saisine du Conseil constitutionnel à 60 députés ou 60 sénateurs.

1976

29 avril : l'affirmation du droit de vivre en famille permet aux travailleurs étrangers d'être rejoints par leur conjoint et leurs enfants.

1978

6 janvier : la loi relative à l'informatique, aux fichiers et aux libertés crée la Commission nationale de l'informatique et des libertés.

1981

9 octobre : abolition de la peine de mort.

1982

29 juillet : loi sur l'audiovisuel mettant fin au monopole d'État.

1988

22 avril : circulaire sur les aumôneries dans l'enseignement public qui illustre le caractère ouvert de la laïcité.

26 juin : accord de Matignon sur l'avenir de la Nouvelle-Calédonie.

1989

12 décembre : circulaire rappelant que la liberté d'expression ne peut conduire à des empiétements à l'encontre de la laïcité ni à la mise en cause du caractère obligatoire des enseignements.

1990

13 juillet : loi Gayssot condamnant les thèses négationnistes, le racisme, l'antisémitisme et la xénophobie.

« Toute discrimination fondée sur l'appartenance ou la non-appartenance à une ethnie, une nation, une race ou une religion est interdite. L'État assure le respect de ce principe dans le cadre des lois en vigueur. »

Loi du 13 juillet 1990 tendant à réprimer tout acte raciste, antisémite ou xénophobe, article 1er

1992

7 février : naissance de l'Union européenne (traité de Maastricht).

1994

20 septembre : circulaire réaffirmant le refus de toute manifestation ostentatoire d'appartenance religieuse ou communautaire.

1999

27 juillet : loi portant sur la création d'une couverture maladie universelle.

2000

6 juin : loi tendant à favoriser l'égal accès des femmes et des hommes aux mandats électoraux et fonctions électives.

7 décembre : l'Union européenne se dote d'une charte des droits fondamentaux.

2004

Loi encadrant, en application du principe de laïcité, le port de signes ou de tenues manifestant une appartenance religieuse dans les écoles, collèges et lycées publics, adoptée par l'Assemblée nationale le 10 février 2004 et par le Sénat le 3 mars 2004.

TEXTES DE RÉFÉRENCE

Nous sommes les héritiers d'un travail de réflexion, d'élaboration et de codification juridiques, dont témoignent ces textes de référence qui valent pour agir aujourd'hui et préparer demain [1].

- Déclaration des droits de l'Homme et du citoyen du 26 août 1789

- Préambule de la Constitution du 27 octobre 1946

- Constitution du 4 octobre 1958

- Charte des droits fondamentaux de l'Union européenne, proclamée le 7 décembre 2000

- Loi du 9 décembre 1905 sur la séparation des Églises et de l'État

- Loi du 13 juillet 1990, tendant à réprimer tout acte raciste, antisémite ou xénophobe

- Code de l'Éducation, entré en vigueur le 22 juin 2000

- Exposé des motifs du projet de la loi encadrant, en application du principe de laïcité, le port de signes ou de tenues manifestant une appartenance religieuse dans les écoles, collèges et lycées

- Loi encadrant, en application du principe de laïcité, le port de signes ou de tenues manifestant une appartenance religieuse dans les écoles, collèges et lycées publics, adoptée par l'Assemblée nationale le 10 février 2004 et par le Sénat le 3 mars 2004

- Circulaire du 22 avril 1988 : Enseignement religieux et aumôneries dans l'enseignement public

---

1. La majeure partie des textes qui suivent sont donnés en extraits : les coupes intérieures sont signalées ([...]).

DÉCLARATION DES DROITS DE L'HOMME ET DU CITOYEN DU 26 AOÛT 1789

Préambule

Les représentants du peuple français, constitués en Assemblée nationale, considérant que l'ignorance, l'oubli ou le mépris des droits de l'Homme sont les seules causes des malheurs publics et de la corruption des gouvernements, ont résolu d'exposer dans une déclaration solennelle les droits naturels, inaliénables et sacrés de l'Homme ; afin que cette déclaration, constamment présente à tous les membres du corps social, leur rappelle sans cesse leurs droits et leurs devoirs ; afin que les actes du pouvoir législatif et ceux du pouvoir exécutif, pouvant être à chaque instant comparés avec le but de toute institution politique, en soient plus respectés ; afin que les réclamations des citoyens, fondées désormais sur des principes simples et incontestables, tournent toujours au maintien de la Constitution et du bonheur de tous. En conséquence, l'Assemblée nationale reconnaît et déclare, en présence et sous les auspices de l'Être suprême, les droits suivants de l'Homme et du citoyen.

Article premier – Les Hommes naissent et demeurent libres et égaux en droits. Les distinctions sociales ne peuvent être fondées que sur l'utilité commune.

Art. 2 – Le but de toute association politique est la conservation des droits naturels et imprescriptibles de l'Homme. Ces droits sont la liberté, la propriété, la sûreté et la résistance à l'oppression. [...]

Art. 4 – La liberté consiste à pouvoir faire tout ce qui ne nuit pas à autrui. Ainsi, l'exercice des droits naturels de chaque Homme n'a de bornes que celles qui assurent aux autres membres de la société la jouissance de ces mêmes droits. Ces bornes ne peuvent être déterminées que par la loi.

Art. 5 – La loi n'a le droit de défendre que les actions nuisibles à la société. Tout ce qui n'est pas défendu par la loi ne peut être empêché, et nul ne peut être contraint à faire ce qu'elle n'ordonne pas. [...]

Art. 10 – Nul ne doit être inquiété pour ses opinions, même religieuses, pourvu que leur manifestation ne trouble pas l'ordre public établi par la loi.

Art. 11 – La libre communication des pensées et des opinions est un des droits les plus précieux de l'Homme ; tout citoyen peut donc parler, écrire, imprimer librement, sauf à répondre de l'abus dans les cas déterminés par la loi.

PRÉAMBULE DE LA CONSTITUTION DU 27 OCTOBRE 1946

Au lendemain de la victoire remportée par les peuples libres sur les régimes qui ont tenté d'asservir et de dégrader la personne humaine, le peuple français proclame à nouveau que tout être humain, sans distinction de race, de religion ou de croyance, possède des droits inaliénables et sacrés. Il réaffirme solennellement les droits et les libertés de l'Homme et du citoyen consacrés par la Déclaration des droits de 1789 et les principes fondamentaux reconnus par les lois de la République.

Il proclame en outre, comme particulièrement nécessaires à notre temps, les principes politiques, économiques et sociaux ci-après.

La loi garantit à la femme, dans tous les domaines, des droits égaux à ceux de l'homme.

Tout Homme persécuté en raison de son action en faveur de la liberté a droit d'asile sur les territoires de la République.

[...]

La Nation assure à l'individu et à la famille les conditions nécessaires à leur développement.

[...]

La Nation garantit l'égal accès de l'enfant et de l'adulte à l'instruction, à la formation professionnelle et à la culture. L'organisation de l'enseignement public gratuit et laïque à tous les degrés est un devoir de l'État.

CONSTITUTION DU 4 OCTOBRE 1958

Préambule

Le peuple français proclame solennellement son attachement aux droits de l'Homme et aux principes de la souveraineté nationale tels qu'ils ont été définis par la Déclaration de 1789, confirmée et complétée par le préambule de la Constitution de 1946.

En vertu de ces principes et de celui de la libre détermination des peuples, la République offre aux territoires d'outre-mer qui manifestent la volonté d'y adhérer des institutions nouvelles fondées sur l'idéal commun de liberté, d'égalité et de fraternité et conçues en vue de leur évolution démocratique.

Article premier

La France est une république indivisible, laïque, démocratique et sociale. Elle assure l'égalité devant la loi de tous les citoyens, sans distinction d'origine, de race ou de religion. Elle respecte toutes les croyances. Son organisation est décentralisée.

CHARTE DES DROITS FONDAMENTAUX DE L'UNION EUROPÉENNE PROCLAMÉE LE 7 DÉCEMBRE 2000

Préambule

Les peuples de l'Europe, en établissant entre eux une union sans cesse plus étroite, ont décidé de partager un avenir pacifique fondé sur des valeurs communes.

Consciente de son patrimoine spirituel et moral, l'Union se fonde sur les valeurs indivisibles et universelles de dignité humaine, de liberté, d'égalité et de solidarité ; elle repose sur le principe de la démocratie et le principe de l'État de droit.

Elle place la personne au cœur de son action en instituant la citoyenneté de l'Union et en créant un espace de liberté, de sécurité et de justice.

L'Union contribue à la préservation et au développement de ces valeurs communes dans le respect de la diversité des cultures et des traditions des peuples de l'Europe, ainsi que de l'identité nationale des États membres et de l'organisation de leurs pouvoirs publics aux niveaux national, régional et local ; elle cherche à promouvoir un développement équilibré et durable et assure la libre circulation des personnes, des biens, des services et des capitaux, ainsi que la liberté d'établissement.

À cette fin, il est nécessaire, en les rendant plus visibles dans une Charte, de renforcer la protection des droits fondamentaux à la lumière de l'évolution de la société, du progrès social et des développements scientifiques et technologiques.

La présente Charte réaffirme, dans le respect des compétences et des tâches de la Communauté et de l'Union, ainsi que du principe de subsidiarité, les droits qui résultent notamment des traditions constitutionnelles et des obligations internationales communes aux États membres, du traité sur l'Union européenne et des traités communautaires, de la Convention européenne de sauvegarde des droits de l'Homme et des libertés fondamentales, des Chartes sociales adoptées par la Communauté et par le Conseil de l'Europe, ainsi que de la jurisprudence de la Cour de justice des Communautés européennes et de la Cour européenne des droits de l'Homme.

La jouissance de ces droits entraîne des responsabilités et des devoirs tant à l'égard d'autrui qu'à l'égard de la communauté humaine et des générations futures.

En conséquence, l'Union reconnaît les droits, les libertés et les principes énoncés ci-après.

Article premier — Dignité humaine

La dignité humaine est inviolable. Elle doit être respectée et protégée.

[…]

Art. 10 — Liberté de pensée, de conscience et de religion

Toute personne a droit à la liberté de pensée, de conscience et de religion. Ce droit implique la liberté de changer de religion ou de conviction, ainsi que la liberté de manifester sa religion ou sa conviction individuellement ou collectivement, en public ou en privé, par le culte, l'enseignement, les pratiques et l'accomplissement des rites.

Le droit à l'objection de conscience est reconnu selon les lois nationales qui en régissent l'exercice.

Art. 11 — Liberté d'expression et d'information

Toute personne a droit à la liberté d'expression. Ce droit comprend la liberté d'opinion et la liberté de recevoir ou de communiquer des informations ou des idées sans qu'il puisse y avoir ingérence d'autorités publiques et sans considération de frontières. La liberté des médias et leur pluralisme sont respectés.

Art. 12 — Liberté de réunion et d'association

Toute personne a droit à la liberté de réunion pacifique et à la liberté d'association à tous les niveaux, notamment dans les domaines politique, syndical et civique, ce qui implique le droit de toute personne de fonder avec d'autres des syndicats et de s'y affilier pour la défense de ses intérêts.

Les partis politiques au niveau de l'Union contribuent à l'expression de la volonté politique des citoyens ou citoyennes de l'Union.

[…]

Art. 14 — Droit à l'éducation

Toute personne a droit à l'éducation, ainsi qu'à l'accès à la formation professionnelle et continue.

Ce droit comporte la faculté de suivre gratuitement l'enseignement obligatoire. La liberté de créer des établissements d'enseignement dans le respect des principes démocratiques, ainsi que le droit des parents d'assurer l'éducation et l'enseignement de leurs enfants conformément à leurs convictions religieuses, philosophiques et pédagogiques, sont respectés selon les lois nationales qui en régissent l'exercice.

Art. 20 — Égalité en droit

Toutes les personnes sont égales en droit.

Art. 21 — Non-discrimination

Est interdite toute discrimination fondée notamment sur le sexe, la race, la couleur, les origines ethniques ou sociales, les caractéristiques génétiques, la langue, la religion ou les convictions, les opinions politiques ou toute autre opinion, l'appartenance à une minorité nationale, la fortune, la naissance, un handicap, l'âge ou l'orientation sexuelle.

Dans le domaine d'application du traité instituant la Communauté européenne et du traité sur l'Union européenne, et sans préjudice des dispositions particulières desdits traités, toute discrimination fondée sur la nationalité est interdite.

Art. 22 – Diversité culturelle, religieuse et linguistique

L'Union respecte la diversité culturelle, religieuse et linguistique.

Art. 23 – Égalité entre hommes et femmes

L'égalité entre les hommes et les femmes doit être assurée dans tous les domaines, y compris en matière d'emploi, de travail et de rémunération.

Le principe de l'égalité n'empêche pas le maintien ou l'adoption de mesures prévoyant des avantages spécifiques en faveur du sexe sous-représenté.

Art. 24 – Droits de l'enfant

Les enfants ont droit à la protection et aux soins nécessaires à leur bien-être. Ils peuvent exprimer leur opinion librement. Celle-ci est prise en considération pour les sujets qui les concernent, en fonction de leur âge et de leur maturité.

Dans tous les actes relatifs aux enfants, qu'ils soient accomplis par des autorités publiques ou des institutions privées, l'intérêt supérieur de l'enfant doit être une considération primordiale.

LOI DU 9 DÉCEMBRE 1905 SUR LA SÉPARATION DES ÉGLISES ET DE L'ÉTAT

Titre premier

Principes

Article premier – La République assure la liberté de conscience. Elle garantit le libre exercice des cultes sous les seules restrictions édictées ci-après dans l'intérêt de l'ordre public.

Art. 2 – La République ne reconnaît, ne salarie ni ne subventionne aucun culte. En conséquence, à partir du 1er janvier qui suivra la promulgation de la présente loi, seront supprimées des budgets de l'État, des départements et des communes, toutes dépenses relatives à l'exercice des cultes. Pourront toutefois être inscrites auxdits budgets les dépenses relatives à des services d'aumôneries et destinées à assurer le libre exercice des cultes dans les établissements publics tels que lycées, collèges, écoles, hospices, asiles et prisons.

[...]

Titre II

Attribution des biens – pensions

[...]

Art. 4 – Dans le délai d'un an à partir de la promulgation de la présente loi, les biens mobiliers et immobiliers des menses, fabriques, conseils presbytéraux, consistoires et autres établissements publics du culte seront, avec toutes les charges et obligations qui les grèvent et avec leur affectation spéciale, transférés par les représentants légaux de ces établissements aux associations qui, en se conformant aux règles d'organisation générale du culte dont elles se proposent d'assurer l'exercice, se seront légalement formées, suivant les prescriptions de l'article 19, pour l'exercice de ce culte dans les anciennes circonscriptions desdits établissements.

[...]

Titre III

Des édifices des cultes

Art. 12 – Les édifices qui ont été mis à la disposition de la nation et qui, en vertu de la loi du 18 germinal an X, servent à l'exercice public des cultes ou au logement de leurs ministres (cathédrales, églises, chapelles, temples, synagogues, archevêchés, évêchés, presbytères, séminaires), ainsi que leurs dépendances immobilières et les objets mobiliers qui les garnissent au moment où lesdits édifices ont été remis aux cultes, sont et demeurent propriétés de l'État, des départements et des communes.

Pour ces édifices comme pour ceux postérieurs à la loi du 18 germinal an X dont l'État, les départements et les communes seraient propriétaires, y compris les Facultés de théologie protestante, il sera procédé conformément aux dispositions des articles suivants.

Art. 13 – Les édifices servant à l'exercice public du culte, ainsi que les objets mobiliers les garnissant, seront laissés gratuitement à la disposition des établissements publics du culte, puis des associations – appelées à les remplacer –, auxquelles les biens de ces établissements auront été attribués par application des dispositions du titre II.

La cessation de cette jouissance, et, s'il y a lieu, son transfert seront prononcés par décret, sauf recours au Conseil d'État statuant au contentieux :

1. si l'association bénéficiaire est dissoute ;

2. si, en dehors des cas de force majeure, le culte cesse d'être célébré pendant plus de six mois consécutifs.

[…]

Titre V

Police des cultes

[…]

Art. 26 – Il est interdit de tenir des réunions politiques dans les locaux servant habituellement à l'exercice d'un culte.

[…]

Art. 28 – Il est interdit, à l'avenir, d'élever ou d'apposer aucun signe ou emblème religieux sur les monuments publics ou en quelque emplacement public que ce soit, à l'exception des édifices servant au culte, des terrains de sépulture dans les cimetières, des monuments funéraires, ainsi que des musées ou expositions.

[…]

Art. 30 – Conformément aux dispositions de l'article 2 de la loi du 28 mars 1882, l'enseignement religieux ne peut être donné aux enfants âgés de 6 à 13 ans, inscrits dans les écoles publiques, qu'en dehors des heures de classe.

Il sera fait application aux ministres des cultes qui enfreindraient ces prescriptions des dispositions de l'article 14 de la loi précitée.

Art. 31 – Sont punis d'une amende de seize francs (16 F) à deux cents francs (200 F) et d'un emprisonnement de six jours à deux mois ou de l'une de ces deux peines seulement ceux qui, soit par voies de fait, violences ou menaces contre un individu, soit en lui faisant craindre de perdre son emploi ou d'exposer à un dommage sa personne, sa famille ou sa fortune, l'auront déterminé à exercer ou à s'abstenir d'un culte, à faire partie ou à cesser de faire partie d'une association cultuelle, à contribuer ou à s'abstenir de contribuer aux frais d'un culte.

Art. 32 – Seront punis des mêmes peines ceux qui auront empêché, retardé ou interrompu les exercices d'un culte par des troubles ou désordres causés dans le local servant à ces exercices.

Art. 33 – Les dispositions des deux articles précédents ne s'appliquent qu'aux troubles, outrages ou voies de fait dont la nature ou les circonstances ne donneront pas lieu à de plus fortes peines d'après les dispositions du Code pénal.

Art. 34 – Tout ministre d'un culte qui, dans les lieux où s'exerce ce culte, aura publiquement, par des discours prononcés, des lectures faites, des écrits distribués ou des affiches apposées, outragé ou diffamé un citoyen chargé d'un service public, sera puni d'une amende de cinq cents francs à trois mille francs (500 F à 3 000 F) et d'un emprisonnement de un mois à un an, ou de l'une de ces deux peines seulement.

La vérité du fait diffamatoire, mais seulement s'il est relatif aux fonctions, pourra être établie devant le tribunal correctionnel dans les formes prévues par l'article 52 de la loi du 29 juillet 1881. Les prescriptions édictées par l'article 65 de la même loi s'appliquent aux délits du présent article et de l'article qui suit.

Art. 35 – Si un discours prononcé ou un écrit affiché ou distribué publiquement dans les lieux où s'exerce le culte contient une provocation directe à résister à l'exécution des lois ou aux actes légaux de l'autorité publique, ou s'il tend à soulever ou à armer une partie des citoyens contre les autres, le ministre du culte qui s'en sera rendu coupable sera puni d'un emprisonnement de trois mois à deux ans, sans préjudice des peines de la complicité, dans le cas où la provocation aurait été suivie d'une sédition, révolte ou guerre civile.

LOI DU 13 JUILLET 1990, tendant à réprimer tout acte raciste, antisémite ou xénophobe

(Journal officiel de la République française, 14 juillet 1990)

Art. premier – Toute discrimination fondée sur l'appartenance ou la non-appartenance à une ethnie, une nation, une race ou une religion est interdite. L'État assure le respect de ce principe dans le cadre des lois en vigueur.

Art. 2 – Le 21 mars de chaque année, date retenue par l'Organisation des Nations unies pour la Journée internationale pour l'élimination de toutes les formes de discrimination raciale, la Commission nationale consultative des droits de l'Homme remet au gouvernement un rapport sur la lutte contre le racisme. Ce rapport est immédiatement rendu public.

[...]

Il est inséré, après l'article 24 de la loi du 29 juillet 1881 sur la liberté de la presse, un article 24 bis ainsi rédigé :

« Art. 24 bis – Seront punis des peines prévues par le sixième alinéa de l'article 24 [peines relatives à la provocation à la haine raciale], ceux qui auront contesté, par un des moyens énoncés à l'article 23, l'existence d'un ou de plusieurs crimes contre l'humanité tels qu'ils sont définis par l'article 6 du statut du Tribunal militaire international annexé à l'accord de Londres du 8 août 1945 et qui ont été commis soit par les membres d'une organisation déclarée criminelle en application de l'article 9 dudit statut, soit par une personne reconnue coupable de tels crimes par une juridiction française ou internationale. [...] »

CODE DE L'ÉDUCATION

(Journal officiel de la République française du 22 juin 2000)

Art. L. 141-1 (référence au 13ᵉ alinéa du préambule de la Constitution de 1946) – Comme il est dit au treizième alinéa du préambule de la Constitution du 27 octobre 1946 confirmé par celui de la Constitution du 4 octobre 1958, « la Nation garantit l'égal accès de l'enfant et de l'adulte à l'instruction, à la formation et à la culture ; l'organisation de l'enseignement public gratuit et laïque à tous les degrés est un devoir de l'État ».

Art. L. 141-2 (loi n° 59-1557 du 31 décembre 1959, art. premier, alinéas 1 et 3) – Suivant les principes définis dans la Constitution, l'État assure aux enfants et adolescents dans les établissements publics d'enseignement la possibilité de recevoir un enseignement conforme à leurs aptitudes dans un égal respect de toutes les croyances.

L'État prend toutes dispositions utiles pour assurer aux élèves de l'enseignement public la liberté des cultes et de l'instruction religieuse.

Art. L. 141-3 (loi du 28 mars 1882, art. 2) – Les écoles élémentaires publiques vaquent un jour par semaine en outre du dimanche, afin de permettre aux parents de faire donner, s'ils le désirent, à leurs enfants l'instruction religieuse, en dehors des édifices scolaires.

L'enseignement religieux est facultatif dans les écoles privées.

Art. L. 141-4 (loi du 9 décembre 1905, art. 30) – L'enseignement religieux ne peut être donné aux enfants inscrits dans les écoles publiques qu'en dehors des heures de classe.

Art. L. 141-5 (loi du 30 octobre 1886, art. 17) – Dans les établissements du premier degré publics, l'enseignement est exclusivement confié à un personnel laïque.

Art. L. 141-6 (loi n° 84-52 du 26 janvier 1984, art. 3, alinéa 1) – Le service public de l'enseignement supérieur est laïque et indépendant de toute emprise politique, économique, religieuse ou idéologique ; il tend à l'objectivité du savoir ; il respecte la diversité des opinions. Il doit garantir à l'enseignement et à la recherche leurs possibilités de libre développement scientifique, créateur et critique.

Art. L. 511-2 (loi n° 89-486 du 10 juillet 1989, art. 10, alinéa 2) – Dans les collèges et les lycées, les élèves disposent, dans le respect du pluralisme et du principe de neutralité, de la liberté d'information et de la liberté d'expression. L'exercice de ces libertés ne peut porter atteinte aux activités d'enseignement.

EXPOSÉ DES MOTIFS DU PROJET DE LOI
encadrant, en application du principe de laïcité,
le port de signes ou de tenues manifestant
une appartenance religieuse dans les écoles,
collèges et lycées publics.

Inscrit à l'article 1er de la Constitution, le principe de laïcité, qui exprime les valeurs de respect, de dialogue et de tolérance, est au cœur de l'identité républicaine de la France.

La laïcité garantit la liberté de conscience. Protégeant la liberté de croire ou de ne pas croire, elle assure à chacun la possibilité d'exprimer et de pratiquer paisiblement sa foi. Ouverte, apaisée et généreuse, elle recueille, après bientôt un siècle d'existence, l'adhésion de toutes les confessions et de tous les courants de pensée.

Pourtant, malgré la force de cet acquis républicain, l'application du principe de laïcité se heurte à des difficultés nouvelles et grandissantes qui ont suscité un large débat ces derniers mois dans la société française. C'est en particulier le cas dans certains services publics, comme l'école ou l'hôpital.

À cet égard, la réaffirmation du principe de laïcité à l'école, lieu privilégié d'acquisition et de transmission de nos valeurs communes, instrument par excellence d'enracinement de l'idée républicaine, paraît aujourd'hui indispensable. L'école doit en effet être préservée afin d'y assurer l'égalité des chances, l'égalité devant l'acquisition des valeurs et du savoir, l'égalité entre les filles et les garçons, la mixité de tous les enseignements, et notamment de l'éducation physique et sportive. Il ne s'agit pas de déplacer les frontières de la laïcité. Il ne s'agit pas non plus de faire de l'école un lieu d'uniformité et d'anonymat, qui ignorerait le fait religieux. Il s'agit de permettre aux professeurs et aux chefs d'établissements d'exercer sereinement leur mission avec l'affirmation d'une règle claire qui est dans nos usages et dans nos pratiques depuis longtemps. Si les élèves des écoles, collèges et lycées publics sont naturellement libres de vivre leur foi, ce doit être dans le respect de la laïcité de l'école de la République. C'est bien la neutralité de l'école qui assure le respect de la liberté de conscience des élèves, le respect égal de toutes les convictions. C'est la raison pour laquelle, à la suite des travaux menés par la Commission présidée par Monsieur Bernard Stasi, des contributions de la mission de l'Assemblée nationale, des partis politiques, des autorités religieuses, des représentants des grands courants de pensée, le Président de la République a souhaité, à l'occasion de son discours du 17 décembre 2003, que soit clairement interdit, dans les écoles, les collèges et les lycées publics, le port de signes et de tenues qui manifestent ostensiblement l'appartenance religieuse.

Tel est le sens du présent projet de loi, qui crée au sein du Code de l'éducation un article L. 141-5-1 interdisant dans les écoles publiques les signes religieux ostensibles, c'est-à-dire les signes et tenues dont le port conduit à se faire reconnaître immédiatement par son appartenance religieuse. Ces signes – le voile islamique, quel que soit le nom qu'on lui donne, la kippa ou une croix de dimension manifestement excessive – n'ont pas leur place dans les enceintes des écoles publiques. En revanche, les signes discrets d'appartenance religieuse – par exemple une croix, une étoile de David ou une main de Fatima – resteront naturellement possibles.

La loi s'applique dans les écoles, les collèges et les lycées publics. Elle ne concerne donc pas les établissements d'enseignement privés, qu'ils aient ou non passé avec l'État un contrat d'association à l'enseignement public. Elle s'applique aux élèves, sachant que les personnels de l'Éducation nationale sont d'ores et déjà soumis au principe de stricte neutralité que doit respecter tout agent public. L'interdiction qu'elle institue vaut évidemment pour toute la période où les élèves se trouvent placés sous la responsabilité de l'école, du collège ou du lycée, y compris pour les activités se déroulant en dehors de l'enceinte de l'établissement (sorties scolaires, cours d'éducation physique et sportive, etc.).

La loi prendra effet à compter de la rentrée scolaire suivant sa publication. Ce délai permettra de procéder à un important travail d'explication, d'échange et de médiation, notamment avec les autorités religieuses de notre pays. Les collèges et les lycées publics le mettront également à profit pour adapter leur règlement intérieur : même si la loi est d'application directe, il est souhaitable, dans un souci de pédagogie, que ses dispositions soient transcrites dans l'acte qui rassemble les règles applicables à la vie interne de l'établissement.

La mise en œuvre de la loi devra également être assurée en usant du dialogue et de la concertation, et en recourant à une démarche fondée sur l'explication et la persuasion, soucieuse de faire partager aux élèves les valeurs de l'école républicaine.

Les manquements à l'interdiction fixée par la loi seront passibles de sanctions, comme tout manquement aux obligations des élèves. Conformément aux principes qui régissent la procédure disciplinaire, toute sanction sera proportionnée à la gravité du manquement.

La loi a vocation à s'appliquer à l'outre-mer dans des conditions diversifiées, qui dépendent du régime législatif local ou de la répartition des compétences entre l'État et les collectivités concernées. La loi s'appliquera de plein droit aux départements et régions d'outre-mer, conformément au principe d'identité législative posé par l'article 73 de la Constitution. Elle s'appliquera également, dans les mêmes conditions, à Saint-Pierre-et-Miquelon, en vertu de la loi n° 85-595 du 11 juin 1985 relative au statut de l'archipel.

À Wallis et Futuna et à Mayotte, l'État exerce la compétence en matière d'enseignement, et ces deux collectivités d'outre-mer régies par l'article 74 de la Constitution sont soumises au principe de spécialité législative : il y a donc lieu de prévoir une mention expresse d'application de la loi. L'application de cette dernière à Mayotte devra toutefois tenir compte des circonstances locales résultant de l'application de l'article 75 de la Constitution, lequel consacre le droit au maintien du statut personnel.

En Nouvelle-Calédonie, la loi s'appliquera dans les établissements publics d'enseignement relevant provisoirement de la compétence de l'État en application du III de l'article 21 de la loi organique n° 99-209 du 19 mars 1999 relative à la Nouvelle-Calédonie.

En Polynésie française, en revanche, la loi ne pourra pas s'appliquer dès lors que les établissements qu'elle vise relèvent de la compétence des autorités territoriales en vertu du statut d'autonomie de cette collectivité d'outre-mer.

Ce texte s'inscrit dans le droit fil de l'équilibre qui s'est construit patiemment depuis des décennies dans notre pays autour du principe de laïcité. Il ne s'agit pas, par ce projet de loi, de refonder la laïcité, mais de permettre, en rappelant les principes et les valeurs de l'école, de la faire vivre dans la fidélité aux idéaux de la République.

LOI encadrant, en application du principe de laïcité, le port de signes ou de tenues manifestant une appartenance religieuse dans les écoles, collèges et lycées publics,

adoptée par l'Assemblée nationale le 10 février 2004 et par le Sénat le 3 mars 2004

Article 1er

Il est inséré, dans le Code de l'éducation, après l'article L. 141-5, un article L. 141-5-1 ainsi rédigé :

« Art. L. 141-5-1. – Dans les écoles, les collèges et les lycées publics, le port de signes ou tenues par lesquels les élèves manifestent ostensiblement une appartenance religieuse est interdit.

Le règlement intérieur rappelle que la mise en œuvre d'une procédure disciplinaire est précédée d'un dialogue avec l'élève. »

Article 2

I. – La présente loi est applicable :

1° Dans les Îles Wallis et Futuna ;

2° Dans la collectivité départementale de Mayotte ;

3° En Nouvelle-Calédonie, dans les établissements publics d'enseignement du second degré relevant de la compétence de l'État en vertu du III de l'article 21 de la loi organique n° 99-209 du 19 mars 1999 relative à la Nouvelle-Calédonie.

II. – Le Code de l'éducation est ainsi modifié :

1° Au premier alinéa de l'article L. 161-1, les références : « L. 141-4, 141-6 » sont remplacées par les références :

« L. 141-4, L. 141-5-1, L. 141-6 » ;

2° À l'article L. 162-1, les références : « L. 141-4 à L. 141-6 » sont remplacées par les références : « L. 141-4, L. 141-5, L. 141-5-1, L. 141-6 » ;

3° À l'article L. 163-1, les références : « L. 141-4 à L. 141-6 » sont remplacées par les références : « L. 141-4, L. 141-5, L. 141-6 » ;

4° L'article L. 164-1 est ainsi modifié :

a) Les références : « L. 141-4 à L. 141-6 » sont remplacées par les références : « L. 141-4, L. 141-5, L. 141-6 » ;

b) Il est complété par un alinéa ainsi rédigé :

« L'article L. 141-5-1 est applicable aux établissements publics d'enseignement du second degré mentionnés au III de l'article 21 de la loi organique n° 99-209 du 19 mars 1999 relative à la Nouvelle-Calédonie qui relèvent de la compétence de l'État. »

III. – Dans l'article L. 451-1 du même code, il est inséré, après la référence : « L. 132-1 », la référence : « L. 141-5-1 ».

Article 3

Les dispositions de la présente loi entrent en vigueur à compter de la rentrée de l'année scolaire qui suit sa publication.

CIRCULAIRE DU 22 AVRIL 1988
Enseignement religieux et aumôneries dans l'enseignement public

(Bulletin officiel de l'Éducation nationale, 28 avril 1988*)*

Article 4

Les dispositions de la présente loi font l'objet d'une évaluation un an après son entrée en vigueur.

I – Création d'aumôneries

Pour les établissements publics d'enseignement du second degré, la création d'une aumônerie est liée à l'existence d'une demande émanant des familles.

Les demandes présentées par les parents, les représentants légaux d'élèves ou par les élèves majeurs doivent être établies individuellement, à l'exclusion de toute formule collective portant seulement la signature des intéressés, au chef d'établissement.

Elles peuvent être établies sur formulaire ou sur papier libre dès lors que le culte choisi, le nom de la famille, l'adresse, la signature portés à la main, manifestent clairement la volonté de la famille intéressée.

I-A – Dans les établissements comportant un internat, l'institution du service d'aumônerie est de droit dès qu'elle a été demandée.

Le chef d'établissement fait alors connaître au recteur :

– l'effectif, par classe et par confession, des élèves désireux de suivre un enseignement religieux ;

– l'horaire prévu pour chaque groupe ;

– les locaux où l'enseignement doit être donné.

I-B – Les établissements qui ne comportent pas d'internat peuvent être dotés d'un service d'aumônerie sur décision du recteur.

1. Dans le délai prévu à l'article 5 de l'arrêté du 8 août 1960, c'est-à-dire deux semaines après la rentrée scolaire, le chef d'établissement doit adresser au recteur un dossier comprenant la totalité des demandes reçues, la répartition des élèves intéressés entre les cultes et les différentes classes, les conditions dans lesquelles cet enseignement peut être donné, soit à l'intérieur, soit à l'extérieur de l'établissement, compte tenu des considérations suivantes :

– organisation de la semaine scolaire, avec indication des activités scolaires ou parascolaires organisées le mercredi ;

– proximité ou éloignement des lieux du culte ;

– caractéristiques des élèves concernés (âge, répartition entre externes et demi-pensionnaires…) ;

– contraintes externes, telles que les horaires des services de transport scolaire ;
– existence ou non à l'intérieur de l'établissement de locaux pouvant être utilisés pour l'enseignement religieux ;
– avis du conseil d'administration de l'établissement sur les conditions de fonctionnement du service d'aumônerie. Si le conseil d'administration n'a pu être saisi de cette question dans le délai donné au chef d'établissement pour établir son rapport, cet avis devra parvenir comme complément au recteur avant l'échéance laissée à celui-ci pour décision.

Compte tenu de la brièveté du délai imparti, il est souhaitable que les demandes des familles et l'avis du conseil d'administration soient recueillis avant la fin de l'année scolaire précédant celle de l'envoi du dossier au recteur.

2. Il appartient au recteur seul de juger du bien-fondé de la demande. Le chef d'établissement doit lui transmettre la totalité des demandes qui lui ont été adressées, accompagnées de toutes observations et suggestions qu'il estimerait devoir formuler personnellement. Le recteur peut demander des éléments d'information complémentaires et s'entourer des avis qu'il juge nécessaires.

L'appréciation du recteur porte sur deux points distincts :

– l'opportunité de la création d'une aumônerie. La règle générale doit être d'accorder satisfaction aux vœux des demandeurs, même si ceux-ci ne représentent qu'un très faible pourcentage de l'effectif total de l'établissement. Un refus, en effet, leur porte préjudice alors que la création du service de l'aumônerie ne nuit en rien aux convictions ni à la liberté de conscience des autres membres de la communauté scolaire ;
– sur l'opportunité d'organiser l'enseignement à l'intérieur de l'établissement. Le recteur dispose à cet égard de la liberté d'appréciation la plus large.

I-C – Que l'établissement scolaire comporte ou non un internat, l'organisation du service d'aumônerie ne devient définitive qu'après l'agrément par le recteur sur proposition des autorités religieuses concernées, du responsable de l'aumônerie et, éventuellement, des personnes qui l'aideront en qualité d'adjoints (cf. articles 6 et 7 du décret n° 60-391 du 22 avril 1960).

[...]

II – Fonctionnement de l'aumônerie

Une fois connu l'agrément du recteur, le responsable de l'aumônerie sera reçu par le chef d'établissement qui examinera avec lui les conditions de fonctionnement de l'aumônerie.

II-A – Inscription des élèves

Lors de la création du service d'aumônerie, ou lors de la première inscription d'un élève dans l'établissement, le chef d'établissement doit informer l'élève, s'il est majeur, ou ses parents ou représentants légaux de l'existence d'un service d'aumônerie.

1. Pour le premier cycle

S'il s'agit d'une première inscription de l'élève dans l'établissement, les parents ou représentants légaux indiquent, sur la fiche d'inscription qu'ils doivent remplir, et qui doit comporter une rubrique à cet effet, ou à défaut, sur un feuillet ad hoc annexé à cette fiche, s'ils désirent que l'élève suive les activités du service d'aumônerie : dans l'affirmative, ils précisent le culte choisi.

2. Pour le second cycle

Les élèves font eux-mêmes cette demande. Pour les élèves mineurs, les parents en seront informés et pourront s'y opposer.

III. ANTHOLOGIE

Introduction

Les textes dont se compose ce recueil ne se ressemblent pas : les personnes auxquelles ils sont – ou étaient – destinés, les circonstances et les dates de leur rédaction, les registres de langue adoptés par leurs auteurs et les sensibilités de ces derniers sont variés.
Au-delà de ces différences, un point commun a incité à les rassembler : ils veulent – ou voulaient – servir le respect dû à tout être humain et au bien commun.

L'organisation adoptée est tripartite :
– une anthologie de textes de femmes et d'hommes qui ont mis leur intelligence et leur capacité à s'exprimer – et qui ont, quelquefois, risqué leur vie – au service de la société (« Voix d'hier, boussole pour aujourd'hui ») ;
– des témoignages et des fictions à valeur formatrice (« Récits ») qui offrent d'autres types d'expression et un autre cheminement pour éprouver, réfléchir et comprendre. Ils s'accompagnent de références à des œuvres illustrées et d'une filmographie ;
– une série d'analyses contemporaines (« Questions et débats pour le temps présent »), proposées plus spécifiquement aux adultes[1].

Entre ces trois ensembles, les continuités et les complémentarités sont nombreuses – comme elles le sont aussi avec deux autres parties de l'ouvrage : les « Repères et références » et la filmographie.
À la fin de l'anthologie, une table récapitulative permet de choisir son propre parcours, de lancer des passerelles entre les problématiques, les périodes, les types de texte ou les auteurs, de prêter attention aux résonances.

---

1. Les notes appelées par des chiffres arabes ou des lettres sont celles des éditeurs et des auteurs tandis que les renvois indiqués par un astérisque sont propres à ce recueil.

VOIX D'HIER, BOUSSOLE POUR AUJOURD'HUI

> 42 textes : c'est peu eu égard à la somme des possibles, mais c'est beaucoup si l'on prend le temps de s'approprier leur message. D'ailleurs, ce corpus fait, de manière heureuse, éclater le cadre chronologique, spatial et thématique adopté ici : il lance des ponts vers nos racines antérieures au XVIe siècle, ouvre sur d'autres pays et d'autres cultures, introduit en force la si essentielle fraternité.[1]

La liberté

Henri IV, édit de Nantes, avril 1598

John Locke, *Lettres sur la tolérance,* 1689

Jean-Paul Rabaut Saint-Étienne, discours à l'Assemblée nationale, 23 août 1789

Louis Lafon, réponse à l'enquête du journal *Le Siècle* sur la séparation des Églises et de l'État, 1905

Aristide Briand, rapport et interventions à la Chambre des députés lors du débat parlementaire sur la séparation des Églises et de l'État, 4 mars et 20 avril 1905

Gustave Monod, rapport au recteur de l'académie de Paris, 5 novembre 1940

René Poujal et M. Alexandre, lettres au proviseur du lycée Henri-IV, 11 et 13 novembre 1940

Missak Manouchian, dernière lettre, prison de Fresnes, 21 février 1944

Hannah Arendt, *Les Origines du totalitarisme,* 1951

Edmond Michelet, *Rue de la Liberté : Dachau 1943-1945,* 1955

François Mauriac, *Bloc-notes,* 26 septembre 1957 et 15 février 1958

L'égalité

Étienne de La Boétie, *Discours de la servitude volontaire,* 1548-1555

Michel de Montaigne, « Sur les cannibales », *Essais,* 1580

Voltaire, « Égalité », *Dictionnaire philosophique,* 1764

Gotthold Ephraïm Lessing, *Nathan le Sage,* 1779

Condorcet, « Sur l'admission des femmes au droit de cité », 3 juillet 1790

Olympe de Gouges, *Déclaration des droits de la femme et de la citoyenne,* septembre 1791

Victor Schœlcher, *Des colonies françaises. Abolition immédiate de l'esclavage,* 1842

---

1. Les textes sont rangés par ordre chronologique. Ce sont presque tous des extraits, dont seules les coupes intérieures sont signalées ([...]).

Georges Clemenceau, intervention à la Chambre des députés, 31 juillet 1885
Émile Zola, *Lettre à la jeunesse*, 14 décembre 1897
Léon Blum, discours au IXe Congrès national de la Ligue internationale contre l'antisémitisme, 26 novembre 1938

Aimé Césaire, *Discours sur le colonialisme*, 1950
Pierre Mendès France, « Note pour Guy Mollet sur l'Algérie », remise le 21 avril 1956
Germaine Tillon, *L'Algérie en 1957*, 1957

Une République de citoyens

Montesquieu, « Du principe de la démocratie », *De l'esprit des lois*, 1748
Jean-Jacques Rousseau, « Du Souverain », *Du contrat social*, 1762
Robespierre, rapport présenté à la Convention au nom du Comité de salut public, 5 février 1794
Charles Renouvier, *Manuel républicain de l'homme et du citoyen*, 1848
Victor Hugo, profession de foi en vue des élections du 4 juin 1848, mai 1848
Léon Gambetta, discours prononcé à Paris, au cirque du Château d'eau, 9 octobre 1877

Charles Péguy, *Notre jeunesse*, 17 juillet 1910
Alain, *Politique*, 1912
« Pourquoi je suis républicain. Réponse d'un historien », *Les Cahiers politiques*, juillet 1943
Charles de Gaulle, discours prononcé à Paris, au palais de Chaillot, 12 septembre 1944
Michel Debré, discours à l'Assemblée nationale, 15 janvier 1959
André Malraux, discours prononcé à Athènes le 28 mai 1959

À l'école de la République

Condorcet, rapport et projet de décret présentés à l'Assemblée nationale au nom du Comité d'instruction publique, 20 et 21 avril 1792
Jules Ferry, « De l'égalité d'éducation », conférence prononcée à Paris, à la salle Molière, le 10 avril 1870
Jules Ferry, lettre circulaire aux instituteurs, 17 novembre 1883

Jean Jaurès, « Aux instituteurs et institutrices », La Dépêche de Toulouse, 15 janvier 1888
Charles Péguy, *L'Argent*, 1913
Jean Zay, circulaires sur la neutralité politique et religieuse dans les établissements scolaires, 31 décembre 1936 et 15 mai 1937

La liberté

■ HENRI IV (1553-1610)
Édit de Nantes, avril 1598

En parvenant à organiser la coexistence de deux religions à l'intérieur d'un royaume dont l'un des fondements est jusque-là la religion unique, l'édit de Nantes témoigne de l'intelligence politique et de la volonté de pacification d'Henri IV. La structure de ce célèbre texte est quadripartite : l'édit proprement dit qui se compose de deux parties et deux brevets. Le préambule – qui est donné ici intégralement – est d'une élévation de ton et d'une humanité remarquables.

Henry par la grâce de Dieu roi de France et de Navarre.
À tous présents et à venir,
Salut.

Entre les grâces infinies qu'il a plu à Dieu nous départir, celle est bien des plus insignes et remarquables de nous avoir donné la vertu et la force de ne céder aux effroyables troubles, confusions et désordres qui se trouvèrent à notre avènement à ce royaume, qui était divisé en tant de parts et de factions que la plus légitime en était quasi la moindre, et de nous être néanmoins tellement roidis contre cette tourmente que nous l'ayons enfin surmontée et touchions maintenant le port de salut et repos de cet État. De quoi à lui seul en soit la gloire tout entière et à nous la grâce et l'obligation qu'il se soit voulu servir de notre labeur pour parfaire ce bon œuvre. Auquel il a été visible à tous si nous avons porté ce qui était non seulement de notre devoir et pouvoir, mais quelque chose de plus qui n'eût peut-être pas été en autre temps bien convenable à la dignité que nous tenons, que nous n'avons plus eu crainte d'y exposer puisque nous y avons tant de fois et si librement exposé notre propre vie.

Et en cette grande concurrence de si grandes et périlleuses affaires ne se pouvant toutes composer tout à la fois et en même temps, il nous a fallu tenir cet ordre d'entreprendre premièrement celles qui ne se pouvaient terminer que par la force et plutôt remettre et suspendre pour quelque temps les autres qui se devaient et pouvaient traiter par la raison et la justice, comme les différends généraux d'entre nos bons sujets et les maux particuliers des plus saines parties de l'État que nous estimions pouvoir bien plus aisément guérir, après en avoir ôté la cause principale qui était en la continuation de la guerre civile. En quoi nous étant, par la grâce de Dieu, bien et heureusement succédé, et les armes et hostilités étant du tout cessées en tout le dedans du royaume, nous espérons qu'il nous succédera aussi bien aux autres affaires qui restent à y composer et que, par ce moyen, nous parviendrons à l'établissement d'une bonne paix et tranquille repos qui a toujours été le but de tous nos vœux et intentions et le prix que nous désirons de tant de peines et travaux auxquels nous avons passé ce cours de nôtre âge.

Entre les affaires auxquelles il a fallu donner patience et l'une des principales ont été les plaintes que nous avons reçues de plusieurs de nos provinces et villes catholiques de ce que l'exercice de la religion catholique n'était pas universelle-ment rétabli comme il est porté par les édits ci-devant faits pour la pacification des troubles à l'occasion de la religion. Comme aussi les supplications et remon-trances qui nous ont été faites par nos sujets de la religion prétendue réformée, tant sur l'inexécution de ce qui leur est accordé par ces édits que sur ce qu'ils désireraient y être ajouté pour l'exercice de leur dite religion, la liberté de leurs consciences, et la sûreté de leurs personnes et fortunes, présumant avoir juste sujet d'en avoir nouvelles et plus grandes appréhensions à cause de ces derniers troubles et mouvements dont le principal prétexte et fondement a été sur leur ruine. À quoi, pour ne nous charger de trop d'affaires tout à la fois, et aussi que la fureur des armes ne compatisse point à l'établissement des lois, pour bonnes quelles puissent être, nous avons toujours différé de temps en temps de pourvoir. Mais maintenant qu'il plaît à Dieu commencer à nous faire jouir de quelque meilleur repos, nous avons estimé ne le pouvoir mieux employer qu'à vaquer à ce qui peut concerner la gloire de son saint nom et service et à pourvoir qu'il puisse être adoré et prié par tous nos sujets et s'il ne lui a plu permettre que ce soit pour encore en une même forme et religion, que ce soit au moins d'une même intention et avec telle règle qu'il n'y ait point pour cela de trouble et de tumulte entre eux, et que nous et ce royaume puissions toujours mériter et conserver le titre glorieux de Très chrétien qui a été par tant de mérites et dès si longtemps acquis, et par même moyen ôter la cause du mal et troubles qui peut advenir sur le fait de la religion qui est toujours le plus glissant et pénétrant de tous les autres.

Pour cette occasion, ayant reconnu cette affaire de très grande importance et digne de très bonne considération, après avoir repris les cahiers des plaintes de nos sujets catholiques, ayant aussi permis à nos sujets de la religion prétendue réformée de s'assembler par députés pour dresser les leurs et mettre ensemble toutes leurs remontrances et, sur ce fait, conféré avec eux par diverses fois, et revu les édits précédents, nous avons jugé nécessaire de donner maintenant sur le tout à tous nos sujets une loi générale, claire, nette et absolue, par laquelle ils soient réglés sur tous les différends qui sont ci-devant sur ce survenus entre eux, et y pourront encore survenir ci-après, et dont les uns et les autres aient sujet de se contenter, selon que la qualité du temps le peut porter. N'étant pour notre regard entrés en cette délibération que pour le seul zèle que nous avons au service de Dieu et qu'il se puisse dorénavant faire et rendre par tous nos dits sujets et établir entre eux une bonne et perdurable paix.

Sur quoi nous implorons et attendons de sa divine bonté la même protection et faveur qu'il a toujours visiblement départie à ce royaume, depuis sa naissance et pendant tout ce long âge qu'il a atteint et qu'elle fasse la grâce à nos dits sujets de bien comprendre qu'en l'observation de cette notre ordonnance consiste, après ce qui est de leur devoir envers Dieu et envers nous, le principal fondement de leur union et concorde, tranquillité et repos, et du rétablissement de tout cet État en sa première splendeur, opulence et force. Comme de notre part nous promettons de la faire exactement observer sans souffrir qu'il y soit aucunement contrevenu.

Pour ces causes, ayant avec l'avis des princes de notre sang, autres princes et officiers de la Couronne et autres grands et notables personnages de notre Conseil d'État étant près de nous, bien et diligemment pesé et considéré toute cette affaire, avons, par cet Édit perpétuel et irrévocable, dit, déclaré et ordonné, disons, déclarons et ordonnons [...].

Henri IV (1553-1610),
Édit de Nantes, avril 1598,
Édition présentée et annotée
par Janine Garrisson,
Atlantica, 1997, p. 25 *sqq*

■ JOHN LOCKE (1632-1704)
Lettres sur la tolérance, 1689

> Cette Lettre est écrite par Locke au milieu de la décennie 1680, alors qu'il est réfugié politique en Hollande, où la question de la tolérance est au cœur de beaucoup de discussions. Dans un monde confronté à des conflits politico-religieux, il y établit les règles de bonne conduite des individus comme des États, rappelant le champ spécifique de l'autorité de chacun.

La tolérance, en faveur de ceux qui diffèrent des autres en matière de religion, est si conforme à l'Évangile de Jésus-Christ, et au sens commun de tous les hommes, qu'on peut regarder comme une chose monstrueuse, qu'il y ait des gens assez aveugles, pour n'en voir pas la nécessité et l'avantage, au milieu de tant de lumière qui les environne. Je ne m'arrêterai pas ici à accuser l'orgueil et l'ambition des uns, la passion et le zèle peu charitable des autres. Ce sont des vices, dont il est presque impossible qu'on soit jamais délivré à tous égards ; mais ils sont d'une telle nature, qu'il n'y a personne qui en veuille soutenir le reproche, sans les pallier de quelque couleur spécieuse, et qui ne prétende mériter des éloges, lors même qu'il est entraîné par la violence de ses passions déréglées. Quoi qu'il en soit, afin que les uns ne couvrent pas leur esprit de persécution et leur cruauté anti-chrétienne, des belles apparences de l'intérêt public, et de l'observation des lois ; et afin que les autres, sous prétexte de religion, ne cherchent pas l'impunité de leur libertinage et de leur licence effrénée, en un mot, afin qu'aucun ne se trompe soi-même ou n'abuse les autres, sous prétexte de fidélité envers le prince ou de soumission à ses ordres, et de scrupule de conscience ou de sincérité dans le culte divin ; je crois qu'il est d'une nécessité absolue de distinguer ici, avec toute l'exactitude possible, ce qui regarde le gouvernement civil, de ce qui appartient à la religion, et de marquer les justes bornes qui séparent les droits de l'un et ceux de l'autre. Sans cela, il n'y aura jamais de fin aux disputes qui s'élèveront entre ceux qui s'intéressent ou qui prétendent s'intéresser, d'un côté au salut des âmes, et de l'autre au bien de l'État.

L'État, selon mes idées, est une société d'hommes installée dans la seule vue de l'établissement de la conservation et de l'avancement de leurs INTÉRÊTS CIVILS. J'appelle intérêts civils, la vie, la liberté, la santé du corps ; la pression des biens extérieurs, tels que sont l'argent, les terres, les maisons, les meubles, et autres choses de cette nature.

Il est du devoir du magistrat civil d'assurer, par l'impartiale exécution de lois équitables, à tout le peuple en général, et chacun des sujets en particulier, la possession légitime de toutes les choses qui regardent cette vie. Si quelqu'un se hasarde de violer les lois de la justice publique, établies pour la conservation de tous ces biens, sa témérité doit être réprimée par la crainte du châtiment, qui consiste à le dépouiller, en tout ou en partie, de ces biens ou intérêts civils, dont il aurait pu et même dû jouir sans cela. Mais comme il n'y a personne qui souffre volontiers d'être privé d'une partie de ses biens, et encore moins de sa liberté ou de sa vie, c'est aussi pour cette raison que le magistrat est armé de la force réunie de tous ses sujets, de punir ceux qui violent les droits des autres.

Or, pour convaincre que la juridiction du magistrat se termine à ces biens temporels, et que tout pouvoir civil est borné à l'unique soin de les maintenir et de travailler à leur augmentation, sans qu'il puisse ni qu'il doive en aucune manière s'étendre jusques au salut des âmes ; il suffit de considérer les raisons suivantes, qui me paraissent démonstratives.

Premièrement, parce que Dieu n'a pas commis le soin des âmes au magistrat civil, plutôt qu'à toute autre personne, et qu'il ne paraît pas qu'il ait jamais autorisé aucun homme à forcer les autres de recevoir sa religion. Le consentement du peuple même ne saurait donner ce pouvoir au magistrat ; puisqu'il est comme impossible qu'un homme abandonne le soin de son salut jusques à devenir aveugle lui-même et à laisser au choix d'un autre, soit prince ou sujet, de lui prescrire la foi ou le culte qu'il doit embrasser. Car il n'y a personne qui puisse, quand il le voudrait, régler sa foi sur les préceptes d'un autre. Toute l'essence et la force de la vraie religion consiste dans la persuasion absolue et intérieure de l'esprit et la foi n'est plus foi si l'on ne croit point. Quelques dogmes que l'on suive, à quelque culte extérieur que l'on se joigne, si l'on n'est pleinement convaincu que ces dogmes sont vrais, et que ce culte est agréable à Dieu, bien loin que ces dogmes et ce culte contribuent à notre salut, ils y mettent de grands obstacles. En effet, si nous servons le Créateur d'une manière que nous savons ne lui être pas agréable, au lieu d'expier nos péchés par ce service, nous en commettons de nouveaux, et nous ajoutons à leur nombre l'hypocrisie et le mépris de sa majesté souveraine.

En second lieu, le soin des âmes ne saurait appartenir au magistrat civil, parce que son pouvoir est borné à la force extérieure. Mais la vraie religion consiste, comme nous venons de le remarquer, dans la persuasion intérieure de l'esprit sans laquelle il est impossible de plaire à Dieu. Ajoutez à cela que notre entendement est d'une telle nature, qu'on ne saurait le porter à croire quoi que ce soit par la contrainte.

La confiscation des biens, les cachots, les tourments et les supplices, rien de tout cela ne peut altérer ou anéantir le jugement intérieur que nous faisons des choses. On me dira sans doute que « le magistrat peut se servir de raisons, pour faire entrer les hérétiques dans le chemin de la vérité, et leur procurer le salut ». Je l'avoue ; mais il a cela de commun avec tous les autres hommes. En instruisant, enseignant et corrigeant par la raison ceux qui sont dans l'erreur, il peut sans doute faire ce que tout honnête homme doit faire. La magistrature ne l'oblige à se dépouiller ni de la qualité d'homme, ni de celle de chrétien. Mais persuader ou commander, employer des arguments ou des peines, sont des choses bien différentes. Le pouvoir civil tout seul a droit à l'une, et la bienveillance suffit pour autoriser tout homme à l'autre. Nous avons tous mission d'avertir notre prochain que nous le croyons dans l'erreur, et de l'amener à la connaissance de la vérité par de bonnes preuves. Mais donner des lois, exiger la soumission, et contraindre par la force, tout cela n'appartient qu'au magistrat seul. C'est aussi sur ce fondement que je soutiens que le pouvoir du magistrat ne s'étend pas jusques à établir, par ses lois, des articles de foi, ni des formes de culte religieux. Car les lois n'ont aucune vigueur sans les peines ; et les peines sont tout à fait inutiles, pour ne pas dire injustes, dans cette occasion, puisqu'elles ne sauraient convaincre l'esprit. Il n'y a donc ni profession de tels ou de tels articles de foi ni conformité à tel ou à tel culte extérieur (comme nous l'avons déjà dit), qui puissent procurer le salut des âmes si l'on n'est bien persuadé de la vérité des uns, et que l'autre est agréable à Dieu. Mais les peines ne sauraient absolument produire cette persuasion. Il n'y a que la lumière et l'évidence qui aient le pouvoir de changer les opinions des hommes ; et cette lumière ne peut jamais être produite par les souffrances corporelles, ni par aucune autre peine extérieure.

En troisième lieu, le soin du salut des âmes ne saurait appartenir au magistrat, parce que, si la rigueur des lois et l'efficace des peines ou des amendes pouvaient convaincre l'esprit des hommes, et leur donner de nouvelles idées, tout cela ne servirait de rien pour le salut de leurs âmes. En voici la raison, c'est que la vérité est unique, et qu'il n'y a qu'un seul chemin qui conduise au ciel. Or, quelle espérance qu'on y amènera plus de gens, s'ils n'ont d'autre règle que la religion de la Cour ; s'ils sont obligés de renoncer à leurs propres lumières de combattre le sentiment de leur conscience et de se soumettre en aveugle à la volonté de ceux qui gouvernent et à la religion que l'ignorance, l'ambition, ou même la superstition, ont peut-être établie dans le pays où ils sont nés ? Si nous considérons la différence et la contrariété des sentiments qu'il y a sur le fait de la religion, et que les princes ne sont pas moins là-dessus qu'au sujet de leurs intérêts temporels, il faut avouer que le chemin du salut déjà si étroit, le deviendrait encore davantage. Il n'y aurait plus qu'un seul pays qui suivit cette route, et tout le reste du monde se trouverait engagé à suivre ses princes dans la voie de la perdition. Ce qu'il y a de plus absurde encore, et qui s'accorde fort avec l'idée d'une divinité, c'est que les hommes devraient leur bonheur ou leur malheur éternel aux lieux de leur naissance.

Ces raisons seules, sans m'arrêter à bien d'autres que j'aurais pu alléguer ici, me paraissent suffisantes pour conclure que tout le pouvoir du gouvernement civil ne se rapporte qu'à l'intérêt temporel des hommes ; qu'il se borne au soin des choses de ce monde, et qu'il ne doit pas se mêler de ce qui regarde le siècle à venir.

John Locke (1632-1704),
Lettres sur la tolérance, 1689,
Flammarion, coll. « GF » 1992, p. 167 *sqq*

© Presses universitaires de France

■ JEAN-PAUL RABAUT SAINT-ÉTIENNE (1743-1793)
Discours à l'Assemblée nationale, 23 août 1789

Le pasteur Rabaut Saint-Étienne est un des protestants les plus connus parmi ceux qui ont joué un rôle important lors de la Révolution. Combattant l'édit de Tolérance de 1787 qu'il espérait plus complet, il est activement associé à la Déclaration des droits de l'Homme et du citoyen. Il est victime de la Terreur le 5 décembre 1793.

Les non-catholiques (quelques-uns de vous, Messieurs, l'ignorent peut-être) n'ont reçu de l'Édit de novembre 1787 *que ce qu'on n'a pu leur refuser.* Oui, ce qu'on n'a pu leur refuser ; je ne le répète pas sans quelque honte, mais ce n'est point une inculpation gratuite, ce sont les propres termes de l'Édit. Cette loi, plus célèbre que juste, fixe les formes d'enregistrer leurs naissances, leurs mariages et leurs morts ; elle leur permet en conséquence de jouir des effets civils, et d'exercer leurs professions… et c'est tout.

C'est ainsi, Messieurs, qu'en France, au XVIIIe siècle, on a gardé la maxime des temps barbares, de diviser une Nation en une caste favorisée, et une caste disgraciée ; qu'on a regardé comme un des progrès de la législation, qu'il fût permis à des Français, proscrits depuis cent ans, d'exercer leurs professions, c'est-à-dire, de vivre, et que leurs enfants ne fussent plus illégitimes. Encore les formes auxquelles la loi les a soumis sont-elles accompagnées de gênes et d'entraves ; et l'exécution de cette loi de grâce a porté la douleur et le désordre dans les provinces où il existe des protestants. C'est un objet sur lequel je me propose de réclamer lorsque vous serez parvenus à l'article des Lois. Cependant, Messieurs (telle est la différence qui existe entre les Français et les Français) ; cependant les protestants sont privés de plusieurs avantages de la société : cette croix, prix honorable du courage et des services rendus à la patrie, il leur est défendu de la recevoir ; car, pour des hommes d'honneur, pour des Français, c'est être privé du prix de l'honneur que de l'acheter par l'hypocrisie. Enfin, Messieurs, pour compte d'humiliation et d'outrage, proscrits dans leurs pensées, coupables dans leurs opinions, ils sont privés de la liberté de professer leur culte. Les lois pénales (et quelles lois que celles qui sont posées sur ce principe, que l'erreur est un crime !), les lois pénales contre leur Culte n'ont point été abolies ; en plusieurs provinces ils sont réduits à le célébrer dans les déserts, exposés à toute l'intempérie des saisons, à se dérober comme des criminels à la tyrannie de la loi, ou plutôt à rendre la loi ridicule par son injustice, en l'éludant, en la violant chaque jour.

Ainsi, Messieurs, les protestants font tout pour la patrie et la patrie les traite avec ingratitude : ils la servent en citoyens ; ils en sont traités en proscrits : ils la servent en hommes que vous avez rendus libres ; ils en sont traités en esclaves. Mais il existe enfin une Nation française, et c'est à elle que j'en appelle en faveur de deux millions de citoyens utiles, qui réclament aujourd'hui leur droit de Français : je ne lui fais pas l'injustice de penser qu'elle puisse prononcer le mot d'intolérance ; il est banni de notre langue, ou il n'y subsistera que comme un des mots barbares et surannés dont on ne se sert plus, parce que l'idée qu'il représente est anéantie. Mais, Messieurs, ce n'est pas même la tolérance que je réclame ; c'est la liberté. La Tolérance ! Le support ! Le pardon ! La clémence ! Idées souverainement injustes envers les dissidents, tant qu'il sera vrai que la différence de religion, que la différence d'opinion n'est pas un crime. La Tolérance ! Je demande qu'il soit proscrit à son tour, et il le sera, ce mot injuste qui ne nous présente que comme des Citoyens dignes de pitié, comme des coupables auxquels on pardonne, ceux que le hasard souvent et l'éducation ont amenés à penser d'une autre manière que nous. L'erreur, Messieurs n'est point un crime ; celui qui la professe la prend pour la vérité ; elle est la vérité pour lui ; il est obligé de la professer, et nul homme, nulle société n'a le droit de la lui défendre.

Eh ! Messieurs, dans ce partage d'erreurs et de vérités que les hommes se distribuent, ou se transmettent, ou se disputent, quel est celui qui oserait assurer qu'il ne s'est jamais trompé, que la vérité est constamment chez lui, et l'erreur constamment chez les autres ?

Je demande donc, Messieurs, pour les protestants français, pour tous les non-catholiques du Royaume, ce que vous demandez pour vous : la liberté, l'égalité de droits. Je le demande pour ce peuple arraché de l'Asie, toujours errant, toujours proscrit, toujours persécuté depuis près de dix-huit siècles, qui prendrait nos mœurs et nos usages, si, par nos Lois, il était incorporé avec nous, et auquel nous ne devons point reprocher sa morale, parce qu'elle est le fruit de notre barbarie et de l'humiliation à laquelle nous l'avons injustement condamné.

Je demande, Messieurs, tout ce que vous demandez pour vous : que tous les non-catholiques français soient assimilés en tout, et sans réserve aucune, à tous les autres citoyens, parce qu'ils sont Citoyens aussi, et que la Loi, et que la liberté, toujours impartiales, ne distribuent point inégalement les actes rigoureux de leur exacte justice.

Et qui de vous, Messieurs (permettez-moi de vous le demander), qui de vous oserait, qui voudrait, qui mériterait de jouir de la liberté, s'il voyait deux millions de citoyens contraster, par leur servitude, avec le faste imposteur d'une liberté qui ne serait plus, parce qu'elle serait inégalement répartie ? Qu'auriez-vous à leur dire, s'ils vous reprochaient que vous tenez leur âme dans les fers, tandis que vous vous réservez la liberté ? Et que ferait, je vous prie, cette aristocratie d'opinions, cette féodalité de pensées, qui réduirait à un honteux servage deux millions de citoyens, parce qu'ils adorent votre Dieu d'une autre manière que vous ?

Je demande pour tous les non-catholiques ce que vous demandez pour vous : l'égalité des droits, la liberté ; la liberté de leur Religion, la liberté de leur Culte, la liberté de le célébrer dans des maisons consacrées à cet objet, la certitude de n'être pas plus troublés dans leur religion que vous ne l'êtes dans la vôtre, et l'assurance parfaite d'être protégés comme vous, autant que vous, et de la même manière que vous, par la commune Loi.

[…] Enfin, Messieurs, je reviens à mes principes, ou plutôt à vos principes ; car ils sont à vous ; vous les avez conquis par votre courage, et vous les avez consacrés à la face du monde en déclarant que *tous les hommes naissent et demeurent libres et égaux.* Les droits de tous les Français sont les mêmes, tous les Français sont Égaux en droits. Je ne vois donc aucune raison pour qu'une partie des Citoyens dise à l'autre : « Je serai libre, mais vous ne le serez pas. »

Je ne vois aucune raison pour qu'une partie des Français dise à l'autre : « Vos droits et les nôtres sont inégaux ; nous sommes libres dans notre conscience, mais vous ne pouvez pas l'être dans la vôtre, parce que nous ne le voulons pas. »

Je ne vois aucune raison pour que la patrie opprimée ne puisse lui répondre : « Peut-être ne parleriez-vous pas ainsi si vous étiez le plus petit nombre ; votre volonté exclusive n'est que la loi du plus fort, et je ne suis point tenu d'y obéir. » Cette loi du plus fort pouvait exister sous l'empire despotique d'un seul, dont la volonté faisait l'unique loi ; elle ne peut exister sous un peuple libre et qui respecte les droits de chacun. Non plus que vous, Messieurs, je ne sais ce que c'est qu'un droit exclusif ; je ne puis reconnaître un privilège exclusif en quoi que ce soit ; mais le privilège exclusif en fait d'opinion et de culte me paraît le comble de l'injustice. Vous ne pouvez pas avoir un seul droit que je ne l'aie ; si vous l'exercez, je dois l'exercer ; si vous êtes libres, je dois être libre ; si vous pouvez professer votre culte, je dois pouvoir professer le mien ; si vous ne devez pas être inquiétés, je ne dois pas être inquiété ; et si, malgré l'évidence de ces principes, vous nous défendiez de professer notre culte commun, sous prétexte que vous êtes beaucoup et que nous sommes peu, ce ne serait que la loi du plus fort, ce serait une souveraine injustice, et vous pécheriez contre vos propres principes.

Jean-Paul Rabaut Saint-Étienne,
discours à l'Assemblée nationale, 23 août 1789

■ LOUIS LAFON (1856-1943)
Réponse à l'enquête lancée par le journal *Le Siècle*
à propos de la séparation des Églises et de l'État

> L'enquête du *Siècle*, publiée en volumes en 1905 puis reprise par
> Péguy aux *Cahiers de la Quinzaine*, a préparé le terrain à l'adoption
> d'une solution libérale à la question de la séparation. Le passage qui
> suit est emprunté à la réponse de Louis Lafon, pasteur de l'Église
> réformée à Montauban, favorable à la séparation mais rejetant la libre-
> pensée irréligieuse.

Je crois que la séparation sera bienfaisante à la fois pour l'État et pour les Églises,
à condition qu'elle soit opérée dans un esprit de justice et dans le respect des
droits acquis.

Mais il y a deux façons de faire la séparation, ou plutôt, en la faisant, on peut poursuivre deux buts différents : ou bien vouloir laïciser l'État, ou bien vouloir détruire
la religion.

Je suis, et tous les protestants avec moi, pour la laïcisation complète de l'État.
L'État n'a pas, par fonction, à distribuer aux citoyens les vérités ou les erreurs de
la religion. Il est sur un autre terrain : ce qu'il distribue, c'est la justice, la liberté, le
bien-être. La religion est affaire de conscience, l'affaire de la conscience individuelle. L'État n'a qu'à s'abstenir complètement de toute participation et de toute
action dans le domaine religieux, et il a le droit et le devoir d'exiger en retour des
Églises qu'elles ne se mêlent pas de vouloir le dominer, de le façonner à leur gré.

Je pense que dans cette appréciation du rôle de l'État vis-à-vis des Églises, je suis
en communion d'idées avec tous les démocrates et un grand nombre de libres-
penseurs eux-mêmes.

Mais il en est d'autres qui rêvent de détruire par la loi toute Église et toute religion.
Ils nourrissent le rêve criminel et insensé de tous les despotes, qui, toujours, ont
voulu régner sur la conscience humaine, et se sont imaginé qu'ils en deviendraient
les maîtres par la violence.

C'est à ces libres-penseurs-là que nous devons les articles iniques et arbitraires
dont sont émaillés tous les projets de la loi relatifs à la séparation, et ce sont ces
articles qu'il est nécessaire de repousser... si l'on ne veut pas faire courir à la République elle-même les dangers les plus redoutables.

La liberté d'association doit être complète pour les catholiques, les protestants et les juifs, aussi bien que pour les libres-penseurs et les francs-maçons. L'article 8 déjà fort ébranlé doit être jeté par terre tout entier [...].

La liberté qui, seule, aboutira à la formation de toutes sortes d'associations rivales de l'Église romaine, associations fondées sur la libre raison et la libre conscience, brisera le joug que cette Église fait encore peser sur la France et trop souvent sur son gouvernement.

[...]

En résumé, liberté d'association pour tous, et pour ménager la transition, libre jouissance aux Églises de tous les biens qu'elles possèdent actuellement. Voilà, d'après moi, le seul moyen de détacher les Églises de l'État sans risquer la guerre civile.

Nos populations ont des habitudes religieuses. Le jour où l'on touchera à ces habitudes, où l'on s'emparera des édifices du culte, par exemple, sera un jour de révolte et d'émeute. Rome espère, attend et prépare de son mieux cette insurrection générale. Le gouvernement de la République favorisera-t-il ces projets ténébreux ?

Il n'y a de salut pour la République que dans la liberté. La séparation des Églises et de l'État est une réforme nécessaire et urgente. Mais pour qu'elle aboutisse, il faut que cette réforme se fasse dans la justice.

Louis Lafon (1856-1943),
réponse à l'enquête du *Siècle* à propos de la séparation
des Églises et de l'État,
Jean-Marie Mayeur,
La Séparation des Églises et de l'État, p. 28 *sqq*
Éditions de l'Atelier, coll. « Églises, sociétés », 1991

© Éditions de l'Atelier

■ ARISTIDE BRIAND (1862-1932)

Rapport du 4 mars 1905 à la Chambre des députés et intervention du 20 avril 1905 lors du débat parlementaire sur la séparation des Églises et de l'État

> La commission chargée d'examiner le projet de loi et les diverses propositions de loi concernant la Séparation est nommée le 11 juin 1903. Le jeune député socialiste de la Loire, Aristide Briand, y joue vite un rôle majeur. C'est le 4 mars 1905 qu'il dépose son rapport au nom de la commission ; au fil des débats, il a d'autres occasions de préciser sa pensée.

En vous présentant ce rapport, nous avons pour objectif de prouver que la seule solution possible aux difficultés intérieures qui résultent en France de l'actuel régime concordataire est dans une séparation loyale complète des Églises et de l'État. Nous montrerons juridiquement que ce régime est le seul qui, en France, pays où les croyances sont diverses, réserve et sauvegarde les droits de chacun. [...]

Le régime nouveau des cultes qui vous est proposé touche à des intérêts si délicats et si divers, il opère de si grands changements dans les coutumes séculaires, qu'il est sage, avant tout, de rassurer la susceptibilité éveillée des « fidèles » en proclamant solennellement que non seulement la République ne saurait opprimer les consciences ou gêner dans ses formes multiples l'expression extérieure des sentiments religieux, mais encore qu'elle entend respecter et faire respecter la liberté de conscience et la liberté des cultes [...]. En le votant vous ramènerez l'État à une plus juste appréciation de son rôle et de sa fonction, vous rendrez la République à la véritable tradition révolutionnaire et vous aurez accordé à l'Église ce qu'elle a seulement le droit d'exiger, à savoir la pleine liberté de s'organiser, de vivre, de se développer selon les règles et par ses propres moyens, sans autre restriction que le respect des lois et de l'ordre public.

[...] Ou, alors, si quelqu'un ici avait cette arrière-pensée de faire une loi de séparation qui devînt d'une manière indirecte, sournoise (*applaudissements au centre et sur divers bancs à gauche*), une entrave à l'exercice des cultes, une atteinte à la constitution des Églises, je vous déclare qu'il ne me trouverait pas en communion de pensée avec lui. Pour ma part, je n'ai jamais été guidé par une préoccupation de cette sorte. (*Vifs applaudissements au centre et sur divers bancs à gauche et à l'extrême gauche.*)

Jamais, à aucun moment, je n'ai voulu supposer qu'il pût se trouver dans le parti républicain, surtout dans la libre-pensée (*très bien ! très bien !*), des hommes animés de telles intentions.

M. Charles Dumont : Est-ce à moi que ces paroles s'adressent ?

M. Le Rapporteur : Non, mon cher collègue. J'ai été, avec la majorité des membres de la Commission, je le répète, préoccupé de ne pas laisser ligoter la communauté des fidèles par la discipline de Rome...

M. Bepmale : C'est ce que vous faites !

[...] J'ai été préoccupé de laisser à cette communauté la large faculté, le large droit d'évoluer dans le sein même de son organisation, et avec elle ; mais à aucun moment, il ne m'est venu l'arrière-pensée de susciter des scissions, de provoquer des compétitions et des désordres dans les paroisses. Non, je n'ai pas eu cette arrière-pensée ; je tiens à le dire hautement (*applaudissements à gauche et à l'extrême gauche*), et si j'avais pu croire que l'on attendît cela de ma collaboration à cette loi, jamais je n'aurais consenti à prendre le rapport dans ces conditions.

Mais enfin, Messieurs, est-ce que vous vous trouvez en présence de propositions nouvelles et inattendues ? Est-ce que, personnellement, j'ai caché ma pensée, mon opinion ? Est-ce qu'à tous les moments, soit au sein de la Commission, soit dans les articles que j'ai pu écrire en réponse aux critiques formulées contre notre projet, soit au cours de ces débats, je n'ai pas toujours tenu le même langage ? Est-ce que dans mon rapport la même interprétation n'est pas formulée avec une netteté suffisante ? Et cette interprétation de l'article 4 n'est-elle pas absolument conforme à la modification qui vous est apportée ?

Demain, il est très possible que dans l'atmosphère de liberté créée par la loi, un certain nombre d'ecclésiastiques – nous n'avons pas à les y pousser mais nous n'avons pas non plus à les en empêcher – se prêtent, avec les « fidèles » à une organisation nouvelle de leur culte. Cette organisation, il est possible que Rome ne l'accepte pas, mais il n'est pas impossible non plus qu'elle l'accepte. La loi ne fera pas obstacle à cette évolution.

On a parlé d'associations étriquées, comprenant un nombre de membres insuffisant. Ici encore, il était impossible que la loi imposât des règles, en violation de la constitution même des Églises, et que celles-ci n'auraient pu accepter. Messieurs, quand on touche à une matière aussi délicate, où tant de sentiments complexes et respectables se trouvent en jeu, il faut le faire d'une main prudente et légère. (*Applaudissements à gauche, à l'extrême gauche et au centre.*)

Nous ne pouvons pas ne pas nous préoccuper des conséquences de cette loi.

Quel est le but que vous poursuivez ? Voulez-vous une loi de large neutralité, susceptible d'assurer la pacification des esprits et de donner à la République, en même temps que la liberté de ses mouvements, une force plus grande ? Si oui, faites que cette loi soit franche, loyale et honnête. (*Applaudissements sur les mêmes bancs.*) Faites-la telle que les Églises ne puissent y trouver aucune raison grave de bouder le régime nouveau, qu'elles sentent elles-mêmes la possibilité de vivre à l'abri de ce régime, et qu'elles soient, pour ainsi dire, obligées de l'accepter de bonne grâce ; car le pire qui pourrait arriver ce serait de déchaîner dans ce pays les passions religieuses. (*Applaudissements à gauche et à l'extrême gauche.*)

Nous voulons que demain vous puissiez, vous, républicains, dire dans vos circonscriptions qu'en affirmant la liberté de conscience, en promettant aux fidèles qu'ils pourraient librement pratiquer leur religion, la République a pris un engagement sérieux et qu'honnêtement elle a tout disposé pour le tenir. Nous voulons qu'à ceux qui parcourront les paroisses en essayant de susciter la guerre religieuse, aux prêtres qui, entraînés par la passion politique, tenteront d'ameuter les paysans contre la République en leur disant qu'elle a violé la liberté de conscience...

M. Levraud : Vous croyez qu'ils s'en priveront ?

... vous puissiez répondre simplement : Voici notre loi, lisez-la, et vous verrez qu'elle est faite de liberté, de franchise et de loyauté. (*Vifs applaudissements à l'extrême gauche et sur divers bancs à gauche et au centre.*)

C'est ainsi que, pour ma part, j'ai compris et que je comprends encore les devoirs et les intérêts de la République. Si en travaillant à cette grande réforme certains de nos collègues ont pu être inspirés par des préoccupations différentes, je tiens à déclarer nettement, en descendant de cette tribune, que je ne les ai pas partagées avec eux. (*Nouveaux applaudissements sur les mêmes bancs.*)

Aristide Briand (1862-1932),
Rapport du 4 mars 1905 à la Chambre des députés et
intervention du 20 avril 1905 lors du débat parlementaire
sur la séparation des Églises et de l'État,
Jean-Marie Mayeur,
La Séparation des Églises et de l'État, p. 36 *sqq* et 52 *sqq*
Éditions de l'Atelier, coll. « Églises, sociétés », 1991

© Éditions de l'Atelier

■ GUSTAVE MONOD (1885-1968)

Rapport au recteur de l'académie de Paris, 5 novembre 1940

Gustave Monod, agrégé de philosophie, engagé volontaire en 1914, proche des ministres de Monzie et Zay, est devenu inspecteur d'académie de Paris en 1936, avec rang d'inspecteur général (1937). À ce titre, il adresse au recteur Roussy ce rapport sur la réunion des proviseurs et directrices des lycées parisiens tenue à la Sorbonne le 4 novembre 1940. Après une lettre plus explicite encore du 23 novembre au nouveau recteur, Jérôme Carcopino, il quitte son poste et redevient professeur de philosophie, avant d'entrer plus tard dans la Résistance.

Monsieur le Recteur,

J'ai l'honneur de vous rendre compte que, d'accord avec mes collègues et avec M. Guyot, secrétaire général de l'Université, nous avons réuni hier soir 4 novembre à 17 heures dans la salle des commissions les Proviseurs et Directrices des lycées parisiens.

L'objet de cette réunion était d'attirer l'attention des chefs d'établissement sur les mesures à prendre pour éviter dans nos lycées tout incident d'ordre politique. Ces mesures ne pouvaient pas faire l'objet de circulaires ou de messages téléphonés : nous avons cru nécessaire de les prescrire de vive voix. J'ai pris la parole en votre nom et au nom de mes collègues. L'échange de vues qui a suivi a révélé que la situation, sans être grave, méritait d'être considérée tant dans les lycées de garçons que dans les lycées de jeunes filles avec beaucoup de vigilance. Certains quartiers de Paris manifestent plus d'émotion que d'autres. Les chefs d'établissement passeront eux-mêmes dans les classes et donneront aux élèves des conseils de prudence, en soulignant les conséquences très graves qu'un acte isolé peut avoir sur l'activité tout entière de nos lycées.

Bien que la question ne fût pas à l'ordre du jour, les chefs d'établissement ont profité de cette réunion pour signaler à l'administration supérieure les difficultés qu'ils éprouvent à appliquer le statut des Juifs[1]. Leurs observations ont porté sur les points suivants :

1°) La désignation des fonctionnaires juifs « de notoriété publique ou à la connaissance des chefs d'établissement » paraît devoir entraîner arbitraire et injustice. Il est inutile de rappeler que jamais l'administration universitaire française ne s'est inquiétée jusqu'à présent de la race ou de la religion de son personnel. Les listes à établir vont donc reposer sur des témoignages indirects, nécessairement incertains. Tel fonctionnaire au nom aryen (je m'excuse d'avoir à employer dans ce rapport un vocabulaire à ce point étranger à une plume d'administrateur français) peut avoir le nombre d'ascendants juifs qui devrait l'exclure de nos rangs. Inversement un professeur juif peut échapper à la proscription du fait de ses ascendants maternels. Faudra-t-il demander des pièces d'état civil à ceux que désigne « la notoriété publique » ? Mais les administrateurs que nous sommes sont bien peu compétents pour juger de la valeur de ces pièces, qui, en France, jusqu'à notre récente défaite, ne comportaient aucune mention de race ou de religion.

Au critère de la notoriété publique, il y aurait donc lieu de substituer la déclaration individuelle faite sur questionnaire par chaque membre du personnel enseignant : les chefs d'établissement nous ont demandé s'ils pouvaient procéder ainsi. Je n'ai pas voulu leur donner de réponse sans vous en référer, estimant que l'administration supérieure avait sans doute eu ses raisons en ne prescrivant pas cette manière de faire.

2°) La question a été posée de savoir si devaient être portés sur les listes les fonctionnaires juifs « de notoriété publique » qui, soldats de la dernière guerre, sont naturellement absents parce que portés disparus – ou prisonniers en Allemagne – ou hospitalisés pour blessures.

J'ai dû répondre que ni la loi ni la circulaire d'application ne créaient d'exception, dans le corps enseignant, en faveur des anciens combattants de cette guerre ou de la guerre de 1914. Cette réponse a soulevé les réserves et les regrets que vous devinez. Je dois d'ailleurs vous rendre compte, Monsieur le Recteur, de l'atmosphère d'émotion grave et douloureuse dans laquelle s'est déroulé cet entretien. Manifestement les mesures que la loi récente impose à nos chefs d'établissement, non seulement sont contraires à leurs habitudes, mais elles blessent leurs consciences d'administrateurs aussi soucieuses de l'intérêt de leurs élèves que de celui des professeurs qu'ils ont à diriger. Le nombre des fonctionnaires juifs « de notoriété publique » doit être dans les lycées parisiens d'environ 80 sur près de 3 000, soit moins de 3 %. Dans l'hypothèse où il y aurait un enseignement juif particulièrement dangereux, comment admettre que s'exerçant dans de pareilles proportions son influence ne soit pas largement neutralisée ?

Mais il est évident qu'il ne s'agit pas ici de nombre. L'émotion que j'ai sentie – et dont certains m'ont dit qu'elle traduisait celle du corps enseignant tout entier – venait de plus loin. Ce qui est aujourd'hui mis en question, c'est le libéralisme universitaire, c'est toute une conception de l'honneur intellectuel qui a été puisée par nous tous au plus profond des traditions françaises humaniste et chrétienne, – et qu'il paraît impossible à un universitaire de renier.

Je dois à la vérité de dire, Monsieur le Recteur, que je n'ai pas été un bon avocat de la cause administrative, et que bien loin de pouvoir la défendre, j'ai été obligé de m'associer sinon en paroles, du moins dans le secret de ma pensée à toutes les réserves formulées. Mon loyalisme de fonctionnaire m'oblige à vous apporter ce témoignage que je vous serais reconnaissant de transmettre à M. le Ministre.

Gustave Monod (1885-1968),
rapport au recteur de l'académie de Paris,
5 novembre 1940,
Claude Singer,
Vichy, l'université et les Juifs : les silences et la mémoire,
Hachette Littératures, coll. « Pluriel » 1996, p. 373-375
Les Belles Lettres, coll. « Histoire », 1992

© Les Belles Lettres

1. Il s'agit de la loi « portant statut des Juifs » du 3 octobre, publiée au JO du 18 octobre, dont voici le texte :

Loi « portant statut des Juifs » du 3 octobre 1940

Nous, Maréchal de France, chef de l'État français,
Le conseil des ministres entendu,
Décrétons :

Article 1er. - Est regardé comme Juif, pour l'application de la présente loi, toute personne issue de trois grands-parents de race juive ou de deux grands-parents de la même race, si son conjoint lui-même est Juif.
Art. 2. - L'accès et l'exercice des fonctions publiques et mandats énumérés ci-après sont interdits aux Juifs :
1. Chef de l'État, membre du gouvernement, Conseil d'État, Conseil de l'Ordre national de la Légion d'honneur, Cour de cassation, Cour des comptes, corps des mines, corps des ponts et chaussées, inspection générale des finances, cours d'appel, tribunaux de première instance, justices de paix, toutes juridictions d'ordre professionnel et toutes assemblées issues de l'élection.
2. Agents relevant du département des Affaires étrangères, secrétaires généraux des départements ministériels, directeurs généraux, directeurs des administrations centrales des ministères, préfets, sous-préfets, secrétaires généraux des préfectures, inspecteurs généraux des services administratifs au ministère de l'Intérieur, fonctionnaires de tous grades attachés à tous services de police.

3. Résidents généraux, gouverneurs généraux, gouverneurs et secrétaires généraux des colonies, inspecteurs des colonies.

4. Membres des corps enseignants.

5. Officiers des armées de Terre, de Mer et de l'Air.

6. Administrateurs, directeurs, secrétaires généraux dans les entreprises bénéficiaires de concessions ou de subventions accordées par une collectivité publique, postes à la nomination du gouvernement dans les entreprises d'intérêt général.

Art. 3. - L'accès et l'exercice de toutes les fonctions publiques autres que celles énumérées à l'article 2 ne sont ouverts aux Juifs que s'ils peuvent exciper de l'une des conditions suivantes :

a) Être titulaire de la carte de combattant 1914-1918 ou avoir été cité au cours de la campagne 1914-1918 ;

b) Avoir été cité à l'ordre du jour au cours de la campagne 1939-1940 ;

c) Être décoré de la Légion d'honneur à titre militaire ou de la médaille militaire.

Art. 4. - L'accès et l'exercice des professions libérales, des professions libres, des fonctions dévolues aux officiers ministériels et à tout auxiliaire de la justice sont permis aux Juifs, à moins que des règlements d'administration publique n'aient fixé pour eux une proportion déterminée. Dans ce cas, les mêmes règlements détermineront les conditions dans lesquelles aura lieu l'élimination des Juifs en surnombre.

Art. 5. - Les Juifs ne pourront, sans condition ni réserve, exercer l'une quelconque des professions suivantes :

Directeurs, gérants, rédacteurs de journaux, revues, agences ou périodiques, à l'exception de publications de caractère strictement scientifique.

Directeurs, administrateurs, gérants d'entreprises ayant pour objet la fabrication, l'impression, la distribution, la présentation de films cinématographiques ; metteurs en scène et directeurs de prises de vues, compositeurs de scénarios, directeurs, administrateurs, gérants de salles de théâtres ou de cinématographie, entrepreneurs de spectacles, directeurs, administrateurs, gérants de toutes entreprises se rapportant à la radiodiffusion.

Des règlements d'administration publique fixeront, pour chaque catégorie, les conditions dans lesquelles les autorités publiques pourront s'assurer du respect, par les intéressés, des interdictions prononcées au présent article, ainsi que les sanctions attachées à ces interdictions.

Art. 6. - En aucun cas, les Juifs ne peuvent faire partie des organismes chargés de représenter les progressions visées aux articles 4 et 5 de la présente loi ou d'en assurer la discipline.

Art. 7. - Les fonctionnaires juifs visés aux articles 2 et 3 cesseront d'exercer leurs fonctions dans les deux mois qui suivront la promulgation de la présente loi. Ils seront admis à faire valoir leurs droits à la retraite s'ils remplissent les conditions de durée de service ; à une retraite proportionnelle s'ils ont au moins quinze ans de service ; ceux ne pouvant exciper d'aucune de ces conditions recevront leur traitement pendant une durée qui sera fixée, pour chaque catégorie, par un règlement d'administration publique.

Art. 8. - Par décret individuel pris en Conseil d'État et dûment motivé, les Juifs qui, dans les domaines littéraire, scientifique, artistique, ont rendu des services exceptionnels à l'État français pourront être relevés des interdictions prévues par la présente loi.

Ces décrets et les motifs qui les justifient seront publiés au *Journal officiel*.

Art. 9. - La présente loi est applicable à l'Algérie, aux colonies, pays de protectorat et territoires sous mandat.

Art. 10. - Le présent acte sera publié au *Journal officiel* et exécuté comme loi de l'État.

Fait à Vichy, le 3 octobre 1940

Par le Maréchal de France,

chef de l'État français,

Philippe Pétain.

Le vice-président du Conseil,

Pierre Laval.

Le garde des Sceaux,

ministre secrétaire d'État à la Justice,

Raphaël Alibert.

Le ministre secrétaire d'État

à l'Intérieur,

Marcel Peyrouton.

Le ministre secrétaire d'État,

aux Affaires étrangères,

Paul Baudouin.

Le ministre secrétaire d'État à la Guerre,

Général Huntziger.

Le ministre secrétaire d'État aux Finances,

Yves Bouthillier.

Le ministre secrétaire d'État à la Marine,

Amiral Darlan.

Le ministre secrétaire d'État à la Production industrielle et au Travail,

René Belin.

Le ministre secrétaire d'État à l'Agriculture,

Pierre Caziot.

■ RENÉ POUJAL ET M. ALEXANDRE

Lettres au proviseur du lycée Henri-IV de Paris, 11 et 13 novembre 1940

En application de la législation antisémite adoptée dès octobre 1940 par l'État français[1], chaque membre du personnel enseignant doit adresser à son supérieur hiérarchique une lettre manuscrite attestant de sa non-appartenance à la « race juive » ni par ses parents, ni par ses grands-parents. Parmi la trentaine de réponses conservées pour le lycée Henri-IV, voici celles de R. Poujal, professeur de troisième, et de M. Alexandre, professeur de première.

Monsieur le Proviseur, en réponse à votre lettre de ce jour, je dois vous rendre compte que je n'ai pas l'honneur d'avoir un seul grand-parent appartenant à la race du fondateur de la religion chrétienne, donc à la race juive. En conséquence, l'article I de la loi du 3 octobre 1940 ne me concerne pas.
Veuillez agréer l'expression de mon plus respectueux dévouement.

René Poujal

L'article premier de la loi me concerne. Bien que n'ayant jamais pratiqué la religion israélite et n'ayant sur la « race » de deux de mes grands-parents que des données incertaines, je me suis toujours considéré comme Juif et ce n'est pas en ce moment que je m'aviserai d'en douter.
Veuillez agréer, Monsieur le Proviseur, l'assurance de mon respectueux attachement.

M. Alexandre

René Poujal et M. Alexandre,
lettres au proviseur du lycée Henri-IV de Paris,
11 et 13 novembre 1940,

© Archives de Paris, 1371 W 1088

---

1. Voir précédemment la note au rapport de G. Monod de novembre 1940.

■ MISSAK MANOUCHIAN (1960-1944)
Dernière lettre, prison de Fresnes, 21 février 1944

Fils de paysans arméniens, émigré en France en 1925, Missak Manouchian devient durant la guerre un important responsable des résistants de la MOI à Paris. Arrêté, il est jugé à partir du 19 février 1944 et fusillé le 21. Une affiche rouge apposée sur les murs de France dénonce « l'Arménien chef de bande » et son « armée du crime ».[1]

Ma Chère Mélinée, ma petite orpheline bien-aimée,

Dans quelques heures, je ne serai plus de ce monde. Nous allons être fusillés cet après-midi à 15 heures. Cela m'arrive comme un accident dans ma vie, je n'y crois pas mais pourtant je sais que je ne te verrai plus jamais.
Que puis-je t'écrire ? Tout est confus en moi et bien clair en même temps.
Je m'étais engagé dans l'Armée de Libération en soldat volontaire et je meurs à deux doigts de la Victoire et du but. Bonheur à ceux qui vont nous survivre et goûter la douceur de la Liberté et de la Paix de demain. Je suis sûr que le peuple français et tous les combattants de la liberté sauront honorer notre mémoire dignement. Au moment de mourir, je proclame que je n'ai aucune haine contre le peuple allemand et contre qui que ce soit, chacun aura ce qu'il méritera comme châtiment et comme récompense. Le peuple allemand et tous les autres peuples vivront en paix et en fraternité après la guerre qui ne durera plus longtemps. Bonheur à tous... J'ai un regret profond de ne t'avoir pas rendue heureuse, j'aurais bien voulu avoir un enfant de toi, comme tu le voulais toujours. Je te prie donc de te marier après la guerre, sans faute, et d'avoir un enfant pour mon bonheur, et pour accomplir ma dernière volonté, marie-toi avec quelqu'un qui puisse te rendre heureuse. Tous mes biens et toutes mes affaires je les lègue à toi, à ta sœur et à mes neveux. Après la guerre tu pourras faire valoir ton droit de pension de guerre en tant que ma femme, car je meurs en soldat régulier de l'armée française de la Libération.

---

1. Voir au chapitre Récits, « L'affiche rouge » d'Aragon.

Avec l'aide des amis qui voudront bien m'honorer, tu feras éditer mes poèmes et mes écrits qui valent d'être lus. Tu apporteras mes souvenirs si possible à mes parents en Arménie. Je mourrai avec mes 23 camarades tout à l'heure avec le courage et la sérénité d'un homme qui a la conscience bien tranquille, car personnellement, je n'ai fait de mal à personne et si je l'ai fait, je l'ai fait sans haine. Aujourd'hui, il y a du soleil. C'est en regardant le soleil et la belle nature que j'ai tant aimée que je dirai adieu à la vie et à vous tous, ma bien chère femme et mes bien chers amis. Je pardonne à tous ceux qui m'ont fait du mal ou qui ont voulu me faire du mal sauf à celui qui nous a trahis pour racheter sa peau et ceux qui nous ont vendus. Je t'embrasse bien fort ainsi que ta sœur et tous les amis qui me connaissent de loin ou de près ; je vous serre tous sur mon cœur. Adieu. Ton ami, ton camarade, ton mari.

Manouchian Michel

PS : J'ai quinze mille francs dans la valise de la rue de Plaisance. Si tu peux les prendre, rends mes dettes et donne le reste à Armène. M. M.

Missak Manouchian (1906-1944),
Dernière lettre, prison de Fresnes, 21 février 1944,
Mélinée Manouchian, *Manouchian*, p. 180-183
Les éditeurs français réunis, 1974

■ HANNAH ARENDT (1906-1975)
Les Origines du totalitarisme, 1951

Née dans une famille juive originaire de Königsberg en Prusse orientale, la jeune Hannah Arendt refuse que l'arrivée au pouvoir d'Hitler la contraigne à devenir un « citoyen de seconde zone ». Elle quitte l'Allemagne. C'est aux États-Unis, en 1944, qu'elle entreprend l'analyse du phénomène totalitaire, qui a « manifestement pulvérisé nos catégories politiques, ainsi que nos critères de jugement moral ». *Ses Origines du totalitarisme* se composent de trois parties : *L'Antisémitisme, L'Impérialisme* et *Le Totalitarisme*, d'où est extrait le passage proposé ci-dessous.

L'histoire enseigne que l'accès au pouvoir et à la responsabilité modifie profondément la nature des partis révolutionnaires. L'expérience et le sens commun laissaient à bon droit prévoir que le totalitarisme au pouvoir perdrait peu à peu sa vigueur révolutionnaire et son caractère utopique, que la tâche quotidienne du gouvernement et la possession d'un pouvoir réel ne manqueraient pas de modérer les prétentions des mouvements avant leur accession au pouvoir, et de détruire petit à petit le monde fictif de leurs organisations. Après tout, c'est semble-t-il dans la nature même des choses, privées ou publiques, que des exigences et des objectifs extrêmes soient freinés par des conditions objectives ; et la réalité, prise comme un tout, n'est qu'à un faible degré déterminée par la tendance à la fiction d'une société de masse composée d'individus atomisés.

Il est clair que bien des erreurs commises par le monde non totalitaire dans ses relations diplomatiques avec les gouvernements totalitaires (les plus manifestes étant la confiance dans le pacte de Munich avec Hitler et dans les accords de Yalta avec Staline) peuvent être mises au compte d'une impuissance soudaine de l'expérience et du bon sens à avoir prise sur la réalité. Contrairement à toute attente, ni l'importance des concessions faites, ni l'accroissement de leur prestige international ne contribuèrent à la réintégration des pays totalitaires dans le concert des nations, ou à l'abandon du grief mensonger selon lequel le monde entier serait ligué contre eux. Loin de l'empêcher, les victoires diplomatiques précipitèrent manifestement leur recours aux instruments de la violence et accrurent leur hostilité à l'égard des puissances qui s'étaient montrées favorables à un compromis. Ces déceptions qu'hommes d'État et diplomates ressentirent évoquent les désillusions antérieures des observateurs bienveillants et des sympathisants des nouveaux gouvernements révolutionnaires. Leurs objectifs avaient été la mise en place d'institutions nouvelles et la création d'un nouveau code juridique qui, si révolutionnaire qu'il fût, devait conduire à une stabilisation et, par là, freiner l'élan des mouvements totalitaires, du moins dans les pays où ils s'étaient emparés du pouvoir. Ce qui se produisit à la place, tant en Union soviétique que dans l'Allemagne nazie, fut un accroissement de la terreur inversement proportionnel à l'existence d'une opposition politique intérieure, si bien que celle-ci ne semble pas avoir été le prétexte de la terreur (comme les accusateurs libéraux du régime avaient coutume de l'affirmer), mais le dernier obstacle à son déchaînement total. Encore plus troublante fut la manière dont les régimes totalitaires traitèrent la question constitutionnelle. Durant leurs premières années d'exercice du pouvoir, les nazis firent pleuvoir une avalanche de lois et de décrets, mais ne se soucièrent jamais d'abolir officiellement la Constitution de Weimar. Ils maintinrent même, à peu de choses près, les administrations en place, ce qui induisit bien des observateurs nationaux et étrangers à espérer une limitation de l'activité du parti et une normalisation rapide du nouveau régime. Cependant, lorsque la promulgation des lois de Nuremberg mit un terme à cette évolution, il apparut que les nazis eux-mêmes ne se sentaient nullement concernés par leur propre législation. Bien plutôt, seule comptait pour eux « la constante marche en avant vers des objectifs sans cesse nouveaux » ; si bien que, finalement, « le but et le champ d'action de la police secrète d'État » comme de toutes les autres institutions de l'État et du parti créées par les nazis ne pouvaient « en aucune manière rentrer dans le cadre des lois et des règlements édictés pour elles ». En pratique, cet état permanent d'anarchie se traduisit dans le fait que « nombre de règlements en vigueur ne furent plus rendus publics ». Sur le plan théorique, cela répondait à la maxime de Hitler selon laquelle « l'État total doit ignorer toute différence entre la loi et l'éthique » ; car si l'on pose en principe que la loi en vigueur est identique à l'éthique commune, telle qu'elle jaillit de la conscience de tous, il n'est assurément plus nécessaire de rendre publics les décrets. L'Union soviétique, où l'administration prérévolutionnaire avait été exterminée sous la révolution, et où le régime n'avait porté qu'un intérêt minime aux questions constitutionnelles à l'époque du changement révolutionnaire, ne négligea pas cependant de promulguer en 1936 une constitution très élaborée, entièrement nouvelle (« voile de phrases et de promesses libérales jeté sur la guillotine qui se trouvait à l'arrière-plan ») ; événement qui fut salué, en Russie et à l'étranger, comme la conclusion de la phase révolutionnaire. Pourtant, la promulgation de la constitution fut le signal de la gigantesque purge qui, en presque deux ans, liquida l'administration en place, effaça toute trace de vie normale et annula le redressement économique opéré au cours des quatre années qui avaient suivi l'élimination des koulaks et la collectivisation forcée de la population rurale. À compter de ce moment, la Constitution de 1936 joua exactement le même rôle que la Constitution de Weimar sous le régime nazi : on n'en tint aucun compte mais on ne l'abolit jamais. La seule différence fut que Staline put se permettre une absurdité de plus : à l'exception de Vychinski, tous ceux qui avaient rédigé la Constitution toujours en vigueur furent exécutés comme traîtres.

[…]

L'une des différences les plus importantes entre un mouvement totalitaire et un État totalitaire réside en ce que le dictateur totalitaire peut et doit pratiquer l'art du mensonge totalitaire d'une manière plus cohérente et à une plus large échelle que le guide d'un mouvement. C'est pour partie la conséquence automatique de l'accroissement du nombre des compagnons de route et pour partie dû au fait qu'un homme d'État ne peut revenir sur des déclarations qui déplaisent aussi aisément qu'un guide de parti démagogue. À cette fin, Hitler choisit de recourir sans aucun détour au nationalisme passé de mode qu'il avait maintes fois dénoncé avant son accession au pouvoir ; en posant au nationaliste ardent, en soutenant que le national-socialisme n'était pas une « marchandise exportable », il rassurait les Allemands autant que les non-Allemands et donnait à entendre que les ambitions nazies seraient satisfaites quand le seraient les traditionnelles revendications d'une politique étrangère allemande nationaliste – le retour des territoires cédés au traité de Versailles, l'Anschluss de l'Autriche, l'annexion des régions germanophones de Bohême. Staline, de même, comptait à la fois avec l'opinion publique russe et le monde non russe lorsqu'il inventa sa théorie du « socialisme dans un seul pays » et mit sur le dos de Trotski l'idée de révolution mondiale.

Hannah Arendt (1906-1975),
Les Origines du totalitarisme, 1951
Éditions Gallimard, « Quarto », 2002, p. 723-727 et 749-750[1]

© Seuil

---

1. On se reportera à l'édition pour prendre connaissance des notes.

■ EDMOND MICHELET (1899-1970)
Rue de la Liberté : Dachau 1943-1945, 1955

> Tôt persuadé du danger du totalitarisme national-socialiste, ayant rejeté tout esprit de résignation dès le 17 juin 1940, connaissant l'Appel du 18 juin et y adhérant, Edmond Michelet est d'emblée prêt pour l'action. Fin 1941, il est l'un des responsables du mouvement *Combat.* Le 25 février 1943, il est arrêté, emprisonné à Fresnes puis déporté à Dachau : *Rue de la Liberté* porte témoignage de ces années d'épreuves.

Les deux enseignements

« J'ai toujours tout pris au sérieux. Ça m'a mené loin.
Nous croyions intégralement aux enseignements de nos maîtres
et également intégralement aux enseignements de nos curés… »
Charles Péguy, *L'Argent,* Gallimard, coll. « Blanche », 1932[1]

Je raconte les choses comme je les ai vues. Elles ont eu pour témoins des camarades qui ne sont pas tous morts et qui me traiteront d'imposteur s'il leur apparaît que je les présente sous un jour qui ne correspond pas à la réalité. Mais je n'ai pas cette crainte. Si l'aventure que nous avons vécue ressemble parfois à une image d'Épinal, ce n'est pas notre faute. Et ce n'est pas pour le plaisir de faire de la symétrie, mais pour rendre témoignage, que je rapporte maintenant l'histoire parallèle de l'instituteur Georges Lapierre et du jésuite Victor Dillard.

Georges Lapierre était arrivé de Natzweiler par le convoi du 6 septembre. Il avait été dirigé sur le block 23. Citron, à qui rien n'échappait, n'avait pas été long à signaler sa présence. Les deux instituteurs qui étaient à l'époque *Schreibers* au block 23 et auxquels j'avais transmis le renseignement de Citron, m'avaient tout de suite déclaré avec humeur que le secrétaire général de leur syndicat aurait bien pu se faire connaître d'eux. Mais dans la cohue des arrivants, Lapierre préférait, tout au contraire, rester inaperçu. Voilà un premier trait de son caractère.

J'allai le voir dans la grouillante *Stube* où il venait de passer la nuit. Il se montra

---

* Voir, au chapitre « À l'école de la République », un extrait de *L'Argent.*

touché de ma visite. Petit de taille, il avait la tête toute ronde et roulait les *r* avec un accent bourguignon très prononcé. Comme je lui avais apporté au fond d'une gamelle un *Nachelague* de soupe froide, son premier geste, après avoir mangé, fut d'aller tout de suite laver lui-même le récipient. Ce soin méticuleux à conserver de bonnes manières dans cette écurie d'hommes, dans cette chienlit, c'était tout un programme, une protestation, le refus d'accepter la condition de bétail.

Beaucoup de choses, et d'essentielles, me séparaient de Georges Lapierre. Ce « laïque », je me le représentais comme sectaire. Je gardais confusément le souvenir des polémiques qu'il avait échangées naguère avec des amis à moi. Ce représentant de la libre-pensée, de l'École libératrice, cet agressif instituteur m'apparaissait comme l'interlocuteur avec lequel je me découvrirais le moins de points de contacts. Tout de suite, je fis allusion, pour entrer en matière, à l'attitude décevante de certains de ses collègues dans l'affaire de Munich en 1938 ; mais, bien loin de porter sur eux un jugement sévère et passionné, il s'efforçait sinon de justifier, tout au moins d'expliquer leurs raisons, qui n'étaient pas les siennes. Pour un peu, il aurait excusé une attitude qui était à l'opposé de celle qui, précisément, l'avait amené où il se trouvait en ce moment. Je pensai alors qu'il défendait sa corporation. L'élégance du procédé ne me déplut pas.

Dans les jours qui suivirent, je m'efforçai de rencontrer Lapierre le plus souvent possible. C'est ainsi que j'ai découvert cet être exceptionnel. Qu'il en soit venu à me faire ses confidences – lui, si réservé –, me révéler ses espoirs pour le jour où la liberté nous serait rendue, c'est un de mes plus grands sujets de fierté.

Son activité intellectuelle était intacte, sa mémoire prodigieuse. Et pourtant il en avait vu de dures au Struthof. Ses maigres épaules avaient dû supporter les lourds moellons de granit, ses petites jambes courir sous le gummi des Kapos, dans la carrière. Il me racontait les terribles mois qu'il avait vécus là-bas avant de devenir *Hilfschreiber* à l'infirmerie. Par lui j'eus confirmation de ce que m'avait appris l'abbé Bidaux, d'Alençon, qui avait été son camarade dans ce bagne affreux ; la mort misérable de mon cousin André Delon et de Bonnel, le libraire de Sarlat, mes compagnons des groupes-francs de *Combat*. Le séjour dans ce répugnant block 23, cette promiscuité, ce bruit, ne prédisposaient guère aux cogitations désintéressées. Il conservait précieusement dans ses poches des bouts de crayon qu'il avait soustraits à la fouille et dont il se servait pour dessiner le front russe ou la position des armées alliées en Belgique. Un jour, je le surpris en train de reconstituer, sur un bout de table de son block, la carte de France et ses quatre-vingt-onze départements. Les préfectures y étaient toutes à leur place, et les sous-préfectures aussi.

Mais c'est l'Histoire qui était sa prédilection. L'Histoire de France naturellement. Depuis le soir où nous nous étions rencontrés pour la première fois, j'avais été intrigué par une particularité de son accoutrement. Lapierre ne se séparait jamais d'une sorte de petit sac de toile rapiécée, de besace assez analogue à la musette que les soldats de l'autre guerre portaient en bandoulière. Cet accessoire, avec la grosse ficelle qui lui barrait la taille, accentuait encore son allure de clochard, lui donnait un vague air de ressemblance avec le célèbre chemineau de Richepin. Je n'avais osé, jusque-là, lui demander la raison de cette singulière annexe vestimentaire, et cette réserve donnera la mesure de la déférence respectueuse qu'inspirait mon vieux camarade. Un jour pourtant la curiosité l'emporta :

– Vous ne semblez pas vous rendre compte, monsieur Lapierre, lui dis-je, que vous n'avez absolument pas le droit – *streng verboten* – de porter sur vous autre chose que le bout de chiffon qui doit vous tenir lieu de mouchoir et, éventuellement, votre étui à lunettes. Si vous avez vos lunettes sur le nez, votre étui doit être vide. Vous êtes à la merci d'une brusque inspection du *Rapportführer*.

Alors Georges Lapierre me répondit doucement :

– J'ai là-dedans le manuscrit que je suis en train d'achever d'un nouveau manuel d'Histoire de France, à l'usage des enfants de nos écoles primaires…

Je ne voudrais rien ajouter à cette réponse. Mais il me faut bien rapporter, tout de même, l'étonnant projet que mûrissait Lapierre, à Dachau. Dans ses longues méditations sur l'Appelplatz, il s'était souvenu que les manuels d'Histoire de France ne faisaient aucune place aux grands événements qui se déroulaient dans le monde pendant que chez nous Charles Martel arrêtait les Arabes dans la plaine de Poitiers ou que Jeanne d'Arc faisait sacrer le roi à Reims. Cette absence de recul risquait, pensait-il, de fausser les perspectives de l'enfant. En outre, il lui semblait nécessaire d'assortir chaque leçon d'un exercice pratique qui, du plan de la Nation, ramènerait l'attention de l'élève sur un cadre plus rapproché de lui : que faisait-on dans sa petite commune de la Côte-d'Or pendant que la grande Armée battait en retraite sur la Bérézina ou que se soulevaient les pavés des Trois Glorieuses ? Enfin, et c'est cela surtout qui m'avait surpris, Lapierre avait découvert, avec l'Évangile, la mine inépuisable d'enseignements qu'on pouvait retirer de l'Histoire du christianisme rapprochée de celle de la Nation.

Quand Lapierre, au block 30, sentit vers la fin de janvier que sa pauvre carcasse épuisée ne serait décidément pas à la hauteur de son inflexible énergie morale, après avoir vu sombrer les uns après les autres, dans une déchéance affreuse, tous ceux qui l'entouraient, il m'envoya un dernier billet pour me demander de lui recopier un passage de la *Première Épître aux Corinthiens* dont la découverte l'avait bouleversé : « Quand je parlerais le langage des hommes et des anges… » » Dans les jours qui suivirent, comme c'était un homme méticuleux, il fit soigneusement un paquet de son fameux manuscrit, le ficela et traça sur le papier, au crayon, de sa belle écriture calligraphiée d'instituteur primaire, ces simples mots : « À remettre à Pierre Suire. »

Pierre Suire était son grand ami. Ils s'étaient rencontrés à Natzweiler. Lapierre aimait Suire comme un jeune frère. Et Suire méritait bien cet honneur. J'espère qu'il pourra, comme il le souhaite, publier un jour l'Histoire de France qu'avait rédigée à Dachau, sans notes, sans fiches, sans autres références que sa mémoire et que son cœur, Georges Lapierre, instituteur public.

Quand je tombai sur le Père Dillard au block de la quarantaine où il venait d'arriver à la fin de novembre 1944, mon premier mot — et, tout gentil qu'il voulût être, je me le suis reproché par la suite – fut pour lui crier :

– Eh bien ! mon père, elles ne vous ont pas porté bonheur vos conférences de Vichy !

Je faisais ainsi allusion aux sermons que le Père, pendant les premiers mois de l'État français, avait généreusement distribués aux auditoires des nouveaux seigneurs. Il s'efforçait de développer la trilogie bien connue : Travail, Famille, Patrie. Le Père ne prit pas en mauvaise part la plaisanterie. Son déguisement de chef de gare l'amusait. Il sortait de prison, son visage en portait témoignage : joues creusées, teint jaune, regard fiévreux. On le sentait exténué. Il se plaignait déjà d'une douleur à la jambe qui l'empêchait de marcher autrement qu'avec l'aide d'un camarade sur l'épaule duquel il se soutenait.

Quelques jours plus tard, aux douches du Revier où j'étais de service avec de Ryckère, celui-ci me désigna du doigt un camarade nu, évanoui, étendu de tout son long sur le sol cimenté. C'était le père Dillard.

Quand il revint à lui, il fallut le transporter au block 9, où il avait fini, non sans mal, par être affecté. Là, une première difficulté survient. Le *Pfleger* de la *Stube zwei*, un jeune élève dentiste slovène, voit venir d'un mauvais œil ce curé en surnombre. Impossible d'obtenir qu'il lui réserve une place sur une des paillasses de rez-de-chaussée. Il faut hisser le Père au troisième étage des châlits, dans des souffrances qui lui arrachent des gémissements.

Comme il est clair qu'on n'obtiendra rien du titiste, on va essayer le transfert dans un block moins inhospitalier. Pierre Suire, toujours sur la brèche, obtint donc de son *Oberpfleger* l'autorisation de soigner lui-même au block I ce compatriote en détresse. Il va en prendre livraison pendant que, furieux, le *Pfleger* du 9, privé des rations que le Père n'aurait pas pu absorber, hurle ses imprécations à travers la salle :

— Fous le camp, curé de malheur ! Dans deux jours tu seras crevé.

Chez Suire, le Père connaît quelques jours de répit. C'est à ce moment que je le vois souvent. Nous sommes presque du même âge. Il a fait l'autre guerre et même un peu plus puisqu'il a servi sous les ordres de Weygand à Varsovie. Il est titulaire de l'Aigle Blanc de Pologne et tire fierté de son passé militaire. Nous parlons des choses et des gens que nous aimons en commun : les nouvelles formules d'apostolat, Yves Simon qu'il a rencontré en Amérique, bien d'autres. Il est heureux de pouvoir s'entretenir avec un ami des « Jèses » et qui semble connaître tant de confrères dans la Compagnie, de savoir qu'on a apprécié ses ouvrages sur les jeunes étudiants et les jeunes travailleurs d'Amérique. Il me raconte alors comment il a été amené, pour jouer le jeu loyalement et jusqu'au bout, à suivre les jeunes requis du STO en Allemagne, dans quelles conditions, inévitables, les nazis ont interrompu son action auprès d'eux en l'envoyant en prison d'abord, ici ensuite.

Dans la *Stube* de Pierre Suire, Lassus et Morin entourent le Père d'une sollicitude respectueuse. Une sorte de rayonnement semble émaner de la paillasse qu'il occupe dans le coin du fond, à gauche en entrant, à côté de celle de Godart.

Le Père Riquet, le jour de Noël, avait réussi à porter le viatique à son compagnon d'études. Ce n'était pas simple car l'accès du Revier était interdit aux *Pfarrers*. Par la suite, c'est à un laïque qu'échut le rôle de Tarcisius auprès du religieux moribond.

Suire s'acharna à le disputer à la mort. Une fois de plus (c'était décidément un récidiviste que Suire), il se prêta à une transfusion de sang, après avoir facilement obtenu de Breuilhot – un étudiant juif arrivé de la 2ᵉ DB – qu'il en fît autant. Dans les premiers jours de janvier, comme l'état du Père empirait, l'amputation de la jambe fut décidée.

Après l'intervention, alors qu'il n'était pas encore tout à fait sorti de l'anesthésie, je me trouvais à son chevet, lui tenant la main. Il divaguait à voix basse. Je m'efforçais de recueillir les propos, en apparence incohérents, qui sortaient de sa bouche car il prononçait des noms propres et cela m'avait frappé. Je pensais qu'il devait s'agir de camarades encore inconnus de moi, vers lesquels allaient ses dernières pensées.

– Vous n'oublierez pas de remettre de ma part les oranges à Bernard Untel.

Je songeais, à part moi, au mirage que nous éprouvions tous, dans ce désert de la faim, quand il nous arrivait de rêver à tant de choses dont nous avions envie : un fruit, un gâteau, une douceur. Le Père continuait son étrange énumération :

– À Alain Z., vous offrirez le pain d'épice que j'ai laissé au block... À Claude Z., vous donnerez le sucre que j'ai rapporté de Wuppertal...

Ce qui surprenait, c'était la précision, le nom propre qui suivait chaque prénom. Il y avait quelque chose d'émouvant dans ce testament dérisoire. Je savais trop bien que le Père ne possédait aucun de ces trésors. Il acheva enfin son imaginaire distribution :

– Et vous ferez passer à Gaston B. la boîte de dragées que j'ai gardée pour lui... J'y tiens.

Quand il revint à lui, après un court assoupissement, le Père se rendit compte qu'il avait battu la campagne. Il me demanda de lui rappeler ses propos.

– Des choses insignifiantes, lui répondis-je. Mais (je tenais à mon idée), vous m'avez donné des noms. Il doit s'agir sans doute de camarades du block auxquels vous avez peut-être un message à transmettre...

Le père Dillard voulut connaître ces noms. Je les lui répétai.

Il se recueillit un moment. Des larmes coulaient sur ses joues, un rictus douloureux en accentuait les sillons :

– Comme c'est étrange, dit-il, je vous ai donné là les noms des élèves de ma dernière classe de philosophie.

Edmond Michelet (1899-1970),
Rue de la Liberté : Dachau 1943-1945, 1955
Seuil, coll. « Livre de vie », 1998, p. 217 *sqq*

© Seuil

■ FRANÇOIS MAURIAC (1885-1970)
Bloc-notes, 26 septembre 1957 et 15 février 1958

> François Mauriac atteint le faîte de sa gloire littéraire durant l'entre-deux-guerres. Il s'engage en politique par sa condamnation de l'intervention des régimes fascistes en Éthiopie puis en Espagne et son rejet de Vichy. Après-guerre, il manifeste son soutien au mouvement de décolonisation et sa condamnation de la répression. Il devient un chroniqueur engagé : de 1952 à sa mort, il publie régulièrement son *Bloc-notes*, d'abord à *La Table ronde*, puis à *L'Express* (1953-1961) et enfin au *Figaro*.

Jeudi 26 septembre 1957 [1]

« Le président du Conseil rendra-t-il public le rapport de la Commission de sauvegarde des droits et libertés individuelles en Algérie ? M. William Thorp, bâtonnier du Barreau de Paris, le réclame en des termes qui laissent croire que le gouvernement ne serait pas fâché de mettre la Commission et son rapport sous le boisseau... ». Où ai-je lu cela ? Ni dans *Le Monde*, ni dans *L'Express* ; mais dans *Paris-Presse-L'Intransigeant*, sous la signature de M. Paul Gérin. Que des voix s'élèvent à droite, et s'indignent de ce qui nous indigne, quel soulagement ! Il y va de notre honneur à tous, et quant à la France, il y va de « sa gloire » pour parler d'elle comme d'une princesse de Racine [2]. Je le dis tout net à Philippe Barrès [3] qui dénonçait l'autre jour les « insulteurs de l'armée ». Ceux-là seuls insultent l'armée et la déshonorent qui consentent, par leur silence, à ce que des citoyens français deviennent des bourreaux, qui affectent de croire que des centaines de milliers de soldats honnêtes et bien incapables de commettre ces infamies sont solidaires du petit nombre que nous dénonçons.

J'ignore si Philippe Barrès a lu dans le dernier *Express* l'histoire de Léone Mezurat [4]. J'attire son attention sur ce qui, de cette déposition, devrait l'accabler,

---

1. *L'Express*, n° 328, 4 octobre 1957.
2. Plus exactement, c'est la princesse Bérénice qui, dans la tragédie de Racine, parle de l'empereur Titus : « Il ne me quitte point, il y va de sa gloire » (Bérénice, III, 3).
3. Député républicain-social, non réélu en 1956, et père de Claude. Voir B.N. II, p. 360.
4. Originaire de la métropole, elle était institutrice en Kabylie. Accusée d'entretenir des relations amicales avec de jeunes musulmans, elle était soupçonnée de fournir des renseignements et d'appartenir à « la clique de Servan-Schreiber ». Elle avait été détenue et torturée. Lors de vacances, elle était venue à *L'Express* dont jusque-là elle ignorait tout, pour témoigner.

plus encore peut-être que le récit des tortures subies par cette jeune femme :
« Quand j'ai pu me tenir debout, écrit Léone Mezurat, je suis allée voir l'inspecteur
de l'Académie. Il m'a raccompagnée dans sa voiture personnelle à mon domicile.
À ce moment, je ne pouvais pas sortir seule. La vue d'un uniforme, c'était pour moi
quelque chose d'atroce. Encore maintenant. »

Ah ! Philippe Barrès ! Philippe Barrès ! C'est toujours la même question posée aujour-
d'hui à la conscience française qu'il y a soixante ans. Qui donc alors mettait en péril
l'honneur de l'armée : le général Mercier ou le lieutenant-colonel Picquart [5] ? Et
aujourd'hui, est-ce le général de Bollardière [6] ou les hommes qui pratiquent ces
méthodes déjà dénoncées par le rapport de la Commission internationale contre le
régime concentrationnaire et que confirmera, vous n'en doutez pas, puisque le
gouvernement ne l'a pas rendu public, le rapport de la Commission de sauvegarde ?

Samedi 15 février 1958 [7]

À ceux qui nous reprochent d'être allés rue Barbet-de-Jouy [8] serrer la main de
l'ambassadeur tunisien, je le demande : n'est-ce pas un singulier ennemi que ce
Masmoudi qui, avant de nous quitter, va saluer chez eux l'archevêque de Paris et
le général De Gaulle [9], sans compter d'autres seigneurs d'aussi minime importance
que moi-même ? Ni le président du Conseil ni le ministre des Affaires étrangères
n'avaient jugé bon de le recevoir. Ils savent garder leurs distances. Mais nous, ses
amis, nous étions là.

Je l'atteste à ceux qui nous le reprochent : cela en valait la peine, puisque le crédit
de la France, au Maghreb n'est pas épuisé, si incroyable que cela paraisse. C'est
à se demander ce qu'il faudrait que nous fassions pour qu'il n'y ait plus de remède.
J'y songeais, rue Barbet-de-Jouy, et cela m'aidait à reprendre cœur : si rien n'est
encore perdu, c'est que rien ne sera jamais perdu.

À l'égard des peuples du Maghreb, on a parfois le sentiment qu'une once d'amitié
vraie pèse plus lourd qu'un massacre à base de mépris. Oh ! Ils ne sont pas des
agneaux, eux non plus.

Jusqu'où va leur cruauté et qu'elle peut être atroce, nous le savons. Mais qu'ils

---

5. Auguste Mercier (1838-1921) fit traduire Dreyfus devant un Conseil de guerre et s'acharna contre lui lors de la révision du procès.
Persuadé de l'innocence de Dreyfus, Georges Picquart (1854-1914) entra en conflit contre tout l'état-major général. Il fut inculpé,
détenu puis exclu de l'armée, qu'il réintégra en 1906 après la révision définitive du procès Dreyfus.
6. Authentique pacificateur, il réprouvait l'usage de la torture dans les interrogatoires.
7. L'Express, n° 348, 20 février 1958.
8. Siège de l'ambassade de Tunisie à Paris.
9. On sait maintenant que la visite de Mohammed Masmoudi à de Gaulle, le 9, fut organisée par Olivier Guichard, alors chef de
cabinet du Général.

oublient plus aisément ce qu'ils ont subi que nous autres chrétiens, j'en ai fait plus d'une fois l'expérience.

Je me rappellerai toujours un dîner avec des Marocains, à leur sortie de prison. L'un d'eux y était demeuré cinq ans : arrêté sans jugement, il avait été relâché sans jugement. Son visage portait encore la trace de coups. Il est devenu l'un des serviteurs les plus efficaces de son pays et des plus amis de la France. Je me rappelle les rires d'enfant de ces hommes durant ce repas, la joie qu'ils partageaient avec nous comme si nous avions été leurs frères et non ceux de leurs geôliers, et nous étions en effet des frères pour eux. J'ai appris quelque chose, ce soir là, que je n'oublierai plus.

R. [10] a un ami algérien dont la vieille mère a été souffletée sous ses yeux par un soldat, au cours d'une perquisition. « Pour lui, me disait R., la France c'est moi, c'est notre amitié, ce n'est pas ce misérable qui a frappé sa mère. »

Voilà qui aidera certains confrères à entrevoir pourquoi nous sommes allés rue Barbet-de-Jouy serrer la main de l'ambassadeur tunisien, notre ami Masmoudi, et pourquoi, en toute occasion, nous referons des gestes comme celui-là.

François Mauriac (1885-1970),
Bloc-notes, 26 septembre 1957 et 15 février 1958,
vol. 1 (1952-1957), p. 515-516,
et vol. 2 (1958-1960), p. 32-33
Seuil, coll. « Points Essais », 1993

© Seuil

10. Robert Barrat.

L'égalité

■ ÉTIENNE DE LA BOÉTIE (1530-1563)
Discours de la servitude volontaire, 1548-1555

Conseiller au parlement de Bordeaux – où il rencontre Montaigne, auquel le liera une profonde amitié[1] –, Étienne de la Boétie s'engage en faveur de la politique d'apaisement religieux conduite par le chancelier Michel de l'Hospital et la régente Catherine de Médicis au tout début de la décennie 1550.
Peu avant, il a composé le premier jet de son célèbre *Discours* ; il le reprendra ultérieurement, probablement jusque vers 1555. Ce texte aura une belle postérité, qui l'infléchira dans un sens plus militant et plus polémique que celui que lui avait donné son auteur.

Mais certes, s'il n'y a rien de clair ni d'apparent en la nature et où il ne soit pas permis de faire l'aveugle, c'est cela que la nature, le ministre de Dieu, la gouvernante des hommes, nous a tous faits de même forme, et, comme il semble, à même moule, afin de nous entreconnaître tous pour compagnons ou plutôt pour frères ; et si faisant les partages des présents qu'elle nous faisait, elle a fait quelque avantage de son bien, soit au corps ou en l'esprit, aux uns plus qu'aux autres, si n'a-t-elle pourtant entendu nous mettre en ce monde comme dans un camp clos, et n'a envoyé ici-bas les plus forts ni les plus avisés, comme des brigands armés dans une forêt, pour y gourmander les plus faibles ; mais plutôt faut-il croire que, faisant ainsi les parts aux uns plus grandes, aux autres plus petites, elle voulait faire place à la fraternelle affection, afin qu'elle eût où s'employer, ayant les uns en puis-

---

1. Voir ci-après.

sance de donner aide, les autres d'en recevoir. Puis donc que cette bonne mère nous a donné à tous la terre pour demeure, nous a tous logés aucunement en même raison, nous a tous figurés à même patron, afin que chacun se pût mirer et quasi reconnaître l'un dans l'autre ; si elle nous a donné à tous ce grand présent de la voix et de la parole pour nous accointer et fraterniser davantage, et faire, par la commune et mutuelle déclaration de nos pensées, une communion de nos volontés ; et si elle a tâché par tous moyens de serrer et étreindre si fort le nœud de notre alliance et société ; si elle a montré, en toutes choses, qu'elle ne voulait pas tant nous faire tous unis que tous uns, il ne faut pas faire doute que nous soyons naturellement libres, puisque nous sommes tous compagnons, et ne peut tomber en l'entendement de personne que nature ait mis aucun en servitude, nous ayant mis tous en compagnie.

Étienne de La Boétie (1530-1563),
Discours de la servitude volontaire, 1548-1555,
Flammarion, coll. « GF », 1983, p. 140-141

■ MICHEL DE MONTAIGNE (1533-1592)
« Sur les cannibales », *Essais*, livre I, 1580

Magistrat à Périgueux puis surtout à Bordeaux, Montaigne résigne sa charge en 1570 et se retire en son château pour s'y consacrer à l'étude et à la réflexion. En 1572, il commence les *Essais*, dont la première édition (première version des livres I et II) paraît en 1580. Dans cet ouvrage original, il nous invite à partager ses tentatives, ses observations, ses réflexions.

Je trouve maintenant, pour en revenir à mon sujet, qu'il n'y a rien de barbare et de sauvage dans cette nation[1], d'après ce que l'on m'en a dit, sinon que chacun appelle barbarie ce qui n'est pas dans ses coutumes, de même que, en vérité, nous n'avons pas d'autre point de mire pour la vérité et la raison que l'exemple et l'image des opinions et des usages du pays où nous sommes. Là est toujours la parfaite religion, le parfait gouvernement, le parfait et incomparable usage de toutes choses. [Ces hommes-là] sont sauvages de même que nous appelons sauvages les fruits que la nature a produits d'elle-même et dans sa marche ordinaire, tandis que, à la vérité, ce sont ceux que nous avons altérés par nos procédés et détournés de l'ordre habituel que nous devrions plutôt appeler sauvages. En ceux-là sont vivantes et vigoureuses les véritables et les plus utiles et plus naturelles vertus et propriétés que nous avons abâtardies en ceux-ci et que nous avons seulement accommodées au plaisir de notre goût corrompu. Et pourtant la saveur même et la finesse se trouvent excellentes à notre goût, en comparaison des nôtres, dans divers fruits de ces contrées [où ils poussent] sans être cultivés. Il n'est pas légitime que l'art emporte le prix d'honneur sur notre grande et puissante mère Nature. Nous avons tellement surchargé la beauté et la richesse de ses ouvrages par nos inventions que nous l'avons complètement étouffée. Cependant, partout où reluit sa pureté, elle fait extraordinairement honte à nos vaines et frivoles entreprises,

Et veniunt ederæ sponte sua melius,
Surgit et in solis formosior arbutus antris,
Et volucres nulla dulcius arte canunt[2].

---

1. On serait tenté, par préjugé d'Occidental, de traduire par « peuple », voire « peuplade ». Gardons « nation » : ainsi nous respecterons mieux la pensée de Montaigne sur les « Cannibales ».
2. Properce, I, 2.

(Et le lierre vient mieux de lui-même et l'arbousier croît plus beau dans les antres solitaires, et les oiseaux, sans art, ont un chant plus doux.)

Tous nos efforts ne peuvent pas seulement arriver à reproduire le nid du moindre oiselet, sa contexture, sa beauté et l'utilité de ses services, ni même la toile de la chétive araignée. Toutes choses, dit Platon [3], sont produites par la nature ou par « la fortune » ou par l'art [4] ; les plus grandes et les plus belles, par l'une ou l'autre des deux premières ; les moindres et les plus imparfaites, par le dernier.

Ainsi donc ces nations me semblent [réputées] barbares parce qu'elles ont été fort peu façonnées par l'esprit humain et parce qu'elles sont encore très voisines de leur état originel. Les lois naturelles, fort peu abâtardies par les nôtres, sont encore leurs commandements ; c'est même dans une telle pureté que je me prends parfois à regretter vivement que la connaissance n'en soit pas venue plus tôt [dans nos pays], du temps où il y avait des hommes qui auraient mieux su en juger que nous. Je regrette que Lycurgue et Platon [5] ne l'aient pas eue ; il me semble, en effet, que ce que nous voyons par expérience dans ces nations-là surpasse non seulement toutes les peintures par lesquelles les poètes ont embelli l'âge d'or et toutes leurs inventions pour imaginer une heureuse condition humaine [en ce temps-là], mais encore la conception idéale et le désir même des philosophes. [Ces Anciens] n'ont pas pu imaginer un état naturel aussi pur et simple que nous le voyons par expérience et n'ont pas pu croire que notre société eût la possibilité de se maintenir avec si peu de procédés artificiels et de rapports fixés par les lois humaines [6]. C'est une nation, dirais-je à Platon, dans laquelle il n'y a aucune espèce de commerce ; aucune connaissance des lettres [7] ; aucune science des nombres ; aucun nom de magistrat ni de supériorité politique [8] ; aucun emploi de serviteurs, aucune existence de la richesse ou de la pauvreté ; pas de contrats, pas de successions, pas de partages ; pas d'occupations désagréables ; pas de considération de parenté, sinon le respect que tous les hommes se portent les uns aux autres ; pas de vêtements, pas d'agriculture, pas de métal, pas d'usage du vin ou du blé. Les mots mêmes qui signifient le mensonge, la trahison, la dissimulation,

---

3. Platon, Lois, X. trad. de Ficin.
4. L'art au sens de la technique. *La fortune*, au sens latin de sort, hasard, est un mot cher à Montaigne.
5. Lycurgue donna ses lois à Sparte ; Platon est l'auteur de traités tels que *La République, Les Lois*.
6. L'expression de Montaigne (« si peu... de soudure humaine ») pourrait se comprendre par : si peu de ciment humain.
7. « Nulle cognoissance de lettres », dit le texte. Il faut comprendre apparemment : nulle connaissance des lettres de l'alphabet (cf. « nulle science des nombres ») et par conséquent, de l'écriture et de la lecture, et a *fortiori* (une nation), où il n'y a pas de littérature écrite. Osorio dit : « Ils n'ont connaissance de lettres quelconques », traduction de Goulard, *Histoire de Portugal*, citée par Villey.
8. « De supériorité publique », i.e. : de hiérarchie dans la société ; cf. Osorio (trad. Goulard) : « ils ne sont subjects à roy quelconque ».

la cupidité, l'envie, la médisance, le pardon, sont inconnus. Combien Platon trouverait la république qu'il a imaginée éloignée de cette perfection : « *viri a diis recentes* » [9] (Hommes sortant tout fraîchement de la main des dieux).
Hos natura modos primum dedit. [10]
(Voilà les premières lois qu'ait données la nature).

Michel de Montaigne (1533-1592),
« Sur les cannibales », *Essais*, livre I, 1580
Honoré Champion (en français moderne), 1989, p. 224-225

9. Sénèque, *Épîtres*, XC.
10. Virgile, *Géorgiques*, II, 20.

■ VOLTAIRE (1694-1778)
Article « Égalité », *Dictionnaire philosophique*, 1764

Voltaire croyait à la formule du dictionnaire portatif, mieux adaptée que les gros volumes de l'*Encyclopédie* aux combats philosophiques. Initialement paru en 1764 puis enrichi, son *Dictionnaire philosophique* compose un ensemble de plusieurs centaines d'articles, divers par les sujets et la forme, où se retrouvent bien ses principales thématiques.

Égalité

Que doit un chien à un chien, et un cheval à un cheval ? Rien, aucun animal ne dépend de son semblable ; mais, l'homme ayant reçu le rayon de la Divinité qu'on appelle raison, quel en est le fruit ? C'est d'être esclave dans presque toute la terre. Si cette terre était ce qu'elle semble devoir être, c'est-à-dire si l'homme y trouvait partout une subsistance facile et assurée, et un climat convenable à sa nature, il est clair qu'il eût été impossible à un homme d'en asservir un autre. Que ce globe soit couvert de fruits salutaires ; que l'air qui doit contribuer à notre vie ne nous donne point les maladies et la mort ; que l'homme n'ait besoin d'autre logis et d'autre lit que celui des daims et des chevreuils : alors les Gengis-Khan et les Tamerlan n'auront de valets que leurs enfants, qui seront assez honnêtes gens pour les aider dans leur vieillesse.

Dans cet état si naturel dont jouissent tous les quadrupèdes, les oiseaux et les reptiles, l'homme serait aussi heureux qu'eux, la domination serait alors une chimère, une absurdité à laquelle personne ne penserait ; car pourquoi chercher des serviteurs quand vous n'avez besoin d'aucun service ?

S'il passait par l'esprit à quelque individu à tête tyrannique et à bras nerveux d'asservir son voisin moins fort que lui, la chose serait impossible : l'opprimé serait à cent lieues avant que l'oppresseur eût pris ses mesures.

Tous les hommes seraient donc nécessairement égaux s'ils étaient sans besoins. La misère attachée à notre espèce subordonne un homme à un autre homme ; ce n'est pas l'inégalité qui est un malheur réel, c'est la dépendance. Il importe fort peu que tel homme s'appelle Sa Hautesse, tel autre Sa Sainteté ; mais il est dur de servir l'un ou l'autre.

Une famille nombreuse a cultivé un bon terroir ; deux petites familles voisines ont des champs ingrats et rebelles : il faut que les deux pauvres familles servent la famille opulente, ou qu'elles l'égorgent, cela va sans difficulté. Une des deux familles indigentes va offrir ses bras à la riche pour avoir du pain ; l'autre va l'attaquer et est battue. La famille servante est l'origine des domestiques et des manœuvres ; la famille battue est l'origine des esclaves.

Il est impossible, dans notre malheureux globe, que les hommes vivant en société ne soient pas divisés en deux classes, l'une de riches qui commandent, l'autre de pauvres qui servent ; et ces deux se subdivisent en mille, et ces mille ont encore des nuances différentes.

Tous les pauvres ne sont pas absolument malheureux. La plupart sont nés dans cet état, et le travail continuel les empêche de trop sentir leur situation ; mais, quand ils la sentent, alors on voit des guerres, comme celle du parti populaire contre le parti du Sénat à Rome ; celle des paysans en Allemagne, en Angleterre, en France. Toutes ces guerre finissent tôt ou tard par l'asservissement du peuple, parce que les puissants ont l'argent, et que l'argent est maître de tout dans un État : je dis dans un État, car il n'en est pas de même de nation à nation. La nation qui se servira le mieux du fer subjuguera toujours celle qui aura plus d'or et moins de courage.

Tout homme naît avec un penchant assez violent pour la domination, la richesse et les plaisirs, et avec beaucoup de goût pour la paresse : par conséquent tout homme voudrait avoir l'argent, et les femmes ou les filles des autres, être leur maître, les assujettir à tous ses caprices, et ne rien faire, ou du moins ne faire que des choses très agréables. Vous voyez bien qu'avec ces belles dispositions il est aussi impossible que les hommes soient égaux qu'il est impossible que deux prédicateurs ou deux professeurs de théologie ne soient pas jaloux l'un l'autre.

Le genre humain, tel qu'il est, ne peut subsister, à moins qu'il n'y ait une infinité d'hommes utiles qui ne possèdent rien du tout ; car, certainement, un homme ne quittera pas sa terre pour venir labourer la vôtre ; et, si vous avez besoin d'une paire de souliers, ce ne sera pas un maître des requêtes qui vous la fera.

L'égalité est donc à la fois la chose la plus naturelle et en même temps la plus chimérique.

Comme les hommes sont excessifs en tout quand ils le peuvent, on a outré cette inégalité ; on a prétendu dans plusieurs pays qu'il n'était pas permis à un citoyen de sortir de la contrée où le hasard l'a fait naître ; le sens de cette loi est visiblement : *Ce pays est si mauvais et si mal gouverné que nous défendons à chaque individu d'en sortir, de peur que tout le monde n'en sorte.* Faites mieux : donnez à tous vos sujets envie de demeurer chez vous, et aux étrangers d'y venir.

Chaque homme, dans le fond de son cœur, a droit de se croire entièrement égal aux autres hommes ; il ne s'ensuit pas de là que le cuisinier d'un cardinal doive ordonner à son maître de lui faire à dîner ; mais le cuisinier peut dire : « Je suis homme comme mon maître, je suis né comme lui en pleurant ; il mourra comme moi dans les mêmes angoisses et les mêmes cérémonies. Nous faisons tous deux les mêmes fonctions animales. Si les Turcs s'emparent de Rome, et si alors je suis cardinal et mon maître cuisinier, je le prendrai à mon service. » Tout ce discours est raisonnable et juste ; mais, en attendant que le Grand Turc s'empare de Rome, le cuisinier doit faire son devoir, ou toute société humaine est pervertie. À l'égard d'un homme qui n'est ni cuisinier d'un cardinal ni revêtu d'aucune autre charge dans l'État ; à l'égard d'un particulier qui ne tient à rien, mais qui est fâché d'être reçu partout avec l'air de la protection ou du mépris, qui voit évidemment que plusieurs *monsignori* n'ont ni plus de science, ni plus d'esprit, ni plus de vertu que lui, et qui s'ennuie d'être quelquefois dans leur antichambre, quel parti doit-il prendre ? Celui de s'en aller.

Voltaire (1694-1778),
article « Égalité », *Dictionnaire philosophique*, 1764
Gallimard, coll. « Folio classique », 1994, p. 239 *sqq*

■ GOTTHOLD EPHRAÏM LESSING (1729-1781)
Nathan le Sage (III, VII), 1779

> Lessing est un écrivain très représentatif de l'*Aufklärung* par son enga-
> gement sur la scène publique, sa lutte pour libérer l'homme des
> contraintes de la tradition et sa tentative de mener une existence écono-
> miquement indépendante. À la fin de sa vie, il se concentre sur les ques-
> tions théologiques, comme en témoigne ce passage où il recourt à
> l'apologue de trois anneaux.

NATHAN : Il y a des siècles de cela, en Orient, vivait un homme qui possédait un
anneau d'une valeur inestimable, don d'une main chère. La pierre était une opale,
où se jouaient mille belles couleurs, et elle avait la vertu secrète de rendre agréable à Dieu et aux hommes quiconque la portait animé de cette conviction. Quoi
d'étonnant si l'Oriental la gardait constamment au doigt, et prit la décision de la
conserver éternellement à sa famille ? Voici ce qu'il fit. Il légua l'anneau au plus
aimé de ses fils, et il statua que celui-ci, à son tour, léguerait l'anneau à celui de
ses fils qui lui serait le plus cher, et que perpétuellement le plus cher, sans considération de naissance, par la seule vertu de l'anneau, deviendrait le chef, le premier
de sa maison. – Entends-moi, Sultan.

SALADIN : Je t'entends. Poursuis !

NATHAN : Ainsi donc, de père en fils, cet anneau vint finalement aux mains d'un père
de trois fils qui tous trois lui obéissaient également, qu'il ne pouvait par conséquent
s'empêcher d'aimer tous trois d'un même amour. À certains moments seulement,
tantôt celui-ci, tantôt celui-là, tantôt le troisième – lorsque chacun se trouvait seul
avec lui et que les deux autres ne partageaient pas les épanchements de son cœur –,
lui semblait plus digne de l'anneau, qu'il eut alors la pieuse faiblesse de promettre
à chacun d'eux. Les choses allèrent ainsi, tant qu'elles allèrent. – Mais la mort était
proche, et le bon père tombe dans l'embarras. Il a peine à contrister ainsi deux de
ses fils, qui se fient à sa parole. – Que faire ? Il envoie secrètement chez un artisan,
auquel il commande deux autres anneaux sur le modèle du sien, avec l'ordre de
ne ménager ni peine ni argent pour les faire de tous points semblables à celui-ci.
L'artiste y réussit. Lorsqu'il apporte les anneaux au père, ce dernier est incapable
de distinguer son anneau qui a servi de modèle. Joyeux et allègre, il convoque ses
fils chacun à part, donne à chacun sa bénédiction, – et son anneau –, et meurt. –
Tu m'écoutes, n'est-ce pas, Sultan ?

SALADIN : (*qui, ému, s'est détourné de lui*)
J'écoute, j'écoute ! – Viens-en bientôt à la fin de ton histoire. – Est-elle proche ?
NATHAN : J'ai fini. Car la suite, désormais, se conçoit d'elle-même. – À peine le père
mort, chacun arrive avec son anneau, et chacun veut être le chef de la maison. On
enquête, on se querelle, on s'accuse. Peine perdue ; impossible de prouver que l'an-
neau était le vrai. – (*Après une pause, pendant laquelle il attend la réponse du Sultan*) :
Presque aussi impossible à prouver qu'aujourd'hui pour nous – la vraie croyance.
SALADIN : Comment ? C'est là toute la réponse à ma question ?...
NATHAN : Mon excuse simplement si je ne me risque pas à distinguer les trois
anneaux, que le père a fait faire dans l'intention qu'on ne puisse pas les distinguer.
SALADIN : Les anneaux ! – Ne te joue pas de moi ! – Je croirais, moi, qu'on pourrait
malgré tout distinguer les religions que je t'ai nommées, jusque dans le vêtement,
jusque dans les mets et les boissons !
NATHAN : D'accord, sauf en ce qui regarde leurs raisons. – Toutes en effet ne sont-
elles pas fondées sur l'histoire ? Écrite ou transmise ? – Et l'histoire ne doit-elle pas
être crue uniquement sur parole, par la foi ? – N'est-ce pas ? – Or, de qui met-on
le moins en doute la parole et la foi ? Des siens, n'est-il pas vrai ? De ceux de notre
sang, n'est-il pas vrai ? De ceux qui nous ont depuis l'enfance donné des preuves
de leur amour, n'est-il pas vrai ? Qui ne nous ont jamais trompés que là où il était
meilleur pour nous d'être trompés ? – Comment croirais-je moins mes pères que
toi les tiens ? Ou inversement ! – Puis-je te demander d'accuser tes ancêtres de
mensonge pour ne pas contredire les miens ? Ou l'inverse ? C'est également vrai
pour les chrétiens. Ne trouves-tu pas ?
SALADIN : (*à part*) Par le Dieu vivant ! Cet homme a raison. Je ne puis que me taire.
NATHAN : Mais revenons à nos anneaux. Comme je l'ai dit, les fils se citèrent en
justice et chacun jura au juge qu'il tenait directement l'anneau de la main du père
– ce qui était vrai ! – après avoir obtenu de lui, depuis longtemps déjà, la promesse
de jouir un jour du privilège de l'anneau – ce qui était non moins vrai ! – Le père,
affirmait chacun, ne pouvait pas lui avoir menti ; et, avant de laisser planer ce
soupçon sur lui, ce père si bon, il préférerait nécessairement accuser de vol ses
frères, si enclin fût-il par ailleurs à ne leur prêter que les meilleures intentions. Il
saurait bien, ajoutait-il, découvrir les traîtres, et se venger.
SALADIN : Et alors, le juge ? – J'ai grand désir d'entendre le verdict que tu prêtes au
juge. Parle !
NATHAN : Le juge dit : « Si vous ne me faites pas, sans tarder, venir céans votre père,
je vous renvoie dos à dos. Pensez-vous que je sois là pour résoudre des énigmes ?

Ou bien attendez-vous que le vrai anneau se mette à parler ? – Mais, halte ! J'entends dire que le vrai anneau possède la vertu magique d'attirer l'amour : de rendre agréable à Dieu et aux hommes. Voilà qui décidera ! Car les faux anneaux, eux, n'auront pas ce pouvoir ! – Eh bien : quel est celui d'entre vous que les deux autres aiment le plus ? – Allons, dites-le ! Vous vous taisez ? Les anneaux n'ont d'effet que pour le passé ? Ils ne rayonnent pas au-dehors ? Chacun n'aime que lui-même ? – Oh, alors vous êtes tous les trois des trompeurs trompés ! Vos anneaux sont faux tous les trois. Il faut admettre que le véritable anneau s'est perdu. Pour cacher, pour compenser la perte, le père en a fait faire trois pour un.

SALADIN : Superbe ! Superbe !

NATHAN : Et en conséquence, continua le juge, si vous ne voulez pas suivre le conseil que je vous donne en place de verdict, allez-vous-en ! – Mon conseil, lui, est le suivant : prenez la situation absolument comme elle est. Si chacun de vous tient son anneau de son père, alors que chacun, en toute certitude, considère son anneau comme le vrai. – Peut-être votre père n'a-t-il pas voulu tolérer plus longtemps dans sa maison la tyrannie d'un seul anneau ? – Et il est sûr qu'il vous a tous trois aimés, et également aimés, puisqu'il s'est refusé à en opprimer deux pour ne favoriser qu'un seul.

– Allons ! Que chacun, de tout son zèle, imite son amour incorruptible et libre de tout préjugé ! Que chacun de vous s'efforce à l'envi de manifester dans son anneau le pouvoir de la pierre ! Qu'il seconde ce pouvoir par sa douceur, sa tolérance cordiale, ses bienfaits, et s'en remette à Dieu ! Et quand ensuite les vertus des pierres se manifesteront chez les enfants de vos enfants ; alors, je vous convoque, dans mille fois mille ans, derechef devant ce tribunal. Alors, un plus sage que moi siégera ici, et prononcera. Allez ! » – Ainsi parla le juge modeste.

Gotthold Ephraïm Lessing (1729-1781),
Nathan le Sage, 1779
Flammarion, coll. « Bilingue », 1997, p. 227 *sqq,*

© Corti, coll. « Romantique », trad. François Rey, 1991

■ CONDORCET (1743-1794)

« Sur l'admission des femmes au droit de cité », 3 juillet 1790

> Mathématicien, économiste, philosophe et homme politique – il siège à l'Assemblée législative puis à la Convention –, Condorcet ne dissocie pas la réflexion de l'action et est profondément persuadé du lien entre une éducation publique bien orientée et le progrès intellectuel et moral des être humains[1]. Sa militance en faveur de l'égalité des sexes a commencé dès 1787.

L'habitude peut familiariser les hommes avec la violation de leurs droits naturels, au point que, parmi ceux qui les ont perdus, personne ne songe à les réclamer, ne croie avoir éprouvé une injustice.

Il est même quelques-unes de ces violations qui ont échappé aux philosophes et aux législateurs lorsqu'ils s'occupaient avec le plus de zèle d'établir les droits communs des individus de l'espèce humaine, et d'en faire le fondement unique des institutions politiques.

Par exemple, tous n'ont-ils pas violé le principe de l'égalité des droits en privant tranquillement la moitié du genre humain de celui de concourir à la formation des lois, en excluant les femmes du droit de cité ? Est-il une plus forte preuve du pouvoir de l'habitude, même sur les hommes éclairés, que de voir invoquer le principe de l'égalité des droits en faveur de trois ou quatre cents hommes qu'un préjugé absurde en avait privés, et l'oublier à l'égard de douze millions de femmes ? […]

Il serait difficile de prouver que les femmes sont incapables d'exercer les droits de cité. Pourquoi des êtres exposés à des grossesses et à des indispositions passagères ne pourraient-ils exercer des droits dont on n'a jamais imaginé de priver les gens qui ont la goutte tous les hivers et qui s'enrhument aisément ?

En admettant dans les hommes une supériorité d'esprit qui ne soit pas la suite nécessaire de la différence d'éducation (ce qui n'est rien moins que prouvé, et ce qui devrait l'être, pour pouvoir, sans injustice, priver les femmes d'un droit naturel), cette supériorité ne peut consister qu'en deux points. On dit qu'aucune femme n'a fait de découverte importante dans les sciences, n'a donné de preuves de génie

---

1. Voir, au chapitre « À l'école de la République », le rapport qu'il présente au nom du Comité d'instruction publique.

dans les arts, dans les lettres, etc. ; mais sans doute on ne prétendra point n'accorder le droit de cité qu'aux seuls hommes de génie. On ajoute qu'aucune femme n'a la même étendue de connaissances, la même force de raison que certains hommes ; mais qu'en résulte-t-il, qu'excepté une classe peu nombreuse d'hommes très éclairés, l'égalité est entière entre les femmes et le reste des hommes ; que cette petite classe mise à part, l'infériorité et la supériorité se partagent également entre les deux sexes. Or, puisqu'il serait complètement absurde de borner à cette classe supérieure le droit de cité, et la capacité d'être chargé de fonctions publiques, pourquoi en exclurait-on les femmes plutôt que ceux des hommes qui sont inférieurs à un grand nombre de femmes ? [...]

Les femmes sont supérieures aux hommes dans les vertus douces et domestiques ; elles savent, comme les hommes, aimer la liberté, quoiqu'elles n'en partagent point tous les avantages ; et, dans les républiques, on les a vues souvent se sacrifier pour elle : elles ont montré les vertus de citoyen toutes les fois que le hasard ou les troubles civils les ont amenées sur une scène dont l'orgueil et la tyrannie des hommes les ont écartées chez tous les peuples.

On a dit que les femmes, malgré beaucoup d'esprit, de sagacité, et la faculté de raisonner portée au même degré que chez de subtils dialecticiens, n'étaient jamais conduites par ce qu'on appelle la raison.

Cette observation est fausse : elles ne sont pas conduites, il est vrai, par la raison des hommes, mais elles le sont par la leur. [...]

On a dit que les femmes, quoique meilleures que les hommes, plus douces, plus sensibles, moins sujettes aux vices qui tiennent à l'égoïsme et à la dureté du cœur, n'avaient pas proprement le sentiment de la justice ; qu'elles obéissaient plutôt à leur sentiment qu'à leur conscience. Cette observation est plus vraie, mais elle ne prouve rien : ce n'est pas la nature, c'est l'éducation, c'est l'existence sociale qui causent cette différence. Ni l'une ni l'autre n'ont accoutumé les femmes à l'idée de ce qui est juste, mais à celle de ce qui est honnête. Éloignées des affaires, de tout ce qui se décide d'après la justice rigoureuse, d'après des lois positives, les choses dont elles s'occupent, sur lesquelles elles agissent, sont précisément celles qui se règlent par l'honnêteté naturelle et par le sentiment. Il est donc injuste d'alléguer, pour continuer de refuser aux femmes la jouissance de leurs droits naturels, des motifs qui n'ont une sorte de réalité que parce qu'elles ne jouissent pas de ces droits.

Si on admettait contre les femmes des raisons semblables, il faudrait aussi priver du droit de cité la partie du peuple qui, vouée à des travaux sans relâche, ne peut ni acquérir des lumières ni exercer sa raison, et bientôt, de proche en proche, on ne permettrait d'être citoyens qu'aux hommes qui ont fait un cours de droit public. Si on admet de tels principes, il faut, par une conséquence nécessaire, renoncer à toute constitution libre.

Condorcet (1743-1794),
« Sur l'admission des femmes au droit de cité »,
3 juillet 1790,
Œuvres complètes, 1847-1849, tome X, p. 121 *sqq*

■OLYMPE DE GOUGES (1748-1793)

Déclaration des droits de la femme et de la citoyenne, septembre 1791

Venue jeune vivre à Paris, Marie Gouze, qui passera à la postérité sous le nom d'Olympe de Gouges, écrit un grand nombre d'œuvres littéraires puis, à partir de 1788, de textes politiques. Le plus important de ses textes politiques est cette *Déclaration,* où elle affirme cette conviction : tant que les femmes ne récupéreront pas la totalité de leurs droits, la Révolution ne sera pas complète. Solidaire des Girondins, émettant une appréciation nuancée sur Louis XVI, elle est exécutée le 3 novembre 1793.

Toute femme naît et demeure libre et égale à l'homme en droits ; les distinctions sexuelles ne peuvent être fondées que sur l'utilité commune.

Le but de toute association politique est la conservation des droits naturels et imprescriptibles de la femme et de l'homme. Ces droits sont la liberté, la propriété, la société et surtout la résistance à l'oppression.

Le principe de toute souveraineté réside essentiellement dans la nature qui n'est que la réunion de la femme et de l'homme. Nul corps, nul individu ne peut exercer d'autorité qui n'en émane expressément.

La liberté et la justice consistent à rendre tout ce qui appartient à autrui. Ainsi l'exercice du droit naturel de la femme n'a de bornes que la tyrannie perpétuelle que l'homme lui oppose. Ces bornes doivent être réformées par les lois de la nature et de la raison.

La loi doit être l'expression de la volonté générale. Toutes les citoyennes comme tous les citoyens doivent concourir personnellement ou par leurs représentants à sa formation. Elle doit être la même pour tous.

Toutes les citoyennes et tous les citoyens étant égaux à ses yeux doivent être également admis à toutes les dignités, places et emplois publics selon leurs capacités et sans aucune distinction que celle de leurs vertus et de leurs talents.

Nul ne peut être inquiété pour ses opinions ; la femme a le droit de monter à l'échafaud, elle doit avoir également celui de monter à la tribune, pourvu que ses réclamations ne troublent pas l'ordre établi par la loi.

La garantie des droits de la femme est pour l'utilité de tous et non pour l'avantage de celle à qui elle est accordée.

La femme concourt ainsi que l'homme à l'impôt public, elle a le droit ainsi que lui de demander compte à tout agent public de son administration.

Pour l'entretien de la force publique et pour les dépenses de l'administration, les contributions de l'homme et celles de la femme sont égales. Elle a part à toutes les corvées, à toutes les tâches pénibles, elle doit donc de même avoir place à la distribution des places, des emplois, des charges et des dignités.

Olympe de Gouges (1748-1793),
Déclaration des droits de la femme
et de la citoyenne, septembre 1791

■VICTOR SCHŒLCHER (1804-1893)

Des colonies françaises. Abolition immédiate de l'esclavage, 1842

Victor Schœlcher entre dans la lutte contre l'esclavage dès la monarchie de Juillet. C'est au retour de son second voyage aux Caraïbes qu'il fait paraître *Des colonies françaises,* où il défend l'abolition de manière argumentée. Au lendemain de la révolution de février 1848, il parvient à convaincre François Arago, ministre de la Marine du gouvernement provisoire, que l'heure est venue de passer aux actes. Nommé sous-secrétaire d'État aux Colonies et président de la Commission d'abolition, il prépare le décret du 27 avril qui supprime l'esclavage de manière immédiate et confère aux « nouveaux libres » les droits de citoyens.

CHAPITRE XXIV

Résumé

Si comme le disent les colons on ne peut cultiver les Antilles qu'avec des esclaves, il faut renoncer aux Antilles. – La raison *d'utilité de la servitude* pour la conservation des colonies est de la politique de brigands. – Une chose criminelle ne doit pas être nécessaire. – Périssent les colonies plutôt qu'un principe. – Il n'est pas vrai que le travail libre soit impossible sous les tropiques.

De tous les moyens qui se présentent pour opérer le changement que doit indispensablement subir l'état social de nos îles, et pour donner à leur existence une autre base que la servitude, celui qui offre le plus de chances favorables est donc, à notre avis, l'émancipation en masse pure et simple. Cette émancipation a pour elle la convenance, l'utilité, l'opportunité ; ses résultats immédiats seront pour les nègres faits libres ; la probabilité de ses heureuses conséquences finales doit fixer le colon sur la réalité de ses avantages.

Établir l'ordre au milieu de la cohue momentanée des nouveaux libres n'est point ce qui nous embarrasse. La contenance admirablement calme et douce des huit cent mille affranchis de l'Angleterre ne peut laisser de ce côté aucune crainte dans les esprits sérieux et de bonne foi ; leur conduite a fait évanouir le lugubre fantôme des massacres que l'on prédisait pour le saint jour de la liberté. Organiser le travail nous paraît être la seule, la grande difficulté ! À ce sujet, avant d'aller plus loin, nous avons besoin de dire un mot sur l'ensemble de la question.

La commission du conseil colonial de Bourbon [1] a dit : « Le travail libre sera toujours impossible à obtenir sous les tropiques. [2] »

La commission du conseil colonial de la Guyane française a dit : « Le travail libre est une chimère aux colonies, parce que le climat qui énerve l'homme, favorise sa paresse en lui offrant sans effort de sa part tout ce qui peut suffire à ses besoins. [3] »

La commission du conseil colonial de la Guadeloupe a dit ici : « Le travail cessera dans les colonies, sitôt qu'il deviendra facultatif. [4] »

La commission du conseil colonial de la Martinique a dit « C'est notre conviction profonde, notre foi sincère qu'il est impossible de maintenir sans l'esclavage un travail fructueux sur nos habitations. [5] »

Si l'on devait croire à l'infaillibilité des conseils coloniaux et à la rigidité de leurs formules, toute discussion serait inutile, il y aurait après de tels arrêts une seule chose à répondre : « Puisque l'on ne peut obtenir de sucre tropical qu'au moyen de l'esclavage, il faut renoncer au sucre tropical ; puisque les colonies ne peuvent être cultivées que par des esclaves, il faut renoncer aux colonies, à moins toutefois que vous tous partisans de la servitude vous ne consentiez à prendre la place des nègres par dévouement au sucre et aux colonies. Soumettez-vous volontairement au travail forcé, si vous le jugez utile pour fournir des marchandises d'encombrement à la marine de votre patrie ; mais n'espérez point que les honnêtes gens vous permettent plus longtemps d'y obliger des hommes qui s'inquiètent fort peu que votre marine et votre patrie aillent bien ou mal, par la raison qu'ils n'y ont aucun profit. »

Ce n'est pas là du tout l'opinion des planteurs. Au contraire, la chaleur des Antilles et ses influences énervantes étant données, ils en tirent la conclusion que les colonies ne pouvant être cultivées volontairement, il est juste d'y appliquer les nègres par voie de contrainte. C'est quelque chose, nous l'avouons, qui dépasse la portée de notre tolérance et de notre sang-froid, qu'un raisonnement aussi sauvage. Voyez-vous ces quinze à vingt mille hommes blancs qui viennent soutenir devant le monde entier que leur prospérité est attachée à la misère et à l'avilissement de deux cent soixante mille hommes noirs !!!

Celui qui prétend avoir le droit de garder des hommes en servitude, parce qu'on ne trouverait pas de bras libres pour planter des cannes, et celui qui soutiendrait

1. Nom ancien de la Réunion.
2. Séance du 6 février 1839.
3. Séance du 21 novembre 1838.
4. Rapport de M. Chazelles, 1841.
5. Séance du 31 octobre 1838.

qu'on a le droit de voler parce qu'on n'a pas d'argent, sont à nos yeux deux fous ou deux scélérats absolument pareils.

Lorsque j'arrive à réduire ce droit à son expression la plus concrète, lorsque m'isolant par abstraction du monde matériel et me retirant dans le monde intellectuel, je me représente que de deux hommes l'un se dit le maître de l'autre, maître de sa volonté, de ses mouvements, de son travail, de sa vie, de son cœur, cela me donne tantôt un fou rire, et tantôt des vertiges de rage.

Que l'esclavage soit ou ne soit pas utile, il faut le détruire ; une chose *criminelle* ne doit pas être *nécessaire*. La raison d'impossibilité n'a pas plus de valeur pour nous que les autres, parce qu'elle n'a pas plus de légitimité. Si l'on dit une fois que ce qui est moralement mauvais peut être politiquement bon, l'ordre social n'a plus de boussole et s'en va au gré de toutes les passions des hommes. La violence commise envers le membre le plus infime de l'espèce humaine affecte l'humanité entière ; chacun doit s'intéresser à l'innocent opprimé, sous peine d'être victime à son tour, quand viendra un plus fort que lui pour l'asservir. La liberté d'un homme est une parcelle de la liberté universelle, vous ne pouvez toucher à l'une sans compromettre l'autre tout à la fois.

Autant que qui que soit nous apprécions la haute importance politique et industrielle des colonies, nous tenons compte des faits, nous n'ignorons pas la valeur attribuée à ce qui se passe autour de nous, et cependant c'est notre cri bien décidé, pas de *colonies si elles ne peuvent exister qu'avec l'esclavage*. L'esclavage viole le principe de la liberté, principe qui n'est pas seulement une convention faite entre les hommes, mais aussi une vérité naturelle parvenue à son évidence ; la liberté en effet renferme à la fois le bien matériel et le bien moral, c'est-à-dire la destinée suprême de l'homme. Liberté, c'est équité, comme a dit lord Coke, le l'Hospital de l'Angleterre. Le principe de liberté étant donc juste sous toutes les faces, il doit être souverain, absolu, despotique. C'est pourquoi nous qui aimons mieux nous passer de sucre que d'abandonner nos sentiments d'humanité, nous le déclarons, et cela avec toute la gravité qu'un homme puisse mettre à se prononcer, nous acceptons dans son entière portée un mot célèbre, et nous disons, nous aussi : « Périssent les colonies plutôt qu'un principe. » Oui, car un principe en socialisme c'est le cerveau en physiologie, c'est l'axe en mécanisme ; sans principes respectés il n'y a plus d'ordre, plus de société, plus rien, il ne reste qu'anarchie, violence, misère, chaos et dissolution.

Nous savons tout ce que les gens qui ne voient qu'un seul côté des choses ont débité et débiteront encore contre cette pensée d'une forme abstraite, mais les injures ne sont pas des raisons, et leurs faux jugements eussent-ils pu nous émouvoir, nous avions de quoi nous rassurer. Bien avant la Convention, dès 1765, les encyclopédistes avaient dit ce qu'elle n'a fait que répéter :

« On dira peut-être que les colonies seraient bientôt ruinées si l'on y abolissait l'esclavage des nègres. Mais quand cela serait, faut-il conclure de là que le genre humain doit être horriblement lésé pour nous enrichir ou fournir à notre luxe ? Il est vrai que les bourses des voleurs de grand chemin seraient vides, si le vol était absolument supprimé : mais les hommes ont-ils le droit de s'enrichir par des voies cruelles et criminelles ? Quel droit a un brigand de dévaliser les passants ? À qui est-il permis de devenir opulent aux dépens de ses semblables ? Non !... Que les colonies européennes soit donc détruites plutôt que de faire tant de malheureux. [6] »

Ne veut-on reconnaître l'autorité de l'*Encyclopédie*, que l'on prenne le *Dictionnaire théologique* de l'abbé Bergier, et l'on y pourra lire ce qui suit à l'article *Nègre* – « Il n'est pas possible, dit-on, de cultiver les îles autrement que par des esclaves, dans ce cas *il vaudrait mieux renoncer aux colonies qu'à l'humanité*. La justice, la charité universelle et la douceur sont plus nécessaires à toutes les nations que le sucre et le café. » Quelle différence y a-t-il entre ces mots et ceux de Robespierre ? Et l'abbé Bergier n'était point révolutionnaire, c'était un homme sans passion politique, très bon, très savant, zélé défenseur de la religion catholique, et, de plus, fort ennemi des philosophes. À ce que nous venons de rapporter, il ajoute ensuite avec une grande pénétration : « Mais tout le monde ne convient point de l'impossibilité prétendue de se passer du travail des nègres. Lorsque les Grecs et les Romains faisaient exécuter par leurs esclaves ce que font, chez nous, les chevaux et les bœufs, ils imaginaient et disaient que l'on ne pouvait faire autrement. »

En définitive, tous les sophismes du monde ne peuvent aller contre le droit. Les nègres doivent être libres, parce que c'est justice. Si lorsqu'ils seront libres ils ne veulent pas cultiver au-delà de leurs besoins, comme on l'assure, de deux choses l'une, ou il faut les remplacer au moyen de l'émigration par une population qui ayant déjà des besoins acquis travaillera pour les satisfaire [7], ou il faut rendre les îles à la nature qui ne les a pas faites pour l'homme, puisqu'il ne lui est pas possible de les exploiter sans user de violence envers quelques-uns de ses

---

6. Encyclopédie, article « Traite des Nègres ».
7. On a vu longuement exposés dans notre introduction les motifs qu'il y a de croire à la possibilité d'établir, sans aucun danger pour eux, des cultivateurs blancs sur les terres coloniales. En tout état de cause, nous sommes fermement persuadé qu'une émigration bien réglée d'Europe aux îles serait aussi utile pour l'Europe et les îles que pour les émigrants.

semblables. Il y a bien encore assez de sol en friche sur le globe, pour ne pas peupler celui qui ne le veut pas être. Tout en admirant l'humanité dans les prodigieux travaux qui ont transformé en terre ferme les marais de la Hollande, nous avons grande pitié de la folie qui est venue là épuiser tant de force et de génie. Mais que tous ceux qui comprennent l'immense valeur politique et industrielle des colonies se rassurent, les nègres voudront et les blancs pourront travailler. Alors que l'on n'aura plus à craindre de montrer aux Noirs des Blancs la houe à la main, ils se mêleront ensemble sur les champs des Antilles et de leur union, on verra sortir une activité nouvelle.

Les colonies ne doivent pas périr, elles ne périront pas, leur prospérité peut aller de front avec l'indépendance ; c'est dans l'indépendance que sera leur plus grande prospérité. Il n'est pas vrai que le travail libre soit impossible sous les tropiques, il ne s'agit que de savoir déterminer les moyens de l'obtenir ; et comme il n'est rien qu'il ne soit donné à l'homme de faire dans les limites de sa nature, on ne peut douter que cela soit possible. Toute la question pour nous se réduit donc là : ORGANISER LE TRAVAIL LIBRE.

Dans la chapitre suivant, on verra ce que nous proposons pour atteindre ce grand but.

Victor Schœlcher (1804-1893),
Des colonies françaises. Abolition immédiate de l'esclavage,
1842

La connaissance des conditions de vie des esclaves permet d'évaluer la dignité et l'importance du long combat mené pour l'arrêt de la traite d'abord, pour l'abolition de l'esclavage ensuite, dont Schœlcher fut l'un des acteurs.

Voici des extraits du Code Noir, promulgué en mars 1685, qui a réglementé durablement l'esclavage dans les colonies françaises (pour une édition complète du Code – qui comportait 60 articles –, voir Louis Sala-Molins, *Le Code Noir ou le calvaire de Canaan*, 2003, © PUF, « Quadrige », p. 292).

Art. 6.

Enjoignons à tous nos sujets, de quelque qualité et condition qu'ils soient, d'observer les jours de dimanches et de fêtes, qui sont gardés par nos sujets de la religion Catholique, Apostolique et Romaine. Leur défendons de travailler ni de faire travailler leurs esclaves aux dits jours depuis l'heure de minuit jusqu'à l'autre minuit à la culture de la terre, à la manufacture des sucres et à tous autres ouvrages, à peine d'amende et de punition arbitraire contre les maîtres et confiscation tant des sucres que des esclaves qui seront surpris par nos officiers dans le travail.

Art. 7.

Leur défendons pareillement de tenir le marché des nègres et de toute autre marchandise aux dits jours, sur pareille peine de confiscation des marchandises qui se trouveront alors au marché et d'amende arbitraire contre les marchands. […]

Art. 9.

Les hommes libres qui auront eu un ou plusieurs enfants de leur concubinage avec des esclaves, ensemble les maîtres qui les auront soufferts, seront chacun condamnés en une amende de 2 000 livres de sucre, et, s'ils sont les maîtres de l'esclave de laquelle ils auront eu lesdits enfants, voulons, outre l'amende, qu'ils soient privés de l'esclave et des enfants et qu'elle et eux soient adjugés à l'hôpital, sans jamais pouvoir être affranchis. N'entendons toutefois le présent article avoir lieu lorsque l'homme libre qui n'était point marié à autre personne durant son concubinage avec son esclave, épousera dans les formes observées par l'Église ladite esclave, qui sera affranchie par ce moyen et les enfants rendus libres et légitimes. […]

Art. 11.

Défendons très expressément aux curés de procéder aux mariages des esclaves, s'ils ne font apparoir du consentement de leurs maîtres. Défendons aussi aux maîtres d'user d'aucunes contraintes sur leurs esclaves pour les marier contre leur gré.

Art. 12.

Les enfants qui naîtront des mariages entre esclaves seront esclaves et appartiendront aux maîtres des femmes esclaves et non à ceux de leurs maris, si le mari et la femme ont des maîtres différents.

Art. 13.

Voulons que, si le mari esclave a épousé une femme libre, les enfants, tant mâles que filles, suivent la condition de leur mère et soient libres comme elle, nonobstant la servitude de leur père, et que, si le père est libre et la mère esclave, les enfants soient esclaves pareillement.

[…]

Art. 28.

Déclarons les esclaves ne pouvoir rien avoir qui ne soit à leurs maîtres ; et tout ce qui leur vient par industrie, ou par la libéralité d'autres personnes, ou autrement, à quelque titre que ce soit, être acquis en pleine propriété à leurs maîtres, sans que les enfants des esclaves, leurs pères et mères, leurs parents et tous autres y puissent rien prétendre par successions, dispositions entre vifs ou à cause de mort ; lesquelles dispositions nous déclarons nulles, ensemble toutes les promesses et obligations qu'ils auraient faites, comme étant faites par gens incapables de disposer et contracter de leur chef.

[…]

Art. 38.

L'esclave fugitif qui aura été en fuite pendant un mois à compter du jour que son maître l'aura dénoncé en justice, aura les oreilles coupées et sera marqué d'une fleur de lys sur une épaule ; s'il récidive un autre mois à compter pareillement du jour de la dénonciation, il aura le jarret coupé, et il sera marqué d'une fleur de lys sur l'autre épaule ; et, la troisième fois, il sera puni de mort.

[…]

Art. 42.

Pourront seulement les maîtres, lorsqu'ils croiront que leurs esclaves l'auront mérité, les faire enchaîner et les faire battre de verges ou cordes. Leur défendons de leur donner la torture, ni de leur faire aucune mutilation de membres, à peine de confiscation des esclaves et d'être procédé contre les maîtres extraordinairement.

[...]

Art. 44.

Déclarons les esclaves être meubles et comme tels entrer dans la communauté, n'avoir point de suite par hypothèque, se partager également entre les cohéritiers.

[...]

Art. 47.

Ne pourront être saisis et vendus séparément le mari, la femme et leurs enfants impubères, s'ils sont tous sous la puissance d'un même maître ; déclarons nulles les saisies et ventes séparées qui en seront faites ; ce que nous voulons avoir lieu dans les aliénations volontaires, sur peine, contre ceux qui feront les aliénations, d'être privés de celui ou de ceux qu'ils auront gardés, qui seront adjugés aux acquéreurs, sans qu'ils soient tenus de faire aucun supplément de prix.

[...]

Art. 55.

Les maîtres âgés de vingt ans pourront affranchir leurs esclaves par tous actes entre vifs ou à cause de mort, sans qu'ils soient tenus de rendre raison de l'affranchissement, ni qu'ils aient besoin d'avis de parents, encore qu'ils soient mineurs de vingt-cinq ans.

[...]

Art. 58.

Commandons aux affranchis de porter un respect singulier à leurs anciens maîtres, à leurs veuves et à leurs enfants, en sorte que l'injure qu'ils leur auront faite soit punie plus grièvement qui si elle était faite à une autre personne : les déclarons toutefois francs et quittes envers eux de toutes autres charges, services et droits utiles que leurs anciens maîtres voudraient prétendre tant sur leurs personnes que sur leurs biens et successions en qualité de patrons.

Art. 59.

Octroyons aux affranchis les mêmes droits, privilèges et immunités dont jouissent les personnes nées libres ; voulons que le mérite d'une liberté acquise produise en eux, tant pour leurs personnes que pour leurs biens, les mêmes effets que le bonheur de la liberté naturelle cause à nos autres sujets.

■ GEORGES CLEMENCEAU (1841-1929)
Intervention à la Chambre des députés, 31 juillet 1885

Georges Clemenceau, député radical, a le goût de la politique étrangère : aussi intervient-il avec passion dans les débats qui se déroulent à ce sujet à la Chambre, dénonçant la politique d'expansion coloniale des Opportunistes, qu'il estime nuisible au financement des programmes sociaux et à la puissance effective de la France en Europe. Dans ce passage, il fait référence, en le schématisant, à l'important argumentaire colonial prononcé par Jules Ferry le 28 juillet 1885.

Les races supérieures ont sur les races inférieures un droit qu'elles exercent. Ce droit, par une transformation particulière, est en même temps un devoir de civilisation. Voilà en propres termes la thèse de M. Ferry, et l'on voit le gouvernement français exerçant son droit sur les races inférieures en allant guerroyer contre elles et les convertissant de force aux bienfaits de la civilisation. Races supérieures ? Races inférieures, c'est bientôt dit ! Pour ma part, j'en rabats singulièrement depuis que j'ai vu des savants allemands démontrer scientifiquement que la France devait être vaincue dans la guerre franco-allemande parce que le Français est d'une race inférieure à l'Allemand. Depuis ce temps, je l'avoue, j'y regarde à deux fois avant de me retourner vers un homme et vers une civilisation, de prononcer : homme ou civilisation inférieurs. Race inférieure, les Hindous ! Avec cette grande civilisation raffinée qui se perd dans la nuit des temps ! Avec cette grande religion bouddhiste qui a quitté l'Inde pour la Chine, avec cette grande efflorescence d'art dont nous voyons encore aujourd'hui les magnifiques vestiges ! Race inférieure, les Chinois ! Avec cette civilisation dont les origines sont inconnues et qui paraît avoir été poussée tout d'abord jusqu'à ses extrêmes limites. Inférieur, Confucius ! En vérité, aujourd'hui même, permettez-moi de dire que, quand les diplomates chinois sont aux prises avec certains diplomates européens… (*rires et applaudissements sur divers bancs*), ils font bonne figure et que, si l'on veut consulter les annales diplomatiques de certains peuples, on y peut voir des documents qui prouvent assurément que la race jaune, au point de vue de l'entente des affaires, de la bonne conduite d'opérations infiniment délicates, n'est en rien inférieure à ceux qui se hâtent trop de proclamer leur suprématie…

Je ne veux pas juger au fond la thèse qui a été apportée ici et qui n'est pas autre chose que la proclamation de la primauté de la force sur le droit ; l'histoire de France depuis la Révolution est une vivante protestation contre cette inique prétention.

Georges Clemenceau (1841-1929),
intervention à la Chambre des députés, 31 juillet 1885

■ ÉMILE ZOLA (1840-1902)

Lettre à la jeunesse, 14 décembre 1897

Émile Zola s'est adressé plusieurs fois à la jeunesse, notamment dans cette lettre ouverte parue en brochure pendant l'affaire Dreyfus.

Ô jeunesse, jeunesse ! Je t'en supplie, songe à la grande besogne qui t'attend. Tu es l'ouvrière future, tu vas jeter les assises de ce siècle prochain, qui, nous en avons la foi profonde, résoudra les problèmes de vérité et d'équité posés par le siècle finissant, Nous, les vieux, les aînés, nous te laissons le formidable amas de notre enquête, beaucoup de contradictions et d'obscurités peut-être, mais à coup sûr l'effort le plus passionné que jamais siècle ait fait vers la lumière, les documents les plus honnêtes et les plus solides et les fondements mêmes de ce vaste édifice de la science que tu dois continuer à bâtir pour ton honneur et pour ton bonheur. Et nous ne te demandons que d'être encore plus généreuse, plus libre d'esprit, de nous dépasser par ton amour de la vie normalement vécue, par ton effort mis entier dans le travail, cette fécondité des hommes et de la terre qui saura bien faire enfin pousser la débordante moisson de joie, sous l'éclatant soleil. Et nous te céderons fraternellement la place, heureux de disparaître et de nous reposer de notre part de tâche accomplie, dans le bon sommeil de la mort, si nous savons que tu nous continues et que tu réalises nos rêves.

Jeunesse, jeunesse ! Souviens-toi des souffrances que tes pères ont endurées, des terribles batailles où ils ont dû vaincre, pour conquérir la liberté dont tu jouis à cette heure. Si tu te sens indépendante, si tu peux aller et venir à ton gré, dire dans la presse ce que tu penses, avoir une opinion et l'exprimer publiquement, c'est que tes pères ont donné de leur intelligence et de leur sang. Tu n'es pas née sous la tyrannie, tu ignores ce que c'est que de se réveiller chaque matin avec la botte d'un maître sur la poitrine, tu ne t'es pas battue pour échapper au sabre du dictateur, aux poids faux du mauvais juge. Remercie tes pères, et ne commets pas le crime d'acclamer le mensonge, de faire campagne avec la force brutale, l'intolérance des fanatiques et la voracité des ambitieux. La dictature est au bout.

Jeunesse, jeunesse ! Sois toujours avec la justice. Si l'idée de justice s'obscurcissait en toi, tu irais à tous les périls. Et je ne te parle pas de la justice de nos Codes, qui n'est que la garantie des liens sociaux.

Certes, il faut la respecter, mais il est une notion plus haute, la justice, celle qui pose en principe que tout jugement des hommes est faillible et qui admet l'innocence possible d'un condamné, sans croire insulter les juges. N'est-ce donc pas là une aventure qui doive soulever ton enflammée passion du droit ? Qui se lèvera pour exiger que justice soit faite, si ce n'est toi qui n'es pas dans nos luttes d'intérêts et de personnes, qui n'es encore engagée ni compromise dans aucune affaire louche, qui peut parler haut, en toute pureté et en toute bonne foi ?

Jeunesse, jeunesse ! Sois humaine, sois généreuse. Si même nous nous trompons, sois avec nous, lorsque nous disons qu'un innocent subit une peine incroyable et que notre cœur révolté s'en brise d'angoisse. Que l'on admette un seul instant l'erreur possible, en face d'un châtiment à ce point démesuré, et la poitrine se serre, les larmes coulent des yeux. Certes, les gardes-chiourmes restent insensibles, mais toi, toi qui pleures encore, qui dois être acquise à toutes les misères, à toutes les pitiés ! Comment ne fais-tu pas ce rêve chevaleresque, s'il est quelque part un martyr succombant sous la haine, de défendre sa cause et de le délivrer ? Qui donc, si ce n'est toi, tentera la sublime aventure, se lancera dans une cause dangereuse et superbe, tiendra tête à un peuple, au nom de l'idéale justice ? Et n'es-tu pas honteuse, enfin, que ce soient des aînés, des vieux qui se passionnent, qui fassent aujourd'hui ta besogne de généreuse folie ?

Où allez-vous, jeunes gens, où allez-vous, étudiants, qui battez les rues, manifestant, jetant au milieu de nos discordes la bravoure et l'espoir de nos vingt ans ?

« Nous allons à l'humanité, à la vérité, à la justice ! ».

Émile Zola (1840-1902),
Lettre à la jeunesse, 14 décembre 1897,
Œuvres complètes, volume 14,
Cercle du livre précieux, 1970, p. 908-909

■ LÉON BLUM (1872-1950)

Discours au IXe Congrès national de la Ligue internationale contre l'antisémitisme, 26 novembre 1938

Léon Blum répond ici à l'invitation de Bernard Lecache, président-fondateur de la Ligue internationale contre l'antisémitisme[1]. Né dans une famille de bourgeoisie juive aisée, appartenant à une génération marquée par l'affaire Dreyfus, victime d'une haine farouche de la part de la droite, Blum sait ce que l'antisémitisme veut dire.

Quand Bernard Lecache m'a demandé de présider votre banquet, et d'y remplir le rôle obligatoire de président, de tout président, c'est-à-dire d'y prononcer quelques paroles, j'ai hésité un instant, mais n'est-ce pas, Bernard Lecache, je n'ai pas hésité très longtemps.

Ce banquet interrompt les travaux d'un Congrès où vous vous êtes occupés des questions juives ; et je n'ai pas l'intention de vous parler d'autre chose. Je ne parlerai pas de politique nationale, ni même de politique internationale, je vous parlerai de la question juive, de la dramatique question juive, et pourtant je suis juif, je suis un juif qui ne s'est jamais targué de son origine, mais qui n'en a jamais rougi, un juif qui a toujours porté son nom.

Et pourquoi hésiterais-je, au bout du compte ? Pourquoi je me contraindrais, pourquoi je m'imposerais à moi-même, une sorte de récusation volontaire ? Après tout, je ne me crois pas incapable de parler comme si je n'étais pas juif. (*Très bien ! Très bien !*)

Je cherche dans mon passé, dans mon lointain passé, et, mon Dieu, j'y trouve quelques états de service chaque fois qu'il a fallu prendre la parole ou même agir pour des persécutés ou pour des opprimés. J'étais bien jeune quand j'ai mené la campagne contre les massacres d'Arménie à côté de Pressensé et de Jaurès.

Je ne crois pas, depuis bien des années, que jamais quelqu'un ait pu me reprocher d'hésiter quand il s'agissait des indigènes des colonies d'Asie ou d'Afrique, opprimés par des administrateurs brutaux ou par un patronat trop avide. Pourquoi ne parlerais-je pas ce soir des Juifs, comme j'ai parlé tant de fois des Annamites ou des nègres du Congo ?

---

1. La LICA, fondée en 1928, est l'ancêtre de la LICRA.

Je crois aussi que je peux en parler sans passion, autant qu'on peut contenir sa passion intérieure devant le spectacle qui est imposé en ce moment à l'humanité. Nous assistons à des phénomènes tels qu'on n'en a pas, je crois, vu de semblables depuis quinze siècles, depuis l'effondrement de l'Empire romain et les invasions barbares.

J'ai vécu, moi, depuis ma jeunesse, et vous avez tous vécu, et bien des générations ont vécu avant nous, dans l'idée que l'humanité était avant tout gouvernée par la loi du progrès, qu'en effet l'humanité s'avance d'une façon à peu près régulière, et que son progrès ne se marque pas seulement par les conquêtes successives de la science, par l'emprise de plus en plus grande, de plus en plus puissante et de plus en plus précise de la raison humaine sur les forces naturelles, mais qu'il se marque aussi par le développement, par l'épanouissement du sens moral chez l'homme, des sentiments de fraternité, de solidarité et d'équité.

C'est dans ce sens que depuis tant de siècles tous les grands mouvements humains se continuent, se continuent au point de se confondre presque dans notre esprit, qu'il s'agisse de la philosophie grecque, de la morale évangélique, du mouvement de la Renaissance, et du mouvement révolutionnaire du siècle dernier. Nous différions sans doute entre nous, mais nous différions surtout en ceci que pour certains l'évolution du progrès humain était régulière et continue, tandis que pour d'autres, pour mes amis et moi-même, de grands changements ne pouvaient être obtenus à certains instants que par des actes de crise, de mutation révolutionnaire. Mais, les uns et les autres, nous pensions que le progrès humain, une fois conquis, et après peut-être des périodes d'oscillations ou de flottements qui ne permettent pas toujours d'en discerner clairement la marche, devenait alors un avantage définitif : toute l'humanité pouvait alors repartir pour un progrès nouveau, pour une conquête nouvelle. Nous avons vécu ainsi les uns et les autres, et c'est ainsi que l'humanité a vécu depuis de longs siècles.

Et tout d'un coup, dans des zones entières du continent, toute la civilisation moderne est partie. Voilà que tout semble remis en question, non seulement l'humanité n'avance plus, mais il semble qu'on lui inflige soudain un inconcevable, un inexplicable recul, non seulement tout a été remis en question, mais tout semble détruit et l'humanité rétrogradant, reculant, paraît revenir d'un coup jusqu'à des époques dont nous avions perdu le souvenir dans notre mémoire, que nous n'arrivions même plus à concevoir ou à nous représenter exactement jusqu'à des temps de fanatisme idolâtre, où toute civilisation humaine avait dû lentement s'évader.

Oui, c'est cela, c'est le spectacle terrible, c'est de voir, je le répète, ce que nous n'avions jamais cru possible, la civilisation revenir sur ses pas, c'est de cela que le peuple juif est victime, c'est de cela que des centaines de milliers de Juifs sont victimes, sans en être pourtant les seules victimes, ne l'oubliez pas, ne l'oubliez jamais, ils sont les victimes les plus exposées, mais ils ne sont pas les seules victimes.

Comment est-ce que cela a pu se produire ? Comment se résout cette véritable énigme posée devant la raison ?

Les Juifs, dans l'histoire passée, ont subi pendant bien des siècles la dispersion et la persécution. Ils étaient alors frappés d'une malédiction religieuse portée non pas par l'Église elle-même, mais du moins par l'instinct populaire de la chrétienté. Aujourd'hui, plus rien de pareil. Non seulement l'Église, non seulement l'instinct de la chrétienté ne sont plus pour rien dans ce phénomène de la régression humaine, mais elles le condamnent, mais elles y assistent avec désespoir. Et, en effet, là où les Juifs sont aujourd'hui persécutés le plus durement, les Églises chrétiennes le sont aussi, et c'est contre la religion elle-même qu'il semble cette fois que la malédiction soit prononcée, au point que, terminant son discours de Marseille, il y a quelques semaines, mon ami Édouard Herriot pouvait conclure en disant : « Nous arriverons bientôt à cet état étrange, et d'ailleurs paradoxal seulement en apparence, que c'est nous, les libres-penseurs, qui deviendrons un jour les défenseurs et les protecteurs de la liberté de croyance. » (Vifs applaudissements).

Et alors quelle en est la cause aujourd'hui ? C'est un dogme, c'est une théorie dogmatique, un dogme étrange, le dogme racial, le dogme qui confond la nation avec l'existence d'une race pure, homogène, exempte de tout alliage, et qui veut concevoir l'idée et appliquer la pratique d'une différence spécifique entre les races, d'une différence entre races supérieures, faites pour le gouvernement et la conquête, et de races inférieures, condamnées et faites on ne sait trop pourquoi. Je ne veux pas entrer longuement ce soir ici dans la critique des théories raciales. Vous savez que s'il fallait une race entièrement pure et homogène pour faire une nation, il n'y aurait pas une seule nation dans le monde. (Applaudissements)

La Gaule, avant que César l'ait conquise, avant qu'elle ne fût recouverte par l'alluvion des conquêtes romaines, germaines ou sarrasines, était déjà un mélange complexe de races différentes, et la France est pourtant une nation.

Mon ami Bouglé, il y a quelques jours, dans l'hebdomadaire Marianne, rappelait en quelques mots, à grands traits, ce que tous les savants ont démontré depuis longtemps, qu'il n'existe pas chez les Juifs de caractère ethnique uniforme, qu'entre les Juifs d'une région ou d'une autre, et même entre deux Juifs pris dans des régions différentes, il est impossible de trouver des caractères anthropologiques constants. La théorie, elle-même, est frappée de mille contradictions.

[…]

Mais cependant, quoi qu'elle vaille, c'est cette théorie de la race qui est à l'origine, c'est en elle qu'il faut voir la cause, c'est son développement, son développement empreint de toutes les formes du fanatisme, qui a amené cette régression humaine à laquelle nous assistons aujourd'hui.

L'effort que la civilisation fait depuis des siècles était contraire à cette théorie. Il avait été, là où nos ancêtres voyaient les faits d'une fatalité héréditaire, de montrer au contraire la conséquence tantôt de la contagion, tantôt de l'imitation, tantôt de l'acclimatation, tantôt d'une sorte de sécrétion interne de l'individu lui-même.

Nous savons aujourd'hui que l'enfant d'une mère tuberculeuse n'est pas nécessairement tuberculeux, et nous savons que le nourrisson allaité par une nourrice tuberculeuse court grand risque de contracter la contagion.

Chaque fois que la science nous montrait un recul de la théorie des hérédités fatales, eh bien, c'était la civilisation humaine qui s'avançait, et maintenant qu'on veut nous jeter vers ces notions peu à peu passées et détruites par la science moderne, c'est, en effet, toute la civilisation humaine qui rétrograde et qui recule.

[…]

Voilà, mes chers amis, ce que je voulais vous dire ce soir. Et ce n'est pas parce que nous sommes ici réunis dans cette atmosphère, à cause du milieu, à cause des circonstances que je veux malgré tout achever des paroles aussi amères que celles que je viens de prononcer par des mots d'espoir, cet espoir que je porte jusqu'au plus profond de moi-même.

Je ne crois pas que la catastrophe de l'humanité soit irréparable. Je suis sûr que la civilisation reprendra son chemin. Une éclipse peut se prolonger, elle ne supprime pas pour cela le soleil. En face de quoi sommes-nous ? Au bout du compte, pour moi, je crois que ce qui se passe c'est, selon des modalités particulières à certains pays, explicables par leur histoire intérieure, une des formes du délire mental qui a plus ou moins frappé l'humanité entière après la guerre de 1914-1918.

L'humanité a été « choquée » au sens pathologique du mot, elle a été commotionnée, et c'est ce choc, cette commotion qui dans certains territoires du globe et pour des raisons que l'on pourrait reconstituer ont pris des formes étranges et barbares.

Cela ne s'était pas vu depuis des siècles. Depuis combien de siècles l'humanité avait-elle connu quelque chose qui l'eût agitée à ce point dans les profondeurs ? Ne vous étonnez pas, il n'y a pas de disproportion entre les faits et la cause. Depuis la guerre, l'humanité a connu d'étranges maladies et cela en est une à bien des égards et la pire de toutes. Mais l'humanité guérira, l'humanité guérira parce qu'elle doit continuer à vivre. Il faut donc supporter l'épreuve avec confiance, la supporter avec courage, sans égoïsme, sans forfanterie, sans peur, sans honte. Il faut bannir de soi toutes les formes mesquines et si facilement dégradantes de la plainte. Il faut être digne de soi-même. Il faut être digne de son passé et de ses origines. Il faut être calme et courageux. Il faut avoir confiance dans l'avenir de l'humanité.

Nous traversons à bien des égards une phase périlleuse et cruelle de l'histoire, mais nous verrons d'autres jours, et après nous les enfants de nos enfants et les enfants de nos petits-enfants. (*Une ovation chaleureuse et enthousiaste est faite à l'orateur.*)

Léon Blum (1872-1950),
discours au IXe Congrès national de la Ligue internationale
contre l'antisémitisme, 26 novembre 1938,
Discours politiques
Imprimerie nationale, coll. « Acteurs de l'Histoire », 1997,
p. 211 *sqq*

■ AIMÉ CÉSAIRE (1913)
Discours sur le colonialisme, 1950

> Né à la Martinique en 1913, Aimé Césaire vient à Paris, où il se lie notamment avec L. S. Senghor[1] et G. Damas. Il contribue à théoriser la notion de négritude, dénonce la superbe des Blancs et invite les Noirs à sortir de l'infériorité acceptée. En 1945, il est élu maire de Fort-de-France et député de la Martinique pour une très longue période, tout en menant une carrière d'écrivain.

Il faudrait d'abord étudier comment la colonisation travaille à *déciviliser* le colonisateur, à *l'abrutir* au sens propre du mot, à le dégrader, à le réveiller aux instincts enfouis, à la convoitise, à la violence, à la haine raciale, au relativisme moral, et montrer que, chaque fois qu'il y a au Viêt-nam une tête coupée et un œil crevé et qu'en France on accepte, une fillette violée et qu'en France on accepte, un Malgache supplicié et qu'en France on accepte, il y a un acquis de la civilisation qui pèse de son poids mort, une récession universelle qui s'opère, une gangrène qui s'installe, un foyer d'infection qui s'étend et qu'au bout de tous ces traités violés, de tous ces mensonges propagés, de toutes ces expéditions punitives tolérées, de tous ces prisonniers ficelés et « interrogés », de tous ces patriotes torturés, au bout de cet orgueil racial encouragé, de cette jactance étalée, il y a le poison instillé dans les veines de l'Europe, et le progrès lent, mais sûr, de *l'ensauvagement* du continent.

Aimé Césaire (1913),
Discours sur le colonialisme, 1950
Présence africaine, 1970, coll. « Poche », p. 11

© Présence africaine

---

1. Voir, au chapitre « Récits », son poème « Prière de paix ».

■ PIERRE MENDÈS FRANCE (1907-1982)

« Note pour Guy Mollet sur l'Algérie » remise le 21 avril 1956

> Reconnu comme l'homme d'un changement radical de politique, Pierre Mendès France obtient l'investiture de la Chambre des députés en juin 1954 ; son bref ministère est marqué par la fin de la guerre d'Indochine et la préparation de l'indépendance tunisienne. Ministre d'État dans le gouvernement Guy Mollet, mais ayant évolué sur la question algérienne et désormais gagné à l'idée d'une négociation, il se trouve en désaccord avec la politique suivie. C'est dans ce contexte qu'il remet cette note, qui sera suivie peu de temps après par sa démission.

En face du drame algérien, les Français éprouvent le sentiment angoissant que, depuis quelque temps, notre pays n'a cessé de reculer et de perdre. Ils veulent mettre un terme à une série d'échecs successifs, empêcher que la France ne soit diminuée encore davantage dans son influence, son rôle international et ses possibilités économiques.

C'est dans cet esprit qu'ils reconnaissent la nécessité de mesures militaires – tout en ressentant une grande inquiétude devant la perspective des sacrifices qu'ils sont appelés à consentir.

D'ores et déjà, il y a près d'un demi-million d'hommes en Afrique du Nord. Il est question d'en envoyer 100 000 de plus ; cela exigera non seulement des rappels de disponibles, mais peut-être un jour des rappels de classes.

Financièrement, l'effort militaire dans le Maghreb se traduit, dès maintenant, par un supplément de dépenses de plus de 200 milliards d'une année sur l'autre et ce chiffre sera, sans aucun doute, largement dépassé.

Ainsi, les charges improductives, dont la Nation porte le poids avec peine, se sont encore alourdies. Et, devant la menace d'inflation que la situation porte en soi, chacun sait qu'il faudra, tôt ou tard, recourir à un nouvel effort fiscal. Que d'obstacles au progrès social dont le pays est impatient !

Il n'y a pas de doute cependant : les mesures militaires décidées en avril étaient nécessaires. Nous ne pouvions pas laisser en danger nos compatriotes qui, à chaque instant, risquent leur vie. La présence d'une armée renforcée est, au surplus, la preuve aux yeux des autochtones que nous avons la volonté de rester. La politique la plus libérale et la plus généreuse n'exclut pas, bien au contraire, les mesures militaires. En 1954-1955, quand nous avons négocié en Tunisie, nous y avons continuellement accru nos effectifs ; c'était un élément même de la négociation.

Mais le débat au sein du gouvernement a porté sur les résultats que sont susceptibles de donner les mesures militaires prises, sur la politique dont elles sont le support, car en elles-mêmes, elles ne constituent pas une politique.

Personne, en réalité, n'ose prétendre qu'elles puissent suffire, qu'elles puissent donner la solution du problème algérien.

Pour répondre aux questions qui découlent de cette vérité évidente, on a parlé d'un programme destiné à relever le niveau de vie, déplorablement bas, de la population. Un plan a été élaboré, des mesures économiques et sociales étudiées, et leur mise en œuvre amorcée.

Il le fallait car l'on n'avait que trop tardé. Mais soyons lucides et sincères, dans la meilleure hypothèse, ces mesures ne peuvent produire de résultats tangibles qu'à longue échéance ; il faudra beaucoup de temps pour que les Algériens en éprouvent les effets, plus de temps encore pour qu'ils reconnaissent ces effets. Et puis, il est facile de montrer que, pour être efficace, l'action économique et sociale exige une sécurité entière, qui ne peut reposer sur un « ordre » rétabli par la force, mais qui nécessite l'apaisement des esprits, l'apaisement politique, lequel appelle des mesures politiques.

Ce sont ces mesures que la population musulmane attend. Avec des objectifs politiques, la rébellion est parvenue à s'assurer du soutien d'une très large majorité des musulmans d'Algérie (si l'on ajoute aux adhésions spontanées les ralliements obtenus par la force).

Sans ce soutien populaire, les insurgés, qui sont finalement peu nombreux (on a parlé de 25 000 hommes dont 30 % seulement peuvent être engagés simultanément dans le combat), ne constitueraient pas une menace sérieuse ; réduite à elle-même, la rébellion ne serait pas difficile à maîtriser ; elle ne constituerait pas un danger grave. Mais le mal réside dans la solidarité morale de la masse avec les insurgés, et la seule action militaire ne saurait éteindre la rébellion dans les esprits. Celle-ci y demeurera vivante et même exacerbée par les traces et les souvenirs d'une répression chaque jour plus sévère.

L'action politique peut seule créer une situation où les autochtones accepteront la présence française, où ils se rallieront à une structure nouvelle comportant cette présence.

Sans une telle action, il sera impossible de desserrer l'étreinte ; il faudra développer indéfiniment la pression militaire, le « quadrillage », et c'est indéfiniment que devront être portées les charges et consentis les sacrifices – sans espoir d'une solution durable et réelle.

Mais, dit-on, il n'y a actuellement rien d'autre à faire ; il n'y a pas d'interlocuteurs valables et représentatifs ; et ceux qui prétendent compter pour tels refusent toute discussion, animés qu'ils sont par un sectarisme totalitaire, par un fanatisme sans limite qui interdit toute transaction ; c'est l'indépendance tout court qu'ils revendiquent, et, avec elle, le départ pur et simple des Français et de la France.

D'autres admettent qu'il faudra parler un jour ; mais d'abord, disent-ils, il faut emporter des victoires pour changer le climat, pour permettre aux éléments modérés de sortir de l'attentisme où ils se réfugient et de causer avec nous.

D'autres encore accusent les interventions de l'étranger : l'Égypte, les Anglo-Saxons, l'URSS, l'Espagne. Inutile, disent-ils, de rien entreprendre avant qu'une diplomatie résolue, appuyée au besoin par l'intimidation ou les représailles, ait donné le coup d'arrêt. Tout cela, nous l'avions déjà entendu huit années durant. En Indochine déjà « il n'y avait pas d'interlocuteurs valables… on ne pouvait pas traiter avec des sauvages, avec des assassins… d'ailleurs, ils ne voulaient pas causer, ils exigeaient simplement notre départ ». En Indochine déjà il nous fallait d'abord quelques victoires préalables ! Et là-bas aussi, on voulait voir cesser l'aide extérieure, celle de la Chine ou de l'URSS, ce pour quoi le soutien plus coopératif de nos Alliés était requis…

On sait aujourd'hui ce que valaient ces arguments et où ils nous ont conduits. Ne renouvelons pas les mêmes erreurs.

Une thèse fréquemment soutenue – notamment au sein du gouvernement – tient en ces termes : d'abord rétablir l'ordre par la force, et puis des élections libres. Cette thèse dispense, en fait, de toute action politique immédiate.

Imaginons donc, pour un instant, la rébellion totalement écrasée. Croit-on que les véritables maîtres du jeu en Algérie, ceux qui ont déclenché les événements du 6 février, ne s'opposeraient pas alors, comme ils l'ont toujours fait, à une consultation loyale ? Aujourd'hui, pour les besoins de la cause, ils permettent qu'on parle d'élections futures ; ils sont déterminés à ne les tolérer jamais.

Mais il y a plus. L'hypothèse d'une victoire intégrale, d'un écrasement total de la rébellion, d'un ordre entièrement rétabli est une vue de l'esprit. Le terrorisme ne disparaîtra pas par la seule action de la force ; l'armée régulière mettra-t-elle fin à la guérilla ? Elle ne l'a pu ni en Espagne il y a 150 ans, ni au Mexique, il y a 100 ans, ni plus récemment en Indochine, en Palestine, à Suez… En fait une armée régulière ne peut étouffer une révolte populaire profonde. La guérilla en fait subsistera ; candidats et électeurs resteront sous le coup de la menace.

Autrement dit, les élections ne seront possibles, en fait, qu'avec un large consentement préalable, sinon avec un acquiescement général.

[...]

C'est affaire d'imagination et de décision d'agir de manière à donner des gages visibles de nos intentions et de provoquer le redressement psychologique qui doit préluder à un échange de vues loyal entre les populations actuellement opposées.

Sept mesures significatives

Il est, à cet égard, des mesures que le gouvernement peut, et doit, prendre immédiatement. Mesures limitées fragmentaires, assurément insuffisantes, mais qui marqueront une volonté, qui indiqueront une direction. Il faut, dès maintenant, que notre action revête un sens, qui n'est pas celui de la reconquête coloniale. Constitué pour répondre à la volonté de paix exprimée par la Nation, le gouvernement de Front républicain doit rendre manifeste, même si ce n'est pour l'instant que d'une manière presque symbolique, avec une détermination s'il le faut révolutionnaire, sa volonté de ne pas se solidariser avec un régime ancien d'inégalité et d'injustice, de ne pas s'enfoncer dans la répression, de ne pas s'installer dans une guerre indéfinie. Parmi ces mesures, le gouvernement devrait prendre immédiatement les décisions suivantes qu'aucun démocrate ne saurait refuser :

1° Libération des détenus politiques qui ne sont sous le coup d'aucune inculpation et qui, cependant, sont soumis à des mesures violant les droits de l'Homme ; la promesse en a d'ailleurs été publiquement faite par le président du Conseil ; or, leur nombre depuis n'a fait que s'accroître.

2° Liberté de la presse pour les journaux exprimant le point de vue des autochtones, sous réserve que restent interdits les appels à la haine et les provocations à des crimes et à des délits. Les mêmes restrictions devraient aussi s'imposer et avec rigueur à l'égard de la presse colonialiste et raciste.

3° Élimination des fonctionnaires qui ont orienté et orientent encore l'administration algérienne dans le sens du mépris des autochtones, de la loi et de la justice.

4° Dissolution des autorités municipales partout où elles abusent de leurs pouvoirs pour brimer la popularité musulmane. Promulgation d'une nouvelle loi municipale. Il ne faut jamais oublier que l'échelon local est celui où le contact est direct avec la population musulmane et où elle ressent avec le plus d'acuité une domination qui l'humilie.

5° Expropriation effective des grands domaines fonciers en vue de leur transformation en petites propriétés familiales consacrées à des cultures vivrières. Suppression des clauses échappatoires et des délais excessifs qui figurent dans des décrets récents dont on ne peut, dans leur texte actuel, attendre un résultat réel et prochain. 6° Réforme fondamentale du Crédit agricole qui doit être arraché aux mains égoïstes qui l'ont toujours dirigé au seul profit d'une poignée de grands propriétaires et au détriment des petits producteurs.

7° Augmentation sensible des salaires ; contrôle direct des lois sociales par des agents animés d'un esprit nouveau, c'est-à-dire déterminés à faire respecter loyalement les intérêts ouvriers ; soutien actif et loyal accordé aux organisations syndicales représentatives de la main-d'œuvre musulmane.

Beaucoup d'autres mesures et décisions de ce genre s'imposeraient d'urgence. Celles-ci ne sont mentionnées qu'à titre indicatif de la politique – et plus encore de l'esprit – qui doivent régner désormais en Algérie. [...]

À ceux qui mesurent les forces d'émancipation animant toutes les populations autrefois colonisées, qui veulent adapter notre influence et notre présence à l'évolution du xxᵉ siècle, qui croient la France non pas enfermée dans son passé mais capable de renouveler ses positions dans les formules de l'avenir – une sorte d'aveuglement conservateur reproche les abandons et paradoxalement fait le grief de pessimisme.

Le pessimisme est le fait de ceux qui se cramponnent aux formes dépassées de la domination politique et militaire ; si on les suivait, alors, il est vrai que notre autorité se réduirait comme une peau de chagrin, que toujours contestée, toujours combattue, elle nous préparerait, sous l'aspect d'une fermeté apparente, les abandons successifs et finalement les plus totales évictions.

Le pessimisme est de méconnaître tous les facteurs qui jouent en notre faveur, de ne compter pour rien les liens de la géographie et ceux qu'a forgés l'histoire, et les intérêts communs de l'ordre économique, et l'association des cultures. Il conduit au repliement dans la défiance de soi et la crainte de l'avenir, à une sorte de démission inavouée mais peu à peu inévitable dans laquelle se réfugient les régimes et les peuples incapables d'agir. Voilà la véritable politique d'abandon.

Pour ceux qui ont confiance en leur pays, une autre voie existe. Il est grand temps de la prendre.

Pierre Mendès France (1907-1982),
« Note pour Guy Mollet sur l'Algérie » remise le 21 avril 1956,
Pour une République moderne : 1955-1962, tome 4 des
Œuvres complètes
Gallimard, 1988, p. 174 *sqq*

■ GERMAINE TILLON (1907)

L'Algérie en 1957, 1957

> Cette étude est documentée par Germaine Tillon, entre novembre 1954 et février 1956, tout en se fondant aussi sur les acquis des missions scientifiques déjà conduites entre 1934 et 1940. Elle paraît pour la première fois en 1957 aux Éditions de Minuit ; l'auteur la dédie à ses camarades de déportation à cause de leur expérience vécue de l'extrême misère qu'elle cherche justement à analyser et à faire reculer en Algérie.

Mes chères camarades,

Depuis plusieurs mois certaines d'entre vous me demandent de leur parler du drame algérien mais je ne puis le faire brièvement, car il s'agit de plusieurs drames. Chacun d'eux pourrait être dénoué non pas facilement, non pas rapidement mais, à la rigueur dénoué. Malheureusement chaque dénouement exclut les autres, sans toucher cependant aux problèmes qu'ils étaient appelés à résoudre. À cette complexité fondamentale, ajoutez la confusion due à une circulation réellement exceptionnelle de contrevérités, de fausses analogies, de mauvaise foi et surtout d'ignorance. [...]
Vous vous trouvez donc, comme tout le monde, livrées à des réactions affectives. Or nos « réflexes conditionnés » sont – et je sais que je parle pour la majorité d'entre nous – un amour passionné de la Justice, une solidarité quasi instinctive avec les opprimés, les prisonniers, les fugitifs, mais aussi la fidélité à notre pays et à nos compatriotes lorsque l'un est attaqué et que les autres sont en danger. Il existe des devoirs simples, cruels mais simples. Pour nous, en 1940, le devoir s'est présenté sous cet aspect-là. Rien n'est moins « simple » que l'épreuve d'aujourd'hui, et soyez sûres qu'elle n'est « simple » pour personne, sauf peut-être pour quelques cervelles microscopiques – d'ailleurs équitablement distribuées de part et d'autre de toutes les frontières. Mis à part les détenteurs de ces cervelles-là, il n'y a pas un acteur de la tragédie qui ne soit déchiré entre les options les plus contradictoires, aussi bien dans les camps des « *coupeurs de routes* »[1] que dans les nôtres.
Sur un point cependant les nationalistes algériens semblent d'accord : c'est qu'il

---

1. « Coupeurs de routes », traduction du mot fellaga, utilisé en Tunisie pour désigner les maquisards.

leur faudra un jour, d'une manière ou d'une autre, collaborer avec la France, – mais ils ne se rendent pas compte que, pour l'Algérie, cette collaboration est vitale, plus encore que pour les autres pays d'Afrique. Tous les Français que j'ai interrogés sont, de leur côté, d'accord sur un autre point : celui des devoirs particuliers que nous avons contractés vis-à-vis des Algériens, parce qu'ils ont versé leur sang pour nous dans trois guerres, parce qu'ils partagent notre destin depuis plus long-temps que les Niçois et les Savoyards. J'ajouterais volontiers : parce que nous avons un peu contribué, sans le vouloir et sans le savoir – par des méfaits incons-cients et des bienfaits maladroits – à les enfoncer dans l'impasse où ils se trouvent actuellement.

À vrai dire, ils n'ont partagé qu'une partie de notre destin, car s'ils ont fidèlement pris leur part de nos dangers, ils ont été exclus en grande partie de nos réussites et de nos chances, et c'est une des causes du drame actuel. J'en ai exposé souvent les données à des Français qui m'interrogeaient. Une fois sur deux, mon interlocuteur m'interrompait avec entrain pour me dire : « C'est leur faute. Nous, à leur place… ». Avec la même conviction et la même bonne foi, l'interlocuteur suivant me coupait la parole pour me dire : « C'est la faute de la France ; nous n'avions qu'à… ».

Ce n'est pas moi qui vous présenterai un beau coupable à pendre, ni un *happy end* facile et radical, malgré le vaste choix qui nous est proposé. La tragédie algérienne, telle que je la vois, comporte beaucoup de victimes, peu de traîtres mais ses possibilités de dénouement m'apparaissent comme un point de départ pour d'au-tres tragédies.

Au milieu du gué

En 1954, dans un pays immense, mais pauvre, et très inégalement évolué, vivent neuf à dix millions d'habitants dont la plus grande partie (environ huit millions) [2] pratiquent la religion musulmane, tandis que les autres (à peu près un million) ne la pratiquent pas. Avec un mode d'exploitation archaïque très ordonné, ce pays pourrait encore se nourrir mais il ne peut pas nourrir une population qui double à chaque génération.

Les musulmans sont majoritaires et les minoritaires les appellent souvent « indi-gènes », mais ce mot m'agace, car personne en France ne m'appelle « indigène »,

---

2. En 1999, la population musulmane d'Algérie a plus que triplé en nombre mais elle est loin d'avoir triplé ses ressources malgré la chance qu'a représenté un moment la grosse demande du pétrole.

bien que je sois, dans mon pays, aussi « indigène » qu'on puisse l'être, et attachée à tout ce qu'il y a de plus suranné, voire absurde, dans les vieilleries de notre héritage. Peut-être est-ce la raison pour laquelle les « indigènes » m'ont toujours inspiré un sentiment si fraternel, et la raison aussi pour laquelle leurs vieilleries m'ont toujours semblé respectables et émouvantes... Il n'en est pas moins vrai que ce terme, en Algérie, prétend être injurieux.

Les seconds (minoritaires), on les appelle « les colons ». On entend par là : un propriétaire terrien d'origine européenne. Or, il y a, en Algérie (sur 1 042 409 minoritaires) [3], exactement 19 400 colons au sens strict, dont 7 432 possèdent moins de dix hectares et sont de très pauvres gens, à moins qu'ils ne soient des retraités, des commerçants, des fonctionnaires disposant d'un terrain qui ne les fait pas vivre. Des « vrais » colons, il y en a 12 000 environ, dont 300 sont riches et une dizaine excessivement riches (vraisemblablement plus riches à eux dix que tous les autres ensemble). Avec leurs familles, les 12 000 colons constituent une population d'environ 45 000 personnes (car, pour 10 familles européennes d'Algérie, on compte en moyenne 36 individus). Les autres « colons » – un million d'êtres humains – sont des ouvriers spécialisés, des fonctionnaires, des employés, des chauffeurs de taxi, des garagistes, des chefs de gare, des infirmières, des médecins, des enseignants, des standardistes, des manœuvres, des ingénieurs, des commerçants, des chefs d'entreprise, et leur ensemble représente l'infrastructure économique d'un pays qui survivra très mal à sa perte. Cependant, comme le terme « indigène », celui de « colon » est devenu péjoratif.

Lorsque je parle des habitants de l'Algérie, je les appelle des « Algériens », et je me sens incapable d'en maudire ou d'en injurier une catégorie quelconque, car je comprends les uns et les autres et je considère qu'ils ont, les uns et les autres, pour des motifs différents, des droits sur nous. Au surplus, « colons » et « indigènes » se ressemblent comme des frères : ils ont les mêmes qualités – sens de l'honneur, courage physique, fidélité à leur parole et à leurs amis, générosité, ténacité – mais aussi les mêmes défauts : goût de la violence et de la vengeance, passion effrénée de la compétition, vanité, méfiance, susceptibilité, jalousie. Ces similitudes pourraient s'expliquer par une longue cohabitation, mais l'étrange ressemblance dans les coutumes qui existe également

---

3. En 1962, cette minorité et une petite partie de la majorité (dite indigène) émigra en France. Après les épreuves de la transplantation, elle contribua à y dynamiser l'économie et sa présence joua un rôle dans la vague de prospérité française connue sous le nom de « Trente Glorieuses ».

entre les deux groupes exige d'autres explications et nous amène à jeter un regard sur leurs origines respectives.

Chez les « colons », nous trouvons des républicains déportés de France par Napoléon III, des Alsaciens et des Lorrains partis en Algérie pour ne pas devenir Prussiens, mais aussi un pourcentage élevé de gens venus de Corse, de Malte, d'Espagne... Or, les Corses sont culturellement plus proches des Kabyles et des Chaouïas que des Bretons, les paysans maltais parlent encore aujourd'hui un patois arabe, et l'on sait ce que les Espagnols doivent à la domination maure.

Chez les « indigènes », nous avons affaire à des gens nés sur un des coins de la planète où, aux temps historiques, du Nord au Sud, d'Ouest en Est, d'Est en Ouest, à la fois par grandes masses homogènes et par infiltrations individuelles, les hommes se sont déplacés : par exemple, les légions romaines qui ont stationné pendant des siècles dans le Constantinois étaient surtout composées de soldats gaulois amenant leurs familles, cultivant un bout de terrain et, leur « temps » achevé, s'établissant dans le pays. Bref, si les fantômes de « nos ancêtres les Gaulois » pouvaient revenir en Algérie et y faire un recensement de leurs chromosomes, qui peut dire où ils les retrouveraient ? Cela n'a assurément aucune importance, car nulle lignée humaine ne détient le monopole de l'intelligence ou de l'équité, et toutes comptent, parmi leurs géniteurs, une proportion massive, probablement constante, de sacripants et d'imbéciles. Nous n'avons rien à envier à personne sur ce point, mais personne non plus n'a rien à nous envier... Si je vous mentionne ces détails, c'est parce qu'il arrive parfois que des argumentations racistes figurent dans l'imbroglio algérien. Ailleurs, elles me semblent pénibles, mais ici elles sont également sottes.

Pratiquement, la notion de race est d'ailleurs souvent confondue tantôt avec celle de langue, tantôt avec celle de religion. L'Algérie ne fait pas exception à la règle, et une façon usuelle d'y situer « racialement » un individu consiste à le définir comme « musulman » ou « non musulman ».

Certes, l'appartenance religieuse pèse énormément sur le développement de chacun ; encore ne faut-il pas s'imaginer chaque religion du globe comme un bain d'une teinture indélébile, uniforme, et nettement tranchée pour chaque confession. Je compte parmi mes amis de très nombreux musulmans et musulmanes, appartenant aux niveaux et aux milieux les plus divers, et je puis vous assurer que la majorité des intellectuels musulmans, et musulmans convaincus – professeur, médecin, avocat, instituteur – ont des attitudes religieuses plus proches de celles des intellectuels chrétiens que de celles d'un illettré de leur pays. *Et inversement.*

Si, dépassant le niveau des comportements, on pouvait faire abstraction du paquet de convictions non inventoriées dont chaque être humain est encombré dès sa naissance, pour analyser le contenu réel, intime, profond et vivant des véritables croyances religieuses, on retrouverait probablement – par delà les frontières des cultes – toute une gamme de parallélismes.

Lorsqu'on vous parlera de « guerre sainte », de « fanatisme musulman », n'évoquez pas une espèce de sauvagerie intrinsèque et, par essence, incompatible avec ce « cartésianisme », ce « rationalisme » dont nous faisons étalage, mais prenez un livre d'histoire et considérez les contemporains de Montaigne ou même ceux de Descartes et vous verrez que la haine religieuse qui a opposé les chrétiens catholiques et les chrétiens protestants était aussi furibonde, sanguinaire, fanatique, « intrinsèquement sauvage » que celle qui peut exister aujourd'hui en Afrique et en Asie. Pourquoi ? Parce que fanatisme et férocité sont des faits sociaux qui tiennent au niveau culturel d'une population et non à la nature de sa religion. Il y a des musulmans fanatiques, mais l'histoire prouve que le fanatisme ne fait pas plus partie intégrante de l'Islam que la croisade contre les Albigeois ou les procès de sorcellerie ne sont, par essence, constitutifs de la Chrétienté : les musulmans vivent aujourd'hui, en quasi-totalité, dans un secteur terrestre très mal placé par rapport à l'ébranlement contemporain d'une civilisation qui écrase ceux qu'elle n'entraîne pas. Plus grave encore, la société musulmane (pour des raisons qui me semblent antérieures et même contraires aux volontés exprimées de son fondateur) s'est efforcée d'effacer les femmes de la catégorie active et pensante de l'humanité. Or, comme ce sont les femmes qui élèvent les enfants, il en résulte souvent pour cette société une arriération chronique.

Le niveau de civilisation, en revanche, détermine, pour une part, le comportement, mais c'est une délicate entreprise de l'évaluer, surtout quand il s'agit d'illettrés ; doser les influences qu'ils ont subies n'est pas moins délicat.

Germaine Tillon (1907),
L'Algérie en 1957, L'Afrique bascule vers l'avenir
Les Éditions Tirésias-Michel Reynaud, 1999, p. 64 *sqq*

© Les Éditions Tirésias-Michel Reynaud

Une République de citoyens

■ MONTESQUIEU (1689-1755)
« Du principe de la démocratie », *De l'Esprit des lois,* livre III, 1748

Charles-Louis de Secondat, baron de la Brède et de Montesquieu, appartient à la noblesse de robe et est lui-même magistrat. Le succès de ses *Lettres persanes* (1721) le rend célèbre jeune. À partir de 1731, à la Brède, il se consacre à une réflexion sur la nature des lois et leurs rapports entre elles, de laquelle naissent plusieurs ouvrages dont *De l'Esprit des lois*.

Il ne faut pas beaucoup de probité pour qu'un gouvernement monarchique ou un gouvernement despotique se maintienne ou se soutienne. La force des lois dans l'un, le bras du prince toujours levé dans l'autre, règlent ou contiennent tout. Mais, dans un État populaire, il faut un ressort de plus qui est la vertu.

Ce que je dis est confirmé par le corps entier de l'histoire, et est très conforme à la nature des choses. Car il est clair que dans une monarchie, où celui qui fait exécuter les lois se juge au-dessus des lois, on a besoin de moins de vertu que dans un gouvernement populaire où celui qui fait exécuter les lois sent qu'il y est soumis lui-même, et qu'il en portera le poids.

Il est clair encore que le monarque qui, par mauvais conseil ou par négligence, cesse de faire exécuter les lois, peut aisément réparer le mal : il n'a qu'à changer de Conseil, ou se corriger de cette négligence même. Mais lorsque, dans un gouvernement populaire, les lois ont cessé d'être exécutées, comme cela ne peut venir que de la corruption de la république, l'État est déjà perdu.

Ce fut un assez beau spectacle, dans le siècle passé, de voir les efforts impuissants des Anglais pour établir parmi eux la démocratie. Comme ceux qui avaient part aux affaires n'avaient point de vertu, que leur ambition était irritée par le succès de celui qui avait le plus osé[1], que l'esprit d'une faction n'était réprimé que par l'esprit d'une autre, le gouvernement changeait sans cesse ; le peuple étonné cherchait la démocratie et ne la trouvait nulle part. Enfin, après bien des mouvements, des chocs et des secousses, il fallut se reposer dans le gouvernement même qu'on avait proscrit.

Quand Sylla voulut rendre à Rome la liberté, elle ne put plus la recevoir ; elle n'avait plus qu'un faible reste de vertu, et, comme elle en eut toujours moins, au lieu de se réveiller après César, Tibère, Caïus[2], Claude, Néron, Domitien, elle fut toujours plus esclave ; tous les coups portèrent sur les tyrans, aucun sur la tyrannie.

Les politiques grecs, qui vivaient dans le gouvernement populaire, ne reconnaissaient d'autre force qui pût les soutenir que celle de la vertu. Ceux d'aujourd'hui[3] ne nous parlent que de manufactures, de commerce, de finances, de richesses et de luxe même.

Lorsque cette vertu cesse, l'ambition entre dans les cœurs qui peuvent la recevoir, et l'avarice[4] entre dans tous. Les désirs changent d'objets : ce qu'on aimait, on ne l'aime plus ; on était libre avec les lois, on veut être libre contre elles ; chaque citoyen est comme un esclave échappé de la maison de son maître ; ce qui était maxime, on l'appelle rigueur ; ce qui était règle, on l'appelle gêne ; ce qui était attention, on l'appelle crainte. C'est la frugalité qui y est l'avarice, et non pas le désir d'avoir. Autrefois, le bien des particuliers faisait le trésor public ; mais pour lors, le trésor public devient le patrimoine des particuliers. La république est une dépouille ; et sa force n'est plus que le pouvoir de quelques citoyens et la licence de tous.

Montesquieu (1689-1755),
« Du principe de la démocratie »,
De l'Esprit des lois, livre III, 1748
Éditions Gallimard, coll. « Folio essais », vol. I, 1995,
p. 115-117

---

1. Cromwell.
2. Caligula.
3. Par exemple, Jean-François Melon, auteur d'un Essai politique sur le commerce (1734) et Dutot, auteur de Réflexions politiques sur les finances et le commerce (1738), tous deux collaborateurs de Law.
4. Avidité.

■ JEAN-JACQUES ROUSSEAU (1712-1778)

Du Contrat social, « Du Souverain », livre I, et « Des Bornes du pouvoir souverain », livre II, 1762

Les années 1756-1762 représentent dans la vie tumultueuse de Jean-Jacques Rousseau à la fois une période d'intense activité créatrice – le *Contrat social* paraît peu après *La Nouvelle Héloïse* (1761) et en même temps que *L'Émile* – et de calme relatif. Le *Contrat social* représente l'aboutissement de sa longue méditation sur les institutions politiques.

Sitôt que cette multitude est ainsi réunie en un corps, on ne peut offenser un des membres sans attaquer le corps ; encore moins offenser le corps sans que les membres s'en ressentent. Ainsi, le devoir et l'intérêt obligent également les deux parties contractantes à s'entraider mutuellement, et les mêmes hommes doivent chercher à réunir sous ce double rapport tous les avantages qui en dépendent.

Or le Souverain n'étant formé que des particuliers qui le composent n'a ni ne peut avoir d'intérêt contraire au leur ; par conséquent, la puissance souveraine n'a nul besoin de garant envers les sujets, parce qu'il est impossible que le corps veuille nuire à tous ses membres, et nous verrons ci-après qu'il ne peut nuire à aucun en particulier. Le Souverain, par cela seul qu'il est, est toujours tout ce qu'il doit être. Mais il n'en est pas ainsi des sujets envers le Souverain, auquel malgré l'intérêt commun, rien ne répondrait de leurs engagements s'il ne trouvait des moyens de s'assurer de leur fidélité.

En effet, chaque individu peut comme homme avoir une volonté particulière contraire ou dissemblable à la volonté générale qu'il a comme Citoyen. Son intérêt particulier peut lui parler tout autrement que l'intérêt commun ; son existence absolue et naturellement indépendante peut lui faire envisager ce qu'il doit à la cause commune comme une contribution gratuite, dont la perte sera moins nuisible aux autres que le payement n'en est onéreux pour lui, et regardant la personne morale qui constitue l'État comme un être de raison parce que ce n'est pas un homme, il jouirait des droits du citoyen sans vouloir remplir les devoirs du sujet ; injustice dont le progrès causerait la ruine du corps politique.

Afin donc que le pacte social ne soit pas un vain formulaire, il renferme tacitement cet engagement qui seul peut donner de la force aux autres, que quiconque refusera d'obéir à la volonté générale y sera contraint par tout le corps : ce qui ne signifie autre chose sinon qu'on le forcera d'être libre ; car telle est la condition qui donnant chaque Citoyen à la Patrie le garantit de toute dépendance personnelle ; condition qui fait l'artifice et le jeu de la machine politique, et qui seule rend légitimes les engagements civils, lesquels sans cela seraient absurdes, tyranniques, et sujets aux plus énormes abus.

On doit concevoir par là, que ce qui généralise la volonté est moins le nombre des voix que l'intérêt commun qui les unit : car dans cette institution chacun se soumet nécessairement aux conditions qu'il impose aux autres ; accord admirable de l'intérêt et de la justice qui donne aux délibérations communes un caractère d'équité qu'on voit évanouir dans la discussion de toute affaire particulière, faute d'un intérêt commun qui unisse et identifie la règle du juge avec celle de la partie.

Par quelque côté qu'on remonte au principe, on arrive toujours à la même conclusion ; savoir, que le pacte social établit entre les citoyens une telle égalité qu'ils s'engagent tous sous les mêmes conditions, et doivent jouir tous des mêmes droits. Ainsi par la nature du pacte, tout acte de souveraineté, c'est-à-dire tout acte authentique de la volonté générale oblige ou favorise également tous les Citoyens, en sorte que le Souverain connaît seulement le corps de la nation et ne distingue aucun de ceux qui la composent. Qu'est-ce donc proprement qu'un acte de souveraineté ? Ce n'est pas une convention du supérieur avec l'inférieur, mais une convention du corps avec chacun de ses membres : convention légitime, parce qu'elle a pour base le contrat social, équitable, parce qu'elle est commune à tous, utile, parce qu'elle ne peut avoir d'autre objet que le bien général, et solide, parce qu'elle a pour garants la force publique et le pouvoir suprême. Tant que les sujets ne sont soumis qu'à de telles conventions, ils n'obéissent à personne, mais seulement à leur propre volonté ; et demander jusqu'où s'étendent les droits respectifs du Souverain et des Citoyens, c'est demander jusqu'à quel point ceux-ci peuvent s'engager avec eux-mêmes, chacun envers tous et tous envers chacun d'eux.

On voit par là que le pouvoir Souverain, tout absolu, tout sacré, tout inviolable qu'il est, ne passe ni ne peut passer les bornes des conventions générales, et que tout homme peut disposer pleinement de ce qui lui a été laissé de ses biens et de sa liberté par ces conventions ; de sorte que le Souverain n'est jamais en droit de charger un sujet plus qu'un autre, parce qu'alors l'affaire devenant particulière, son pouvoir n'est plus compétent.

Ces distinctions une fois admises, il est si faux que dans le contrat social il y ait de la part des particuliers aucune renonciation véritable, que leur situation, par l'effet de ce contrat se trouve réellement préférable à ce qu'elle était auparavant, et qu'au lieu d'une aliénation, ils n'ont fait qu'un échange avantageux d'une manière d'être incertaine et précaire contre une autre meilleure et plus sûre, de l'indépendance naturelle contre la liberté, du pouvoir de nuire à autrui contre leur propre sûreté, et de leur force que d'autres pouvaient surmonter contre un droit que l'union sociale rend invincible.

Jean-Jacques Rousseau (1712-1778),
Du Contrat social, « Du Souverain », livre I
et « Des Bornes du pouvoir souverain », livre II, 1762
Flammarion, coll. « GF », 2001, p. 59-60 et 72-73[1]

---

1. On se reportera à l'édition pour prendre connaissance des notes.

■ ROBESPIERRE (1758-1794)
Rapport présenté à la Convention au nom du Comité de salut public,
5 février 1794

> Depuis la fin juillet 1793, Robespierre fait partie du Comité de salut public ; il est l'un des hommes clés de cette direction collégiale et y joue notamment un rôle déterminant pour légitimer et systématiser la Terreur. Cet extrait de son rapport « sur les principes de morale politique qui doivent guider la Convention nationale dans l'administration intérieure de la République » révèle l'argumentaire très construit de ses discours, le rôle décisif que joue l'égalité dans son dispositif idéologique et l'importance de l'héritage de Montesquieu et de Rousseau.

Or, quel est le principe fondamental du gouvernement démocratique ou populaire, c'est-à-dire le ressort essentiel qui le soutient et qui le fait mouvoir ? C'est la vertu ; je parle de la vertu publique qui opéra tant de prodiges dans la Grèce et dans Rome, et qui doit en produire de bien plus étonnants dans la France républicaine ; de cette vertu qui n'est autre chose que l'amour de la patrie et de ses lois. Mais comme l'essence de la république ou de la démocratie est l'égalité, il s'ensuit que l'amour de la patrie embrasse nécessairement l'amour de l'égalité.

Il est vrai encore que ce sentiment sublime suppose la préférence de l'intérêt public à tous les intérêts particuliers ; d'où il résulte que l'amour de la patrie suppose encore ou produit toutes les vertus : car que sont-elles autre chose que la force de l'âme qui rend capable de ces sacrifices ? Et comment l'esclave de l'avarice ou de l'ambition, par exemple, pourrait-il immoler son idole à la patrie ?

Non seulement la vertu est l'âme de la démocratie, mais elle ne peut exister que dans ce gouvernement. Dans la monarchie, je ne connais qu'un individu qui peut aimer la patrie, et qui, pour cela, n'a pas même besoin de vertu ; c'est le monarque. La raison en est que de tous les habitants de ses États, le monarque est le seul qui ait une patrie. N'est-il pas le souverain, au moins de fait ? N'est-il pas à la place du peuple ? Et qu'est-ce que la patrie, si ce n'est le pays où l'on est citoyen et membre du souverain ?

Par une conséquence du même principe, dans les États aristocratiques, le mot *patrie* ne signifie quelque chose que pour les familles patriciennes qui ont envahi la souveraineté.

Il n'est que la démocratie où l'État est véritablement la patrie de tous les individus qui le composent, et peut compter autant de défenseurs intéressés à sa cause qu'il renferme de citoyens. Voilà la source de la supériorité des peuples libres sur tous les autres. Si Athènes et Sparte ont triomphé des tyrans de l'Asie, et les Suisses, des tyrans de l'Espagne et de l'Autriche, il n'en faut point chercher d'autre cause. Mais les Français sont le premier peuple du monde qui ait établi la véritable démocratie, en appelant tous les hommes à l'égalité et à la plénitude des droits des citoyens ; et c'est là, à mon avis, la véritable raison pour laquelle tous les tyrans ligués contre la République seront vaincus.

Il est dès ce moment de grandes conséquences à tirer des principes que nous venons d'exposer.

Puisque l'âme de la République est la vertu, l'égalité, et que votre but est de fonder, de consolider la République, il s'ensuit que la première règle de votre conduite politique doit être de rapporter toutes vos opérations au maintien de l'égalité et au développement de la vertu ; car le premier soin du législateur doit être de fortifier le principe du gouvernement. Ainsi tout ce qui tend à exciter l'amour de la patrie, à purifier les mœurs, à élever les âmes, à diriger les passions du cœur humain vers l'intérêt public, doit être adopté ou établi par vous.

Tout ce qui tend à les concentrer dans l'abjection du moi personnel, à réveiller l'engouement pour les petites choses et le mépris des grandes, doit être rejeté ou réprimé par vous.

Robespierre (1758-1794),
rapport présenté à la Convention au nom
du Comité de salut public, 5 février 1794
Discours et rapports à la Convention,
10-18, 1965, p. 214 *sqq*

■ CHARLES RENOUVIER (1815-1903)
Manuel républicain de l'homme et du citoyen, 1848

> C'est à la demande du ministre de l'Instruction publique Hyppolite Carnot que Charles Renouvier écrit cet ouvrage, qui relève d'un genre bien précis : la littérature d'éducation politique populaire. Le projet des deux hommes est explicite : ancrer l'électorat issu du suffrage universel dans les institutions républicaines.

Les pouvoirs que les hommes ne veulent ou ne peuvent jamais abandonner entièrement, parce qu'ils tiennent de trop près à leurs personnes, s'appellent des droits naturels.

L'ÉLÈVE : N'appelle-t-on pas aussi ces droits des droits sacrés, inaliénables et imprescriptibles ? Que signifient ces derniers mots ?

L'INSTITUTEUR : Ces derniers mots signifient que l'homme peut toujours revendiquer ses droits naturels, quel que soit le laps de temps pendant lequel il en a perdu l'usage. On ne doit pas croire que ses pères aient pu légitimement l'en priver parce que, de gré ou de force, ils s'en seraient autrefois dépouillés en leur propre nom et au nom de leurs descendants.

L'ÉLÈVE : Maintenant veuillez me nommer les droits naturels.

L'INSTITUTEUR : On peut les réduire à deux : la liberté et l'égalité.

CHAPITRE IX
De l'égalité et de la fraternité

L'ÉLÈVE : Vous avez parcouru tous les droits qui dépendent de la liberté : dites-moi maintenant ce que c'est que l'égalité.

L'INSTITUTEUR : Les hommes naissent égaux en droits, c'est-à-dire qu'ils ne sauraient exercer naturellement de domination les uns sur les autres. La République consacre cet état naturel sous l'empire de la loi.

L'ÉLÈVE : Ne pourriez-vous me rendre cette idée plus claire ?

L'INSTITUTEUR : La loi, dans la République, n'admet aucune distinction de naissance entre les citoyens, aucune hérédité de pouvoir. Les fonctions civiles et politiques n'y sont jamais des propriétés. Tous les citoyens y sont également admis aux emplois sans autre distinction que leurs vertus et leurs talents. Enfin la loi est la même pour tous, soit qu'elle protège, soit qu'elle punisse.

L'ÉLÈVE : J'ai cru jusqu'ici, lorsqu'on m'a parlé de l'égalité, qu'on ne voulait pas seulement donner les mêmes droits à tous les hommes, mais aussi la même existence et les mêmes biens.

L'INSTITUTEUR : Vous ne vous êtes trompé qu'à demi. La République ne veut pas la parfaite égalité des conditions, parce qu'elle ne pourrait l'établir qu'en dépouillant les citoyens de leur liberté.

Mais la République veut s'approcher de cette parfaite égalité, autant qu'elle le peut, sans priver le citoyen de ses droits naturels, sans faire de lui l'esclave de la communauté.

La devise de la République est : *Liberté, Égalité, Fraternité*. S'il n'y avait que liberté, l'inégalité irait toujours croissant et l'État périrait par l'aristocratie ; car les plus riches et les plus forts finiraient toujours par l'emporter sur les plus pauvres et les plus faibles. S'il n'y avait qu'égalité, le citoyen ne serait plus rien, ne pourrait plus rien par lui-même, la liberté serait détruite, et l'État périrait par la trop grande domination de tout le monde sur chacun. Mais la liberté et l'égalité réunies composeront une République parfaite, grâce à la fraternité. C'est la fraternité qui portera les citoyens réunis en Assemblée de représentants à concilier tous leurs droits, de manière à demeurer des hommes libres et à devenir, autant qu'il est possible, des égaux.

L'ÉLÈVE : Que faut-il dans une République fraternelle pour que les citoyens soient en même temps libres et égaux ?

L'INSTITUTEUR : Il faut et il est indispensable qu'une République fraternelle reconnaisse et assure deux droits à tous les citoyens :

Le droit à travailler et à subsister par son travail ;

Le droit à recevoir l'instruction, sans laquelle un travailleur n'est que la moitié d'un homme.

L'ÉLÈVE : Comment concevez-vous que la République puisse assurer à tous les citoyens l'exercice du droit au travail ?

L'INSTITUTEUR : Il y a pour cela deux sortes de moyens : 1° L'organisation même du travail ; si les besoins et les ressources de la France étaient bien connus, ainsi que l'état du débouché extérieur et si les travailleurs trouvaient dans l'association, dans le crédit et dans les diverses aptitudes que l'enseignement professionnel devrait leur donner, un ensemble de lois ou de précautions tutélaires, il arriverait rarement qu'un citoyen eût à faire valoir son droit au travail envers la Société. 2° Les travaux d'intérêt général, d'utilité publique. L'État peut diriger lui-même ces travaux et leur donner plus d'extension dans les temps de crise industrielle, de manière à utiliser les bras ou les capacités sans service. Il est vrai que les travailleurs de toutes les spécialités ne pourraient ainsi trouver leur emploi le plus convenable ; mais aussi faudrait-il que l'éducation eût fait tout citoyen propre à certaines occupations manuelles. L'égalité le commande, et la santé, la moralité de tous ne pourraient qu'y gagner.

Au surplus, dans le cas où le *droit au travail* ne peut être exercé pour cause de force majeure, il se traduit en *droit à l'assistance*. Et ici je n'entends point consacrer l'aumône, car il est juste qu'un homme né, élevé au sein d'une société, d'un milieu artificiel où la nature est transformée, appropriée de telle façon qu'il n'ait pas à sa disposition pour subsister les moyens primitifs que la terre et une pleine liberté donnent au sauvage ; il est, dis-je, de toute justice que cet homme tienne de la volonté sociale au moins cette vie que les autres conditions de la société lui refusent. Une République qui ne reconnaîtrait pas le droit à l'assistance serait elle-même sans droit sur les citoyens privés du nécessaire. Une guerre civile, légitime d'un côté, serait son état habituel. Et c'est là ce que nous n'avons que trop vu sous le gouvernement des rois. La société fondée sur le principe de la propriété dévolue à quelques-uns avait pour ennemis tous les hommes énergiques ou corrompus qu'elle laissait sans instruction et sans pain. [...]

L'ÉLÈVE : Vous avez nommé un autre droit qu'une République fraternelle doit, disiez-vous, garantir à tous les citoyens. C'est le droit à l'instruction. Expliquez-moi quelle est, à cet égard, l'étendue du devoir de la République.

L'INSTITUTEUR : L'instruction qu'il s'agit ici d'assurer se compose de deux parties, qui sont, d'abord, un ensemble de connaissances élémentaires nécessaires au développement de l'homme et du citoyen, puis un enseignement professionnel, ou, si vous aimez mieux, un apprentissage comprenant la théorie et la pratique première d'un État.

L'instruction n'est pas seulement un droit pour le citoyen ; elle est encore un devoir, parce que la République, qui réclame ses services, et à la direction de laquelle il est même appelé à concourir, doit trouver en lui et l'intelligence de sa profession et l'aptitude aux fonctions politiques dont elle l'investit.

L'enseignement étant libre sous la République, libre à la seule condition d'une surveillance qui s'attache à la moralité, au patriotisme et à la force, à l'élévation suffisante de l'instruction donnée, quand elle s'adresse aux enfants ; libre absolument quand cette instruction s'adresse à des hommes faits, il en résulte que la République ne sera pas nécessairement chargée de la totalité de l'enseignement public ; mais elle sera tenue d'offrir l'instruction gratuite... aux enfants qui ne la reçoivent point d'ailleurs, et l'éducation civique à tous, sans distinction. Les pères ou tuteurs de ceux-ci seront obligés de leur faire fréquenter certaines écoles publiques, même alors qu'ils justifieront de l'instruction qu'ils leur donnent ou leur font donner par d'autres moyens.

Je ne parle pas de l'instruction et de l'éducation religieuse que les ministres des cultes peuvent seuls donner, et qui ne sont point de la compétence des magistrats de la République.

Charles Renouvier (1815-1903),
Manuel républicain de l'homme et du citoyen, 1848,
Garnier, « Classiques de la politique », 1981, p. 88 et 107 *sqq*

■ VICTOR HUGO (1802-1885)
Profession de foi en vue des élections complémentaires du 4 juin 1848, mai 1848

Pair de France de la monarchie de Juillet, Victor Hugo n'éprouve cependant pas de difficultés à se rallier au régime issu de la révolution de février 1848 – « Il y a une chose sur laquelle je défie qui que ce soit : c'est le sentiment démocratique. Il y a vingt ans que je suis démocrate. Je suis un démocrate de la veille » déclare-t-il le 29 mai –, dont il loue l'œuvre des premiers mois. Battu une première fois aux législatives, il se présente aux élections complémentaires, à l'occasion desquelles il confirme son rejet de l'émeute et des surenchères révolutionnaires et sa volonté de défendre l'ordre et la liberté.

Mes concitoyens,

Je réponds à l'appel des soixante mille électeurs qui m'ont spontanément honoré de leurs suffrages aux élections de la Seine [1]. Je me présente à votre libre choix. Dans la situation politique telle qu'elle est, on me demande toute ma pensée. La voici : deux républiques sont possibles.

L'une abattra le drapeau tricolore sous le drapeau rouge, fera des gros sous avec la colonne, jettera bas la statue de Napoléon et dressera la statue de Marat, détruira l'Institut, l'École polytechnique et la Légion d'honneur, ajoutera à l'auguste devise : *Liberté, Égalité, Fraternité*, l'option sinistre : *ou la Mort* ; fera banqueroute, ruinera les riches sans enrichir les pauvres, anéantira le crédit, qui est la fortune de tous, et le travail, qui est le pain de chacun, abolira la propriété et la famille, promènera des têtes sur des piques, remplira les prisons par le soupçon et les videra par le massacre, mettra l'Europe en feu et la civilisation en cendre, fera de la France la patrie des ténèbres, égorgera la liberté, étouffera les arts, décapitera la pensée, niera Dieu, remettra en mouvement ces deux machines fatales qui ne vont pas l'une sans l'autre, la planche aux assignats et la bascule de la guillotine ; en un mot, fera froidement ce que les hommes de 93 ont fait ardemment, et, après l'horrible dans le

---

1. Publié en plaquette : Victor Hugo à ses concitoyens, Paris, Juteau, s.d., in-18 ; et imprimé en placard, grand in-folio. Cette lettre qui est une profession de foi sera, en juillet 1851, utilisée par le ministre Baroche contre Victor Hugo.
2. Ce paragraphe fait allusion aux doctrines de divers socialismes utopiques (Saint-Simon, Cabet, Proudhon, etc.), et y mêle des souvenirs de la Terreur de 1793.

grand que nos pères ont vu, nous montrera le monstrueux dans le petit [2].
L'autre sera la sainte communion de tous les Français dès à présent, et de tous les
peuples un jour, dans le principe démocratique ; fondera une liberté sans usurpations
et sans violences, une égalité qui admettra la croissance naturelle de chacun, une
fraternité, non de moines dans un couvent, mais d'hommes libres [3], donnera à tous
l'enseignement comme le soleil donne la lumière, gratuitement ; introduira la
clémence dans la loi pénale et la conciliation dans la loi civile ; multipliera les chemins
de fer, reboisera une partie du territoire, en défrichera une autre, décuplera la valeur
du sol ; partira de ce principe qu'il faut que tout homme commence par le travail et
finisse par la propriété, assurera en conséquence la propriété comme la représentation du travail accompli, et le travail comme l'élément de la propriété future ;
respectera l'héritage, qui n'est autre chose que la main du père tendue aux enfants
à travers le mur du tombeau ; combinera pacifiquement, pour résoudre le glorieux
problème du bien-être universel, les accroissements continus de l'industrie, de la
science, de l'art et de la pensée ; poursuivra, sans quitter terre pourtant, et sans sortir
du possible et du vrai, la réalisation sereine de tous les grands rêves des sages ;
bâtira le pouvoir sur la même base que la liberté, c'est-à-dire sur le droit ; subor-
donnera la force à l'intelligence ; dissoudra l'émeute et la guerre, ces deux formes
de la barbarie ; fera de l'ordre la loi des citoyens, et de la paix la loi des nations ; vivra
et rayonnera ; grandira la France, conquerra le monde, sera, en un mot, le majestueux
embrassement du genre humain sous le regard de Dieu satisfait.
De ces deux républiques, celle-ci s'appelle la civilisation, celle-là s'appelle la
terreur. Je suis prêt à dévouer ma vie pour établir l'une et empêcher l'autre.

Victor Hugo (1802-1885),
profession de foi en vue des élections complémentaires
du 4 juin 1848, mai 1848
Œuvres complètes, vol. *Politique*,
Robert Laffont, coll. « Bouquins », 2002, p. 152-153

---

3. Les socialistes, dans leur volonté d'instituer une société égalitaire, imaginaient volontiers d'utopiques systèmes communautaires
extrêmement contraignants (ainsi Fourier, Cabet, etc.).

◼ GAMBETTA (1838-1882)
Discours prononcé à Paris, au cirque du Château d'eau, 9 octobre 1877

Prononcé lors d'une réunion électorale dans le XXe arrondissement, en vue des prochaines élections législatives, ce discours s'inscrit dans le contexte d'affrontement – ouvert par la crise dite du Seize mai 1877 – entre le président de la République Mac Mahon et la majorité de la Chambre des députés.

Aujourd'hui, citoyens, si le suffrage universel se déjugeait, c'en serait fait, croyez-le bien, de l'ordre en France, car l'ordre vrai – cet ordre profond et durable que j'ai appelé l'ordre républicain – ne peut en effet exister, être protégé, défendu, assuré, qu'au nom de la majorité qui s'exprime par le suffrage universel. (*Très bien ! Très bien ! – Bravo ! Bravo !*)

Et si l'on pouvait désorganiser ce mécanisme supérieur de l'ordre, le suffrage universel, qu'arriverait-il ? Il arriverait, Messieurs, que les minorités pèseraient autant que les majorités ; il arriverait que tel qui se prétendait investi d'une mission en dehors de la nation, d'une mission que l'on qualifierait de providentielle, en dehors et au-dessus de la raison publique, que celui-là irait jusqu'au bout, puis-qu'on lui aurait donné la permission de tout faire jusqu'au bout...

Mais, Messieurs, il n'est pas nécessaire, heureusement, de défendre le suffrage universel devant le parti républicain qui en a fait son principe, devant cette grande démocratie dont tous les jours l'Europe admire et constate la sagesse et la prévoyance, à laquelle, tous les jours, de tous les points de l'univers, arrivent les sympathies éclatantes de tout ce qu'il y a de plus éminent dans les pays civilisés du monde. Aussi bien, je ne présente pas la défense du suffrage universel pour les républicains, pour les démocrates purs ; je parle pour ceux qui, parmi les conser-vateurs, ont quelque souci de la modération pratiquée avec persévérance dans la vie publique. Je leur dis, à ceux-là : « Comment ne voyez-vous pas qu'avec le suffrage universel, si on le laisse librement fonctionner, si on respecte, quand il s'est prononcé, son indépendance et l'autorité de ses décisions, – comment ne voyez-vous pas, dis-je, que vous avez là un moyen de terminer pacifiquement tous les conflits, de dénouer toutes les crises, et que, si le suffrage universel fonctionne dans la plénitude de sa souveraineté, il n'y a plus de révolution possible, parce qu'il n'y a plus de révolution à tenter, plus de coup d'État à redouter quand la France a parlé ? » (*Très bien ! Très bien ! – Applaudissements.*)

C'est là, Messieurs, ce que les conservateurs, c'est là ce que les hommes qui, les uns de bonne foi, les autres par entraînement et par passion, préfèrent le principe d'autorité au principe de liberté, devraient se dire et se répéter tous les jours.

C'est que, pour notre société, arrachée pour toujours – entendez-le bien – au sol de l'Ancien Régime, pour notre société passionnément égalitaire et démocratique, pour notre société qu'on ne fera pas renoncer aux conquêtes de 1789, sanction-nées par la Révolution française, il n'y a pas véritablement, il ne peut plus y avoir de stabilité, d'ordre, de prospérité, de légalité, de pouvoir fort et respecté, de lois majestueusement établies, en dehors de ce suffrage universel dont quelques esprits timides ont l'horreur et la terreur, et, sans pouvoir y réussir, cherchent à restreindre l'efficacité souveraine et la force toute puissante. Ceux qui raisonnent et qui agissent ainsi sont des conservateurs aveugles ; mais je les adjure de réflé-chir ; je les adjure, à la veille de ce scrutin solennel du 14 octobre 1877, de rentrer en eux-mêmes, et je leur demande si le spectacle de ces cinq mois d'angoisses si noblement supportées, au milieu de l'interruption des affaires, de la crise écono-mique qui sévit sur le pays par suite de l'incertitude et du trouble jetés dans les négociations par l'acte subit du Seize Mai, je leur demande si le spectacle de ce peuple, calme, tranquille, qui n'attend avec cette patience admirable que parce qu'il sait qu'il y a une échéance fixe pour l'exercice de sa souveraineté, n'est pas la preuve la plus éclatante, la démonstration la plus irréfragable que les crises, même les plus violentes, peuvent se dénouer honorablement, pacifiquement, tran-quillement, à la condition de maintenir la souveraineté et l'autorité du suffrage universel. (*Profond mouvement.*)

Je vous le demande, Messieurs : est-ce que les cinq mois que nous venons de passer auraient pu maintenir l'union, l'ordre, la concorde, l'espérance et la sagesse, laisser à chacun la force d'âme nécessaire pour ne pas céder à la colère, à l'indi-gnation, aux mouvements impétueux de son cœur, si chacun n'avait pas eu la certitude que le 14 octobre il y aurait un juge et que, lorsque ce juge se serait exprimé, il n'y aurait plus de résistance possible ?... (*Vive approbation et bravos prolongés.*)

C'est grâce au fonctionnement du suffrage universel, qui permet aux plus humbles, aux plus modestes dans la famille française, de se pénétrer des questions, de s'en enquérir, de les discuter, de devenir véritablement une partie prenante, une partie solidaire à la société moderne ; c'est parce que le suffrage fournit l'occasion, une excitation à s'occuper de politique, que tous les conservateurs de la République devraient y tenir comme à un instrument de liberté de progrès, d'apaisement, de concorde.

C'est le suffrage universel qui réunit et qui groupe les forces du peuple tout entier, sans distinction de classes ni de nuances dans les opinions.

Léon Gambetta (1838-1882),
discours prononcé à Paris, au cirque du Château d'eau,
9 octobre 1877
Discours et plaidoyers politiques de M. Gambetta,
publiés par M. Joseph Reinach, VII
16 mai 1877-14 décembre 1877, 1882, p. 279 *sqq*

■ CHARLES PÉGUY (1873-1914)
Notre Jeunesse, Cahiers de la Quinzaine, 17 juillet 1910

Militant de la révision du procès de Dreyfus, Péguy revient douze ans plus tard dans *Notre Jeunesse* sur ce que fut en profondeur le dreyfusisme. Il y défend la mystique républicaine.

Nous tournant donc vers les jeunes gens, nous tournant d'autre part, nous tournant de l'autre côté nous ne pouvons que dire et faire, nous ne pouvons que leur dire : « Prenez garde. Vous nous traitez de vieilles bêtes. C'est bien. Mais prenez garde. Quand vous parlez à la légère, quand vous traitez légèrement, si légèrement la République, vous ne risquez pas seulement d'être injustes, (ce qui n'est peut-être rien, au moins vous le dites, dans votre système, mais ce qui, dans notre système, est grave, dans nos idées, considérable), vous risquez plus, dans votre système, même dans vos idées vous risquez d'être sots.
Pour entrer dans votre système, dans votre langage même. Vous oubliez, vous méconnaissez qu'il y a eu une mystique républicaine ; et de l'oublier et de la méconnaître ne fera pas qu'elle n'ait pas été. Des hommes sont morts pour la liberté comme des hommes sont morts pour la foi. Ces élections aujourd'hui vous paraissent une formalité grotesque, universellement menteuse, truquée de toutes parts. Et vous avez le droit de le dire. Mais des hommes ont vécu, des hommes sans nombre, des héros, des martyrs, et je dirai des *saints,* – et quand je dis des saints je sais peut-être ce que je dis, – des hommes ont vécu sans nombre, héroï-quement, saintement, des hommes ont souffert, des hommes sont morts, tout un peuple a vécu pour que le dernier des imbéciles aujourd'hui ait le droit d'accom-plir cette formalité truquée. Ce fut un terrible, un laborieux, un redoutable enfan-tement. Ce ne fut pas toujours du dernier grotesque. Et des peuples autour de nous, des peuples entiers, des races travaillent du même enfantement douloureux, travaillent et luttent pour obtenir cette formalité dérisoire. »
Ces élections sont dérisoires. Mais il y a eu un temps, mon cher Variot [1], un temps héroïque où les malades et les mourants se faisaient porter dans des chaises *pour aller déposer leur bulletin dans l'urne.* Déposer son bulletin dans l'urne, cette expression vous paraît aujourd'hui du dernier grotesque. Elle a été préparée

---

1. Jean Variot (1881-1962), journaliste et écrivain.

par un siècle d'héroïsme. Non pas d'héroïsme à la manque, d'un héroïsme à la littéraire. Par un siècle du plus incontestable, du plus authentique héroïsme. Et je dirai du plus français. Ces élections sont dérisoires. Mais il y a eu une élection. C'est le grand partage du monde, la grande élection du monde moderne entre l'Ancien Régime et la Révolution. Et il y a eu un sacré ballottage, Variot, Jean Variot. Il y a eu ce petit ballottage qui commença au moulin de Valmy et qui finit à peine sur les hauteurs de Hougoumont. D'ailleurs ça a fini comme toutes les affaires politiques, par une espèce de compromis, de cote mal taillée, entre les partis qui étaient en présence.

Ces élections sont dérisoires. Mais l'héroïsme et la sainteté avec lesquels, moyennant lesquels on obtient des résultats dérisoires, temporellement dérisoires, c'est tout ce qu'il y a de plus grand, de plus sacré au monde. C'est tout ce qu'il y a de plus beau.

Charles Péguy (1873-1914),
Notre Jeunesse, Cahiers de la Quinzaine, 17 juillet 1910
NRF, coll. « Idées », 1957, p. 29-30,
Gallimard, coll. « Blanche », 1933

© Gallimard

■ ALAIN (1868-1951)
« Prologue », *Politique*, 1912

> *Politique* a été entrepris peu avant la mort d'Alain et poursuivi ensuite par Michel Alexandre. Il est le fruit d'un tri sévère parmi les « propos » dans lesquels le philosophe s'est exprimé sur la politique. Le « prologue » est composé des textes les plus anciens (1906-1914).

« La démocratie n'est pas le règne du nombre, c'est le règne du droit. » Cette formule, que j'ai rencontrée ces jours, est bonne à méditer dans ce moment de notre histoire. Car tous les proportionnalistes me paraissent avoir une tout autre conception de la République. Selon ce qu'ils disent, il suffit que le pouvoir soit remis aux plus forts ; la justice n'en demande pas plus.

Pour moi, je conçois la République tout à fait autrement. Il n'y a point de tyrannie légitime ; et la force du nombre ne peut point créer le plus petit commencement de droit. Le droit est dans l'égalité. Par exemple tous ont un droit légal à pratiquer telle religion qu'ils auront choisie ; le droit de l'un limite le droit de l'autre. Il serait contre le droit qu'une majorité, aussi écrasante qu'on voudra, et unanime, suppo-sons-le, sur le problème religieux, voulût imposer son culte à une douzaine de dissidents.

Pour parler plus précisément encore, dans une démocratie, non seulement aucun parti n'a le pouvoir, mais bien mieux, il n'y a plus de pouvoir à proprement parler. Il y a des magistrats qui ont pour charge de maintenir l'égalité, la paix, l'ordre ; mais ces magistrats ne doivent pas agir au nom d'un parti. Par exemple, il est assez clair que les jugements des tribunaux devraient n'être changés en rien quand un progressiste prendrait le pouvoir à la place d'un radical très radical.

Mais, direz-vous, il y a les lois elles-mêmes, qui sont faites par le parti le plus fort ? C'est une erreur. Les lois sont faites d'un commun accord et sans aucun esprit de parti. La loi sur les accidents du travail, la loi sur les retraites ouvrières, la loi sur les associations, sont des formules de bon sens, suggérées par des circons-tances qui ne dépendent point de ce que tel parti ou tel autre est au pouvoir. Il y a des usines ; il y a un prolétariat ; il y a des grèves ; une monarchie en a autant à montrer, et formule là-dessus à peu près les mêmes lois que nous. Si nous faisons l'impôt sur le revenu, nous ne pouvons pas dire non plus que la République en aura le monopole. Les lois sur le « bien de famille » ou sur les habitations à bon marché, traduisent ou traduiront aussi des nécessités, et des solutions de bon sens.

Aussi je crois que les querelles des partis sont plus académiques que réelles. On peut le voir dans les discussions législatives. Chacun parle au nom de la raison commune, et non pas au nom d'un parti nombreux. De Mun et Jaurès s'entendent plus souvent qu'on ne croit. Bref, dans l'ordre législatif, je ne vois pas que la majorité fasse sentir sa pression ; c'est plutôt l'unanimité, qui exige des débats publics, un travail suivi et impartial, et la liberté entière pour toute opinion et pour toute critique. Le peuple veut des législateurs, et non des tyrans. Voilà pourquoi il est puéril de compter si exactement les voix ; cela laisse croire que le parti le plus fort aura le droit d'être injuste. Système odieux.

31 juillet 1912

Alain (1868-1951),
« Prologue », *Politique*, 1912
Presses universitaires de France, 1962, p. 23-24

■ « POURQUOI JE SUIS RÉPUBLICAIN. RÉPONSE D'UN HISTORIEN »

Les Cahiers politiques, n° 2, juillet 1943 (cité dans Marc Bloch, *L'Étrange défaite*, Gallimard, 1990, p. 215 *sqq*)

> *Les Cahiers politiques*, organe clandestin du Comité général d'études de la Résistance, ont été fondés pour réfléchir à la libération et à l'après-guerre. Le grand historien Marc Bloch (1886-1944) y a joué un rôle important et y a donné des articles. Cette « Réponse d'un historien » lui est attribuée dans la table de la revue et dans les éditions de 1957 et 1990 de son livre *L'Étrange défaite*, mais cette attribution est contestée (Carole Fink, *Marc Bloch, une vie au service de l'histoire*, Presses universitaires de Lyon, 1997, p. 271, n° 26).

Me demander pourquoi je suis républicain, n'est-ce pas déjà l'être soi-même ? N'est-ce pas admettre, en effet, que la forme du pouvoir peut être l'objet d'un choix mûrement délibéré de la part du citoyen, que la communauté ne s'impose donc pas à l'homme, qu'elle ne le constitue pas par l'éducation et la race jusque dans ses dispositions les plus intimes et de façon nécessaire, qu'il peut sans sacrilège examiner le groupe dont il fait partie parce qu'enfin la société est faite pour lui et doit le servir à atteindre sa fin.

Pour tous ceux qu'unit cette croyance, il est en effet des principes communs en matière politique. La cité étant au service des personnes, le pouvoir doit reposer sur leur confiance et s'efforcer de la maintenir par un contact permanent avec l'opinion. Sans doute cette opinion peut-elle, doit-elle être guidée, mais elle ne doit être ni violentée ni dupée, et c'est en faisant appel à sa raison que le chef doit déterminer en elle la conviction. Aussi doit-il avant tout distinguer les aspirations profondes et permanentes de son peuple, exprimer en clair ce que celui-ci dénie parfois bien confusément et le révéler pour ainsi dire à lui-même. Un tel débat ne peut être mené à bien que dans la sécurité. L'État au service des personnes ne doit ni les contraindre ni se servir d'elles comme d'instruments aveugles pour des fins qu'elles ignorent. Leurs droits doivent être garantis par un ordre juridique stable. La tribu qu'une passion collective soude à son chef est ici remplacée par la cité que gouvernent les lois. Les magistrats soumis eux-mêmes à ces lois et tenant d'elles leur autorité s'opposent au chef, lui-même loi vivante et dont l'humeur et les passions donnent à la communauté toutes ses impulsions.

Mais suit-il de là que la cité réglée par les lois soit nécessairement de forme républicaine et ne peut concevoir une monarchie légitime, où sur le roc solide de la monarchie héréditaire puisse être construit un ordre politique stable ? Bien des peuples étrangers, nos voisins anglais, notamment, n'ont-ils pas réussi une œuvre de ce genre et n'y aurait-il pas avantage à les imiter ? Telles sont les questions que se posent, paraît-il, encore un certain nombre de Français. Il convient d'y répondre et de montrer pourquoi, dans la France de 1943, un ordre politique digne de ce nom ne peut se fonder en dehors d'une forme républicaine.

Qu'on s'en réjouisse ou qu'on s'en plaigne, qu'on le blâme ou qu'on le loue, le passé est acquis et il ne dépend pas de nous de le refaire. L'histoire de ce pays l'a marqué et de telle sorte qu'il est impossible de le refondre.

[...]

Il n'est pas possible de supprimer d'un trait de plume ce passé. Qu'on le veuille ou non, la monarchie a pris aux yeux de toute la France une signification précise. Elle est comme tout régime, le régime de ses partisans, le régime de ces Français qui ne poursuivent la victoire que contre la France, qui veulent se distinguer de leurs compatriotes et exercer sur eux une véritable domination. Sachant que cette domination ne serait pas acceptée, ils ne la conçoivent établie que contre leur peuple pour le contraindre et le soumettre, et nullement à son profit. Ce n'est pas un homme, si ouvert et si sympathique soit-il, qui peut changer un tel état de choses.

La République, au contraire, apparaît aux Français comme le régime de tous, elle est la grande idée qui dans toutes les causes nationales a exalté les sentiments du peuple. C'est elle qui en 1793 a chassé l'invasion menaçante, qui en 1870 a galvanisé contre l'ennemi le sentiment français, c'est elle qui, de 1914 à 1918, a su maintenir pendant quatre ans, à travers les plus dures épreuves, l'unanimité française ; ses gloires sont celles de notre peuple et ses défaites sont nos douleurs. Dans la mesure où l'on avait pu arracher aux Français leur confiance dans la République, ils avaient perdu tout enthousiasme et toute ardeur, se sentaient déjà menacés par la défaite et dans la mesure où ils se sont redressés contre le joug ennemi, c'est spontanément que le cri de « Vive la République ! » est revenu sur leurs lèvres. La République est le régime du peuple. Le peuple qui se sera libéré lui-même et par l'effort commun de tous ne pourra garder sa liberté que par la vigilance continue de tous.

Les faits l'ont aujourd'hui prouvé : l'indépendance nationale à l'égard de l'étranger et la liberté intérieure sont indissolublement liées, elles sont l'effet d'un seul et même mouvement. Ceux qui veulent à tout prix donner au peuple un maître accepteront bientôt de prendre ce maître à l'étranger. Pas de liberté du peuple sans souveraineté du peuple, c'est-à-dire sans République.

« Pourquoi je suis républicain. Réponse d'un historien »,
Les Cahiers politiques, n° 2, juillet 1943,
Marc Bloch, *L'Étrange défaite*, Gallimard, coll. « Folio histoire »,
1990, p. 215 *sqq*

■ CHARLES DE GAULLE (1890-1970)
Discours prononcé à Paris, au palais de Chaillot, le 12 septembre 1944

Au cours d'une réunion organisée à Paris en présence du gouvernement provisoire (qui vient d'être transféré à Paris et d'intégrer des résistants de l'intérieur), du Conseil national de la Résistance et des grands corps de l'État, le général de Gaulle prononce un discours où il dresse un bilan du rôle de la France dans la guerre depuis 1939, développe un argumentaire en faveur de sa rentrée dans le concert des nations, décrit la difficile situation du pays. À l'issue de cinq années douloureuses, la lucidité des Français et l'unanimité nationale constituent une force, à laquelle le gouvernement a le droit et le devoir de faire appel.

S'il a le droit et le devoir d'en appeler à cette force, c'est d'abord parce qu'il est le Gouvernement de la République. Assurément, le raz de marée qui a passé sur la France a balayé les organismes par quoi s'exprimait normalement la volonté nationale. Assurément, la masse des citoyens a jugé que de profondes réformes devaient être apportées au fonctionnement de nos institutions. C'est pourquoi il n'existe, en droit ni en fait, aucun autre moyen d'établir l'édifice nouveau de notre démocratie que de consulter le souverain, qui est le peuple français. Dès que la guerre voudra bien le permettre, c'est-à-dire dès que le territoire sera entièrement libéré et que nos prisonniers et déportés auront regagné leurs foyers, le Gouvernement conviera la nation à élire, par le suffrage universel de tous les hommes et de toutes les femmes de chez nous, ses représentants dont la réunion constituera l'Assemblée nationale. Jusque-là, le Gouvernement remplira sa tâche avec le concours de l'Assemblée consultative élargie, destinée à fournir une expression aussi qualifiée que possible de l'opinion et dont les hommes éprouvés qui forment aujourd'hui le Conseil national de la Résistance seront tout naturellement le noyau. Mais, dès que la souveraineté aura été rétablie dans la personne des mandataires élus de la nation, le Gouvernement déposera entre leurs mains le pouvoir provisoire dont il assume la charge.

Si le Gouvernement est celui de la République, ce n'est pas seulement parce qu'il fait en sorte de conduire la nation, ses vœux et ses intérêts, jusqu'au nouveau départ de la démocratie française, mais c'est aussi pour cette raison qu'il fait et fera appliquer les lois, les justes lois que la nation s'était données au temps où elle était libre et qui s'appellent les lois républicaines. Sans doute n'affirmons-nous pas que toutes soient parfaites mais, telles quelles, elles sont les lois ! Et, tant que la souveraineté nationale ne les aura pas modifiées, c'est le strict devoir du pouvoir exécutif, fût-il, comme il l'est, provisoire, de les faire exécuter dans leur esprit et dans leurs termes, ainsi qu'il l'a fait d'ailleurs, sans hésiter et sans fléchir, depuis plus de quatre années, parmi tous les hommes et dans tous les territoires qu'il arrachait successivement à l'ennemi ou à Vichy. Sans doute, les circonstances lui imposent-elles parfois de prendre des dispositions qui ne sont pas formulées dans nos codes et d'associer souvent à l'élaboration de ces dispositions l'Assemblée consultative, mais il le fait sous sa responsabilité, dont la nation à juste titre, considère qu'elle est entière. Il appartiendra ensuite aux futurs élus du pays de les transformer, ou non, en lois proprement dites. Faute de s'en tenir fermement à ces principes, il n'y aurait qu'arbitraire et chaos, dont la nation ne veut pas. Mais, en les appliquant, nous trouvons les conditions de l'ordre, de l'efficience et de la justice.

Or, ces conditions d'ordre, d'efficience, de justice, si nulle entreprise humaine ne saurait s'en passer, a fortiori sont-elles nécessaires dans la situation où se trouve le pays. D'abord nous faisons la guerre et je dis tout net que, sauf effondrement subit de l'ennemi, nous n'avons pas fini de la faire. Tout semble montrer que l'ennemi, en dépit des pertes terribles qu'il a subies à l'Est et à l'Ouest, et malgré la défection de tous ses satellites, à l'exception d'un seul [1], s'apprête à livrer une nouvelle grande bataille pour tenter de couvrir son territoire jusqu'à ce que l'hiver vienne, espère-t-il, ralentir les opérations offensives des armées alliées et françaises. Or, à cette bataille-là et à celles qui, éventuellement, suivront, nous entendons participer dans la plus large mesure possible. Il en sera de même de l'occupation en Allemagne. C'est dire que nous avons à pratiquer une politique militaire tendant à constituer des grandes unités, aptes, comme celles dont nous disposons déjà, à manœuvrer, combattre et vaincre où que ce soit et sur n'importe quel champ de bataille un adversaire encore puissant et résolu. À cet égard, l'ardente jeunesse qui, à l'appel de la patrie, s'est groupée pour le combat dans nos forces de l'intérieur, nous fournit les éléments humains de ces formations nouvelles. Comme les bataillons des volontaires de 1791 et 1792, ils apportent à l'armée nationale les trésors de leur ardeur et de leur valeur. Je puis annoncer que, déjà, une division se forme en Bretagne. Je compte qu'une autre sera formée par la Région de Paris.

---

1. Le Japon.

Je suis certain que d'autres encore pourront être constituées ailleurs, sans préjudice des milliers d'hommes et des fractions constituées qui sont allés ou qui iront compléter nos grandes unités en ligne. Tous les soldats de France font partie intégrante de l'armée française et cette armée doit demeurer, comme la France à qui elle appartient, une et indivisible.

Charles de Gaulle (1890-1970),
discours prononcé à Paris, au palais de Chaillot,
le 12 septembre 1944
Discours et Messages, vol. 1, *Pendant la guerre : juin 1940-janvier 1946*
Plon, 1970, p. 447-449

© Plon

■ MICHEL DEBRÉ (1912-1996)
Discours à l'Assemblée nationale, 15 janvier 1959

Résistant, sénateur gaulliste sous la IVe République, M. Debré, devenu garde des Sceaux du gouvernement De Gaulle, joue un rôle clé dans l'élaboration de la Constitution de 1958. C'est en tant que Premier ministre depuis une semaine qu'il expose dans ce discours les principes des nouvelles institutions.

Le bon fonctionnement des institutions nouvelles est notre second impératif. Notre démocratie a désormais pour expression un gouvernement désigné par le chef légitime de la nation, consacré, au départ de son entreprise, par la confiance des élus du peuple, disposant pour sa mission des moyens de l'État, c'est-à-dire capable de mener une politique et de manifester son autorité, placé, enfin, sous le contrôle d'assemblées dont le fonctionnement et les pouvoirs permettent d'éviter l'arbitraire aussi bien à l'égard de la nation qu'à l'égard des citoyens. En d'autres termes, la Constitution, approuvée le 28 septembre de l'an passé, établit un régime gouvernemental de type parlementaire.

Les assemblées vont prochainement adopter leur règlement, puis elles commenceront, d'ici trois mois, leur tâche législative. Qu'il s'agisse de la durée des sessions, du rôle des commissions, de la procédure législative et budgétaire, du vote personnel, du non-cumul du mandat parlementaire et des fonctions ministérielles, il convient de s'inspirer sans arrière-pensée de l'esprit qui a présidé aux institutions nouvelles. Le Parlement discute et vote les lois, c'est-à-dire les règles fondamentales touchant les structures de l'État, les bases de la société, les droits de la famille et des individus. Le Parlement discute et vote le budget, c'est-à-dire les impôts demandés aux citoyens, les dépenses qu'exigent les services publics, l'orientation économique et sociale de la nation. Tant en ce qui concerne la loi que le budget, il n'y a pas de responsabilités séparées : pour le bien commun, le travail se fait en commun, et le Gouvernement y a sa part. Enfin, le Parlement contrôle et questionne, non à propos d'intérêts professionnels ou locaux, mais pour le bien de l'État ou par souci de la liberté.

À ceux qui affichent le regret des temps où le Parlement était moins législateur que gouvernant, et où l'on affirmait volontiers qu'il n'y avait point de limites à ses ambitions, osons répondre : Qu'est devenu le prestige parlementaire par la confusion des pouvoirs ? Que les nouvelles assemblées rendent au Parlement de la

France sa légitimité nationale par un prestige retrouvé ; elles auront bien travaillé pour la République. (*Applaudissements*.)

À l'égard de ce Parlement rénové, le Gouvernement a des devoirs d'autant plus impérieux qu'il dispose des pouvoirs nécessaires à sa mission. Il doit exposer franchement sa politique, ne point farder la réalité, ni dissimuler ses intentions. Il doit préparer le travail législatif et budgétaire et s'imposer une collaboration utile pour le bien commun. Il n'est pas plus de gouvernement souverain qu'il n'est d'assemblées souveraines. Gouvernement et Parlement sont, ensemble, au service de la seule souveraineté, qui est celle de la nation. (*Applaudissements sur divers bancs*.)

Ah ! Mesdames, messieurs, comprenons bien que nos responsabilités sont considérables. Le régime démocratique, par ses principes et par leurs conséquences logiques, est aux périodes menaçantes, ou simplement dans les époques de grands changements, un régime fragile. L'échec des institutions ne mènerait pas à une nouvelle expérience démocratique, mais à une dictature. C'est un intérêt supérieur qui doit nous guider, quelles que soient nos préférences doctrinales ou sentimentales, si nous voulons préserver et conserver la République.

La République nous impose une autre obligation. Il est nécessaire, dans l'intérêt national, de faire échapper nos problèmes vitaux aux discussions partisanes, en quelque sorte de les « dépolitiser ».

Bien souvent, sans doute, au cours des derniers mois, vos pensées ont-elles dû évoquer les fondateurs de cette IIIe République qui a établi en France les bases de la démocratie parlementaire. Une réflexion de l'un d'entre eux, parlant à la fin de sa vie, mérite d'être citée et méditée, au moment où de nouvelles institutions vont encadrer notre vie politique.

Jules Ferry, au terme d'une carrière difficile qui fit de lui, à travers les amertumes et les ingratitudes, un des grands hommes de notre histoire, reconnut un jour avec tristesse : « Nous n'avons pas su donner à la République figure de gouvernement. [1] » Il entendait par là que les hommes et les formations politiques qui s'étaient donné la mission de créer un nouveau régime n'avaient su dominer ni leurs intérêts, ni leurs idéologies. À peine la République installée, elle avait été, en quelque sorte, dépecée par les luttes intestines des républicains eux-mêmes. La stabilité des ministères en avait pâti ; la fermeté de l'action politique avait été

---

1. Discours de Bordeaux, 30 mars 1885.

atteinte sans retour et, au-delà, l'image nécessaire de l'État. Retenons cette leçon du plus grand des parlementaires qui ait honoré la tribune des deux assemblées. Sachons que la qualité, que dis-je, la légitimité d'un régime est fonction d'une réussite : permettre le gouvernement de la nation. Ce qui était vrai à la fin d'un siècle où l'évolution du monde paraissait conduire l'humanité à la liberté et à la paix devient éclatant de vérité en un siècle comme le nôtre, agité par des tempêtes d'une violence inouïe.

Michel Debré (1912-1996),
discours à l'Assemblée nationale, 15 janvier 1959

■ ANDRÉ MALRAUX (1901-1976)
Discours prononcé à Athènes le 28 mai 1959

> C'est la voix du philosophe de l'art, de l'écrivain en dialogue avec l'histoire et du tout nouveau ministre d'État chargé des Affaires culturelles représentant la France que nous entendons dans cet « hommage à la Grèce ».

On ne saurait trop le proclamer : ce que recouvre pour nous le mot si confus de culture – l'ensemble des créations de l'art et de l'esprit –, c'est à la Grèce que revient la gloire d'en avoir fait un moyen majeur de formation de l'homme. C'est par la première civilisation sans livre sacré, que le mot intelligence a voulu dire interrogation. L'interrogation dont allait naître la conquête du cosmos par la pensée, du destin par la tragédie, du divin par l'art et par l'homme. Tout à l'heure, la Grèce antique va vous dire :

« J'ai cherché la vérité, et j'ai trouvé la justice et la liberté. J'ai inventé l'indépendance de l'art et de l'esprit. J'ai dressé pour la première fois, en face de ses dieux, l'homme prosterné partout depuis quatre millénaires. Et du même coup, je l'ai dressé en face du despote. »

C'est un langage simple, mais nous l'entendons encore comme un langage immortel.

Il a été oublié pendant des siècles, et menacé chaque fois qu'on l'a retrouvé. Peut-être n'a-t-il jamais été plus nécessaire. Le problème politique majeur de notre temps, c'est de concilier la justice sociale et la liberté ; le problème culturel majeur, de rendre accessibles les plus grandes œuvres au plus grand nombre d'hommes. Et la civilisation moderne, comme celle de la Grèce antique, est une civilisation de l'interrogation ; mais elle n'a pas encore trouvé le type d'homme exemplaire, fût-il éphémère ou idéal, sans lequel aucune civilisation ne prend tout à fait forme.

Les colosses tâtonnants qui dominent le nôtre semblent à peine soupçonner que l'objet principal d'une grande civilisation n'est pas seulement la puissance, mais aussi une conscience claire de ce qu'elle attend de l'homme, l'âme invincible par laquelle Athènes pourtant soumise obsédait Alexandre dans les déserts d'Asie : « Que de peines, Athéniens, pour mériter votre louange ! » L'homme moderne appartient à tous ceux qui vont tenter de le créer ensemble ; l'esprit ne connaît pas de nations mineures, il ne connaît que des nations fraternelles. La Grèce, comme la France, n'est jamais plus grande que lorsqu'elle l'est pour tous les hommes, et une Grèce secrète repose au cœur de tous les hommes d'Occident. Vieilles nations de l'esprit, il ne s'agit pas de nous réfugier dans notre passé, mais d'inventer l'avenir qu'il exige de nous. Au seuil de l'ère atomique, une fois de plus, l'homme a besoin d'être formé par l'esprit. Et toute la jeunesse occidentale a besoin de se souvenir que lorsqu'il le fut pour la première fois, l'homme mit au service de l'esprit les lances qui arrêtèrent Xerxès. Aux délégués qui me demandaient ce que pourrait être la devise de la jeunesse française, j'ai répondu « Culture et courage ». Puisse-t-elle devenir notre devise commune – car je la tiens de vous.

Et en cette heure où la Grèce se sait à la recherche de son destin et de sa vérité, c'est à vous, plus qu'à moi, qu'il appartient de la donner au monde.

André Malraux (1901-1976),
discours prononcé à Athènes le 28 mai 1959
*La Politique, la culture : discours, articles, entretiens
(1925-1975)*,
Gallimard, coll. « Folio essais », 1996, p. 256 *sqq*

À l'école
de la République

■ **CONDORCET (1743-1794)**
Rapport et projet de décret sur l'organisation générale
de l'instruction publique présentés à l'Assemblé législative
au nom du Comité d'instruction publique les 20 et 21 avril 1792

Mathématicien, économiste, philosophe et homme politique – il siège à l'Assemblée législative puis à la Convention –, Condorcet ne dissocie pas la réflexion de l'action et est profondément persuadé du lien entre une éducation publique bien orientée et le progrès intellectuel et moral des êtres humains. Il rédige pour le Comité d'instruction publique cinq mémoires qui feront la matière d'un projet de décret ; ni la Législative, ni la Convention ne statueront sur ce texte, qui contient tous les fondements de l'école républicaine.

Messieurs,

Offrir à tous les individus de l'espèce humaine les moyens de pourvoir à leurs besoins, d'assurer leur bien-être, de connaître et d'exercer leurs droits, d'entendre et de remplir leurs devoirs.

Assurer à chacun la facilité de perfectionner son industrie, de se rendre capable des fonctions sociales auxquelles il a droit d'être appelé, de développer toute l'étendue de talents qu'il a reçus de la nature ; et par là établir entre les citoyens une égalité de fait et rendre réelle l'égalité politique reconnue par la loi :

tel doit être le premier but d'une instruction nationale ; et sous ce point de vue, elle est, pour la puissance publique, un devoir de justice.

Diriger l'enseignement de manière que la perfection des arts augmente les jouissances de la généralité des citoyens et l'aisance de ceux qui les cultivent, qu'un plus grand nombre d'hommes devienne capable de bien remplir les fonctions nécessaires à la société, et que les progrès toujours croissants des lumières ouvrent une source inépuisable de secours dans nos besoins, de remèdes dans nos maux, de moyens de bonheur individuel et de prospérité commune.

Cultiver enfin, dans chaque génération, les facultés physiques, intellectuelles et morales, et par là contribuer à ce perfectionnement général et graduel de l'espèce humaine, dernier but vers lequel toute institution sociale doit être dirigée.

Tel doit être encore l'objet de l'instruction ; et c'est pour la puissance publique un devoir imposé par l'intérêt commun de la société, par celui de l'humanité entière. Mais en considérant sous ce double point de vue la tâche immense qui nous a été imposée, nous avons senti, dès nos premiers pas, qu'il existait une portion du système général de l'instruction qu'il était possible d'en détacher sans nuire à l'ensemble, et qu'il était nécessaire d'en séparer, pour accélérer la réalisation du nouveau système. C'est la distribution et l'organisation générale des établissements d'enseignement public.

En effet, quelles que soient les opinions sur l'étendue précise de chaque degré d'instruction, sur la manière d'enseigner, sur plus ou moins d'autorité consacrée aux parents, ou cédée aux maîtres, sur la réunion des élèves dans des pensionnats établis par l'autorité publique, sur les moyens d'unir à l'instruction proprement dite le développement des facultés physiques et morales, l'organisation peut être la même ; et, d'un autre côté, la nécessité de désigner les lieux d'établissements, de faire composer les livres élémentaires, longtemps avant que ces établissements puissent être mis en activité, obligeait à presser la décision de la loi sur cette portion du travail qui nous est confié. Nous avons pensé que, dans ce plan d'organisation général, notre premier soin devait être de rendre, d'un côté, l'éducation aussi égale, aussi universelle, de l'autre aussi complète que les circonstances pouvaient le permettre qu'il fallait donner à tous également l'instruction qu'il est possible d'étendre sur tous mais ne refuser à aucune portion des citoyens l'instruction plus élevée qu'il est impossible de faire partager à la masse entière des individus ; établir l'une, parce qu'elle est utile à ceux qui la reçoivent ; et l'autre, parce qu'elle l'est à ceux mêmes qui ne la reçoivent pas.

La première condition de toute instruction étant de n'enseigner que des vérités, les établissements que la puissance publique y consacre doivent être aussi indépendants qu'il est possible de toute autorité politique ; et comme néanmoins cette indépendance ne peut être absolue, il résulte du même principe qu'il faut ne les rendre dépendants que de l'assemblée des représentants du peuple, parce que de tous les pouvoirs, il est le moins corruptible, le plus éloigné d'être entraîné par des intérêts particuliers, le plus soumis à l'influence de l'opinion générale des hommes éclairés, et surtout parce qu'étant celui de qui émanent essentiellement tous les changements, il est dès lors le moins ennemi du progrès des lumières, le moins opposé aux améliorations que ce progrès doit amener.

Nous avons observé, enfin, que l'instruction ne devait pas abandonner les individus au moment où ils sortent des écoles ; qu'elle devait embrasser tous les âges ; qu'il n'y en avait aucun où il ne fût utile et possible d'apprendre, et que cette seconde instruction est d'autant plus nécessaire, que celle de l'enfance a été resserrée dans des bornes plus étroites. C'est là même une des causes principales de l'ignorance où les classes pauvres de la société sont aujourd'hui plongées ; la possibilité de recevoir une première instruction leur manquerait encore moins que celle d'en conserver les avantages.

Nous n'avons pas voulu qu'un seul homme, dans l'empire, pût dire désormais : « La loi m'assurait une entière égalité de droits, mais on me refuse les moyens de les connaître. Je ne dois dépendre que de la loi ; mais mon ignorance me rend dépendant de tout ce qui m'entoure. On m'a bien appris dans mon enfance ce que j'avais besoin de savoir ; mais, forcé de travailler pour vivre, ces premières notions se sont bientôt effacées, et il ne m'en reste que la douleur de sentir, dans mon ignorance, non la volonté de la nature, mais l'injustice de la société. »

Nous avons cru que la puissance publique devait dire aux citoyens pauvres : « La fortune de vos parents n'a pu vous procurer que les connaissances les plus indispensables ; mais on vous assure des moyens faciles de les conserver et de les étendre.

Si la nature vous a donné des talents, vous pouvez les développer et ils ne seront perdus ni pour vous, ni pour la patrie. »

Condorcet (1743-1794),
rapport et projet de décret sur l'organisation générale
de l'instruction publique présentés à l'Assemblée législative
au nom du Comité d'instruction publique
les 20 et 21 avril 1792,
Œuvres complètes, 1847-1849, tome VII, p. 449 *sqq*

■ JULES FERRY (1832-1893)

« De l'égalité d'éducation », conférence prononcée à Paris,
à la salle Molière, le 10 avril 1870

Jules Ferry est député de Paris depuis moins d'un an (juin 1869) quand il prononce cette conférence. L'École républicaine qu'il appelle de ses vœux dès le Second Empire mettra un terme aux divisions entre les Français : elle exorcisera le passé et assurera le triomphe des principes de 1789 ; elle traitera les inégalités sociales et rendra possible l'entente entre les classes, pour éviter que ne s'enclenche une révolution sociale.

Le siècle dernier et le commencement de celui-ci ont anéanti les privilèges de la propriété, les privilèges et la distinction des classes ; l'œuvre de notre temps n'est pas assurément plus difficile. À coup sûr, elle nécessitera de moindres orages, elle exigera de moins douloureux sacrifices ; c'est une œuvre pacifique, c'est une œuvre généreuse, et je la définis ainsi ; faire disparaître la dernière, la plus redoutable des inégalités qui viennent de la naissance, l'inégalité d'éducation. C'est le problème du siècle et nous devons nous y rattacher. Et quant à moi, lorsqu'il m'échut ce suprême honneur de représenter une portion de la population parisienne dans la Chambre des députés, je me suis fait un serment : entre toutes les nécessités du temps présent, entre tous les problèmes, j'en choisirai un auquel je consacrerai tout ce que j'ai d'intelligence, tout ce que j'ai d'âme, de cœur, de puissance physique et morale, c'est le problème de l'éducation du peuple. *(Vifs applaudissements.)*
L'inégalité d'éducation est, en effet, un des résultats les plus criants et les plus fâcheux, au point de vue social, du hasard de la naissance. Avec l'inégalité d'éducation, je vous défie d'avoir jamais l'égalité des droits, non l'égalité théorique, mais l'égalité réelle, et l'égalité des droits est pourtant le fond même et l'essence de la démocratie.
Faisons une hypothèse et prenons la situation dans un de ses termes extrêmes ; supposons que celui qui naît pauvre naisse nécessairement et fatalement ignorant ; je sais bien que c'est là une hypothèse, et que l'instinct humanitaire et les institutions sociales, même celles du passé, ont toujours empêché cette extrémité de se produire ; il y a toujours eu dans tous les temps, – il faut le dire à l'honneur de l'humanité – il y a toujours eu quelques moyens d'enseignement plus ou moins organisés, pour celui qui était né pauvre, sans ressources, sans capital. Mais, puisque nous sommes dans la philosophie de la question, nous pouvons supposer un état

de choses où la fatalité de l'ignorance s'ajouterait nécessairement à la fatalité de la pauvreté, et telle serait, en effet, la conséquence logique, inévitable d'une situation dans laquelle la science serait le privilège exclusif de la fortune. Or, savez-vous, messieurs, comment s'appelle, dans l'histoire de l'humanité, cette situation extrême ? C'est le régime des castes. Le régime des castes faisait de la science l'apanage exclusif de certaines classes. Et si la société moderne n'avisait pas à séparer l'éducation, la science, de la fortune, c'est-à-dire du hasard de la naissance, elle retournerait tout simplement au régime des castes.

À un autre point de vue, l'inégalité d'éducation est le plus grand obstacle que puisse rencontrer la création de mœurs vraiment démocratiques. Cette création s'opère sous nos yeux ; c'est déjà l'œuvre d'aujourd'hui, ce sera surtout l'œuvre de demain ; elle consiste essentiellement à remplacer les relations d'inférieur à supérieur sur lesquelles le monde a vécu pendant tant de siècles, par des rapports d'égalité.

Les sociétés anciennes admettaient que l'humanité fût divisée en deux classes : ceux qui commandent et ceux qui obéissent ; tandis que la notion de commandement et de l'obéissance qui convient à une société démocratique comme la nôtre, est celle-ci : il y a toujours, sans doute, des hommes qui commandent, d'autres hommes qui obéissent, mais le commandement et l'obéissance sont alternatifs, et c'est à chacun à son tour de commander et d'obéir. *(Applaudissements.)*

Voilà la grande distinction entre les sociétés démocratiques et celles qui ne le sont pas. Ce que j'appelle le commandement démocratique ne consiste donc plus dans la distinction de l'inférieur et du supérieur ; il n'y a ni inférieur ni supérieur ; il y a deux hommes égaux qui contractent ensemble, et alors dans le maître et dans le serviteur, vous n'apercevrez plus que deux contractants ayant chacun leurs droits précis, limités et prévus ; chacun leurs devoirs, et, par conséquent, chacun leur dignité. *(Applaudissements répétés.)*

Voilà ce que doit être un jour la société moderne ; mais – et c'est ainsi que je reviens à mon sujet –, pour que ces mœurs égales dont nous apercevons l'aurore, s'établissent, pour que la réforme démocratique se propage dans le monde, quelle est la première condition ? C'est qu'une certaine éducation soit donnée à celui qu'on appelait autrefois un *inférieur*, à celui qu'on appelle encore un ouvrier, de façon à lui inspirer ou à lui rendre le sentiment de sa dignité ; et, puisque c'est un contrat qui règle les positions respectives, il faut au moins qu'il puisse être compris des deux parties. *(Nombreux applaudissements.)*

Enfin, dans une société qui s'est donné pour tâche de fonder la liberté, il y a une grande nécessité de supprimer les distinctions de classes. Je vous le demande, de bonne foi, à vous tous qui êtes ici et qui avez reçu des degrés d'éducation divers, je vous demande si, en réalité, dans la société actuelle il n'y a plus de distinction de classes ? Je dis qu'il en existe encore ; il y en a une qui est fondamentale, et d'autant plus difficile à déraciner que c'est la distinction entre ceux qui ont reçu l'éducation et ceux qui ne l'ont point reçue. Or, messieurs, je vous défie de faire jamais de ces deux classes une nation égalitaire, une nation animée de cet esprit d'ensemble et de cette confraternité d'idées qui font la force des vraies démocraties, si, entre ces deux classes, il n'y a pas eu le premier rapprochement, la première fusion qui résulte du mélange des riches et des pauvres sur les bancs de quelque école. *(Applaudissements.)*

[...]

D'une nouvelle direction de la pensée humaine, un nouveau système d'éducation devait sortir. Ce système se développa, se précisa avec le temps, et un jour il trouva son prophète, son apôtre, son maître dans la personne d'un des plus grands philosophes dont le dix-huitième siècle et l'humanité puissent s'honorer, dans un homme qui a ajouté à une conviction philosophique, à une valeur intellectuelle incomparable, une conviction républicaine, poussée jusqu'au martyre ; je veux parler de Condorcet. *(Applaudissements.)* C'est Condorcet qui, le premier, a formulé, avec une grande précision de théorie et de détails, le système d'éducation qui convient à la société moderne.

J'avoue que je suis resté confondu quand, cherchant à vous apporter ici autre chose que mes propres pensées, j'ai rencontré dans Condorcet ce plan magnifique et trop peu connu d'éducation républicaine. Je vais tâcher de vous en décrire les traits principaux : c'est bien, à mon avis, le système d'éducation normal, logique, nécessaire, celui autour duquel nous tournerons peut-être longtemps encore, et que nous finirons, un jour ou l'autre, par nous approprier.

Jules Ferry (1832-1893),
« De l'égalité d'éducation », conférence prononcée à Paris,
à la salle Molière, le 10 avril 1870
Discours et Opinions de Jules Ferry, I,
Armand Colin et Cie, 1893, p. 287 *sqq*

■ JULES FERRY (1832-1893)
Circulaire connue sous le nom de « Lettre aux instituteurs »,
17 novembre 1883

Au moment de quitter le ministère de l'Instruction publique pour celui des Affaires étrangères, Jules Ferry adresse cette circulaire, vite célèbre. Sans rien céder sur les principes de la laïcité, elle constitue un geste d'apaisement envers les catholiques après la querelle des manuels scolaires (1883) et confirme sa volonté de fixer le cap tout en tenant compte de l'état des esprits.

Monsieur l'Instituteur,

L'année scolaire qui vient de s'ouvrir sera la seconde année d'application de la loi du 28 mars 1882. Je ne veux pas la laisser commencer sans vous adresser personnellement quelques recommandations qui sans doute ne vous paraîtront pas superflues, après la première expérience que vous venez de faire du régime nouveau. Des diverses obligations qu'il vous impose, celle assurément qui vous tient le plus au cœur, celle qui vous apporte le plus lourd surcroît de travail et de souci, c'est la mission qui vous est confiée de donner à vos élèves l'éducation morale et l'instruction civique : vous me saurez gré de répondre à vos préoccupations en essayant de bien fixer le caractère et l'objet de ce nouvel enseignement ; et, pour y mieux réussir, vous me permettrez de me mettre un instant à votre place, afin de vous montrer par des exemples empruntés au détail même de vos fonctions, comment vous pourrez remplir, à cet égard, tout votre devoir, et rien que votre devoir.

La loi du 28 mars se caractérise par deux dispositions qui se complètent sans se contredire : d'une part, elle met en dehors du programme obligatoire l'enseignement de tout dogme particulier ; d'autre part, elle y place au premier rang l'enseignement moral et civique. L'instruction religieuse appartient aux familles et à l'Église, l'instruction morale à l'école. Le législateur n'a donc pas entendu faire une œuvre purement négative. Sans doute il a eu pour premier objet de séparer l'école de l'Église, d'assurer la liberté de conscience et des maîtres et des élèves, de distinguer enfin deux domaines trop longtemps confondus : celui des croyances, qui sont personnelles, libres et variables, et celui des connaissances, qui sont communes et indispensables à tous, de l'aveu de tous.

Mais il y a autre chose dans la loi du 28 mars : elle affirme la volonté de fonder chez nous une éducation nationale et de la fonder sur des notions du devoir et du droit que le législateur n'hésite pas à inscrire au nombre des premières vérités que nul ne peut ignorer. Pour cette partie capitale de l'éducation, c'est sur vous, Monsieur, que les pouvoirs publics ont compté. En vous dispensant de l'enseignement religieux, on n'a pas songé à vous décharger de l'enseignement moral ; c'eût été vous enlever ce qui fait la dignité de votre profession. Au contraire, il a paru tout naturel que l'instituteur, en même temps qu'il apprend aux enfants à lire et à écrire, leur enseigne aussi ces règles élémentaires de la vie morale qui ne sont pas moins universellement acceptées que celles du langage ou du calcul.

En vous conférant de telles fonctions, le Parlement s'est-il trompé ? A-t-il trop présumé de vos forces, de votre bon vouloir, de votre compétence ? Assurément il eût encouru ce reproche s'il avait imaginé de charger tout à coup quatre-vingt mille instituteurs et institutrices d'une sorte de cours *ex professo*, sur les principes, les origines et les fins dernières de la morale. Mais qui jamais a conçu rien de semblable ? Au lendemain même du vote de la loi, le Conseil supérieur de l'Instruction publique a pris soin de vous expliquer ce qu'on attendait de vous, et il l'a fait en termes qui défient toute équivoque. Vous trouverez ci-inclus un exemplaire des programmes qu'il a approuvés et qui sont pour vous le plus précieux commentaire de la loi : je ne saurais trop vous recommander de les relire et de vous en inspirer. Vous y puiserez la réponse aux deux critiques opposées qui vous parviennent. Les uns vous disent : « Votre tâche d'éducateur moral est impossible à remplir. » Les autres : « Elle est banale et insignifiante. » C'est placer le but ou trop haut ou trop bas. Laissez-moi vous expliquer que la tâche n'est ni au-dessus de vos forces ni au-dessous de votre estime ; qu'elle est très limitée, et pourtant d'une grande importance ; extrêmement simple, mais extrêmement difficile.

J'ai dit que votre rôle, en matière d'éducation morale, est très limité. Vous n'avez à enseigner, à proprement parler, rien de nouveau, rien qui ne vous soit familier comme à tous les honnêtes gens. Et, quand on vous parle de mission et d'apostolat, vous n'allez pas vous y méprendre ; vous n'êtes point l'apôtre d'un nouvel Évangile : le législateur n'a voulu faire de vous ni un philosophe ni un théologien improvisé. Il ne vous demande rien qu'on ne puisse demander à tout homme de cœur et de sens. Il est impossible que vous voyiez chaque jour tous ces enfants qui se pressent autour de vous, écoutant vos leçons, observant votre conduite, s'inspirant de vos exemples, à l'âge où l'esprit s'éveille, où le cœur s'ouvre, où la mémoire s'enrichit, sans que l'idée vous vienne aussitôt de profiter de cette docilité, de cette confiance, pour leur transmettre, avec les connaissances scolaires proprement dites, les principes mêmes de la morale, j'entends simplement cette bonne et antique morale que nous avons reçue de nos pères et mères et que nous nous honorons tous de suivre dans les relations de la vie, sans nous mettre en peine d'en discuter les bases philosophiques. Vous êtes l'auxiliaire et, à certains égards, le suppléant du père de famille : parlez donc à son enfant comme vous voudriez que l'on parlât au vôtre ; avec force et autorité, toute les fois qu'il s'agit d'une vérité incontestée, d'un précepte de la morale commune ; avec la plus grande réserve, dès que vous risquez d'effleurer un sentiment religieux dont vous n'êtes pas juge.

Si parfois vous étiez embarrassé pour savoir jusqu'où il vous est permis d'aller dans votre enseignement moral, voici une règle pratique à laquelle vous pourrez vous tenir. Au moment de proposer aux élèves un précepte, une maxime quelconque, demandez-vous s'il se trouve à votre connaissance un seul honnête homme qui puisse être froissé de ce que vous allez dire. Demandez-vous si un père de famille, je dis un seul, présent à votre classe et vous écoutant pourrait de bonne foi refuser son assentiment à ce qu'il vous entendrait dire. Si oui, abstenez-vous de le dire, sinon, parlez hardiment : car ce que vous allez communiquer à l'enfant, ce n'est pas votre propre sagesse ; c'est la sagesse du genre humain, c'est une de ces idées d'ordre universel que plusieurs siècles de civilisation ont fait entrer dans le patrimoine de l'humanité. Si étroit que vous semble peut-être un cercle d'action ainsi tracé, faites-vous un devoir d'honneur de n'en jamais sortir ; restez en deçà de cette limite plutôt que vous exposer à la franchir : vous ne toucherez jamais avec trop de scrupule à cette chose délicate et sacrée, qui est la conscience de l'enfant. Mais une fois que vous vous êtes ainsi loyalement enfermé dans l'humble et sûre région de la morale usuelle, que vous demande-t-on ? Des discours ? Des dissertations savantes ? De brillants exposés, un docte enseignement ? Non ! La famille et la société vous demandent de les aider à bien élever leurs enfants, à en faire des honnêtes gens. C'est dire qu'elles attendent de vous non des paroles, mais des actes, non pas un enseignement de plus à inscrire au programme, mais un service tout pratique que vous pouvez rendre au pays plutôt encore comme homme que comme professeur.

Il ne s'agit plus là d'une série de vérités à démontrer, mais, ce qui est tout autrement laborieux, d'une longue suite d'influences morales à exercer sur ces jeunes êtres, à force de patience, de fermeté, de douceur, d'élévation dans le caractère et de puissance persuasive. On a compté sur vous pour leur apprendre à bien vivre par la manière même dont vous vivrez avec eux et devant eux. On a osé prétendre pour vous que, d'ici à quelques générations, les habitudes et les idées des populations au milieu desquelles vous aurez exercé attestent les bons effets de vos leçons de morale. Ce sera dans l'histoire un honneur particulier pour notre corps enseignant d'avoir mérité d'inspirer aux Chambres françaises cette opinion qu'il y a dans chaque instituteur, dans chaque institutrice, un auxiliaire naturel du progrès moral et social, une personne dont l'influence ne peut manquer, en quelque sorte, d'élever autour d'elle le niveau des mœurs. Ce rôle est assez beau pour que vous n'éprouviez nul besoin de l'agrandir. D'autres se chargeront plus tard d'achever l'œuvre que vous ébauchez dans l'enfant et d'ajouter à l'enseignement primaire de la morale un complément de culture philosophique ou religieuse.

Pour vous, bornez-vous à l'office que la société vous assigne et qui a aussi sa noblesse : posez dans l'âme des enfants les premiers et solides fondements de la simple moralité.

Dans une telle œuvre, vous le savez, Monsieur, ce n'est pas avec des difficultés de théorie et de haute spéculation que vous avez à vous mesurer ; c'est avec des défauts, des vices, des préjugés grossiers. Ces défauts, il ne s'agit pas de les condamner – tout le monde ne les condamne-t-il pas ? –, mais de les faire disparaître par une succession de petites victoires, obscurément remportées. Il ne suffit donc pas que vos élèves aient compris et retenu vos leçons ; il faut surtout que leur caractère s'en ressente : ce n'est donc pas dans l'école, c'est surtout hors de l'école qu'on pourra juger ce qu'a valu votre enseignement. Au reste, voulez-vous en juger par vous-même, dès à présent, et voir si votre enseignement est bien engagé dans cette voie, la seule bonne : examinez s'il a déjà conduit vos élèves à quelques réformes pratiques. Vous leur avez parlé, par exemple, du respect de la loi : si cette leçon ne les empêche pas, au sortir de la classe, de commettre une fraude, un acte, fût-il léger, de contrebande ou de braconnage, vous n'avez rien fait encore ; la leçon de morale n'a pas porté, ou bien vous leur avez expliqué ce que c'est que la justice et que la vérité : en sont-ils assez profondément pénétrés pour aimer mieux avouer une faute que de la dissimuler par un mensonge, pour se refuser à une indélicatesse ou à un passe-droit en leur faveur ?

Vous avez flétri l'égoïsme et fait l'éloge du dévouement : ont-ils, le moment d'après, abandonné un camarade en péril pour ne songer qu'à eux-mêmes ? Votre leçon est à recommencer. Et que ces rechutes ne vous découragent pas ! Ce n'est pas l'œuvre d'un jour de former ou de déformer une âme libre. Il y faut beaucoup de leçons sans doute, des lectures, des maximes écrites, copiées, lues et relues : mais il y faut surtout des exercices pratiques, des efforts, des actes, des habitudes. Les enfants ont, en morale, un apprentissage à faire, absolument comme pour la lecture ou le calcul. L'enfant qui sait reconnaître et assembler des lettres ne sait pas encore lire ; celui qui sait les tracer l'une après l'autre ne sait pas écrire. Que manque-t-il à l'un ou à l'autre ? La pratique, l'habitude, la facilité, la rapidité et la sûreté de l'exécution. De même, l'enfant qui répète les premiers préceptes d'instinct ; alors seulement, la morale aura passé de son esprit dans son cœur, et elle passera de là dans sa vie ; il ne pourra plus la désapprendre.

De ce caractère tout pratique de l'éducation morale à l'école primaire, il me semble facile de tirer les règles qui doivent vous guider dans le choix de vos moyens d'enseignement.

Une seule méthode vous permettra d'obtenir les résultats que nous souhaitons. C'est celle que le Conseil supérieur vous a recommandée : peu de formules, peu d'abstractions, beaucoup d'exemples et surtout d'exemples pris sur le vif de la réalité. Ces leçons veulent un autre ton, une autre allure que tout le reste de la classe, je ne sais quoi de plus personnel, de plus intime, de plus grave. Ce n'est pas le livre qui parle, ce n'est même plus le fonctionnaire ; c'est pour ainsi dire, le père de famille, dans toute la sincérité de sa conviction et de son sentiment.

Est-ce à dire qu'on puisse vous demander de vous répandre en une sorte d'improvisation perpétuelle, sans aliment et sans appui du dehors ? Personne n'y a songé, et, bien loin de vous manquer, les secours extérieurs qui vous sont offerts ne peuvent vous embarrasser que par leur richesse et leur diversité. Des philosophes et des publicistes, dont quelques-uns comptent parmi les plus autorisés de notre temps et de notre pays, ont tenu à l'honneur de se faire vos collaborateurs : ils ont mis à votre disposition ce que leur doctrine a de plus pur et de plus élevé.

Depuis quelques mois, nous voyons grossir presque de semaine en semaine le nombre des manuels d'instruction morale et civique. Rien ne prouve mieux le prix que l'opinion publique attache à l'établissement d'une forte culture morale par l'école primaire. L'enseignement laïque de la morale n'est donc estimé ni impossible, ni inutile, puisque la mesure décrétée par le législateur a éveillé aussitôt un si puissant écho dans le pays.

C'est ici cependant qu'il importe de distinguer de plus près entre l'essentiel et l'accessoire, entre l'enseignement moral, qui est obligatoire, et les moyens d'enseignement, qui ne le sont pas. Si quelques personnes, peu au courant de la pédagogie moderne, ont pu croire que nos livres scolaires d'instruction morale et civique allaient être une sorte de catéchisme nouveau, c'est là une erreur que ni vous, ni vos collègues n'avez pu commettre. Vous savez trop bien que, sous le régime de libre examen et de libre concurrence qui est le droit commun en matière de librairie classique, aucun livre ne vous arrive imposé par l'autorité universitaire. Comme tous les ouvrages que vous employez, et plus encore que tous les autres, le livre de morale est entre vos mains un auxiliaire et rien de plus, un instrument dont vous vous servez sans vous y asservir.

Les familles se méprendraient sur le caractère de votre enseignement moral, si elles pouvaient croire qu'il réside surtout dans l'usage exclusif d'un livre, même excellent. C'est à vous de mettre la vérité morale à la portée de toutes les intelligences, même de celles qui n'auraient pour suivre vos leçons le secours d'aucun manuel ; et ce sera le cas tout d'abord dans le cours élémentaire. Avec de tout jeunes enfants qui commencent seulement à lire, un manuel spécial de morale et d'instruction civique serait manifestement inutile. À ce premier degré, le Conseil supérieur vous recommande, de préférence à l'étude prématurée d'un traité quelconque, ces causeries familières dans la forme, substantielles au fond, ces explications à la suite des lectures et des leçons diverses, ces milles prétextes que vous offrent la classe et la vie de tous les jours pour exercer le sens moral de l'enfant.

Dans le cours moyen, le manuel n'est autre chose qu'un livre de lecture qui s'ajoute à ceux que vous connaissez déjà. Là encore le Conseil, loin de vous prescrire un enchaînement rigoureux de doctrines, a tenu à vous laisser libre de varier vos procédés d'enseignement : le livre n'intervient que pour vous fournir un choix tout fait de bons exemples, de sages maximes et de récits qui mettent la morale en action.

Enfin, dans le cours supérieur, le livre devient surtout un utile moyen de réviser, de fixer et de coordonner : c'est comme le recueil méthodique des principales idées qui doivent se graver dans l'esprit du jeune homme.

Mais, vous le voyez, à ces trois degrés, ce qui importe, ce n'est pas l'action du livre, c'est la vôtre ; il ne faudrait pas que le livre vînt, en quelque sorte, s'interposer entre vos élèves et vous, refroidir votre parole, en émousser l'impression sur l'âme des élèves, vous réduire au rôle de simple répétiteur de la morale. Le livre est fait pour vous, et non vous pour le livre, il est votre conseiller et votre guide, mais c'est vous qui devez rester le guide, et le conseiller par excellence de vos élèves. Pour donner tous les moyens de nourrir votre enseignement personnel de la substance des meilleurs ouvrages, sans que le hasard des circonstances vous entraîne exclusivement à tel ou tel manuel, je vous envoie la liste complète des traités d'instruction morale ou d'instruction civique qui ont été, cette année, adoptés par les instituteurs dans les diverses académies ; la bibliothèque pédagogique du chef-lieu du canton les recevra du ministère, si elle ne les possède déjà, et les mettra à votre disposition. Cet examen fait, vous restez libre ou de prendre un de ces ouvrages pour en faire un des livres de lecture habituelle de la classe ; ou bien d'en employer concurremment plusieurs, tous pris, bien entendu, dans la liste générale ci-incluse ; ou bien encore, vous pouvez vous réserver de choisir vous-même, dans différents auteurs, des extraits destinés à être lus, dictés, appris. Il est juste que vous ayez à cet égard autant de liberté que vous avez de responsabilité. Mais, quelque solution que vous préfériez, je ne saurais trop vous le dire, faites toujours bien comprendre que vous mettez votre amour-propre, ou plutôt votre honneur, non pas à adopter tel ou tel livre, mais à faire pénétrer profondément dans les générations l'enseignement pratique des bonnes règles et des bons sentiments.

Il dépend de vous, Monsieur, j'en ai la certitude, de hâter par votre manière d'agir le moment où cet enseignement sera partout non pas seulement accepté, mais apprécié, honoré, aimé comme il mérite de l'être. Les populations mêmes dont on a cherché à exciter les inquiétudes ne résisteront pas longtemps à l'expérience qui se fera sous leurs yeux. Quand elles vous auront vu à l'œuvre, quand elles reconnaîtront que vous n'avez d'autre arrière-pensée que de leur rendre leurs enfants plus instruits et meilleurs, quand elles remarqueront que vos leçons de morale commencent à produire de l'effet, que leurs enfants rapportent de votre classe de meilleures habitudes, des manières plus douces et plus respectueuses, plus de droiture, plus d'obéissance, plus de goût pour le travail, plus de soumission au devoir, enfin tous les signes d'une incessante amélioration morale, alors la cause de l'école laïque sera gagnée : le bon sens du père et le cœur de la mère ne s'y tromperont pas, et ils n'auront pas besoin qu'on leur apprenne ce qu'ils vous doivent d'estime, de confiance et de gratitude.

J'ai essayé de vous donner, Monsieur, une idée aussi précise que possible d'une partie de votre tâche qui est, à certains égards, nouvelle, qui de toutes est la plus délicate ; permettez-moi d'ajouter que c'est aussi celle qui vous laissera les plus intimes et les plus durables satisfactions. Je serais heureux si j'avais contribué par cette lettre à vous montrer toute l'importance qu'y attache le gouvernement de la République, et si je vous avais décidé à redoubler d'efforts pour préparer à notre pays une génération de bons citoyens.

Recevez, Monsieur l'Instituteur, l'expression de ma considération distinguée.

Jules Ferry (1832-1893),
circulaire connue sous le nom de « Lettre aux instituteurs »,
17 novembre 1883
Discours et opinions de Jules Ferry, IV,
Armand Colin et Cie, 1896, p. 259-267

■ JEAN JAURÈS (1859-1914)
« Aux instituteurs et institutrices », *La Dépêche de Toulouse*,
15 janvier 1888

> Jean Jaurès, lui-même fils de la méritocratie républicaine, a une très haute idée du métier d'enseignant. Souhaitant une éducation qui apprenne à l'élève à être autonome, à réfléchir, à se former une opinion, il sait que cela nécessite du côté des maîtres honnêteté de conscience, compétences étendues, connaissance de la vie sociale, temps nécessaire pour prendre du recul et continuer d'apprendre et liberté. Il aborde certains de ces points dans cet article du journal *La Dépêche de Toulouse*, auquel il collabore depuis janvier 1887.

Vous tenez en vos mains l'intelligence et l'âme des enfants ; vous êtes responsables de la patrie. Les enfants qui vous sont confiés n'auront pas seulement à écrire et à déchiffrer une lettre, à lire une enseigne au coin d'une rue, à faire une addition et une multiplication. Ils sont français et ils doivent connaître la France, sa géographie et son histoire : son corps et son âme. Ils seront citoyens et ils doivent savoir ce qu'est une démocratie libre, quels droits leur confère, quels devoirs leur impose la souveraineté de la nation. Enfin, ils seront hommes et il faut qu'ils aient une idée de l'homme, il faut qu'ils sachent quelle est la racine de toutes nos misères : l'égoïsme aux formes multiples ; quel est le principe de notre grandeur : la fierté unie à la tendresse. Il faut qu'ils puissent se représenter à grands traits l'espèce humaine domptant peu à peu les brutalités de la nature et les brutalités de l'instinct, et qu'ils démêlent les éléments principaux de cette œuvre extraordinaire qui s'appelle la civilisation. Il faut leur montrer la grandeur de la pensée ; il faut leur enseigner le respect et le culte de l'âme en éveillant en eux le sentiment de l'infini qui est notre joie, et aussi notre force, car c'est par lui que nous triompherons du mal, de l'obscurité et de la mort.

Eh ! Quoi ! Tout cela à des enfants ! Oui, tout cela, si vous ne voulez pas fabriquer simplement des machines à épeler. Je sais quelles sont les difficultés de la tâche. Vous gardez vos écoliers peu d'années et ils ne sont point toujours assidus, surtout à la campagne. Ils oublient l'été le peu qu'ils ont appris l'hiver. Ils font souvent, au sortir de l'école, des rechutes profondes d'ignorance et de paresse d'esprit, et je plaindrais ceux d'entre vous qui ont pour l'éducation des enfants du peuple une grande ambition, si cette grande ambition ne supposait un grand courage.
J'entends dire, il est vrai : « À quoi bon exiger tant de l'école ?

Est-ce que la vie elle-même n'est pas une grande institutrice ? Est-ce que, par exemple au contact d'une démocratie ardente, l'enfant devenu adulte ne comprendra point de lui-même les idées de travail, d'égalité, de justice, de dignité humaine qui sont la démocratie elle-même ?» Je le veux bien, quoiqu'il y ait encore dans notre société, qu'on dit agitée, bien des épaisseurs dormantes où croupissent les esprits. Mais autre chose est de faire, tout d'abord, amitié avec la démocratie par l'intelligence ou par la passion. La vie peut mêler, dans l'âme de l'homme, à l'idée de justice tardivement éveillée, une saveur amère d'orgueil blessé ou de misère subie, un ressentiment et une souffrance. Pourquoi ne pas offrir la justice à des cœurs tout neufs ? Il faut que toutes nos idées soient comme imprégnées d'enfance, c'est-à-dire de générosité pure et de sérénité.

Comment donnerez-vous à l'école primaire l'éducation si haute que j'ai indiquée ? Il y a deux moyens. Il faut d'abord que vous appreniez aux enfants à lire avec une facilité absolue, de telle sorte qu'ils ne puissent plus l'oublier de la vie et que, dans n'importe quel livre, leur œil ne s'arrête à aucun obstacle. Savoir lire vraiment sans hésitation, comme nous lisons vous et moi, c'est la clé de tout. Est-ce savoir lire que de déchiffrer péniblement un article de journal, comme les érudits déchiffrent un grimoire ? J'ai vu, l'autre jour, un directeur très intelligent d'une école de Belleville, qui me disait : « Ce n'est pas seulement à la campagne qu'on ne sait lire qu'à peu près, c'est-à-dire point du tout ; à Paris même, j'en ai qui quittent l'école sans que je puisse affirmer qu'ils savent lire. » Vous ne devez pas lâcher vos écoliers, vous ne devez pas, si je puis dire, les appliquer à autre chose tant qu'ils ne seront point par la lecture aisée en relation familière avec la pensée humaine. Qu'importent vraiment à côté de cela quelques fautes d'orthographe de plus ou de moins, ou quelques erreurs de système métrique ? Ce sont des vétilles dont vos programmes, qui manquent absolument de proportion, font l'essentiel.

J'en veux mortellement à ce certificat d'études primaires qui exagère encore ce vice secret des programmes. Quel système déplorable nous avons en France avec ces examens à tous les degrés, qui suppriment l'initiative du maître et aussi la bonne foi de l'enseignement, en sacrifiant la réalité à l'apparence ! Mon inspection serait bientôt faite dans une école. Je ferais lire les écoliers, et c'est là-dessus seulement que je jugerais le maître.

Sachant bien lire, l'écolier, qui est très curieux, aurait bien vite, avec sept ou huit livres choisis, une idée, très générale il est vrai, mais très haute de l'histoire de l'espèce humaine, de la structure du monde, de l'histoire propre de la Terre dans le monde, du rôle propre de la France dans l'humanité. Le maître doit intervenir pour aider ce premier travail de l'esprit ; il n'est pas nécessaire qu'il dise beaucoup, qu'il fasse de longues leçons ; il suffit que tous les détails qu'il leur donnera concourent nettement à un tableau d'ensemble. De ce que l'on sait de l'homme primitif à l'homme d'aujourd'hui, quelle prodigieuse transformation ! Et comme il est aisé à l'instituteur, en quelques traits, de faire sentir à l'enfant l'effort inouï de la pensée humaine.

Seulement, pour cela, il faut que le maître lui-même soit tout pénétré de ce qu'il enseigne. Il ne faut pas qu'il récite le soir ce qu'il a appris le matin ; il faut, par exemple, qu'il se soit fait en silence une idée claire du ciel, du mouvement des astres ; il faut qu'il se soit émerveillé tout bas de l'esprit humain qui, trompé par les yeux, a pris tout d'abord le ciel pour une voûte solide et basse, puis a deviné l'infini de l'espace et a suivi dans cet infini la route précise des planètes et des soleils ; alors, et alors seulement, lorsque, par la lecture solitaire et la méditation, il sera tout plein d'une grande idée et tout éclairé intérieurement, il communiquera sans peine aux enfants, à la première occasion, la lumière et l'émotion de son esprit. Ah ! Sans doute, avec la fatigue écrasante de l'école, il vous est malaisé de vous ressaisir ; mais il suffit d'une demi-heure par jour pour maintenir la pensée à sa hauteur et pour ne pas verser dans l'ornière du métier. Vous serez plus que payés de votre peine, car vous sentirez la vie de l'intelligence s'éveiller autour de vous.

Il ne faut pas croire que ce soit proportionner l'enseignement aux enfants que de le rapetisser. Les enfants ont une curiosité illimitée, et vous pouvez tout doucement les mener au bout du monde. Il y a un fait que les philosophes expliquent différemment suivant les systèmes, mais qui est indéniable : « Les enfants ont en eux des germes, des commencements d'idées. » Voyez avec quelle facilité ils distinguent le bien du mal, touchant ainsi aux deux pôles du monde ; leur âme recèle des trésors à fleur de terre : il suffit de gratter un peu pour les mettre à jour. Il ne faut donc pas craindre de leur parler avec sérieux, simplicité et grandeur.

Je dis donc aux maîtres, pour me résumer : lorsque d'une part vous aurez appris aux enfants à lire à fond, et lorsque d'autre part, en quelques causeries familières et graves, vous leur aurez parlé des grandes choses qui intéressent la pensée et la conscience humaine, vous aurez fait sans peine, en quelques années, œuvre complète d'éducateurs. Dans chaque intelligence, il y aura un sommet, et, ce jour-là, bien des choses changeront.

Jean Jaurès (1859-1914),
« Aux instituteurs et institutrices », *La Dépêche de Toulouse*, 15 janvier 1888,
Jean Jaurès, *Libertés*, Ligue des droits de l'Homme/EDI, 1987, p. 69 *sqq*

■ CHARLES PÉGUY (1873-1914)

L'Argent, Les Cahiers de la Quinzaine, 16 février 1913

Au fil d'un aller-retour entre la société qu'il avait connue trente ans plus tôt – il était entré à l'école annexe de l'École normale d'instituteurs du Loiret en 1880 – et le temps présent, Charles Péguy évoque longuement l'enseignement primaire de son enfance.

Nos jeunes maîtres étaient beaux comme des hussards noirs. Sveltes ; sévères ; sanglés. Sérieux, et un peu tremblants de leur précoce, de leur soudaine omnipotence. Un long pantalon noir, mais, je pense, avec un liseré violet. Le violet n'est pas seulement la couleur des évêques, il est aussi la couleur de l'enseignement primaire. Un gilet noir. Une longue redingote noire, bien droite, bien tombante, mais deux croisements de palmes violettes aux revers. Une casquette plate, noire, mais un croisement de palmes violettes au-dessus du front. Cet uniforme civil était une sorte d'uniforme militaire encore plus sévère, encore plus militaire, étant un uniforme civique. Quelque chose, je pense, comme le fameux Cadre noir de Saumur. Rien n'est beau comme un bel uniforme noir parmi les uniformes militaires. C'est la ligne elle-même. Et la sévérité. Porté par ces gamins qui étaient vraiment les enfants de la République. Par ces jeunes hussards de la République. Par ces nourrissons de la République. Par ces hussards noirs de la sévérité. Je crois avoir dit qu'ils étaient très vieux. Ils avaient au moins quinze ans. Toutes les semaines, il en remontait un de l'École normale vers l'École annexe ; et c'était toujours un nouveau ; et ainsi cette École normale semblait un régiment inépuisable. Elle était comme un immense dépôt, gouvernemental, de jeunesse et de civisme. Le gouvernement de la République était chargé de nous fournir tant de jeunesse et tant d'enseignement. L'État était chargé de nous fournir tant de sérieux. Cette École normale faisait un réservoir inépuisable. C'était une grande question, parmi les bonnes femmes du faubourg, de savoir si c'était bon pour les enfants, de changer comme ça de maître tous les lundis matins. Mais les partisans répondaient qu'on avait toujours le même maître, qui était le directeur de l'École annexe, qui lui ne changeait pas, et que cette maison-là, puisque c'était l'École normale, était certainement ce qu'il y avait de plus savant dans le département du Loiret et par suite, sans doute, en France. Et dans tous les autres départements. Et il y eut cette fois que le préfet *vint visiter l'école.* Mais ceci m'entraînerait dans des confidences. J'appris alors (comme j'eusse appris un morceau de l'Histoire de France) qu'il ne fallait pas l'appeler *Monsieur* tout court *mais Monsieur le préfet*. D'ailleurs, je dois le dire, il fut très content de nous. Il s'appelait Joli ou Joly. Nous trouvions très naturel (et même, entre nous, un peu nécessaire, un peu séant) qu'un préfet eût un nom aussi gracieux. Je ne serais pas surpris que ce fût le même encore aujourd'hui, toujours servi par ce nom gracieux, mais l'ayant légèrement renforcé, sous le nom de M. de Joly ou de Joli préside aujourd'hui à Nice (ou présidait récemment) aux destinées des Alpes-Maritimes et reçoit ou recevait beaucoup de souverains. Et les premiers vers que j'aie entendus de ma vie et dont on m'ait dit : « On appelle ça des vers », c'était *Les Soldats de l'an II* : « Ô soldats de l'an deux, ô guerres, épopées. » On voit que ça m'a servi. Jusque-là je croyais que ça s'appelait des fables. Et le premier livre que j'aie reçu en prix, aux vacances de Pâques, c'étaient précisément les *Fables* de La Fontaine. Mais ceci m'entraînerait dans des sentimentalités.

Je voudrais dire quelque jour, et je voudrais être capable de le dire dignement, dans quelle amitié, dans quel beau climat d'honneur et de fidélité vivait alors ce noble enseignement primaire. Je voudrais faire un portrait de tous mes maîtres. Tous m'ont suivi, tous me sont restés obstinément fidèles dans toutes les pauvretés de ma difficile carrière. Ils n'étaient point comme nos beaux maîtres de Sorbonne. Ils ne croyaient point que, parce qu'un homme a été votre élève, on est tenu de le haïr. Et de le combattre ; et de chercher à l'étrangler. Et de l'envier bassement. Ils ne croyaient point que le beau nom d'élève fût un titre suffisant pour tant de vilenie. Et pour venir en butte à tant de basse haine. Au contraire, ils croyaient, et si je puis dire ils pratiquaient que d'être maître et élèves, cela constitue une liaison sacrée, fort apparentée à cette liaison qui de la filiale devient la paternelle. Suivant le beau mot de Lapicque ils pensaient que l'on n'a pas seulement des devoirs envers ses maîtres mais que l'on en a aussi et peut-être surtout envers ses élèves. Car enfin ses élèves, on les a faits. Et c'est assez grave.

Ces jeunes gens qui venaient chaque semaine et que nous appelions officiellement des élèves-maîtres, parce qu'ils apprenaient à devenir des maîtres, étaient nos aînés et nos frères.

Charles Péguy (1873-1914),
L'Argent, Les Cahiers de la Quinzaine, 16 février 1913
Œuvres en prose complètes,
Gallimard, coll. « Bibliothèque de la Pléiade »,
III, 1992, p. 801-803,
Gallimard, coll. « Blanche », 1932

JEAN ZAY (1904-1944)
Circulaires sur la neutralité à respecter dans les établissements scolaires,
31 décembre 1936 et 15 mai 1937

Député radical-socialiste d'Orléans, Jean Zay devient ministre de l'Éducation nationale dans le gouvernement Léon Blum de juin 1936 et le reste jusqu'en septembre 1939. Il inscrit son action dans une volonté de démocratisation (prolongation de la scolarité) et de réorganisation d'ensemble. Il veille au respect du principe de laïcité comme en témoignent ces circulaires interdisant successivement l'intrusion de la politique et les propagandes confessionnelles. Il sera assassiné par des miliciens en 1944.

Circulaire du 31 décembre 1936

Mes prédécesseurs et moi-même avons appelé déjà à plusieurs reprises votre attention sur les mesures à prendre en vue d'éviter et de réprimer toute agitation de source et de but politiques dans les lycées et collèges.

Un certain nombre d'incidents récents m'obligent à revenir encore sur ce sujet d'importance capitale pour la tenue des établissements d'enseignement du second degré et d'insister d'autant plus que les modes coutumiers d'infraction font place à des manœuvres d'un genre nouveau.

Ici, le tract politique se mêle aux fournitures scolaires. L'intérieur d'un buvard d'apparence inoffensive étale le programme d'un parti. Ailleurs, des recruteurs politiques en viennent à convoquer dans une « permanence » un grand nombre d'enfants de toute origine scolaire, pour leur remettre des papillons et des tracts à l'insu, bien entendu, de leurs parents et les envoyer ensuite les répandre parmi leurs condisciples.

Certes, les vrais coupables ne sont pas les enfants ou les jeunes gens, souvent encore peu conscients des risques encourus et dont l'inexpérience et la faculté d'enthousiasme sont exploitées par un esprit de parti sans mesure et sans scrupule.

Il importe de protéger nos élèves contre cette audacieuse exploitation. À cet effet, toute l'action désirable devra être aussitôt entreprise auprès des autorités de police par MM. les Chefs d'Établissements, les Inspecteurs d'Académie et vous-mêmes.

On devra poursuivre énergiquement la répression de toute tentative politique s'adressant aux élèves ou les employant comme instruments, qu'il s'agisse d'enrôlements directs ou de sollicitations aux abords des locaux scolaires. Je vous rappelle que les lois et règlements généraux de police permettent sans conteste aux autorités locales d'interdire les distributions de tracts dans leur voisinage, lorsqu'elles sont de nature à troubler l'ordre, tout spécialement quand le colportage est l'œuvre de mineurs non autorisés. Une circulaire de M. le Ministre de l'Intérieur en date du 20 mai 1936, a précisé en cette matière les pouvoirs de l'autorité administrative. Il conviendra, le cas échéant, d'appeler sur ce texte l'attention de MM. les Préfets.

Éventuellement aussi, on indiquera aux parents qu'un recours leur est ouvert contre les personnes se trouvant, par leur intervention, à la source des sanctions prises contre leurs enfants.

Quant aux élèves, il faut qu'un avertissement collectif et solennel leur soit encore donné, et que ceux d'entre eux qui, malgré cet avertissement, troubleraient l'ordre des établissements d'instruction publique en se faisant à un titre quelconque les auxiliaires de propagandistes, soient l'objet de sanctions sans indulgence. L'intérêt supérieur de la paix à l'intérieur de nos établissements d'enseignement passera avant toute autre considération. Toute infraction caractérisée et sans excuse sera punie de l'exclusion immédiate de tous les établissements du lieu où elle aura été commise. Dans les cas les plus graves, cette exclusion pourra s'étendre à tous les établissements d'enseignement public.

Tout a été fait dans ces dernières années pour mettre à la portée de ceux qui s'en montrent dignes les moyens de s'élever intellectuellement. Il convient qu'une expérience d'un si puissant intérêt social se développe dans la sérénité. Ceux qui voudraient la troubler n'ont pas leur place dans les écoles qui doivent rester l'asile inviolable où les querelles des hommes ne pénètrent pas.

Circulaire du 15 mai 1937

Ma circulaire du 31 décembre 1936 a attiré l'attention de l'administration et des chefs d'établissement sur la nécessité de maintenir l'enseignement public de tous les degrés à l'abri des propagandes politiques. Il va de soi que les mêmes prescriptions s'appliquent aux propagandes confessionnelles. L'enseignement public est laïque. Aucune forme de prosélytisme ne saurait être admise dans les établissements. Je vous demande d'y veiller avec une fermeté sans défaillance.

Jean Zay (1904-1944),
circulaires sur la neutralité à respecter dans les établissements scolaires, 31 décembre 1936 et 15 mai 1937
Jean Baubérot, Guy Gauthier, Louis Legrand et Pierre Ognier,
Histoire de la laïcité, CRDP de Franche-Comté,
coll. « Histoire des religions », 1997, p. 243-244

QUESTIONS ET DÉBATS

Afin de travailler au bien commun, notamment pour et dans les établissements scolaires, il faut identifier et analyser les problèmes du présent pour leur apporter des solutions actualisées : la République est une création continue, qui « ne veut ni l'incantation, ni l'aveuglement, ni le conformisme » (Claude Nicolet).

Les douze textes qui suivent invitent à ce passage par l'identification et l'analyse.[1]

L'islam entre authenticité et harmonisation
Abdennour Bidar, « Lettre d'un musulman européen. L'Europe et la renaissance de l'islam », *Esprit*, juillet 2003.

Tolérer
André Comte-Sponville, « La Tolérance », *Petit Traité des grandes vertus*, Presses universitaires de France, coll. « Perspectives critiques », 1998.

Rétablir le prestige de la laïcité
Georges Corm, *Orient-Occident, la fracture imaginaire*, La Découverte, coll. « Cahiers libres », 2002.

La laïcité, valeur fondatrice de la République
Commission de réflexion sur l'application du principe de laïcité dans la République (présidée par Bernard Stasi), rapport, 11 décembre 2003.

L'enseignement du fait religieux
Régis Debray, *L'Enseignement du fait religieux dans l'école laïque : rapport au ministre de l'Éducation nationale*, Odile Jacob/Scérén, 2002.

Antisémitismes d'hier et d'aujourd'hui
Théo Klein, *Dieu n'était pas au rendez-vous*, Bayard, 2003.

Enseigner la République
Claude Nicolet, *Histoire, Nation, République*, Odile Jacob, 2000.

---

1. Ces textes sont tous des extraits, ils sont rangés dans l'ordre alphabétique des noms d'auteur ; seules les coupes intérieures sont signalées ([...]).

La société civile et l'État
René Rémond, « La logique invisible de la laïcité-coopération », *Une République, des religions : pour une laïcité ouverte*, Éditions de l'Atelier, 2003.

Principe d'universalité et idéologie de la différence
Paul Ricœur, *La Critique et la Conviction : entretiens*, Calmann-Lévy, 1995.

La difficulté d'être de l'immigré
Abdelmalek Sayad, *La Double Absence : des illusions de l'émigré aux souffrances de l'immigré*, Seuil, coll. « Liber », 1999.

Par-delà la nation : l'Europe
Dominique Schnapper, *Qu'est-ce que la citoyenneté ?*, Gallimard, coll. « Folio actuel », 2000.

Le travail du juge
Rémy Schwartz, intervention lors de la table ronde « École et laïcité aujourd'hui », commission des affaires culturelles, familiales et sociales de l'Assemblée nationale, jeudi 22 mai 2003.

■ ABDENNOUR BIDAR
« Lettre d'un musulman européen. L'Europe et la renaissance de l'islam », 2003

Abdennour Bidar, professeur de philosophie, expose dans cet article les conditions qu'il juge nécessaires à la naissance d'un islam européen, à la fois fidèle à son authenticité et admettant d'être questionné par les valeurs européennes.

Quel visage l'islam doit-il prendre en Europe pour s'exprimer de façon authentique, en conformité avec son essence la plus profonde ? Et comment peut-il y être vécu dans l'harmonie, c'est-à-dire d'une part sans déchirement intérieur chez le musulman entre sa spiritualité et les valeurs de l'Occident, d'autre part, sans conflit idéologique et social entre le musulman et les autres Européens ? De ces deux enjeux décisifs pour l'intégration de l'islam, je voudrais montrer aussi bien le caractère inséparable que la tension très forte entre eux.

Ces deux problématiques de l'authenticité et de l'harmonisation, tout d'abord, ne peuvent pas être dissociées, parce qu'il serait inconscient et vain de faire le choix de l'une au détriment de l'autre. Ce serait même enlever à celle qui aurait été choisie toute chance de se réaliser vraiment.

En effet, faire le choix d'un islam dit « authentique » sans tenir compte de la nécessité d'harmonie avec le milieu ambiant reviendrait à tenter d'établir, en dépit des réalités du temps et du lieu, un islam autiste, inadapté, et par là objet de toutes les incompréhensions, attisant les suspicions et les réactions de rejet. Un tel islam, donnant à toute occasion le bâton pour se faire battre en exhibant ses particularismes, serait certainement impraticable pour ses tenants, qui verraient s'accumuler sans arrêt sur leur route des obstacles que leur propre fermeture d'esprit aurait créés.

Inversement, le choix d'un islam uniquement préoccupé d'une « harmonisation » avec le contexte de civilisation qu'il trouve ici, et qui ne se préoccuperait plus de déterminer son identité propre, son essence profonde et originale, s'exposerait au risque de ne retenir de lui-même que ce qui l'assimile à toutes les « sagesses » disponibles dans le grand bazar actuel des nouvelles spiritualités. Au sein de ce mélange improbable dans lequel on se complaît peut-être un peu vite à voir l'émergence d'un nouveau rapport au sacré, l'islam se réduirait à deux ou trois belles et vagues notions – l'amour et l'ivresse des soufis, par exemple – et ne réfléchirait plus sur lui-même.

Ces deux exigences d'authenticité et d'harmonie doivent donc être maintenues très fortement ensemble dans notre souci de penser l'islam européen. Cependant, elles sont aussi en tension très forte l'une avec l'autre, au point de paraître de prime abord contradictoires.

Car la volonté d'authenticité, ou de fidélité au génie islamique, dans ce qu'il a de plus pur et de plus universel, reproche au souci d'harmonie un désir plus ou moins conscient de diluer l'islam, de le dissoudre dans le bain multiculturel mondial, le musulman ne se distinguant plus des autres que par une vague sensibilité religieuse et l'attachement à un folklore culturel. Cette critique n'est pas infondée, en l'occurrence. Si en effet l'islam cherche principalement à se faire oublier, à montrer patte blanche, en tenant un discours dans lequel il gomme ses différences (plus ou moins sincèrement, d'ailleurs), il risque de subir le sort des autres religions d'Occident – l'oubli – ou la muséification que subissent ici les différentes traditions.

Mais, à son tour, le souci d'harmonie peut légitimement redouter que la volonté d'authenticité empêche l'islam de se réformer suffisamment. Et cette tentation existe bien dans le discours toujours marqué idéologiquement de l'authenticité et de la pseudo-« pureté des commencements ». C'est la voie de la fuite devant les dilemmes de la réalité présente, la voix qui, sous prétexte de fidélité aux origines, prône l'immobilisme et la politique de l'autruche. Une telle démission morale présente un risque considérable, celui d'enfermer définitivement l'islam dans le cimetière des « choses du passé ». Il y serait momifié dans une attitude que l'on considère malheureusement comme constitutive de lui-même, à savoir celle d'une tradition d'une extrême raideur, totalement incapable de la moindre autocritique et dénuée de toute capacité d'adaptation, de toute intelligence du temps présent. L'islam ne peut se permettre de perdurer sous cette apparence caricaturale : il y perdrait le maigre crédit qui lui reste aux yeux d'une société occidentale déjà très critique à son égard.

Il faut donc que l'islam trouve une balance la plus exacte possible entre ces deux exigences – rappelons ici que le prophète Mohammed définissait précisément sa communauté comme celle du juste Milieu.

La voie est étroite. Quel réformisme pour quel islam ? Cette question est aujourd'hui au centre de toutes les préoccupations des musulmans. On préconise ici et là ce qu'on nomme classiquement la « réouverture des portes de l'*ijtihad* » – l'*ijtihad* étant essentiellement l'effort d'interprétation du texte sacré dans le but de déterminer le contenu des obligations religieuses. Le monde musulman entier résonne de controverses sur l'opportunité de cette réouverture (l'*ijtihad* a été « fermé » au

XIIIe siècle, après que les quatre grandes écoles juridiques ont fixé le canon des obligations légales). De très violentes tensions entourent ce débat. Partout l'on dispute de ce que prescrit aujourd'hui le commandement de Dieu. Ce sujet, devenu de plus en plus crucial, apparaît d'ores et déjà comme le débat dont l'issue décidera de la survie même de notre spiritualité.

S'inscrire dans la culture critique européenne

Si cependant, dans ce contexte général, je concentre ma réflexion sur l'islam en Europe, c'est que le problème global d'une réforme s'y pose en des termes uniques, introuvables ailleurs, parce que l'Europe est, de par son histoire et ses valeurs, une exception dans le monde. Cette exception européenne me paraît en réalité si forte qu'on ne peut même pas, pour une multitude de raisons que je ne peux évoquer ici, l'associer aux Amériques sous la dénomination générale d'Occident. Ce qualificatif d'Occident, s'opposant à celui d'Orient, me semble s'appliquer davantage au Nouveau Monde qu'à notre Vieux Continent. Celui-ci n'est ni d'Orient, ni d'Occident. Il y a une « géographie spirituelle » spécifique de l'Europe, comme le disait Husserl[1], qui la distingue aussi bien de l'Orient dont elle est l'extrême terminaison que de l'Occident américain émané d'elle, et fait de sa position physique et spirituelle une sorte de milieu entre l'est et l'ouest.

Quoi qu'il en soit, l'analyse de ce que peut devenir l'islam en son sein ne pourra être menée indépendamment d'un examen de ce qu'est l'Europe elle-même, et d'une attention toute particulière à ce qu'on pourrait appeler son singulier destin. L'islam y trouvera certainement un milieu si original – je prends le terme de milieu au sens biologique d'environnement vital ou d'écosystème – que l'identité islamique ne pourra qu'en être radicalement bouleversée, au point de la rendre méconnaissable pour tous ceux qui restent subjugués par ses expressions habituelles et ancestrales.

Plus précisément, l'Europe comme civilisation est si étrangère à l'islam, et historiquement si antagoniste, qu'elle semble a priori allergique à l'idée de son implantation durable. En réalité, cette hostilité impose à l'islam la plus salutaire des épreuves de vérité, la plus radicale et décisive des remises en question. Et l'islam qui résultera de ce traitement de choc ne pourra plus, par là même, être considéré comme un corps étranger, mais comme l'une des dimensions fondatrices de la conscience européenne.

---

1. Cité par Jacques Derrida, L'Autre Cap, Paris, Minuit, 1991.

Car celle-ci, en agissant sur lui, gagnera aussi quelque chose en retour, la confrontation à l'adversité agissant toujours comme révélateur de soi. Puisque ce sont les musulmans européens eux-mêmes qui entreprendront ce travail de réforme de leur foi, leur vision nouvelle de l'islam contribuera en même temps à forger la perception que la nouvelle conscience européenne doit aujourd'hui prendre d'elle-même. Ce qui paraît central, c'est l'idée que l'islam et l'Europe doivent se passer mutuellement au crible l'un de l'autre. L'idée d'une critique de l'islam par les valeurs européennes est nécessaire. Mais l'islam peut apporter quelque chose en échange. C'est la nature de cette symbiose à venir qu'il faut préciser.

L'Europe peut offrir à l'islam ses principes moraux et politiques les plus caractéristiques, qui font d'elle à juste titre le phare de la modernité. Ces principes sont ceux que l'esprit européen a le privilège d'avoir inventés, qui gouvernent nos républiques et éduquent nos consciences depuis le siècle des Lumières : l'esprit critique, la nécessité et le droit de penser par soi-même, la liberté individuelle, la dissociation du politique et du religieux, l'égalité des droits et des chances, le partage de la souveraineté politique entre tous, enfin, l'idée que la définition de ce qui est juste ou objectif s'obtient par le dialogue entre des consciences éthiquement disposées les unes envers les autres.

Il me paraît que nulle part ailleurs l'islam n'a entre les mains de tels instruments d'auscultation et de redéfinition de lui-même. Et nulle part ailleurs non plus, on ne le laissera s'en servir pour s'examiner. Dans les États dits islamiques, on soutient ainsi que ces principes ont été forgés par la raison humaine et ne peuvent par conséquent juger une révélation divine. Ce faisant, dans ces États ou au sein des écoles coraniques figées sur la lettre du Coran, on ne se souvient plus du tout de l'appel à l'usage de la raison lancé par Averroès (1126-1198) au XIIe siècle dans son *Traité décisif* : « Il y a dans la Loi divine des passages ayant un sens extérieur dont l'interprétation est obligatoire pour les hommes de la démonstration rationnelle, et qu'ils ne peuvent prendre à la lettre.[2] »

Il n'y a que dans la conscience musulmane européenne que ce message peut encore être entendu et mis en œuvre, parce que l'usage de la raison ne nous paraît pas incompatible avec la foi et qu'au contraire, le travail de l'esprit et la sensibilité du cœur nous semblent devoir se féconder mutuellement pour nous aider à nous connaître nous-mêmes. La culture européenne nous a appris à ne rien mettre

---

2. Averroès (ibn Rouchd), L'Accord de la religion et de la philosophie. Traité décisif, Paris, Sindbad, coll. « Bibliothèque de l'islam », 1988.

hors de portée de l'esprit critique et du raisonnement. Il faut donc maintenant que notre conscience musulmane s'empare de ces outils de jugement en menant leur usage le plus loin possible dans l'examen du contenu doctrinal de l'islam.

Dans cette optique, un premier point me semble décisif : il serait tout à fait insuffisant que les musulmans européens se contentent d'« accepter » ces principes de la liberté de conscience et d'esprit critique, de les déclarer « compatibles » avec l'islam, et s'efforcent seulement de ne pas entrer en contradiction avec eux.

Il ne convient pas de s'en tenir-là, à une sorte de pacte de non-agression avec les valeurs de l'Europe, ou à la recherche d'une improbable harmonie entre ces valeurs européennes et le texte coranique. Il serait absurde de vouloir faire du Coran l'ancêtre de Kant et de Rousseau, et d'y chercher à tout prix une espèce de prémonition exotique de ce que l'esprit européen moderne enfantera plus tard de son côté. À moins de déclamations générales sur la « tolérance » et la « fraternité », qui ne résoudraient rien, cette voie de la pseudo-réconciliation entre vrais faux ennemis ne mène nulle part.

Il faut aller bien plus loin et dans une tout autre direction, c'est-à-dire attribuer aux valeurs et principes européens que j'ai énumérés plus haut un statut de critère de viabilité ou de non-viabilité de toutes les pratiques islamiques. La loi musulmane dans son ensemble doit être soumise à leur verdict. Notamment, cette loi religieuse doit admettre sans réserve le droit de chaque croyant d'exercer sur elle son esprit critique et de revendiquer vis-à-vis d'elle sa totale liberté individuelle de choix.

Or, cette loi – la charia – reconnaît cinq catégories d'actes religieux : l'obligatoire, le recommandé, le permis, le déconseillé, l'interdit. Donc, chacune de ces catégories de la loi islamique, chacun des actes entrant traditionnellement dans telle ou telle d'entre elles, doivent passer désormais devant le tribunal de chaque conscience musulmane européenne, laissée entièrement libre de choisir le statut qu'elle veut bien leur accorder. Il n'est pas acceptable dans un contexte général de libre détermination du sujet par lui-même, qu'une « autorité » islamique décide à sa place de la forme et des frontières qu'il souhaite donner à son islam.

Abdennour Bidar,
« Lettre d'un musulman européen.
L'Europe et la renaissance de l'islam »
Esprit, juillet 2003, p. 9 *sqq*

© Esprit

ANDRÉ COMTE-SPONVILLE
« La Tolérance », *Petit Traité des grandes vertus*

Philosophe et professeur de philosophie, André Comte-Sponville se pose au long de son œuvre la question des valeurs, avec le souci constant de penser la vie réelle. Dans ce traité du bien agir, dix-huit des vertus morales majeures sont mobilisées pour « essayer de comprendre ce que nous devons faire, ou être, ou vivre ».

La tolérance

C'est un sujet de dissertation qui fut proposé plusieurs fois au baccalauréat : « Juger qu'il y a de l'intolérable, est-ce toujours faire preuve d'intolérance ? ». Ou bien, sous une forme différente : « Être tolérant, est-ce tout tolérer ? ». La réponse, dans les deux cas, est évidemment non, du moins si l'on veut que la tolérance soit une vertu. Celui qui tolérerait le viol, la torture, l'assassinat, faudrait-il le juger vertueux ? Qui verrait, dans cette tolérance du pire, une disposition estimable ? Mais si la réponse ne peut être que négative (ce qui, pour un sujet de dissertation, est plutôt une faiblesse), l'argumentation n'est pas sans poser un certain nombre de problèmes, qui sont de définitions et de limites, et qui peuvent occuper suffisamment nos lycéens, j'imagine, durant les quatre heures de l'épreuve… Une dissertation n'est pas un sondage d'opinion. Il faut répondre, certes, mais la réponse ne vaut que par les arguments qui la préparent et qui la justifient. Philosopher, c'est penser sans preuves (s'il y avait des preuves, ce ne serait plus de la philosophie), mais point penser n'importe quoi (penser n'importe quoi, d'ailleurs, ce ne serait plus penser), ni n'importe comment. La raison commande, comme dans les sciences, mais sans vérification ni réfutation possibles. Pourquoi ne pas se contenter, alors, des sciences ? Parce qu'on ne peut : elles ne répondent à aucune des questions essentielles que nous nous posons, ni même à celles qu'elles nous posent. La question « Faut-il faire des mathématiques ? » n'est pas susceptible d'une réponse mathématique. La question « Les sciences sont-elles vraies ? » n'est pas susceptible d'une réponse scientifique. Et pas davantage, cela va de soi, les questions portant sur le sens de la vie, l'existence de Dieu ou la valeur de nos valeurs… Or, comment y renoncer ? Il s'agit de penser aussi loin qu'on vit, donc le plus loin qu'on peut, donc plus loin qu'on ne sait. La métaphysique est la vérité de la philosophie, même en épistémologie, même en philosophie morale ou politique. Tout se tient, et nous tient. Une philosophie est un ensemble d'opinions raisonnables ; la chose est plus difficile, et plus nécessaire, qu'on ne le croit.

On dira que je m'éloigne de mon sujet. C'est que je ne fais pas une dissertation. L'école ne peut durer toujours, et c'est tant mieux. Au reste il n'est pas sûr que, de la tolérance, je me sois tellement éloigné. Philosopher, disais-je, c'est penser sans preuves. C'est là où aussi la tolérance intervient. Quand la vérité est connue avec certitude, la tolérance est sans objet. Le comptable qui se trompe dans ses calculs, on ne saurait tolérer qu'il refuse de les corriger. Ni le physicien quand l'expérience lui donne tort. Le droit à l'erreur ne vaut qu'a *parte ante* ; une fois l'erreur démontrée, elle n'est plus un droit et n'en donne aucun : persévérer dans l'erreur, a *parte post*, n'est plus une erreur, c'est une faute. [...]

Le problème de la tolérance ne se pose que dans les questions d'opinion. C'est pourquoi il se pose si souvent, et presque toujours. Nous ignorons plus que nous ne savons, et tout ce que nous savons dépend, directement ou indirectement, de quelque chose que nous ignorons. Qui peut prouver absolument que la Terre existe ? Que le Soleil existe ? Et quel sens y a-t-il, s'ils n'existent ni l'un ni l'autre, à affirmer que celle-là tourne autour de celui-ci ? La même proposition qui ne relève pas de la tolérance, d'un point de vue scientifique, peut en relever, d'un point de vue philosophique, moral ou religieux. Ainsi la théorie évolutionniste de Darwin : ceux qui demandent qu'on la tolère (ou, a fortiori, ceux qui demandent qu'on l'interdise) n'ont pas compris en quoi elle est scientifique[1] ; mais ceux qui voudraient l'imposer autoritairement comme vérité absolue de l'Homme et de sa genèse feraient bien preuve, pourtant, d'intolérance. La Bible n'est ni démontrable ni réfutable : il faut donc y croire, ou tolérer qu'on y croie.

C'est où l'on retrouve notre problème. S'il faut tolérer la Bible, pourquoi pas *Mein Kampf* ? Et si l'on tolère *Mein Kampf*, pourquoi pas le racisme, la torture, les camps ? Une telle tolérance universelle serait bien sûr moralement condamnable : parce qu'elle oublierait les victimes, parce qu'elle les abandonnerait à leur sort, parce qu'elle laisserait se perpétuer leur martyre. Tolérer, c'est accepter ce qu'on pourrait condamner, c'est laisser faire ce qu'on pourrait empêcher ou combattre. C'est

---

1. Ce qui ne veut pas dire qu'elle est vraie, mais simplement qu'il doit être possible, si elle est fausse, de le montrer (voir K. Popper, La Logique de la découverte scientifique, trad. franç., Payot, 1973) ; ni qu'elle n'est que, ou totalement, scientifique (voir K. Popper, La Quête inachevée, trad. franç., Presses Pocket, rééd. 1989, chap. 37), mais simplement qu'une part en elle échappe à l'opinion - donc aussi à la tolérance.

donc renoncer à une part de son pouvoir, de sa force, de sa colère… Ainsi tolère-t-on les caprices d'un enfant ou les positions d'un adversaire. Mais ce n'est vertueux que pour autant qu'on prenne sur soi, comme on dit, qu'on surmonte pour cela son propre intérêt, sa propre souffrance, sa propre impatience.

La tolérance ne vaut que contre soi, et pour autrui. Il n'y a pas tolérance quand on n'a rien à perdre, encore moins quand on a tout à gagner à supporter, c'est-à-dire à ne rien faire. « Nous avons tous assez de force, disait La Rochefoucauld, pour supporter les maux d'autrui.[2] » Peut-être, mais nul n'y verrait tolérance. Sarajevo était, dit-on, ville de tolérance ; l'abandonner aujourd'hui (décembre 1993) à son destin de ville assiégée, de ville affamée, de ville massacrée, ne serait pour l'Europe que lâcheté. Tolérer, c'est prendre sur soi : la tolérance qui prend sur autrui n'en est plus une. Tolérer la souffrance des autres, tolérer l'injustice dont on n'est pas soi-même victime, tolérer l'horreur qui nous épargne, ce n'est plus de la tolérance : c'est de l'égoïsme, c'est de l'indifférence, ou pire. Tolérer Hitler, c'était se faire son complice, au moins par omission, par abandon, et cette tolérance était déjà de la collaboration. Plutôt la haine, plutôt la fureur, plutôt la violence, que cette passivité devant l'horreur, que cette acceptation honteuse du pire ! Une tolérance universelle serait tolérance de l'atroce : atroce tolérance !

Mais cette tolérance universelle serait aussi contradictoire, du moins en pratique, et pour cela non seulement moralement condamnable, comme on vient de le voir, mais politiquement condamnée. C'est ce qu'ont montré, dans des problématiques différentes, Karl Popper et Vladimir Jankélévitch. Poussée à la limite, la tolérance « finirait par se nier elle-même »[3], puisqu'elle laisserait les mains libres à ceux qui veulent la supprimer. La tolérance ne vaut donc que dans certaines limites, qui sont celles de sa propre sauvegarde et de la préservation de ses conditions de possibilité. C'est ce que Karl Popper appelle « le paradoxe de la tolérance » : « Si l'on est d'une tolérance absolue, même envers les intolérants, et qu'on ne défende pas la société tolérante contre leurs assauts, les tolérants seront anéantis, et avec eux la tolérance.[4] » Cela ne vaut que tant que l'humanité est ce qu'elle est, conflictuelle, passionnelle, déchirée, mais c'est pourquoi cela vaut. Une société où une tolérance universelle serait possible ne serait plus humaine, et d'ailleurs n'aurait plus besoin de tolérance.

---

2. *Maximes et réflexions*, 19.
3. V. Jankélévitch, *Traité des vertus*, II, 2, p. 92 de l'édition Champs-Flammarion (1986).
4. *La Société ouverte et ses ennemis*, trad. franç., Seuil, 1979, t. 1, n. 4 du chap. 7 (p. 222).

Au contraire de l'amour ou de la générosité, qui n'ont pas de limites intrinsèques ni d'autre finitude que la nôtre, la tolérance est donc essentiellement limitée : une tolérance infinie serait la fin de la tolérance ! Pas de liberté pour les ennemis de la liberté ? Ce n'est pas si simple. Une vertu ne saurait se cantonner dans l'inter-subjectivité vertueuse : celui qui n'est juste qu'avec les justes, généreux qu'avec les généreux, miséricordieux qu'avec les miséricordieux, etc., n'est ni juste ni généreux ni miséricordieux. Pas davantage n'est tolérant celui qui ne l'est qu'avec les tolérants. Si la tolérance est une vertu, comme je le crois et comme on l'accorde ordinairement, elle vaut donc par elle-même, y compris vis-à-vis de ceux qui ne la pratiquent pas. La morale n'est ni un marché ni un miroir. Il est vrai, certes, que les intolérants n'auraient aucun titre à se plaindre qu'on soit intolérant à leur égard. Mais où a-t-on vu qu'une vertu dépend du point de vue de ceux qui en manquent ?

« Le juste doit être guidé par les principes de la justice, et non par le fait que l'injuste ne peut se plaindre.[5] » De même le tolérant, par les principes de la tolérance. S'il ne faut pas tout tolérer, puisque ce serait vouer la tolérance à sa perte, on ne saurait non plus renoncer à toute tolérance vis-à-vis de ceux qui ne la respectent pas. Une démocratie qui interdirait tous les partis non démocratiques serait trop peu démocratique, tout comme une démocratie qui leur laisserait faire tout et n'importe quoi le serait trop, ou plutôt trop mal, et par là condamnée : puisqu'elle renoncerait à défendre le droit par la force, quand il le faut, et la liberté par la contrainte. Le critère n'est pas moral, ici, mais politique. Ce qui doit déterminer la tolérabilité de tel ou tel individu, de tel ou tel groupe ou comportement, n'est pas la tolérance dont ils font preuve (car alors il eût fallu interdire tous les groupes extrémistes de notre jeunesse, et leur donner raison par là), mais leur dangerosité effective : une action intolérante, un groupe intolérant, etc., doivent être interdits si, et seulement si, ils menacent effectivement la liberté ou, en général, les conditions de possibilité de la tolérance. Dans une République forte et stable, une manifestation contre la démocratie, contre la tolérance ou contre la liberté ne suffit pas à les mettre en péril : il n'y a donc pas lieu de l'interdire, et ce serait manquer de tolérance que de le vouloir. Mais que les institutions soient fragilisées, que la guerre civile menace ou ait commencé, que des groupes factieux menacent de prendre le pouvoir, et la même manifestation peut devenir un danger véritable : il

---

5. J. Rawls, *Théorie de la justice*, II, 4, section 35, p. 256 de la trad. franç., Seuil, 1987.

peut alors être nécessaire de l'interdire, de l'empêcher, même par la force, et ce serait manquer de fermeté ou de prudence que de renoncer à l'envisager.

Bref, cela dépend des cas, et cette « casuistique de la tolérance », comme dit Jankélévitch[6], est l'un des problèmes majeurs de nos démocraties. Après avoir évoqué le paradoxe de la tolérance, qui fait qu'on l'affaiblit à force de vouloir l'étendre à l'infini, Karl Popper ajoute ceci : « Je ne veux pas dire par là qu'il faille toujours empêcher l'expression de théories intolérantes. Tant qu'il est possible de les contrer par des arguments logiques et de les contenir avec l'aide de l'opinion publique, on aurait tort de les interdire. Mais il faut revendiquer le droit de le faire, même par la force si cela est nécessaire, car il se peut fort bien que les tenants de ces théories se refusent à toute discussion logique et ne répondent aux arguments que par la violence. Il faudrait alors considérer que, ce faisant, ils se placent hors la loi, et que l'incitation à l'intolérance est criminelle au même titre que l'incitation au meurtre, par exemple.[7] »

Démocratie n'est pas faiblesse. Tolérance n'est pas passivité.

André Comte-Sponville,
« La Tolérance », *Petit Traité des grandes vertus*
Seuil, coll. « Points », 2001, p. 236 *sqq*
Presses universitaires de France,
coll. « Perspectives critiques », 1998

© Presses universitaires de France

6. *Op. cit.*, p. 93.
7. *Op. cit.*, p. 222. Voir aussi le texte déjà cité de Rawls, spécialement aux p. 254-256.

GEORGES CORM
Orient-Occident, la fracture imaginaire, 2002

Georges Corm, économiste, ancien ministre des Finances du Liban, est consultant auprès d'organismes internationaux et de banques centrales. Dans cet essai incisif, il questionne le discours que la pensée occidentale tient sur elle-même et sur l'Orient et met à mal les illusions identitaires. Il plaide à la fois pour le rétablissement de la laïcité et de son prestige comme élément fondateur de la cité et pour son accès au statut de valeur universelle.

En ce sens, la laïcité du monde occidental a largement perdu sa vocation première dans l'émergence des valeurs républicaines, celle de dépasser et de transcender les différences d'ordres ethnique et religieux, d'abolir les privilèges se réclamant du droit divin, pour former une nouvelle communauté plus apte au bonheur et à la concorde dans la cité, celle des citoyens. Elle est aujourd'hui acculée à accepter, sinon à favoriser, au nom même des principes de la démocratie libérale, les regains d'identités primaires qu'a engendrés le monde désenchanté créé par les effroyables guerres du « siècle des extrêmes ».

Le remède à cette déroute de la laïcité n'est évidemment pas dans la religiosité pudibonde et puritaine que prétendent offrir les tendances fondamentalistes qui traversent les grandes religions instituées, et dont les mouvements islamistes ou les mouvements de colonisation se réclamant du judaïsme en Palestine, ou encore certaines Églises protestantes aux États-Unis, sont des caricatures. Ce ne sont ni la religion instituée, ni les différents types d'ethnismes dont certains se parent de valeurs religieuses, ni les extrémismes religieux se parant de vertus ethniques ou nationales, qui peuvent guérir les maux provoqués par l'occidentalisation du monde. Repenser la laïcité et rétablir son prestige.

C'est pourquoi il faut tout d'abord rétablir la laïcité et son prestige comme élément fondateur de la cité « moderne », à la différence de la cité antique ou de la cité organisée par le monothéisme biblique, où la vie des dieux ou du Dieu unique est intimement mêlée à la vie rituelle et intellectuelle. La laïcité est, en effet, une composante mûre de la citoyenneté. Elle est aussi un remède permanent contre le fanatisme et les tendances collectives à l'autoritarisme. Elle est le fondement véritable de l'autonomie de l'individu et de son respect par les autorités établies.

Elle est un instrument critique de tout ordre qui se fige dans l'invocation d'une transcendance « divine » ou « civile ».

La laïcité ne doit pas être simplement un mode d'organisation de la séparation du temporel et du spirituel dans la cité, prisonnier de l'histoire spécifique du christianisme occidental, une simple « sécularisation » de la vie politique, pacifiant les querelles religieuses au sein d'une même religion. Elle doit être refus d'essentialiser toute différence entre citoyens, refus de sacraliser toute doctrine qui serait érigée en absolu échappant à la critique de l'esprit humain. Pour cela, il faudrait « laïciser » la laïcité, c'est-à-dire lui faire perdre son statut de doctrine « spécifiquement » chrétienne et occidentale, pour la faire accéder à un véritable statut de valeur universelle... D'ailleurs, seule une telle laïcité peut structurer le droit international de façon efficace et crédible ; ce dernier doit être imperméable à toute croyance résultant d'une interprétation théologique, qu'elle soit issue du judaïsme, de l'islam, du christianisme ou de toute autre religion.

Aussi, plutôt que de favoriser le « dialogue des religions » (très à la mode pour assurer la concorde de nos cités métissées), dialogue qui ne peut résoudre aucun des problèmes proprement politiques et profanes de l'ordre interne et de l'ordre international, ne vaut-il pas mieux donner aux citoyens de véritables connaissances sur « les réponses théologiques et ontologiques » à l'angoisse naturelle de l'homme ? Le discours identitaire qui exprime les graves névroses de notre époque n'assurera jamais la paix ; il n'est qu'une réponse bien pauvre à la perte de sens que les souffrances des XIXe et XXe siècles ont engendrée et, avant elles, celles des premières colonisations et de la traite des Africains (le déracinement de millions d'hommes, colonisés, déplacés, « génocidés », mais aussi celui de ceux qui sont partis de l'Europe même, à la conquête des espaces inhabités ou peu habités de l'Europe et du monde).

[...]

Il faudrait ici admettre que les grands principes d'éthique et de morale à vocation universelle de la Renaissance européenne n'ont pas été appliqués ni respectés, ce qui leur enlève aujourd'hui la crédibilité qu'ils avaient acquise. Bien pire, dans l'ordre international, ils sont bafoués tous les jours par un ordre impérial américain devant lequel ne se dresse plus le moindre contrepoids. Les actions humanitaires qu'encadrent forcément les intérêts politiques des pays directement dans l'orbite de l'ordre impérial ne seront jamais le remède à l'absence de système de valeurs appliqué de façon cohérente. La notion de citoyenneté, qui a pourtant porté de si grands espoirs, est tous les jours un peu plus rongée par le manque de crédibilité du système de valeurs républicain et universaliste au centre duquel se trouve la laïcité, c'est-à-dire l'égale valeur des hommes pris individuellement ou dans leur insertion dans une communauté sociale. Tous les grands systèmes de puissance et de civilisation ont tenté de trouver des règles universelles d'éthique et de morale. La philosophie des Lumières, qui s'est appuyée sur un développement sans précédent de connaissances sur les autres civilisations, est la dernière en date à avoir élaboré un code de conduite morale et éthique s'appuyant sur une vision forte d'une cité politique universelle et laïcisée. Il serait temps aujourd'hui d'en restaurer l'essentiel, menacé aussi bien par le désenchantement de la pensée démocratique « postmoderne » que par l'utilisation sélective et violente des principes des droits de l'Homme dans l'ordre international. Dans le monde ouvert et métissé où nous vivons, le maintien des valeurs républicaines est essentiel si nous voulons arrêter cette course infernale à la « marchandisation » des névroses identitaires, des déchets de cultures ethniques ou de rituels religieux – qui deviennent prétexte à de bonnes affaires capitalistes ou à des travaux académiques valorisants, enfermant ceux-là mêmes que l'on prétend protéger et sauver dans la prison identitaire que leur forge l'essentialisme culturaliste.

Les valeurs républicaines ne doivent pas être considérées comme un luxe de l'homme blanc, dont lui-même ne sait plus très bien que faire dans le contexte d'un monde globalisé et métissé. Bien au contraire, ce sont tous les aspects de la modernité qui aboutissent à cette dévalorisation, y compris dans le Tiers-Monde où les espoirs avaient été si grands. Car peut-on sérieusement croire que des populations pauvres et démunies refuseraient les avantages de l'État de droit, de la Sécurité sociale et de l'allocation chômage, au profit du maintien d'allégeances tribales, ethniques ou religieuses ? Et comment dans ce cas expliquer que le monde supposé désenchanté de l'Occident exerce cette attraction sur des millions d'êtres qui de tous les pays tentent d'y émigrer, en dépit des images négatives qui le caractérisent dans leur milieu ?

Le bon sens, ici, fait dire que seul l'échec de mise sur pied de l'État de droit, de réalisation d'un capitalisme à visage humain assurant un niveau d'emploi et de vie décente, entraîne l'involution dans le lien traditionnel, ethnique ou religieux, qui peut assurer une sécurité morale « imaginaire » à défaut de sécurité matérielle introuvable – et cette involution n'empêche même pas ceux qui en sont victimes de vouloir malgré tout rejoindre le « paradis » occidental.

Georges Corm, *Orient-Occident, la fracture imaginaire*
La Découverte, coll. « Cahiers libres », 2002, p. 175 *sqq*

■ RAPPORT DE LA COMMISSION DE RÉFLEXION SUR L'APPLICATION DU PRINCIPE DE LAÏCITÉ DANS LA RÉPUBLIQUE

11 décembre 2003

Créée par le président de la République le 3 juillet 2003, la commission de réflexion sur l'application de la laïcité est présidée par Bernard Stasi, médiateur de la République, et composée de vingt membres (outre son président, Mohammed Arkoun, Jean Bauberot, Hanifa Cherifi, Jacqueline Costa-Lascoux, Régis Debray, Michel Delebarrre, Nicole Guedj, Ghislaine Hudson, Gilles Kepel, Marceau Long, Nelly Olin, Henri Pena-Ruiz, Gaye Petek, Maurice Quenet, René Rémond, Rémy Schwartz, Raymond Soubie, Alain Touraine et Patrick Weil). Elle a conduit ses auditions entre le 9 septembre et le 5 décembre.

Faire vivre les principes de la République

Le débat public s'est engagé dans la polémique sur le port du voile islamique à l'école. Les auditions de la commission ont permis de mesurer la logique réductrice et stigmatisante de cette approche, limitée à un signe et dans le seul cadre scolaire :

– au-delà de l'école, c'est l'ensemble du service public qui est confronté à des difficultés dans l'application du principe de laïcité (santé, justice, défense) ;

– depuis l'expression ostentatoire et prosélyte jusqu'à l'atteinte aux droits de la personne et aux libertés publiques, les menaces ébranlent l'ensemble de notre édifice juridique.

Réaffirmer des règles claires pour tous est indispensable dans les services publics.

Réaffirmer la stricte neutralité qui s'impose aux agents publics

Depuis le début du xxᵉ siècle, la jurisprudence constante du Conseil d'État impose aux agents publics la plus stricte neutralité. Elle n'a jusqu'à présent jamais fait l'objet d'une consécration législative. La commission estime qu'il serait opportun de transcrire dans le statut général des trois fonctions publiques le respect de la neutralité du service auquel sont tenus les fonctionnaires et les agents non titulaires de l'État, des collectivités territoriales et de leurs établissements publics. Sans préjudice de l'exercice de leur droit syndical, ils ne peuvent

exprimer en service leurs idées et convictions politiques, religieuses ou philosophiques. En contrepartie de cette obligation, la commission considère que le statut
des agents publics devrait leur offrir la garantie qu'aucune récusation ou mise en
cause à leur égard n'est possible sur le fondement de leurs convictions personnelles ou de leur appartenance, réelle ou supposée, à un groupe religieux, politique
ou philosophique.

Ces obligations de neutralité devraient être mentionnées dans les contrats conclus
avec les entreprises délégataires de service public ou celles concourant au service
public.

Défendre les services publics

L'école.

La question de la laïcité est réapparue en 1989 là où elle est née au XIXe siècle : à
l'école. Sa mission est essentielle dans la République. Elle transmet les connaissances, forme à l'esprit critique, assure l'autonomie, l'ouverture à la diversité des
cultures, et l'épanouissement de la personne, la formation des citoyens autant
qu'un avenir professionnel. Elle prépare ainsi les citoyens de demain amenés à
vivre ensemble au sein de la République. Une telle mission suppose des règles
communes clairement fixées. Premier lieu de socialisation et parfois seul lieu d'intégration et d'ascension sociale, l'école influe très largement sur les comportements individuels et collectifs. À l'école de la République sont accueillis non de
simples usagers, mais des élèves destinés à devenir des citoyens éclairés. L'école
est ainsi une institution fondamentale de la République, accueillant pour l'essentiel des mineurs soumis à l'obligation scolaire, appelés à vivre ensemble au-delà
de leurs différences. Il s'agit d'un espace spécifique, soumis à des règles spécifiques, afin que soit assurée la transmission du savoir dans la sérénité. L'école ne
doit pas être à l'abri du monde, mais les élèves doivent être protégés de la « fureur
du monde » : certes, elle n'est pas un sanctuaire, mais elle doit favoriser une mise
à distance par rapport au monde réel pour en permettre l'apprentissage. Or dans
de trop nombreuses écoles, les témoignages ont montré que les conflits identitaires peuvent devenir un facteur de violences, entraîner des atteintes aux libertés
individuelles et provoquer des troubles à l'ordre public.

Le débat public s'est centré sur le port du voile islamique par de jeunes filles et plus
largement sur le port de signes religieux et politiques à l'école. La commission a
souhaité retracer les différentes prises de position, exprimées par les personnes
auditionnées.

– Pour celles qui le portent, le voile peut revêtir différentes significations. Ce peut être un choix personnel ou au contraire une contrainte, particulièrement intolérable pour les plus jeunes. Le port du voile à l'école est un phénomène récent. Affirmé dans le monde musulman dans la décennie 1970 avec l'émergence de mouvements politico-religieux radicaux, il ne se manifeste en France qu'à partir de la fin des années 1980.

– Pour celles qui ne le portent pas, la signification du voile islamique stigmatise « la jeune fille pubère ou la femme comme seule responsable du désir de l'homme », vision qui contrevient fondamentalement au principe d'égalité entre les hommes et les femmes.

– Pour l'ensemble de la communauté scolaire, le port du voile est trop souvent source de conflits, de divisions et même de souffrances. Le caractère visible d'un signe religieux est ressenti par beaucoup comme contraire à la mission de l'école qui doit être un espace de neutralité et un lieu d'éveil de la conscience critique. C'est aussi une atteinte aux principes et aux valeurs que l'école doit enseigner, notamment l'égalité entre les hommes et les femmes.

La commission a entendu les représentants des grandes religions ainsi que des dirigeants d'associations de défense des droits de l'Homme qui ont fait part de leurs objections vis-à-vis d'une loi interdisant le port de signes religieux. Les motifs invoqués sont les suivants : stigmatisation des musulmans, exacerbation du sentiment antireligieux, image à l'étranger d'une France « liberticide », encouragement à la déscolarisation et au développement d'écoles confessionnelles musulmanes. Les difficultés d'application auxquelles se heurterait une loi ont été soulignées. La jurisprudence du Conseil d'État a abouti à un équilibre auquel elles sont attachées et qu'une loi risquerait de mettre à mal.

D'autres – la quasi-totalité des chefs d'établissement et de très nombreux professeurs – sont convaincus qu'il faut légiférer. La commission a été particulièrement sensible à leur désarroi. Insuffisamment outillés, ils se sentent bien seuls devant l'hétérogénéité de ces situations et la pression exercée par les rapports de force locaux. Ils contestent des chiffres officiels qui minimisent les difficultés rencontrées sur le terrain. Ils ont souligné les tensions suscitées par les revendications identitaires et religieuses, la formation de clans, par exemple, des regroupements communautaristes dans les cours de récréation ou les cantines scolaires. Ils expriment tous le besoin d'un cadre clair, d'une norme formulée au niveau national, prise et assumée par le pouvoir politique, et donc précédée par un débat de la représentation nationale. La demande exprimée est celle d'une loi interdisant tout port de signe visible, pour que le chef d'établissement ne soit pas confronté seul à la question de déterminer s'il se trouve face à un signe ostentatoire ou non. La commission a, par ailleurs, auditionné des responsables politiques ainsi que bon nombre de dirigeants d'associations locales. Aux côtés des enseignants, ils relaient souvent l'appel au secours de très nombreuses jeunes filles et femmes issues de l'immigration, habitant dans les cités. Présentées comme la « majorité silencieuse », victimes de pressions exercées dans le cadre familial ou dans le quartier, ces jeunes femmes ont besoin d'être protégées et qu'à cette fin, des signes forts soient adressés par les pouvoirs publics aux groupes islamistes.

La commission, après avoir entendu les positions des uns et des autres, estime qu'aujourd'hui la question n'est plus la liberté de conscience, mais l'ordre public. Le contexte a changé en quelques années. Les tensions et les affrontements dans les établissements autour de questions religieuses sont devenus trop fréquents. Le déroulement normal des enseignements ne peut plus être assuré. Des pressions s'exercent sur des jeunes filles mineures, pour les contraindre à porter un signe religieux. L'environnement familial et social leur impose parfois des choix qui ne sont pas les leurs. La République ne peut rester sourde au cri de détresse de ces jeunes filles. L'espace scolaire doit rester pour elles un lieu de liberté et d'émancipation.

C'est pourquoi la commission propose d'insérer dans un texte de loi portant sur la laïcité la disposition suivante : « Dans le respect de la liberté de conscience et du caractère propre des établissements privés sous contrat, sont interdits dans les écoles, collèges et lycées, les tenues et signes manifestant une appartenance religieuse ou politique. Toute sanction est proportionnée et prise après que l'élève a été invité à se conformer à ses obligations. »

Cette disposition serait inséparable de l'exposé des motifs suivants : « Les tenues et signes religieux interdits sont les signes ostensibles, tels que grande croix, voile ou kippa. Ne sont pas regardés comme des signes manifestant une appartenance religieuse les signes discrets que sont par exemple médailles, petites croix, étoiles de David, mains de Fatima, ou petits Coran. »

Cette proposition a été adoptée par la commission à l'unanimité des présents moins une abstention.

Elle doit se comprendre comme une chance donnée à l'intégration. Il ne s'agit pas de poser un interdit mais de fixer une règle de vie en commun. Cette nouvelle règle sera explicitée et déclinée par le biais des règlements intérieurs et des cours d'éducation civique. La sanction ne doit intervenir qu'en dernier recours. Les procédures actuelles de médiation et les efforts d'accompagnement doivent être maintenus, voire développés, vis-à-vis des élèves concernés et de leurs familles. L'obstacle juridique de l'incompatibilité d'une loi avec la Convention européenne de sauvegarde des droits de l'Homme et des libertés fondamentales, qui était fréquemment avancé, peut, à l'issue des travaux de la commission, être écarté. La Cour européenne de Strasbourg protège la laïcité quand elle est une valeur fondamentale de l'État. Elle admet que soient apportées des limites à la liberté d'expression dans les services publics, surtout lorsqu'il s'agit de protéger des mineurs contre des pressions extérieures. Quant au juge constitutionnel français, il admet que la loi pose des règles spécifiques pour les mineurs afin d'assurer leur protection. Ce même juge fait de la nécessité de préserver l'ordre public et de sauvegarder les droits et les principes à valeur constitutionnelle un objectif qui est lui-même à valeur constitutionnelle. La loi que la commission propose en ce domaine répond exactement à ces impératifs.

Rapport de la commission de réflexion sur l'application du principe de laïcité dans la République, 11 décembre 2003

■ RÉGIS DEBRAY
L'Enseignement du fait religieux dans l'école laïque :
rapport au ministre de l'Éducation nationale, 2002

> Régis Debray, philosophe, universitaire et écrivain, poursuit une longue enquête sur la croyance, ses motivations et ses nuances, de *Critique de la raison politique ou l'Inconscient religieux* (Gallimard, coll. « Tel », 1987) à *Le Feu sacré : fonctions du religieux* (Fayard, 2003). Dans les deux premières parties de son rapport sur l'enseignement du fait religieux, il analyse l'argumentaire et les conditions de réussite d'une refondation de cet enseignement.

Apparent consensus : l'opinion française, dans sa majorité, approuve l'idée de renforcer l'étude du religieux dans l'École publique. Et pas seulement pour cause d'actualité traumatisante ou de mode intellectuelle. Dès les années 1980-1990, débouchant sur le rapport du recteur Joutard de 1989, les raisons de fond ont été maintes fois et sous divers angles développées qui militent, en profondeur, pour une approche raisonnée des religions comme faits de civilisation.

L'argumentaire connu, c'est la menace de plus en plus sensible d'une déshérence collective, d'une rupture des chaînons de la mémoire nationale et européenne où le maillon manquant de l'information religieuse rend strictement incompréhensibles, voire sans intérêt, les tympans de la cathédrale de Chartres, *La Crucifixion* du Tintoret, le *Don Juan* de Mozart, le *Booz endormi* de Victor Hugo, et *La Semaine sainte* d'Aragon. C'est l'aplatissement, l'affadissement du quotidien environnant dès lors que la Trinité n'est plus qu'une station de métro, les jours fériés, les vacances de Pentecôte et l'année sabbatique un hasard du calendrier. C'est l'angoisse d'un démembrement communautaire des solidarités civiques, auquel ne contribue pas peu l'ignorance où nous sommes du passé et des croyances de l'autre, grosse de clichés et de préjugés. C'est la recherche, à travers l'universalité du sacré avec ses interdits et ses permissions, d'un fonds de valeurs fédératrices, pour relayer en amont l'éducation civique et tempérer l'éclatement des repères comme la diversité, sans précédent pour nous, des appartenances religieuses dans un pays d'immigration heureusement ouvert sur le grand large.

Détresses patrimoniale, sociale, morale, montée des opacités, des désarrois et des intolérances, des mal-être et des errances ? À ces inquiétudes éprouvées par beaucoup, dont ce n'est pas le lieu d'apprécier ici la pertinence ou la portée, ajoutons une raison plus proprement pédagogique. L'effondrement ou l'érosion des anciens vecteurs de transmission que constituaient Églises, familles, coutumes et civilités reporte sur le service public de l'enseignement les tâches élémentaires d'orientation dans l'espace-temps que la société civile n'est plus en mesure d'assurer. Ce transfert de charge, ce changement de portage de la sphère privée vers l'école de tous, sont intervenus il y a une trentaine d'années, au moment même où les humanités classiques et les filières littéraires se voyaient désertées, où la prépondérance du visuel, la nouvelle démographie des établissements, ainsi qu'un certain technicisme formaliste dans l'approche scolaire des textes et des œuvres marginalisaient peu ou prou les anciennes disciplines du sens (littérature, philosophie, histoire, art). Malheureuse coïncidence qui ne facilitait rien.

« L'inculture religieuse » dont il est tant question (devant une Vierge de Botticelli, « Qui c'est, cette meuf ? ») ne constitue pas un sujet en soi. Elle est partie et effet, en aval, d'une « inculture » d'amont, d'une perte des codes de reconnaissance affectant tout uniment les savoirs, les savoir-vivre et les discernements, dont l'éducation nationale, et pour cause, s'est avisée depuis longtemps, pour être en première ligne et devoir jour après jour colmater les brèches. Il ne s'agit donc pas de réserver au fait religieux un sort à part, en le dotant d'un privilège superlatif, mais de se doter de toutes les panoplies permettant à des collégiens et lycéens, par ailleurs dressés pour et par le tandem consommation-communication, de rester pleinement civilisés, en assurant leur droit au libre exercice du jugement. Le but n'est pas de remettre « Dieu à l'école » mais de prolonger l'itinéraire humain à voies multiples, pour autant que la *continuité cumulative*, qu'on appelle aussi *culture*, distingue notre espèce animale des autres, moins chanceuses. Traditions religieuses et avenir des Humanités sont embarqués sur le même bateau. On ne renforcera pas l'étude du religieux sans renforcer l'étude tout court.

Et c'est ici que l'histoire des religions peut prendre sa pleine pertinence éducative, comme moyen de raccorder le court au long terme, en retrouvant les enchaînements, les engendrements longs propres à l'humanitude, que tend à gommer la sphère audiovisuelle, apothéose répétitive de l'instant. Car ce que nous nommons, sans doute à tort, inculture chez les jeunes générations est une *autre* culture, qu'on peut définir comme une *culture de l'extension*. Elle donne la priorité à l'espace sur le temps, à l'immédiat sur la durée, tirant en cela la meilleure part des nouvelles offres technologiques (sampling et zapping, culte du direct et de l'im-médiat, montage instantané et voyages ultrarapides). Élargissement vertigineux des horizons et rétrécissement drastique des chronologies. Contraction planétaire et pulvérisation du calendrier. On se délocalise aussi vite qu'on se « déshistorise ». Un antidote efficace à ce déséquilibre entre l'espace et le temps, les deux ancrages fondamentaux de tout état de civilisation, ne réside-t-il pas dans la mise en évidence des généalogies et soutènements de l'actualité la plus brûlante ? Comment comprendre le 11 septembre 2001 sans remonter au wahhabisme, aux diverses filiations coraniques et aux avatars du monothéisme ? Comment comprendre les déchirements yougoslaves sans remonter au schisme du *filioque* et aux anciennes partitions confessionnelles dans la zone balkanique ? Comment comprendre le jazz et le pasteur Luther King sans parler du protestantisme et de la Bible ? L'histoire des religions n'est pas le recueil des souvenirs d'enfance de l'humanité ; ni un catalogue d'aimables ou funestes bizarreries. En attestant que l'événement (disons, les Twin Towers) ne prend son relief et sa signification qu'en profondeur de temps. Elle peut contribuer à relativiser chez les élèves la fascina-tion conformiste de l'image, le tournis publicitaire, le halètement informatif, en leur donnant des moyens supplémentaires de s'échapper du présent-prison, pour faire retour, mais en connaissance de cause, au monde d'aujourd'hui. Nous voilà déjà loin d'un projet bricolé de « réarmement moral », d'un minimum spirituel garanti ou d'une nostalgie benoîte et exclusivement patrimoniale. [...]

La déontologie enseignante, et qui s'applique à l'exposé des doctrines, en philo-sophie, comme à celui des systèmes sociaux, en histoire, stipule la mise entre parenthèses des convictions personnelles. Donner à connaître une réalité ou une doctrine est une chose, promouvoir une norme ou un idéal en est une autre. Les professeurs sont instruits, au-delà de la simple obligation de réserve, dans l'art de réduire sans aplatir, expliquer sans dévaluer, donner à sentir sans se mettre en avant. La famille des disciplines dites littéraires les entraîne depuis longtemps à pondérer proximité compréhensive et distance critique, empathie et recul, que ce soit vis-à-vis des textes, des civilisations ou des individus. Une didactique des sciences des religions, qui reste, sans doute, à créer ou parfaire, saura prendre la suite, l'expérimentation pédagogique aidant. Les religions ont une histoire, mais ne sont pas que de l'histoire, et moins encore de la statistique. Certes. Dire le contexte historique sans la spiritualité qui l'anime, c'est courir le risque de dévitaliser. Dire, à l'inverse, la sagesse sans le contexte social qui l'a produite, c'est courir le risque de mystifier. La première abstraction fait l'entomologiste, sinon le musée Grévin.

La seconde fait le gourou, sinon le Temple solaire. Il est parié ici sur une troisième voie, mais qui n'a rien de nouveau dans notre meilleure tradition scolaire, depuis un bon siècle : informer des faits pour en élaborer les significations.

Régis Debray,
*L'Enseignement du fait religieux dans l'école laïque :
rapport au ministre de l'Éducation nationale*, 2002
Odile Jacob/SCÉRÉN, 2002, p. 13 *sqq*

■ THÉO KLEIN
Dieu n'était pas au rendez-vous. Entretiens avec Sophie de Villeneuve, 2003

Né en 1920, avocat, Théo Klein a été et demeure une figure majeure du judaïsme français. Au fil de ce dialogue, il revisite son enfance et sa jeunesse résistante, évoque son lien à la Torah, s'interroge sur ce que c'est d'être juif. Le passage qui suit conclut le chapitre consacré à la guerre.

– Vous avez, à cette époque, connu le mal absolu : la persécution des Juifs, le retour de beaucoup des camps. Comment avez-vous vécu, en tant que Juif, cette période de votre vie ?
Le mal absolu, je ne l'ai pas connu directement. Je n'ai pas été déporté. Ce que les déportés ont vécu ne peut être totalement ressenti et compris par ceux qui ont échappé à ce passage par les camps d'extermination. C'est une expérience qui sans doute peut être décrite, qui a été exposée dans des écrits remarquables, que Claude Lanzmann nous a permis d'approcher à travers son œuvre titanesque. Peut-être avons-nous eu parfois le sentiment d'entendre les voix de l'au-delà de l'humain ; mais ce n'est jamais que l'écho du cri désespéré de ceux qui ne sont pas revenus. Il me semble que, aujourd'hui encore, les dimensions de ce drame absolu et total nous échappent. Il aura fallu de longues années pour chercher à prendre la mesure de cette tentative d'assassinat programmé de la dignité humaine.
Avez-vous remarqué dans la Bible juive l'importance de la durée, une sorte de nécessité du temps long pour prendre conscience ? L'histoire s'y déroule par période de quarante années ou de multiples de cette période de base. Le séjour en Égypte est de dix fois quarante années, et la vie de Moïse de trois fois quarante années. Quarante est un chiffre de référence, puisque c'est bien quarante jours et quarante nuits que Moïse aura passés sur le mont Sinaï pour y recevoir, dit-on, l'enseignement céleste. Plus de quarante années après la libération des survivants, nous poursuivons le travail de mémoire commencé bien après leur retour.
Jusqu'à la libération des camps, nous ne savions pas grand-chose en vérité. Certains peut-être savaient : les Allemands, bien sûr, puisqu'ils en étaient les organisateurs ou les accompagnateurs, d'autres avaient été informés, notamment par les Polonais qui avaient réussi à s'échapper vers l'Angleterre.

Un industriel allemand avait réussi, en passant par la Suisse, à donner des informations que le représentant à Genève du Congrès juif mondial avait immédiatement transmises à et par l'ambassade des États-Unis d'Amérique à Berne. L'esprit humain admet difficilement ce qui dépasse les normes connues et, de surcroît, l'imagination. Est-ce la raison d'un silence douteux, qui, une fois encore, couvre un drame dont un peuple minoritaire est victime ?

La découverte a été terrible, si forte que beaucoup n'ont pas réussi à prendre – je veux dire à intégrer – la dimension extravagante du massacre planifié. L'ai-je moi-même comprise, cette dimension ? Je n'en suis pas sûr.

Vous me parlez d'émotion. Elle existe bien sûr et sa force peut même bousculer la révolte et la colère. Mais si l'émotion, le sentiment, peut conduire à la décision, l'action doit ensuite être menée sous le contrôle de la raison. Aujourd'hui, ce qui demeure, c'est le sentiment d'une profonde perplexité.

Contre une telle descente en enfer, qu'est-ce qui me sépare, moi, aujourd'hui et me protégera encore demain de la violence, dans la négation de toutes les valeurs, valeurs qui interdisent et en même temps protègent ? Comment devient-on assassin, bourreau ? Comment établit-on un planning de la mort systématique d'hommes, de femmes et d'enfants appartenant à une catégorie particulière du genre humain, définie suivant des critères établis par le planificateur lui-même ? Comment accepter d'obéir à l'absurde criminel ? Comment, ensuite, rentrer chez soi et embrasser ses enfants ?

Je n'ai pas de réponse.

Je crois qu'il ne faut jamais haïr ; il faut toujours essayer de comprendre avant de juger ; il faut fuir les jugements aléatoires qui attribuent à une collectivité les méfaits ou les défauts d'une minorité d'entre elle.

Je me demande si je n'ai pas rêvé, un jour ou une nuit, d'une ville où il y aurait des juges à tous les grands carrefours, et où ces juges enseigneraient la loi à leurs concitoyens plutôt que d'avoir à les sanctionner pour l'avoir méconnue ou détournée.

– L'antisémitisme de cette période est-il, à votre avis, comparable à celui d'aujourd'hui ?

L'antisémitisme dans les années 1930-1939 aura été, d'abord, un élément du débat politique pour devenir, ensuite, une disposition légale.

Aujourd'hui, nous avons à faire face en France à des actes antijuifs et, dans le monde, à une récupération des éléments les plus sordides de l'antisémitisme européen par un mouvement islamiste fondamentaliste qui vise, en réalité, bien au-delà des juifs, l'ensemble du monde démocratique et de la culture occidentale.

Pour la France, il me semble qu'il s'agit essentiellement de la conjonction de deux éléments : d'une part, un affrontement entre deux solidarités opposées, celle des juifs pour Israël et celle des musulmans pour les Palestiniens, et, d'autre part, – ce qui rend cette opposition intolérable –, la violence d'une certaine jeunesse dont l'intégration à la société française a grandement échoué.

J'aurais préféré que cette analyse, fortement contestée par certains, soit retenue. Il me semble en effet que tout le bruit fait autour d'une vague d'antisémitisme saisissant la France a comme effet pernicieux de réveiller effectivement le courage défaillant des antisémites honteux. Je ne dis pas qu'il ne faut rien faire ; j'aimerais, cependant, que certains porte-parole ne se laissent pas dominer par l'émotion ou, pire encore, par une sorte de conceptualisation jubilatoire d'événements mal analysés. L'antisémitisme est une maladie sociale dont le diagnostic mérite d'être fait avec subtilité et dont la guérison est, la plupart du temps, aléatoire. Cette question ne passe certainement pas par la généralisation abusive et une analyse hâtive des incidents.

Je voudrais, par un souvenir relié à la période de l'Occupation, illustrer mon propos. Fin 1943 ou début 1944, je reçois un télégramme m'indiquant l'arrivée par train de deux colis, il s'agissait de deux garçons pour lesquels je devais trouver une solution immédiate, compte tenu de l'effervescence grandissante qui régnait à Grenoble où la Résistance était souvent active. Je suis allé voir le dirigeant d'un centre de jeunes dont je savais qu'il était scout de France (catholique) et auquel je me suis présenté en faisant le salut scout et en lui tendant la main gauche, traditionnelle. Je lui ai dit que j'avais deux garçons qui étaient totalement aryens mais qui ne l'avaient pas toujours été. Il m'a regardé de son regard clair et m'a dit : « Amène-les moi. » Il s'en est très très bien occupé ; il les a fait transférer à un moment donné dans un autre centre pour plus de sécurité. Après la libération de Grenoble, je suis allé le remercier. Au moment où j'allais quitter la pièce où il était, il m'a rappelé et m'a dit : « Il faut que je te dise que je suis antisémite. » Je ne sais plus ce que j'ai répondu, ni même si j'ai répondu. Mon regret, aujourd'hui encore, est de n'avoir pas la mémoire de son nom, car j'aurais beaucoup aimé le revoir et comprendre…

Théo Klein,
Dieu n'était pas au rendez-vous. Entretiens avec Sophie de Villeneuve, 2003
Bayard, 2003, p. 57 *sqq*

© Bayard

■ CLAUDE NICOLET
Histoire, Nation, République

Le parcours de Claude Nicolet est marqué d'un double sceau : la Rome antique dont il est un des grands spécialistes et l'engagement civique, qu'il a servi de multiples façons (par son travail avec Pierre Mendès France à une époque charnière, par l'écriture, notamment de *L'Idée républicaine en France (1789-1924)*, ou encore par sa participation à la réflexion sur l'enseignement de l'éducation civique).

Il faut transformer les générations de jeunes barbares qui arrivent. Les enfants sont de jeunes barbares. Le système éducatif dont se dote toute société – mais de manière très consciente et volontaire, une République comme la nôtre – a pour but de transformer les jeunes générations incultes qui arrivent, en leur donnant une formation générale, une formation professionnelle. Mais une République y ajoute la formation professionnelle suprême, nécessaire à tous : la formation au métier de citoyen. La République est fondée sur la négation de l'état de nature, quel qu'il soit. C'est un régime qui n'a d'autre légitimité que sa propre perfection, que sa propre perfectibilité. La République ne tient pas sa raison d'être de Dieu ou de la tradition historique. C'est tout simplement le meilleur régime possible, à perfectionner sans cesse. Pour qu'une société soit habitable, le passage par le politique est nécessaire. Il faut qu'un donné soit transformé, par un effort volontaire, en un construit que j'appellerai République parce que je n'ai pas encore trouvé de mot plus approprié pour désigner ce meilleur régime possible. La nature de l'homme doit être transformée, grâce à ce qu'on appelle en elle l'humanité. Voilà ce qu'il faut à tout prix préserver et cultiver. Et pour qu'une République réussisse, il faut qu'elle soit peuplée de citoyens, si possible républicains ; mais c'est un pléonasme : un républicain n'est jamais qu'un citoyen conscient. Le système éducatif à lui seul ne peut contribuer à cette transformation dont je parle. Mais il permet tout de même de toucher la quasi-totalité des classes d'âge de jeunes barbares. Donc, il s'agit de créer des citoyens. Ou plutôt de les aider à naître, de les faire éclore : il faut que la transformation soit consentie, que les choses soient intériorisées. Il faut transformer les hommes en citoyens parce qu'une République est fondée sur cette idée que la vie sociale ne peut être complète et harmonieuse que si elle est corrigée par la vie politique. Le politique est là pour rendre habitable le social.

Comment enseigner la République ? Il ne s'agit exactement ni d'en fournir les bases théoriques, mais d'imaginer l'action politique directe pour la modeler ou l'orienter selon les choix ou les espérances de chacun, ni de la réduire à un catéchisme intangible et dogmatique. La République, nous le savons, ne sort pas toute ficelée de la tête de quelque prophète ; elle s'appuie certes sur une tradition (souvent remise en cause), sur des textes juridiques (souvent dévoyés), et cela, il convient de le rappeler et de l'expliquer. Mais elle est une création continue qui n'a rien de figé ni d'intangible. Fondée avant tout sur la pensée libre (issue du libre examen), sur la laïcité, sur l'usage raisonné de la critique (au sens philosophique du terme), elle se soumet elle-même à ses propres méthodes. Elle réclame des citoyens qu'elle crée, mais sans lesquels elle n'est rien, adhésion, dévouement, parfois obéissance, et même amour. Mais elle ne veut l'incantation, ni l'aveuglement, ni le conformisme, ni même l'altruisme naïf. Si l'éloge n'est rien sans le droit de blâmer, le civisme est dérisoire sans les connaissances et l'esprit critique. Elle reconnaît sous la fiction nécessaire et opératoire de « droits naturels », des droits fondamentaux en chaque individu ; elle n'exige en contrepartie nulle dévotion ; mais l'adhésion librement consentie à un contrat et à des devoirs de la part de consciences autonomes et libres – c'est-à-dire éclairées, aptes à juger et capables de vouloir.

Claude Nicolet,
Histoire, Nation, République
Odile Jacob, 2000, p. 167 et 222 *sqq*

© Odile Jacob

■ RENÉ RÉMOND
« La logique invisible de la laïcité-coopération »

Historien ayant beaucoup œuvré pour le renouvellement des champs politique et religieux dans la production historique, R. Rémond est actuellement président de la Fondation nationale des sciences politiques. Dans *Une République, des religions : pour une laïcité ouverte*, il participe à une réflexion à plusieurs voix sur le rapport entre religions, État et société civile en France.

Il faudrait remonter loin pour retrouver les premiers emplois de l'expression « laïcité ouverte », mais elle a connu un regain de faveur il y a une vingtaine d'années, après 1984, je crois, en particulier lorsque la Ligue de l'enseignement a opéré une vraie mutation, une révolution par laquelle elle a répudié sa conception, que je serais tenté de dire « fondamentaliste », de la laïcité pour en envisager une autre et explorer la laïcité ouverte. Ainsi, déjà, lors du colloque qui s'est tenu en 1987 à l'initiative de *La Croix*, l'expression était en faveur et était acceptée même par la FEN ou d'autres. Pourtant l'expression de « laïcité ouverte » risque aujourd'hui de provoquer des réactions de rejet. Elle n'est sans doute pas acceptable par toutes les parties en cause ; il y a probablement des noyaux qui y seront réticents. En toute hypothèse, ces derniers n'accepteront peut-être jamais que la laïcité évolue. Ils restent attachés à la notion, dont ils sont les « intégristes », d'une laïcité conçue comme négative et impliquant l'ignorance délibérée du fait religieux, et ce, pour des raisons qui sont d'ailleurs différentes : pour les uns, le fait religieux en lui-même n'est pas « recommandable », il faut le combattre ; pour d'autres, le religieux est respectable, mais, selon une conception libérale, ils jugent que le religieux relève de la sphère du privé individuel. Cette idée-là reste aujourd'hui assez largement répandue. Il faudrait donc trouver une expression qui soit plus objective, car celle-ci est d'abord du registre de l'affectif : elle traduit surtout un état d'esprit, une attente, une ouverture, le désir de dépasser l'état antérieur, mais pour aller où ? Une expression est valide à condition de savoir qu'elle n'exprime probablement pas un accord général et qu'elle ne peut pas se traduire. Alors vaudrait-il mieux parler de « laïcité-coopération » plutôt que de « laïcité ouverte » ? Je ne sais pas. Est-ce que « coopération » épuiserait tous les aspects de ce que devrait être le nouveau régime de la laïcité ? C'en est un aspect, et qui est important : il faut en effet retenir l'idée d'une laïcité considérant les religions comme de véritables partenaires ; l'idée de partenariat est au cœur du problème.

Il faut raisonner dans une configuration qui soit au moins triangulaire et qui comprenne le fait religieux, l'État et la société civile. La distinction entre l'État et la société civile est récente, ou, plus exactement, il n'y a pas longtemps que l'État reconnaît l'existence d'une société civile. Toute l'évolution de la laïcité s'explique précisément par le passage d'un stade essentiellement dualiste – où il y avait d'une part l'État et d'autre part les individus, la société n'ayant pas droit à une reconnaissance officielle et publique dans la conception de la révolution libérale, celle-ci faisant disparaître tout ce qui est intermédiaire –, à un stade triangulaire, avec la reconnaissance et la promotion de la société civile que l'État accepte désormais de traiter en partenaire. C'est un renversement de perspective tout à fait nouveau. Dès lors, on ne voit pas pourquoi les Églises ne feraient pas partie elles aussi des partenaires.

Sans retracer l'histoire de la laïcité combative dans la société française issue de la Révolution (très simplifiée puisqu'on a alors fait table rase), on constate qu'il y a l'État – le corps politique – et la multitude des individus ; et rien d'autre, sinon les Églises qui se trouvaient ainsi en situation privilégiée, et qui sont les seules à l'être. Le reste n'est pas reconnu au XIXᵉ siècle, sauf les Églises, la catholique par le Concordat et les autres par les articles organiques. Même s'ils ont quelquefois le sentiment d'être persécutés, les cultes reconnus jouissent au XIXᵉ siècle d'une situation privilégiée et éminente. Aussi, quand, en 1905, les relations sont rompues, se parachève l'évolution sans prendre garde qu'un mouvement de sens contraire s'est amorcé qui va progressivement faire intervenir dans le champ social les organisations intermédiaires : dès 1884, les syndicats obtiennent la reconnaissance et la loi de 1901 instaure un régime légal d'association. Le paradoxe est qu'on supprime les Églises au moment où on reconnaît l'association. Il y a deux évolutions totalement décalées, et contradictoires. Depuis, l'État accepte peu à peu de reconnaître qu'il existe des groupements, et, de plus en plus, de passer des accords avec eux. Ce système de partenariat s'étend aujourd'hui à la société tout entière. Ajoutez-y la décentralisation qui érige les collectivités locales en partenaires de l'État puisqu'il y a des contrats de plans État-région, avec des financements croisés… On voit le bouleversement que cela représente, notamment du point de vue de l'enseignement supérieur. Jadis les facultés étaient des services extérieurs d'une administration d'État. Aujourd'hui, ce sont des partenaires avec lesquels l'État contracte. C'est une extraordinaire révolution mentale. Alors, puisque l'État contracte avec tout le reste, pourquoi ne contracterait-il pas aussi avec des sociétés religieuses ? Pourquoi l'État accepterait-il de financer des syndicats intercommunaux ou des activités culturelles, professionnelles et proscrirait-il le seul religieux ? N'est-ce pas une anomalie qui devrait disparaître un jour ? Ce qui était privilège au XIXe siècle est désormais la règle ; ne pas l'appliquer aujourd'hui aux sociétés religieuses devient une exclusivité discriminatoire. La notion de partenariat est capitale. C'est en partie sur elle qu'on peut fonder un autre type de rapport entre l'État et les confessions, qui seraient alors des partenaires parmi d'autres, et auxquelles il n'y aurait pas de raisons de ne pas accorder les mêmes facilités, juridiques ou financières.

Il faudrait arracher la question de la laïcité à un débat religieux et l'inscrire dans le cadre de l'évolution de la société française qui a accepté le pluralisme, les corps intermédiaires, et fonde aujourd'hui les rapports entre la puissance publique et toutes les composantes de la société sur des rapports d'ordre contractuel et partenarial. La laïcité serait accordée à l'évolution de la société actuelle, notamment pour les pratiques de financement. Prenons, par exemple, la loi Falloux. C'est une loi fort ancienne, largement obsolète, adoptée en 1850 dans le contexte que je disais, et qui interdit aux collectivités territoriales d'investir plus de 10 % dans l'enseignement privé. Cette disposition aurait dû être abrogée par les lois de décentralisation, car elle est absolument contraire à l'esprit de la décentralisation. On ne voit en effet pas pourquoi les collectivités locales peuvent mettre de l'argent dans une entreprise privée pour la renflouer, intervenant ainsi au bénéfice du capitalisme libéral, et n'ont pas le droit de mettre plus de 10 % dans un établissement d'enseignement. Je ne comprends pas que le gouvernement et sa majorité n'aient pas eu l'intelligence de comprendre que c'était là-dessus qu'il fallait s'appuyer pour en demander l'abrogation, et non sur le problème de la laïcité. Le vieux slogan « À école publique, argent public ; à école privée, argent privé » est complètement archaïque. Il était vrai en 1905 : aucune parcelle d'argent public n'allait alors à des activités privées. Mais aujourd'hui, il n'y a guère d'activités privées qui ne soient financées pas l'argent public. Même pour financer la Cathédrale d'Évry, on a donné de l'argent au titre du culturel ; *La Croix* et *L'Humanité* sont financées par l'argent public ; les partis politiques le sont maintenant ; les syndicats aussi pour leurs activités de formation ; toutes les familles d'opinions sont aidées d'une manière ou d'une autre. Pourquoi pas, alors, les activités confessionnelles ? On s'y est d'ailleurs déjà largement engagé. Ainsi de cet enseignement, qu'on ne sait plus comment appeler : il n'est plus privé, il n'est pas libre non plus, il est catholique et fait partie du service public, et, à ce titre, on accepte qu'il soit aidé. Alors qu'on vivait dans l'idée d'un service public unitaire, on admet désormais qu'il puisse être assuré par des éléments privés et qu'il puisse y avoir une pluralité de modalités du service public – c'est cela qui est important. Le protocole Lang-Choupet est capital à cet égard, car il reconnaît que l'enseignement catholique participe au service public de l'enseignement. Il n'est pas aidé comme un service d'à côté : il participe au service public de l'enseignement. Il y a eu incontestablement une évolution profonde des esprits, du droit, de la jurisprudence du Conseil d'État. Il est vrai qu'il peut y avoir des détournements, des contournements, on a souvent créé une filière technique rien que pour avoir de l'argent pour financer le reste. Mais il suffirait d'individualiser à l'intérieur de l'établissement l'argent pour les filières techniques. « Laïcité ouverte ou laïcité-coopération », ces expressions reflètent déjà très largement la réalité.

Il y a toujours eu des services concédés, mais c'est une chose un peu différente de ce dont nous parlons. Il y a eu aussi l'introduction de représentants d'organismes privés dans des conseils d'administration publique. Dans les entreprises nationalisées, les syndicats sont représentés de droit ; ils sont donc associés à l'administration d'entreprises publiques (SNCF, charbonnages, EDF...). Ils y sont même très largement associés, puisqu'on laisse aux syndicats la gestion du comité d'entreprise et de ses ressources. Pour EDF, le comité d'entreprise a un budget considérable, puisqu'il a droit à 1 % de tout le budget EDF. Et il le gère en toute indépendance. Des pratiques se développent très rapidement de collaboration directe ou indirecte, dans beaucoup de domaines, entre organismes de droit privé et État. Mais ce n'est pas le noyau des activités régaliennes qui y est concerné. En revanche, l'enseignement se trouve davantage au cœur de l'État. On n'imagine pas que la justice puisse être partagée. Pourtant M. Chalandon s'était engagé sur cette voie pour les prisons : on aurait abandonné l'exécution des peines à des sociétés privées. Là, on est au cœur de l'État, et la libéralisation allait presque jusque-là. Même pour la Défense, récemment, ayant à choisir pour une commande entre les arsenaux et une entreprise privée, on a donné la préférence au privé. Dans l'humanitaire aussi, il arrive à l'administration, dans certains cas, de s'adresser au Secours catholique, pensant qu'il est plus efficace, pour lui confier notamment des tâches d'intervention à l'étranger. Quand il y a une catastrophe et que l'État se reconnaît moins bien équipé, il recourt à des entreprises privées, des associations philanthropiques, des ONG... La plupart des foyers, des œuvres, le placement des enfants, la DASS sûrement, la direction sociale ont une pratique de la collaboration avec des institutions privées.

La laïcité remet en cause la distinction public/privé. Notre notion de la laïcité à la française s'est constituée en un temps où la distinction était parfaitement claire entre le public et le privé. Cette distinction, tout à fait essentielle et capitale, a été introduite par le libéralisme avec le désir implicite de restreindre le plus possible alors le secteur public de façon à préserver la liberté. Se fait un partage : qu'est-ce qui est du public, qu'est-ce qui est du privé ? Pour le libéralisme, il n'y a pas de doute : pour préserver la liberté de conscience, le religieux, c'est de l'individuel, et l'État n'a pas à intervenir. En retour, le religieux ne doit pas déborder dans l'espace public, ce serait de l'ingérence. Dans cette perspective, le public est assez réduit. Dans l'esprit des républicains qui adoptent la législation de laïcisation, l'État n'a pas à intervenir en beaucoup de domaines, il n'intervient pas dans l'économie, il n'est pas le régulateur de la vie sociale. C'est un État libéral qui est l'État gendarme : il pose les règles, vérifie qu'elles soient respectées, et sanctionne les infractions. Le budget de l'État ne sert que pour les tâches de l'État ; alors que le budget est devenu depuis un instrument de redistribution par le biais des subventions, des allocations. Autrefois, l'impôt ne comportait pratiquement pas de redistribution ; il n'y avait pas d'impôt sur le revenu ; l'impôt ne visait pas à réduire les écarts. Les tâches publiques étaient peu nombreuses et clairement circonscrites : c'était l'État seul avec le service public, le reste étant abandonné au privé. Cette distinction nous paraît aujourd'hui trop sommaire, car s'est développé tout un domaine qui est du privé collectif, du social, un domaine mixte où la puissance publique est sollicitée pour aider, pour encourager, mais où beaucoup est fait par l'initiative privée, individuelle ou collective. Se sont développées toutes sortes de formes d'associations, de coopérations, l'argent public étant maintenant présent à peu près partout. L'attachement à l'application stricte d'une laïcité qui exclut tout ce qui est religieux est un vestige de l'état de choses du XIXe siècle et de son État libéral. Sous l'Ancien Régime, l'Église était la seule sphère publique indépendante et n'appartenant pas à l'État, très présente dans le fonctionnement politique et juridique. Les prêtres y étaient les officiers d'état civil : citoyenneté et confession se confondaient ; on n'était citoyen que si l'on appartenait à la religion. Cet état de choses subsiste encore dans certains pays d'Europe, ou achève de disparaître. C'est encore vrai en Grèce, et ce n'est pas loin de l'être dans les pays scandinaves. Ces pays-là vivent encore dans des situations qui nous apparaissent anachroniques et d'Ancien Régime. C'est plus vrai d'ailleurs des pays protestants que des pays catholiques, car ces derniers, en raison de l'universalité des catholicismes, se sont davantage émancipés que les Églises protestantes qui sont toutes des

Églises nationales, des Églises d'État, d'autant que la naissance de ces nations a souvent été contemporaine du choix de la Réforme. Le catholicisme lui, oppose son propre droit et s'adosse à une puissance extérieure, qui est Rome, et qui négocie. Cela change profondément les rapports.

Je crois qu'il faut raisonner par rapport au XIXe siècle pour comprendre l'évolution du XXe siècle et prendre conscience que la laïcité a déjà pris une forme nouvelle. Il y eut une manifestation des laïques le 9 décembre 1995 à l'occasion du 90e anniversaire de la loi de Séparation, pour protester contre les atteintes à cette loi en se référant à une conception traditionnelle de la laïcité. En fait, la situation n'a pas cessé d'évoluer depuis 1905. On le dit peu : nous ne vivons pas dans un régime de séparation absolue. Ainsi, la paix religieuse a été acquise en 1923, au profit de la reconnaissance des diocésaines. La République reconnaît donc les Églises ; elle reconnaît non seulement l'Église catholique mais encore sa constitution propre. Ainsi, une République qui repose sur un principe démocratique accepte de traiter avec une institution fondée sur un principe hiérarchique : aux yeux de l'État et de ses fonctionnaires, il n'y a de curé valable que celui qui obéit à son évêque et est en communion avec Rome. Si l'évêque se séparait de Rome, si le curé désobéissait à son évêque, il perdrait tout droit à la considération. On ne peut donc pas dire que la République ne reconnaît pas les cultes puisqu'elle reconnaît jusqu'à leur organisation propre. Ainsi, la justice civile a condamné les occupants de Saint-Nicolas-du-Chardonnet, en première instance, en appel et en cassation. Pensez aussi à la loi Debré pour l'enseignement, au diocèse aux armées… Si ceci est pourtant dans la ligne de la loi de Séparation, c'est qu'il y a deux interprétations de cette loi. Les laïques s'en tiennent à une interprétation que la loi ne justifie pas : ils invoquent toujours l'article 2, dont le terme « reconnaître » est équivoque et ambigu, et oublient l'article 1 par lequel la République garantit la liberté des cultes. Si elle garantit cette liberté, elle ne peut pas ignorer les cultes. Donc, « ne reconnaît pas » ne signifie pas qu'elle ne connaît pas. Une intention du législateur a été d'exclure que l'État accorde à l'Église un statut privilégié qui en ferait une sorte d'État dans l'État : plus d'honneurs, de considération, de budget des cultes ; on ne fera pas à l'Église un sort particulier. Voilà ce que signifie la loi de Séparation. Il ne faut donc pas dire que chaque fois qu'un préfet rencontre un évêque, il enfreint la loi de Séparation. Il est d'ailleurs très frappant que le terme choisi ait été « les cultes », c'est-à-dire l'aspect le plus collectif et le plus social : l'organisation, la célébration à l'extérieur. C'est reconnaître que le fait religieux ne peut pas être seulement un fait individuel, mais est aussi un fait social, et que l'État a à cet égard des responsabilités : garantir la liberté des cultes et aussi assurer la police des cultes. La preuve en est qu'il se pose le problème des sectes. La logique de la séparation voudrait que l'État ignore qu'il y ait des sectes. Au nom de quoi se mêle-t-il des sectes sans contrevenir à la séparation ? Cela montre bien que le religieux n'échappe pas complètement à la sphère du public.

Les religions continuent pourtant de faire l'objet d'un traitement à part. Ce qui peut se justifier : le religieux ne se confond pas avec le reste ; mais il ne faudrait pas non plus que ce soit uniquement discriminant. Alors s'est bâti un régime hybride, fait de pièces et de morceaux, qui a résolu au jour le jour les problèmes qui surgissaient, de façon essentiellement empirique et pragmatique, sans que l'idéologie y intervienne beaucoup. Cette évolution n'a pu se faire que parce qu'elle était discrète. On n'y a guère prêté attention. On ne s'est pas aperçu qu'on avait changé dans l'intervalle : le Diocèse aux Armées n'a jamais provoqué beaucoup de conflits. Tant que la question peut se régler sur le plan gouvernemental et réglementaire, il n'y pas d'histoire ; mais un débat législatif soulève des tempêtes car les souvenirs demeurent très forts. Un accord avec les diocésaines a été réglé par négociation entre gouvernements : il n'y a pas eu de débat. La majorité même de droite a évité le débat parlementaire. Juridiquement, l'accord est fragile ; mais personne n'a songé à le remettre en cause depuis quatre-vingts ans. C'est vrai également dans l'autre sens. Prenons la loi de 1904 qui interdit aux congréganistes d'enseigner, une loi qui aurait sûrement été annulée par un Conseil constitutionnel comme contraire au principe d'égalité. Il y a passablement de contradictions qui, finalement, sont résorbées dans la pratique courante. L'exemple le plus significatif est celui des émissions religieuses sur la chaîne publique. Autrefois la laïcité impliquait la suppression des émissions religieuses comme atteinte à la laïcité. En 1934, un gouvernement de gauche arrive et, pour atteinte à la laïcité, supprime les émissions religieuses. Or aujourd'hui, il n'y a d'émissions religieuses sur la 2e chaîne que parce que l'État l'impose à la chaîne au nom de la liberté des cultes. Le renversement est complet, à 180 degrés. Quand est créé en 1983 un Comité constitutionnel de bioéthique, on y met de droit des représentants des Églises. Il n'est donc pas vrai de dire que nous vivons en régime de séparation, sauf à l'entendre comme pour la séparation des pouvoirs, qui ne leur interdit pas de collaborer. C'est un régime de séparation-collaboration. Plutôt que de séparation, il faudrait parler de distinction, qui met fin aux confusions antérieures. Il est vrai que les blocages demeurent forts. On est à la merci d'une explosion. La crainte d'un tel événement paralyse les pouvoirs publics, les retient de prendre des initiatives et pèse sur la liberté des décideurs. C'est tout ce qui reste sur le sujet de l'exception française. Elle n'est plus dans les textes, elle n'est plus dans la pratique : elle est dans les têtes. Ce qui aboutit à des manifestations dérisoires comme celle qui eut lieu à l'occasion de la venue du pape à Reims lorsqu'une association demanda au tribunal administratif l'annulation du crédit ouvert par la municipalité afin d'aménager un podium devant la cathédrale pour le pape. Dieu sait que les municipalités ne refusent pas de l'argent pour n'importe quelle fête commerciale ou autre ; s'il s'agit d'une braderie, d'une course cycliste, elles y mettront dix fois plus d'argent et personne ne s'étonnera que l'argent public passe à cela. Le tribunal a annulé. Il ne pouvait pas faire autrement. Certains se sont aussi indignés que l'on ait ce jour-là mobilisé des gendarmes et des pompiers, pourtant personne ne trouve anormal que pendant tout un mois le tour de France mobilise toutes les brigades de gendarmerie pour une opération purement commerciale. Mais s'il s'agit de deux cent mille citoyens français qui viennent pour le pape, c'est de l'argent détourné. Quel sectarisme ! Puisque ce sont des facteurs historiques qui expliquent ce blocage, en particulier la nécessité de sortir d'un État sous tutelle ecclésiale, on pourrait espérer que des faits historiques nouveaux transformeront le rapport de la puissance publique au fait religieux. Mais le grand nombre reste indifférent et ne se scandalise pas de la virulence des réactions sectaires de minorités dont l'hostilité ne désarme pas. On se heurte à la mauvaise volonté d'une partie des médias, milieu qui n'a pas beaucoup réfléchi à la question, et que sa sensibilité indispose contre tout ce qui se fait du côté catholique : ils ont peur de voir revenir un état de choses où l'Église exercerait une tutelle. Crainte sans fondement, ne serait-ce que parce que l'Église n'en a plus les moyens et ne le veut plus. Mais ils vivent dans une telle crainte de son ingérence que cela aboutit à dénier au fait religieux les droits élémentaires dont disposent tous les autres : quand un évêque, des évêques ou la conférence épiscopale font une déclaration, prennent position sur un problème, on les accuse de se mêler de ce qui ne les regarde pas ; mais les mêmes iront demander à n'importe quel chanteur ou coureur cycliste ce qu'il pense du même problème. Le secrétaire d'un syndicat, n'importe quelle vedette pourront parler, mais pas le président de la conférence épiscopale, car ce serait du cléricalisme.

La chose est d'autant plus complexe et contradictoire que, dans le même temps, on reproche aux Églises de ne pas prendre position sur certains problèmes. Il y a une attente de la majorité de l'opinion pour que, sur certains problèmes, l'Église prenne position : la justice, la solidarité, les ventes d'armes. Ceux qui reprochent à Jean-Paul II d'intervenir sont les mêmes qui reprochent à Pie XII de s'être tu. C'est un point délicat parce qu'il touche à la revendication de l'autonomie personnelle. Cette revendication est générale, elle n'est pas le propre des incroyants, les croyants y participent de plus en plus. Ils ont tendance à se faire eux mêmes juges et estimeront qu'aucune institution n'a le droit de leur dire ce qu'ils peuvent faire. Chacun est juge du licite et de l'illicite, restant sauves les règles posées par la société, par la loi. Si l'Église dit : « il ne peut y avoir de morale valable que celle qui se réfère à une transcendance », cela apparaît comme une position insupportable parce qu'on en tire aussitôt la conclusion que moralité et christianisme se confondent et que l'on rejette ainsi les non-chrétiens dans l'immoralité. Il faut donc admettre qu'il puisse y avoir une morale sans référence explicite à des valeurs transcendantes. C'est cette revendication profonde d'autonomie individuelle, ce refus de toute règle imposée, que ce soit par l'État ou par l'Église, qui fait que la majorité de l'opinion ne s'oppose pas lorsqu'une minorité essaie de limiter l'intervention des religieux. Il faudra certainement encore beaucoup de temps pour résorber la discordance entre un État de droit qui anticipe sur la laïcité ouverte et la réalise largement et la représentation que les gens ont de la laïcité et qui est très décalée par rapport à la pratique.

René Rémond,
« La logique invisible de la laïcité-coopération »,
Une République, des religions : pour une laïcité ouverte,
sous la dir. de Guy Bédouelle, Henri-Jérôme Gagey,
Jérôme Rousse-Lacordaire, Jean-Louis Souletie
Éditions de l'Atelier, 2003, p. 15 *sqq*

■ PAUL RICŒUR
La Critique et la Conviction : entretiens, 1995

> Paul Ricœur est l'un des philosophes contemporains les plus importants. Dans ces entretiens (1994-1995), il aborde son parcours intellectuel et des thèmes moins développés dans son œuvre écrite. Le chapitre d'où sont extraits ces passages s'intitule « France/États-Unis : deux histoires incomparables ».

Avez-vous assisté à la naissance de la *political correctness* ?

J'en ai vu en effet le début, mais sans bien comprendre le phénomène. Il me semble que, là aussi, les choses sont plus compliquées qu'il n'y paraît.

Il faut probablement repartir du maccarthysme, qui a constitué une tentative de terrorisme intellectuel de la part d'une droite réactionnaire : il suffisait que l'on soit un peu critique pour être accusé de communisme. C'était l'époque où l'on savait distinguer entre libéraux et radicaux : les libéraux, au sens politique du terme, sont ce que nous appellerions des « modérés » ; ils étaient, et le sont encore, favorables à l'égalité des sexes et des races, mais sur la base d'une philosophie individualiste et contractualiste, garante des droits inscrits dans la Constitution et ses fameux amendements. Les radicaux d'alors professaient la même philosophie, mais la prolongeaient par un militantisme dirigé contre l'*establishment* et toutes les formes d'institutions jugées hypocrites et sournoisement répressives. Cette forme de radicalisme, encore proche des idéaux de l'individualisme – mes droits contre les empiétements de l'institution –, a été remplacée par une nouvelle forme de radicalisme qui rompt avec le système au niveau même des principes que libéraux et radicaux avaient encore en partage, quoi qu'ils en aient. Ainsi voit-on, formulées par des mouvements féministes, des associations d'homosexuels, des groupements constitués sur une base ethnique, des revendications fondées non plus sur des torts allégués infligés à des individus en des circonstances présentes, mais sur des injustices commises dans le passé à l'égard d'un groupe d'appartenance. Le fait d'appartenir à une catégorie lésée dans le passé devient ainsi une base de revendication. L'argumentaire nouveau repose sur ce qu'on peut appeler un changement des principes de légitimation et de justification d'une revendication, bref, un changement de paradigme au niveau de la philosophie politique et juridique : introduire des considérations relatives au groupe d'appartenance et aux torts infligés à un de ces groupes dans le passé, c'est aller à l'encontre de l'individualisme juridique et politique, et de ce que l'on peut appeler le rapport de contemporanéité présupposé par le contractualisme.

Cela dit – et je pense qu'il fallait aller directement aux principes sous-jacents –, les comportements effectifs placés sous l'étiquette *political correctness* doivent être traités avec prudence. À mon avis, il faut, pour être équitable et précis, les placer sur une échelle graduée selon que le paradigme *nouveau* reste contenu dans le rôle de correctif à l'égard de la philosophie politique et juridique héritée des pères fondateurs, ou qu'il lui est franchement substitué.

Ainsi, on ne porte pas encore atteinte aux fondements classiques de la vie en société quand on recommande, comme il est d'usage dans nombre d'universités – Chicago, entre autres – de pratiquer un *inclusive language*, qui parle des hommes en tant que mâles et des femmes en tant que femelles. On ne dira pas *men*, mais on dira *men and women*, *he and she*, ou encore *the humans*. Autrement dit, on n'emploiera pas le mot *men* au sens générique. De même, on est invité fermement à ne pas employer un langage qui exclut explicitement ou implicitement les femmes ou les Afro-Américains, les homosexuels ou les lesbiennes, etc. Cette surveillance du langage n'est pas en soi insupportable, encore que l'on voie poindre avec cette expression modérée de la *political correctness* la menace d'une police du langage et donc une atteinte à la liberté d'expression.

On passe à quelque chose de plus sérieux, avec la profession, par nombre d'institutions, de ce qui est appelé *affirmative action* : dans le cas de deux candidatures supposées de rang égal selon les critères usuels de recrutement, eux-mêmes solidaires de la philosophie politique et juridique classique, l'administration se réserve le droit de préférer par exemple une femme à un homme, un Noir à un Blanc, un Hispanique à un Anglo-Saxon, etc., en raison du tort fait dans le passé – et, il est vrai, aussi dans le présent – au groupe d'appartenance des individus considérés. Du moment que cette politique est clairement affichée et soutenue par un consensus au moins tacite de la communauté considérée, on peut n'y voir que l'expression d'une justice corrective accolée à une justice distributive abstraitement égalitaire. Mais, plus encore que dans le cas de l'*inclusive language*, on peut craindre que cette politique préférentielle n'en vienne à contredire ouvertement le principe de l'égalité des chances qui repose en effet sur des épreuves de qualification qui font s'affronter des individus considérés en tant que tels et jugés en fonction de leurs performances présentes. Deux philosophies sont ici mises en concurrence, sans que le compromis entre les deux soit lui-même argumenté. On ne peut pas ne pas évoquer ici la thèse de Rawls selon laquelle le premier principe de justice, qui pose l'égalité des individus devant la loi, est lexicalement prioritaire par rapport au second principe, qui demande que dans les partages inégaux prévale la loi de maximisation de la part minimale, autrement dit la protection des plus faibles. Par conséquent, si l'on suit Rawls qui, à cet égard, reste dans la ligne de l'individualisme et du contractualisme juridiques, on ne peut engager une politique sociale qui, pour corriger des injustices passées, commencerait par violer le principe d'égalité présente des individus devant la loi. Or, c'est ce que commence de faire la *political correctness*.

On passe, à mon sens, au stade plus radical de la substitution de paradigme lorsqu'on s'en prend à l'idée d'universalité sous-jacente à celle d'égalité devant la loi. Le seuil est franchi lorsque l'idée, discutable, mais non scandaleuse, de justice corrective, reçoit l'appui d'une idéologie de la différence, directement appliquée à des groupes d'appartenance (sexe, orientation sexuelle, ethnie, classe sociale, etc.). À la limite, les « droits » inhérents à ces groupes sont déclarés eux-mêmes relever de principes différents et les mœurs affichées par ces groupes tenues pour incomparables. Issus de ce mélange détonant entre justice corrective et idéologie de la différence, des comportements inquiétants commencent à s'imposer sur la scène publique. Certains simplement ridicules : on dira par exemple que seules des femmes peuvent conduire des séminaires de *women studies*, des Noirs diriger des *Black studies*. Plus discutable est la tentative d'introduire des quotas d'auteurs féminins ou ethniquement minoritaires dans la confection d'un curriculum d'études, voire de proscrire des écrivains classiques déclarés sexistes, machistes, colonialistes, etc. Les dommages sont encore sans doute minimes dans la mesure où les revendications les plus extrêmes rencontrent de solides résistances de la part de l'administration et de la communauté universitaire dans son ensemble ; ils sont néanmoins potentiellement dévastateurs : l'idéologie de la différence, en rendant les différences indifférentes, ruine l'esprit critique qui repose sur le partage des mêmes règles de discussion et sur la participation à des communautés d'argumentation recrutées sur d'autres bases que la constitution historique de groupes différents d'appartenance. Le paradoxe est en effet que l'éloge des différences aboutit à renforcer les identités internes des groupes constitués.

Les nuisances engendrées par la *political correctness* deviennent patentes lorsque l'on commence à interdire certaines sortes de discours ; c'est alors la liberté d'expression, condition formelle de la libre discussion, qui se trouve menacée ; et la *political correctness* tend vers une sorte de maccarthysme inversé. Un étrange paradoxe est ainsi en train de prendre corps sous nos yeux, à savoir le retournement des idéaux libertaires des radicaux des années 1970 en pulsions répressives. Je voudrais néanmoins retenir de cette grave querelle, d'une part que la philosophie classique des droits individuels est de moins en moins bien adaptée à des revendications qui ont pour support des communautés entières professant une identité collective indivisible ; d'autre part que l'idéologie de la différence, poussée à ses extrêmes, fait trop facilement bon marché de l'idéal d'universalité, qui, à tort ou à raison, a été classiquement lié à l'individualisme juridique. L'idée de droits individuels et celle d'universalité sont en train de prendre des chemins divergents. C'est pourquoi je m'intéresse davantage au débat entre universalisme et communautarisme, qui laisse entrevoir des arbitrages plus fructueux.

Paul Ricœur, François Azouvi, Marc Buhot de Launay,
La Critique et la Conviction : entretiens
Hachette littératures, coll. « Pluriel », 2002, p. 86 *sqq*
Calmann-Lévy, 1995

ABDELMALEK SAYAD
La Double Absence : des illusions de l'émigré aux souffrances de l'immigré

Abdelmalek Sayad (1933-1998), sociologue, directeur de recherches au CNRS, a travaillé sur l'émigration et l'immigration. La « double absence » exprime à la fois l'éloignement de la famille et des lieux de vie originels et la difficulté à s'intégrer dans le pays d'arrivée.

L'immigré, surtout de basse condition sociale, est tenu à une sorte d'hyper-correction sociale. Socialement, voire moralement suspect, il doit avant tout rassurer quant à la morale : on n'a jamais autant parlé en France de « valeurs républicaines » que pour dénoncer les comportements déviants, au regard de la morale sociale et politique de la société française, des immigrés musulmans, port du voile à l'école, statut discriminé de la femme, usage politique de la religion qu'on désigne sous le nom d'intégrisme, etc. Conscient de la suspicion qui pèse sur lui et à laquelle il ne peut échapper, confronté à elle tout au long de sa vie d'immigré et en tous les domaines de son existence, il lui appartient de la dissiper continûment, de la prévenir et de la dissuader à force de démonstrations répétées de sa bonne foi et de sa bonne volonté. Parce que l'immigré se trouve engagé malgré lui dans les luttes sociales, qui sont nécessairement des luttes identitaires, et parce qu'il y est engagé à l'état isolé et presque d'ailleurs sans le vouloir – notamment dans les interactions interindividuelles de la vie quotidienne –, il n'a pas d'autres choix que de surenchérir, dans un sens ou dans l'autre. De nécessité faisant vertu, l'immigré incline, sans doute en raison, pour une large part, de la position dominée qu'il occupe dans la structure des rapports de force symboliques, à exagérer, l'une comme l'autre, chacune des deux options contradictoires qu'il croit avoir choisies alors qu'en réalité il ne fait que les subir. Il est condamné à la surenchère en tout, dans tout ce qu'il fait, dans tout ce qu'il vit, et en tout ce qu'il est. Tantôt, il doit assumer comme immigré (lorsqu'il est au plus bas de la hiérarchie sociale dans le monde des immigrés) les stigmates qui, aux yeux de l'opinion, font l'immigré, acceptant de la sorte (une acceptation résignée ou révoltée, soumise ou revendicative et même provocante) la définition dominante de son identité : qu'on se souvienne seulement, à ce propos, du fait que le stigmate engendre la révolte contre le stigmate, et qu'une des premières formes de cette révolte consiste en la reprise en compte, la revendication du stigmate, converti alors en emblème, selon le paradigme classique

Black is beautiful, cela jusqu'à l'institutionnalisation du groupe qui se donne ainsi le stigmate pour fondement, c'est-à-dire, en gros, les effets sociaux, économiques, politiques, culturels de la stigmatisation dont il est à la fois l'objet et en partie le produit. Tantôt, au contraire, il se voue à la recherche de l'*assimilation* comme on dit, ce qui suppose tout un travail de présentation de soi et de représentation (celle que les autres ont de soi et celle qu'on veut leur donner de soi), donc un travail portant essentiellement sur le corps, sur l'apparence physique, sur les comportements extérieurs les plus chargés précisément d'attributs ou de significations symboliques, afin, d'une part, de faire disparaître tous les signes susceptibles de rappeler le stigmate (les signes physiques, le teint, la couleur de peau, des cheveux, etc. ; les signes culturels, l'accent, la manière de parler, le vêtement, le port de la moustache, tout le style de vie, etc.) et, d'autre part, d'afficher par mimétisme l'adoption des traits qui, par contraste, semblent être caractéristiques emblématiquement de ceux auxquels on voudrait s'assimiler. [...]

Mais le comble de l'impolitesse tout à la fois civile et politique, le comble de la grossièreté et de la violence à l'égard de l'entendement *national*, semble être atteint avec ces « immigrés » qui n'en sont pas, les enfants des immigrés, sortes d'hybrides qui ne partagent pas totalement les propriétés qui définissent idéalement l'immigré intégral, l'immigré accompli, conforme à la représentation qu'on s'en fait, ni entièrement les caractéristiques objectives et surtout subjectives des nationaux : ils sont des « immigrés » qui n'ont émigré de nulle part ; des « immigrés » qui ne sont pas, en dépit de cette désignation, des immigrés comme les autres, c'est-à-dire des étrangers au sens plein du terme – ils ne sont étrangers ni culturellement, puisqu'ils sont des produits intégraux de la société et de ses mécanismes de reproduction et d'intégration, la langue (la langue dans laquelle on naît et qui, ici, n'est pas la langue maternelle au sens littéral), l'école et tous les autres processus sociaux ; ni nationalement, puisqu'ils sont le plus souvent détenteurs de la nationalité du pays. « Mauvais » produits sans doute de la société française, aux yeux de certains, mais produits quand même de cette société. Sortes d'agents troubles, équivoques, ils brouillent les frontières de l'ordre national et, par conséquent, la valeur symbolique et la pertinence des critères qui fondent la hiérarchie de ces groupes et de leur classement. Et ce que, sans doute, on pardonne le moins à cette catégorie d'immigrés, c'est précisément d'attenter à la fonction et à la signification diacritiques [1] de la séparation que la « pensée d'État » établit entre natio-

---

1. Diacritique : qui sert à distinguer.

naux et non-nationaux. L'on ne sait alors comment considérer et comment traiter ces immigrés d'un nouveau genre, on ne sait ce qu'il faut attendre d'eux. Et, dès lors, la peur ordinaire, si l'on peut dire, peur personnelle ou individuelle qu'inspire l'étranger immigré, se mue en angoisse collective quand sont abolies les séparations traditionnelles et que disparaissent la sécurité et le réconfort tout à la fois physique, moral et mental ou intellectuel que procurent ces séparations combien rassurantes, dans la mesure où elles constituent une protection derrière laquelle se réfugier en affirmant « être chez soi », à l'abri d'ingérences extérieures.

Cette forme d'angoisse ou cette nouvelle peur de l'immigré contre lesquelles l'exigence de politesse s'avère inopérante sont encore plus difficiles à dissiper, elles se diffusent plus largement et se transposent sur toute une série d'objets connexes, les jeunes, les quartiers difficiles, les quartiers chauds, les banlieues, les chômeurs, les délinquants, etc., surtout quand tout cela se cumule sur les mêmes personnes et les mêmes lieux (les enfants de l'immigration, les immigrés de la « deuxième génération »). De ce point de vue, c'est une transformation radicale qui s'est opérée dans l'immigration, et la suspicion qui continue à peser sur ces immigrés d'un genre nouveau est à la mesure des changements introduits par l'immigration des familles et par leur reproduction sur place...

Abdelmalek Sayad,
La Double Absence : des illusions de l'émigré aux souffrances de l'immigré
Seuil, coll. « Liber », 1999, p. 404 *sqq*

■ DOMINIQUE SCHNAPPER
Qu'est-ce que la citoyenneté ?

Dominique Schnapper est sociologue, directrice d'études à l'École des hautes études en sciences sociales. Elle prolonge dans ce livre son analyse du type idéal de la société nationale moderne, fondée sur les valeurs, les principes et les institutions de la citoyenneté. Cela la conduit à réfléchir sur les conceptions qui remettent en question le lien historique entre citoyenneté et nation.

La « nouvelle » citoyenneté européenne

Pour l'instant, il n'existe pas de citoyenneté européenne indépendante de la citoyenneté nationale : c'est le fait d'être citoyen français ou allemand qui confère la « citoyenneté européenne ». Les droits politiques qui sont accordés après un temps de séjour dans certains pays aux étrangers venant d'un autre pays membre de l'Union européenne ne concernent que la vie politique locale. Même si la Communauté accorde les mêmes droits économiques et sociaux à travers tout l'espace communautaire non seulement aux citoyens des nations qu'elle regroupe mais aussi aux étrangers qui y sont régulièrement installés, la citoyenneté politique ne se déduit pas, pour l'instant, du fait qu'ils sont titulaires de ces droits civils et sociaux.

Il faut toutefois dépasser ce point de vue juridique et s'interroger sur le sens politique de la citoyenneté. Si tous les peuples européens se réfèrent au principe de citoyenneté, les pratiques et les institutions par lesquelles ce principe organise concrètement la vie politique varient, on l'a vu, d'un pays à l'autre selon l'histoire de la formation de l'État et de la nation. Tout ce qui donne une réalité concrète au principe de citoyenneté a toujours été et reste, pour l'instant, national. Chacun des peuples de l'Europe est normalement attaché aux institutions politiques qui organisent sa vie politique et sa vie collective. Chacun des pays qui construisent l'Europe est singulier. Il ne s'agit donc ni d'occulter ni d'éradiquer les spécificités nationales, mais d'analyser le défi qu'elles posent à l'organisation et à la légitimation d'un espace public européen.

L'élaboration d'une véritable citoyenneté européenne impliquerait que fût construit l'espace public européen, c'est-à-dire un espace public dans lequel les membres des sociétés européennes se reconnaîtraient comme citoyens. Il faudrait que les citoyens de l'Europe considèrent que les gouvernants élus au niveau européen sont légitimes et qu'ils jugent légitimes leurs décisions. Il faudrait que des enjeux, des débats et des institutions organisent un domaine politique commun à tous les citoyens de l'Europe. Concrètement, cela signifie, par exemple, que des électeurs français votent pour des Italiens, des Allemands ou des Espagnols, non pas en fonction de leur appartenance nationale mais de leur proximité politique, parce qu'ils partagent la même vision du monde et les mêmes aspirations sociales, les mêmes valeurs. Cela impliquerait qu'ils considèrent comme légitimes les décisions prises par ce pouvoir légitimement élu. Il faudrait aussi que les Européens soient prêts à combattre pour défendre leur patrie commune. C'est là le véritable enjeu, pour que la citoyenneté prenne un sens « réel » et non simplement « formel ». [...]

Nous avons raisonné jusqu'à présent dans le cadre de la citoyenneté « classique », celle qui s'est élaborée dans le cadre des nations. Mais l'Europe ne devrait-elle pas élaborer une nouvelle organisation politique, n'est-elle pas en train de le faire ?

De nombreux auteurs aujourd'hui tentent de formuler, à propos de l'Europe, ce que pourrait être une « nouvelle » conception de la citoyenneté. Ils arguent que la citoyenneté de l'Europe qui se construit n'est pas et ne peut pas être simplement l'élargissement au niveau de l'Europe de la citoyenneté nationale, que l'Europe ne pourra simplement être une « nation » plus grande, qu'elle est en train d'inventer une nouvelle citoyenneté.

Leurs théoriciens ou leurs partisans critiquent la notion de citoyenneté dite classique, à la fois sur le plan des faits et des valeurs. Ils constatent qu'elle est dévaluée. En même temps, ils jugent cette évolution positive. Ils souhaitent que se développe une conception nouvelle de la citoyenneté, de nature économique et sociale, qui fonde une nouvelle pratique démocratique, qualifiée de participative. Pour eux, la citoyenneté ne se définit plus seulement par un ensemble de droits-libertés – définition politique – mais par les droits-créances ou, plus exactement, ce sont les droits-créances qui deviennent les véritables droits politiques. C'est cette conception qui serait en train de prendre corps au niveau européen. La nature purement politique de la citoyenneté était liée à l'âge des nationalismes et à la constitution des États-nations. Les révolutions de la fin du XVIIIe siècle avaient libéré les nouveaux citoyens des États nationaux des entraves héritées de la société féodale devenue obsolète. Aujourd'hui, la construction de l'Europe est en train de libérer les acteurs économiques des restrictions imposées par les frontières et les législations héritées de l'âge des nations et des nationalismes. Dans la vie collective, c'est désormais la participation économique et sociale qui est devenue prépondérante.

La véritable appartenance à la collectivité ne se définit plus par la participation à la politique mais par l'activité économique. La citoyenneté nationale n'est plus seule à donner un statut légal et des droits, les institutions européennes sont en train de construire une nouvelle citoyenneté. Les institutions européennes confèrent aux citoyens européens et aux étrangers légalement présents dans l'espace européen un statut social qui devient un véritable statut politique. Il existe donc désormais à la fois une citoyenneté nationale et européenne. Les institutions européennes ont d'abord développé les instruments de l'unité économique, puis le droit social : elles définissent par exemple la qualité de « salarié » et les droits qui lui sont attachés, elles garantissent la liberté du travail, les droits sociaux des immigrés, l'égalité entre les sexes. Mais la constitution d'une unité économique a entraîné, par sa logique propre, l'unité politique : de la baisse des tarifs douaniers, on est passé nécessairement au Marché commun, à la monnaie unique, qui va imposer une politique économique commune, donc un pouvoir politique commun. Des groupes d'intérêts transnationaux se forment qui agissent dans la même direction. Cette évolution est inscrite dans l'histoire même de la Communauté européenne.

Le droit communautaire européen est en train de faire naître une citoyenneté fondée sur une conception, commune à tous les Européens, de solidarité et de justice sociale. D'ailleurs, le citoyen européen peut plaider devant les deux Cours de justice européennes, éventuellement contre son propre État national. La France, par exemple, a été condamnée le 12 juillet 1999, pour « tortures », par la Cour européenne des droits de l'Homme.

La Convention européenne des droits de l'Homme prime sur la loi nationale, elle est devenue une véritable Constitution européenne des droits de l'Homme. Le traité de Maastricht a également donné des droits politiques locaux à tous les Européens, établi le principe d'un mode de scrutin uniforme, il donne le droit de pétition. L'Europe et les régions et non plus l'État national traitent désormais des problèmes de la pauvreté de l'emploi, de l'éducation, de la rénovation urbaine et rurale, de l'égalité des sexes. Un Comité des régions auprès du Parlement européen va pouvoir accorder aux régions « un droit légitime à l'autodétermination ». Des identités multiples se construisent, ainsi que des droits et des devoirs divers qui s'expriment à travers des institutions de plus en plus nombreuses : une configuration nouvelle s'élabore dans laquelle les stratégies des instances politiques nationales, régionales et européennes, des groupes d'intérêts transnationaux se combinent de manière complexe. La nouvelle citoyenneté qui émerge à travers ces dispositions, ces institutions et ces actions n'est plus nationale ni cosmopolite mais multiple.

La citoyenneté résidence

Des critiques plus radicales à l'égard de la citoyenneté classique sont formulées par d'autres auteurs qui avancent que la citoyenneté dite classique constitue un principe d'exclusion des non-citoyens et d'inégalité entre citoyens et non-citoyens qui est devenu insupportable étant donné les valeurs des démocraties modernes. C'est d'ailleurs ce que montre, selon eux, le fait que les pays européens n'ont pas osé renvoyer les *Gastarbeiter*, c'est-à-dire les travailleurs immigrés venus louer leur force de travail en Allemagne selon un contrat provisoire. Malgré les termes de leur contrat qui permettaient de le faire, ils sont restés quand ils le souhaitaient : on avait le sentiment que, désormais, ils faisaient partie de la société où ils étaient installés. Il faut tirer toutes les conséquences de cette évolution. Donner le droit au séjour, garantir l'exercice des droits civils, économiques et sociaux sans accorder le droit de voter et de participer à la vie politique au sens étroit du terme, c'est faire naître des citoyens de seconde zone qui ne peuvent, comme les autres, défendre leurs droits et leurs intérêts par l'action politique. Les principes de l'égalité et de la liberté doivent s'appliquer à tous, étrangers compris : au nom de quoi justifier leur exclusion de la pleine citoyenneté et la discrimination dont ils sont ainsi les victimes ?

En conséquence, il faudrait dissocier la nationalité de l'exercice de la citoyenneté : la confusion de l'une et de l'autre caractérisait l'âge des États-nations. La participation de fait à une société doit donner droit par elle-même à la citoyenneté. Du moment que les individus sont là, c'est qu'ils sont intégrés : au nom de quoi exiger d'eux plus que ce qui permet de vivre dans une société donnée ? Il est indigne d'une véritable démocratie de mettre des conditions à l'obtention de la citoyenneté pour ceux qui souhaitent l'exercer. Un individu né ou arrivé jeune dans une société donnée doit avoir automatiquement droit à devenir citoyen, ainsi que tous ceux qui ont séjourné plus de cinq ans dans le pays, même illégalement : ils ont de fait participé à la société. Toute condition mise à l'acquisition de la natio-nalité, en particulier en ce qui concerne l'assimilation culturelle ou la volonté de participer à une collectivité historico-politique, est injustifiée. La seule résidence doit donc donner droit à la citoyenneté, à l'exclusion de toute autre exigence de conformité ou de volonté. Le mot même de « citoyen », avec sa connotation proprement politique, n'a plus de sens, le véritable acteur social serait désormais le « contribuable » ou l'« usager ».

Cette argumentation soulève des interrogations fondamentales sur l'organisation politique et sur le fondement de sa légitimité. Donner sans conditions la citoyenneté à tous ceux qui sont présents sur le sol national, avec l'argument qu'ils participent de fait à la société, impliquerait de remettre en cause le principe de transcendance par le politique, qui est au fondement de la citoyenneté. Les sociétés humaines, même démocratiques, même modernes ou postmodernes, peuvent-elles évacuer la dimension proprement politique ? Peuvent-elles être réduites aux seuls intérêts matériels, à la seule participation concrète à la vie économique, en évacuant toute transcendance et tout projet politiques ? Comment pourraient-elles, dans ce cas, arbitrer entre les intérêts des individus et des groupes qui sont par nature divergents ou opposés, mobiliser les énergies contre un péril extérieur ? Où et comment s'exprimeraient la volonté démocratique, la volonté de se défendre ?

La citoyenneté postnationale

Autre théoricien de la « nouvelle citoyenneté », Jürgen Habermas propose une réflexion fondamentalement différente. Il se réfère à une conception essentiellement politique pour penser la citoyenneté « postnationale ». Pour lui, la citoyenneté doit garder tout son sens politique et traduire les valeurs communes aux démocraties européennes telles qu'elles s'expriment : à travers l'adhésion aux droits de l'Homme. Mais, à partir d'une autre analyse, il plaide également pour dissocier le lien entre la nationalité et la citoyenneté, en élaborant le « patriotisme constitutionnel ».

Il faudrait construire l'Europe en séparant l'idée nationale de la pratique de la citoyenneté qui s'exercerait au niveau de l'Europe. Il faudrait dissocier le patriotisme national, celui que ressentent les individus pour la France, l'Allemagne ou l'Angleterre, de l'exercice de la citoyenneté. Le patriotisme national pourrait ainsi se conjuguer avec le « patriotisme constitutionnel » de la citoyenneté européenne. Ce dernier devrait se référer à des principes abstraits, ceux que formulent les Déclarations des droits de l'Homme. La « nation » (l'Allemagne, la France) resterait le « lieu de l'affectivité, le lieu du partage d'une même culture et d'une même histoire ». L'espace public européen deviendrait le « lieu de la loi ». On pourrait ainsi séparer l'identité nationale, avec ce qu'elle comporte de dimensions historique, ethnique et culturelle, de la participation civique et politique, fondée sur la rationalité de la loi et les droits de l'Homme.

Le sens patriotique ne serait plus seulement lié à une nation culturelle et historique particulière, mais aussi au principe même de l'État de droit. Ainsi conçu comme une pure pratique civique détachée de l'appartenance nationale, le patriotisme « constitutionnel » serait susceptible de refonder les identités nationales tout en assurant, au niveau européen, l'autorité de l'État de droit et les principes des droits de l'Homme. [...]

Les sociétés humaines ne sont pas constituées de sujets de droit ou de citoyens, mais d'individus concrets avec leurs passions et leurs fidélités particulières. Une société politique purement civique pourrait-elle mobiliser les peuples et leur permettrait-elle de former une société ? Peut-on intégrer les hommes pour des idées aussi respectables que l'État de droit et le « patriotisme constitutionnel », mais aussi abstraites ? Peut-on concevoir dans un avenir proche une politique qui ne prenne pas sa source dans l'ensemble des valeurs des traditions et des institutions spécifiques qui définissent une nation politique ? Ne risque-t-on pas de rendre encore plus fragiles des sociétés démocratiques qui sont de moins en moins politiques ?

La nation n'est pas en effet purement « civique ». Toute nation est à la fois civique et ethnique. Il faut sortir de la traditionnelle opposition que les historiens et les penseurs ont faite entre la « nation ethnique » (le *Volk* allemand) et « la nation civique » (la nation politique française) à la suite des conflits entre nationalismes du siècle passé. Cette opposition est historique et idéologique. Mais dans la réalité, toute nation démocratique est, de fait, à la fois « ethnique » et « civique ». Toute société démocratique organisée comporte de manière indissoluble des éléments dits ethniques, une culture, une langue, une histoire commune, et la conscience de partager cette culture et cette mémoire, et un principe civique, selon lequel les individus sont également citoyens par-delà leurs diversités et leurs inégalités. La participation sociale est concrètement fondée sur toutes sortes d'éléments particuliers et particularisants, qu'on peut qualifier d'ethniques ou de « communautaires » : la pratique d'une même langue (sauf cas exceptionnels), le partage par tous les nationaux d'une même culture et d'une mémoire historique singulière, la participation aux mêmes institutions, qu'il s'agisse de l'École ou de l'entreprise en passant par l'ensemble des pratiques strictement politiques. Sinon, comment pourrait-on « faire société » ? La familiarité immédiate qui s'établit entre les nationaux, quelles que soient par ailleurs les différences qui les séparent, est le produit de cette socialisation spécifique et de la vie commune à l'intérieur d'une société nationale concrète. La société fondée sur la citoyenneté est un projet civique, donc à vocation universelle, on l'a vu. Mais c'est aussi une société historique, à la fois communauté de culture, lieu de mémoire collective et d'identité historique. La singularité de l'idée de la société démocratique par rapport aux autres modes d'organisation politique tient à ce que le lien civique et le principe de la citoyenneté doivent en dernière analyse avoir la prééminence sur tous les particularismes, historiques ou religieux, sur les solidarités domestiques ou claniques. Elle n'implique pas que ces particularismes soient éliminés, ce qui n'est ni possible ni souhaitable. Mais elle ne saurait négliger que les règles du fonctionnement démocratique ne peuvent fonctionner que dans certaines conditions sociales.

Dominique Schnapper,
Qu'est-ce que la citoyenneté ?
Gallimard, coll. « Folio actuel », 2000, p. 247 *sqq*

■ RÉMY SCHWARTZ

Intervention lors de la table ronde « École et laïcité aujourd'hui », commission des Affaires culturelles, familiales et sociales de l'Assemblée nationale, jeudi 22 mai 2003

La commission des Affaires culturelles, familiales et sociales est l'une des six commissions permanentes de l'Assemblée nationale. Par leurs rapports préparatoires aux discussions, les missions d'information qu'elles confient à certains de leurs membres et les groupes d'études thématiques qui fonctionnent en leur sein, les commissions constituent une instance de travail majeur. Elle reçoit ici Rémy Schwartz, maître des requêtes au Conseil d'État.

M. Rémy Schwartz : Monsieur le président[1], je voudrais tout d'abord saluer les élèves ici présents du lycée Henri-Bergson, ce lycée de l'Est parisien dont je suis ancien élève, ainsi d'ailleurs que de l'école publique du quartier dit « Amérique, butte rouge » du XIXe arrondissement. Par ailleurs, à l'ENA, nous étions trois à être issus de ce quartier. Je tiens donc à remercier l'école laïque et républicaine et le concours républicain, en mon nom et au nom de tous ceux qui ont pu intégrer la haute fonction publique.

[…] Je voudrais exposer la jurisprudence du Conseil d'État en trois points. Tout d'abord, pourquoi le Conseil d'État a-t-il abouti à une jurisprudence balancée, à savoir qu'il est interdit d'interdire par principe le port de signes religieux, en ce qui concerne les élèves, mais que des limites strictes sont posées ? Je voudrais ensuite rapidement indiquer quelle est précisément la règle de droit dégagée. Et enfin, si j'ai le temps, voir si des évolutions législatives sont possibles juridiquement.

La jurisprudence trouve son origine dans un avis du Conseil d'État du 27 novembre 1989. Puis le contentieux a pris le relais entre 1992 et 2000, avec une vingtaine d'arrêts du Conseil d'État. Je viens d'en exposer le principe : il est interdit d'interdire, par principe, le port de signes religieux, sauf violation de certaines règles dont je ferai état dans un instant.

---

1. Jean-Michel Dubernard, député, président de la commission des Affaires culturelles, familiales et sociales.

Premièrement, pourquoi le Conseil d'État a-t-il cru pouvoir dégager cette règle ? Je crois que, selon son habitude, il a tenté de concilier des principes qui pouvaient apparaître contradictoires, voire antagonistes. Comme il l'a fait au début du xxᵉ siècle, quand il s'agissait de réglementer les sonneries de cloche, les processions religieuses, ainsi que tout ce qui était manifestation de libre expression dans la sphère publique. Le Conseil d'État a interprété le principe de laïcité comme imposant le strict respect de toutes les pensées et de toutes les convictions. Et la première règle est que l'enseignement public est libre de toute attache religieuse et égal pour tous.

Je citerai rapidement les textes qui ont été évoqués tout à l'heure. Le principe de la laïcité trouve sa première expression dans la loi du 28 mars 1882, qui dispose que « dans l'enseignement primaire, l'instruction religieuse est donnée en dehors des édifices et des programmes scolaires ». Ce principe a été repris à l'article 17 de la loi du 30 octobre 1886, relative à l'enseignement primaire : « Dans les écoles publiques de tout ordre, l'enseignement est exclusivement confié à un personnel laïque. » Et la loi de 1905 a supprimé tout financement du culte, à l'exception des aumôneries. Ce principe a été consacré dans le préambule de la Constitution de 1946, qui est intégré dans la Constitution actuelle : « L'organisation de l'enseignement public gratuit et laïque à tous les degrés est un devoir de l'État », et dans l'article 1ᵉʳ de la Constitution de 1958 qui affirme le caractère laïque de la République. La première portée de ce principe est l'affirmation d'un enseignement délivré par l'État, enseignement libre de toute attache religieuse. La deuxième conséquence est que la laïcité doit être respectueuse des convictions de tous. Je citerai l'article X de la Déclaration des droits de l'Homme et du citoyen : « Nul ne doit être inquiété pour ses opinions, même religieuses, pourvu que leur manifestation ne trouble pas l'ordre public établi par la loi. »

Quant à la loi de 1905 sur la séparation de l'Église et de l'État, elle affirme la liberté de conscience et organise des aumôneries dans les services publics, précisément pour permettre le respect par tous des convictions religieuses.

Le Conseil d'État a interprété ce principe de laïcité comme imposant que l'enseignement soit délivré et transmis en dehors de toute attache religieuse, afin de respecter la foi et la conviction de tous.

Parallèlement à cette conception de la laïcité, existe un principe également constitutionnel de liberté de conscience qui est de plus consacré par les conventions internationales. Je ne reviendrai pas sur la portée constitutionnelle du principe de liberté de conscience, j'insisterai brièvement sur les accords internationaux auxquels la France a adhéré : la Convention européenne des droits de l'Homme, la Convention du 15 décembre 1960 concernant la lutte contre les discriminations dans le domaine de l'enseignement, les deux pactes internationaux du 16 décembre 1966 relatifs aux droits civils et politiques, d'une part, et aux droits économiques, sociaux et culturels, d'autre part. De cet ensemble de normes internationales, c'est évidemment l'article 9 de la Convention européenne des droits de l'Homme qui est le plus fort : « Toute personne a droit à la liberté de penser, de conscience et de religion ; ce droit implique la liberté de changer de religion ou de conviction, ainsi que la liberté de manifester sa religion ou sa conviction individuellement ou collectivement, en public ou en privé, par le culte, l'enseignement, les pratiques et l'accomplissement des rites. La liberté de manifester sa religion ou ses convictions ne peut faire l'objet d'autres restrictions que celles qui, prévues par la loi, constituent des mesures nécessaires, dans une société démocratique, à la sécurité publique, à la protection de l'ordre, de la santé ou de la morale publiques, ou à la protection des droits et libertés d'autrui. » J'ajouterai que le législateur, en 1989, a repris cette logique posée par la Convention européenne des droits de l'Homme, puisque l'article 10 de la loi d'orientation sur l'éducation du 10 juillet 1989 relative à l'éducation affirme : « Dans les collèges et les lycées, les élèves disposent dans le respect du pluralisme et du principe de neutralité de la liberté d'information et de la liberté d'expression. »

Une fois que des normes sont adoptées, une fois que la France est partie à des conventions internationales, une fois qu'une loi est votée, il revient ensuite au juge d'appliquer ces normes auxquelles il n'est pas partie prenante directement. Le Conseil d'État a donc essayé de concilier l'ensemble de ces données : un principe de la laïcité entendu d'une façon plutôt libérale et un principe constitutionnel, et consacré sur le plan international, de liberté de conscience. C'est ainsi que le Conseil d'État a jugé que la laïcité s'impose strictement aux agents publics. Quel que soit le service dans lequel il travaille, un agent public, qu'il soit ou non au contact du public, ne peut en aucun cas porter de signe religieux (avis rendu en matière contentieuse, 3 mai 2000, Mlle Marteau). En revanche, il a distingué les agents publics des usagers du service public, considérant que la laïcité, telle qu'interprétée comme indiqué précédemment, avait été conçue pour permettre le respect des convictions de tous les usagers. Et c'est la raison pour laquelle il existe, par exemple, des aumôneries dans les établissements publics. Deuxièmement, quelle est précisément cette règle de droit ?

Le principe est qu'il n'est pas possible, selon l'avis du Conseil d'État de 1989, consacré ensuite par les décisions rendues au contentieux, d'interdire par principe, en ce qui concerne les usagers, tout port de signes religieux, sans qu'une diffé-rence soit faite entre une croix et un foulard (2 novembre 1992, Kerouaa). Et un élève ne peut être sanctionné au seul motif qu'il porterait un signe religieux. Un élève peut manifester ses croyances religieuses dans son établissement par le port d'un signe religieux et il n'est donc pas possible d'interdire, dans un règlement inté-rieur, le port de signes religieux (20 mai 1996, ministre de l'Éducation nationale c/Ali ; 27 novembre 1996, ministre de l'Éducation nationale c/Khalid). Un signe reli-gieux et sans qu'une distinction soit faite entre une croix, une kippa, et un foulard ne peut en soi être considéré comme un acte de prosélytisme (27 novembre 1996, époux Naderan).

Cependant, cette règle est complétée par des principes très stricts. Par son comportement, l'élève ne peut manquer aux règles fondamentales de l'enseigne-ment public, il ne peut porter atteinte à la continuité du service, il doit respecter tous les programmes, il ne peut arborer des signes religieux qui seraient constitu-tifs d'un acte de prosélytisme, de provocation, il ne peut porter atteinte à la liberté d'autrui, il ne peut perturber le déroulement des activités d'enseignement, le rôle éducatif des enseignants, etc.

En cas de non-respect de ces règles, il est légalement possible d'infliger des sanctions lourdes allant jusqu'à l'exclusion. Par exemple en ce qui concerne des élèves qui « sécheraient » les cours d'éducation physique (27 novembre 1996, époux Wissaadane), qui refuseraient d'aller en cours un jour donné de la semaine pour des motifs religieux (décision d'Assemblée, 14 avril 1995, Koen et Consistoire central des israélites de France). Un élève qui participerait à des manifestations dans le lycée au motif de défendre ses convictions religieuses pourrait légalement faire l'objet d'une exclusion (27 novembre 1996, Ligue islamique du Nord). Et un élève doit pour un certain nombre d'enseignements ôter les signes religieux s'ils sont incompatibles avec le bon déroulement de cet enseignement, en particulier le sport (10 mars 1995, époux Aoukili) et a fortiori pour certains cours de physique comportant des travaux pratiques. Il est possible d'exiger le port de tenues compa-tibles avec le bon déroulement des cours, notamment en matière de technologie et d'éducation physique et sportive, sans qu'il y ait nécessité de justifier dans chaque cas particulier l'existence d'un danger pour l'élève (10 octobre 1999, ministre de l'Éducation nationale c/Époux Aït Ahmed).

Il est évident que cette jurisprudence est très difficile à manier, notamment lorsqu'il s'agit de faire le partage entre signe ostentatoire et signe qui ne serait pas osten-tatoire.

J'ajouterai, pour compléter cette jurisprudence, que reste toujours d'actualité la bonne vieille jurisprudence relative aux troubles à l'ordre public (19 mai 1933, Benjamin). En effet le Conseil d'État a assimilé les sanctions prises à l'égard des élèves à des mesures de police intérieure. Et dès lors que nous sommes sur le terrain de la police, il est possible en cas de trouble à l'ordre public, en fonction de considérations de temps et de lieu, de prendre des mesures d'interdiction. S'il n'est pas possible de poser des mesures d'interdiction générale et absolue, il serait possible, dans un établissement donné, en fonction de troubles à l'ordre public, d'imposer une interdiction motivée par des circonstances de temps et de lieu. Tel est le sens implicite de l'arrêt Yilmaz du 14 mars 1994.

Enfin, très rapidement quelles sont les évolutions possibles ?

Peut-on faire évoluer cette règle de droit ? Affirmer l'interdiction du port de tout signe ostentatoire n'apporterait strictement rien puisque tel est l'état du droit aujourd'hui. Imposer l'interdiction de tout signe religieux au sein du système éducatif, du moins en ce qui concerne l'enseignement primaire et secondaire, telle est la vraie question. Elle suscite néanmoins deux interrogations : la question constitutionnelle et celle de la Convention européenne des droits de l'Homme. Quelle lecture le juge constitutionnel ferait-il du principe de liberté de conscience ? Autoriserait-il qu'une atteinte générale lui soit portée au sein des établissements d'enseignement public ?

La deuxième interrogation porte sur la jurisprudence de la Cour européenne des droits de l'Homme. Cette jurisprudence rejoint assurément celle du Conseil d'État en ce qui concerne les agents publics. La Cour européenne des droits de l'Homme a eu exactement le même raisonnement que le juge de l'administration française, en considérant que le service public est un choix de l'agent, il n'est pas tenu de choisir de travailler pour l'État ou pour une personne publique. Il ne peut en conséquence s'affranchir des obligations du service public (Cour européenne des droits de l'Homme, 12 mars 1981) : vous avez évoqué, monsieur le président, cette décision concernant l'instituteur musulman qui souhaitait s'absenter le vendredi pour des raisons religieuses.

Les États peuvent restreindre la liberté des agents publics de manifester leurs convictions religieuses ; car il n'y a pas de droit à intégrer une fonction publique (Cour européenne des droits de l'Homme, 8 mars 1976). Les États peuvent sanctionner les agents publics manifestant dans leur service leur conviction religieuse (Cour européenne des droits de l'Homme 6 janvier 1993, Yanasike contre Turquie). Et un agent public peut être sanctionné en raison de comportements prosélytes dans son service (Cour européenne des droits de l'Homme, 24 février 1998) : cela visait le comportement d'un certain nombre d'officiers pentecôtistes au sein de l'armée grecque. La Cour européenne a également validé une sanction prise à l'encontre d'un enseignant manifestant ses convictions auprès de jeunes enfants.

Je terminerai, monsieur le président, en invoquant néanmoins une difficulté : la jurisprudence de la Cour européenne des droits de l'Homme est très laconique en ce qui concerne les usagers du service public. Il y a uniquement une décision évoquée tout à l'heure, concernant une étudiante d'une université turque, sanctionnée pour le port d'un signe religieux ; les motivations de l'arrêt sont toutefois ambiguës puisque la Cour a fondé sa décision sur deux motifs : d'une part, elle a relevé que l'intéressée avait choisi de poursuivre ses études dans un établissement d'enseignement supérieur laïque, ce qui signifiait qu'elle pouvait poursuivre des études dans un établissement religieux ; d'autre part, la Turquie est un pays très fortement musulman et l'interdiction du port du foulard vise aussi à protéger les minorités. Il s'agit d'un arrêt spécifique à la situation turque.

Voilà, monsieur le président, quel est l'état du droit.

Rémy Schwartz,
intervention lors de la table ronde « École et laïcité
aujourd'hui », commission des Affaires culturelles, familiales
et sociales de l'Assemblée nationale, jeudi 22 mai 2003
(séance de 9 heures), compte rendu n° 41 bis, p. 15 *sqq*

CHANSONS, POÈMES ET RÉCITS

« Anthologie » *vient du grec anthologia*, soit l'action de cueillir des fleurs, et par extension la collecte de textes. C'est bien ce que constitue cette partie : un florilège, qui ne prétend pas à l'exhaustivité. [1]

CHANSONS

Hugues Aufray, « Les Crayons de couleur », 1960
Jean-Jacques Goldman, « Né en 17 à Leidenstadt », 1990
Manau, « L'Avenir est un long passé », 1999
Claude Nougaro, « Armstrong »
Pierre Perret, « Lily », 1977
Zebda, « Je crois que ça va pas être possible », 1998

POÈMES

Louis Aragon, « L'Affiche rouge », 1955
Paul Fort, « Ronde », 1897
Jean de La Fontaine, « Le Lion et le Rat » et « La Colombe et la Fourmi », 1668
Abdelwahab Meddeb, « Poèmes d'Auschwitz », 2003
Jacques Prévert, « Étranges Étrangers », 1951
Léopold Sédar Senghor, « Prière de paix (pour grandes orgues) », 1948
André Velter, « Frontières », 2000

RÉCITS

Azouz Begag, *Le Gone de Chaâba*, 1986
Nina Berberova, *Chroniques de Billancourt*, fin des années 1920/début des années 1930
Geneviève Brisac, *Monelle et les footballeurs*, 2000
Albert Camus, *Le Premier Homme*, inachevé
René Char, *Recherche de la base et du sommet*, 1946
Albert Cohen, *Ô vous, frères humains !*, 1972
Éric Conan, *Sans oublier les enfants*, 1991
Francesco d'Adamo, *Iqbal, un enfant contre l'esclavage*, 2001
Vassili Grossman, *Vie et Destin*, 1960

---

1. Ces textes sont classés par catégorie (chansons, poèmes, œuvres de fiction, témoignages et documents) et par ordre alphabétique des noms d'auteur au sein de chaque catégorie. Quand il s'agit d'extraits, les coupes intérieures sont signalées ([...]).

Pierre Jakez Hélias, *Le Cheval d'orgueil*, 1975

Joseph Joffo, *Un Sac de billes*, 1973

Primo Levi, *Si c'est un homme*, 1947

Jack London, *L'Amour de la vie*, 1914

Antoine de Saint-Exupéry, *Le Petit Prince*, 1943

Jorge Semprun, *L'Écriture ou la Vie*, 1994

William Styron, *Le Choix de Sophie*, 1979

Kresmann Taylor, *Inconnu à cette adresse*, 1938

Tahar Ben Jelloun, *Le Racisme expliqué à ma fille*, 1997

Amin Maalouf, *Identités meurtrières*, 1998

Jacques Sémelin, *La Non-Violence expliquée à mes filles*, 2000

Ady Steg, témoignage devant la commission réfléchissant au Code de la nationalité, 2 octobre 1987

Chansons

■ **HUGUES AUFRAY**
« Les Crayons de couleurs », 1960

Né en 1929, Hugues Aufray est connu pour ses adaptations en français des chansons de Bob Dylan ; son répertoire fait désormais partie des classiques de la chanson française. Inspirée au début des années 1960 d'une réflexion sur le racisme, cette chanson rappelle que « la couleur ne fait pas l'homme ».

Un petit garçon est venu me voir tout à l'heure
Avec des crayons et du papier,
Il m'a dit je veux dessiner un homme en couleur,
Dis-moi comment le colorier ?
Je voudrais qu'il soit pareil que moi quand je serai grand,
Libre, très fort et heureux ;
Et faut-il le peindre en bleu, en noir ou en blanc,
Pour qu'il soit comme je le veux ?
Si tu le peins en bleu, fils, il ne te ressemblera guère,
Si tu le peins en rouge, fils, on viendra lui voler sa terre,
Si tu le peins en jaune, mon fils, il aura faim toute sa pauvre vie,
Si tu le peins en noir, fils, plus de liberté pour lui.
Alors le petit garçon est rentré chez lui,
Avec son beau cahier sous le bras,
Il a essayé de dessiner toute la nuit,
Mais il n'y arriva pas.
Si tu le peins en bleu, fils, il ne te ressemblera guère,

Si tu le peins en rouge, fils, on viendra lui voler sa terre,
Si tu le peins en jaune, mon fils, il aura faim toute sa pauvre vie,
Si tu le peins en noir, fils, plus de liberté pour lui.
S'il fallait trouver une morale à ma chanson,
C'est assez facile en somme :
Je crois qu'il faut dire à tous les petits garçons,
Que la couleur ne fait pas l'homme (ter).

Hugues Aufray,
« Les Crayons de couleurs », 1960

© EMI Music Publishing

■ JEAN-JACQUES GOLDMAN, CAROL FREDERICKS ET MICHAEL JONES

« Né en 17 à Leidenstadt », 1990

Cette chanson de 1990 du trio Fredericks, Goldman et Jones est consacrée au thème des libertés et de la résistance, à des moments différents de l'histoire, dans l'Allemagne des années 1930, l'Afrique du Sud de l'apartheid ou l'Irlande du Nord. Elle transmet un message de lucidité exigeante.

{Refrain :}
Et si j'étais né en 17 à Leidenstadt
Sur les ruines d'un champ de bataille
Aurais-je été meilleur ou pire que ces gens
Si j'avais été Allemand
Bercé d'humiliation de haine et d'ignorance
Nourri de rêves de revanche
Aurais-je été de ces improbables consciences
Larmes au milieu d'un torrent
Si j'avais grandi dans les docklands de Belfast
Soldat d'une foi, d'une caste
Aurais-je eu la force envers et contre les miens
De trahir : tendre une main
Si j'étais née blanche et riche à Johannesburg
Entre le pouvoir et la peur
Aurais-je entendu ces cris portés par le vent
Rien ne sera comme avant
On saura jamais c'qu'on a vraiment dans nos ventres
Caché derrière nos apparences
L'âme d'un brave ou d'un complice ou d'un bourreau
Ou le pire ou le plus beau ?
Serions-nous de ceux qui résistent
Ou bien les moutons d'un troupeau
S'il fallait plus que des mots

{au refrain}
Et qu'on nous épargne à toi et moi si possible très longtemps
D'avoir à choisir un camp

Jean-Jacques Goldman,
« Né en 17 à Leidenstadt », 1990

© JRG Éditions musicales

■ MANAU
« L'Avenir est un long passé », 1999

Cette chanson du groupe de rap celtique Manau, rendu célèbre par l'album *Panique celtique*, met en perspective trois moments de l'histoire de France, la guerre de 1914-1918, la Résistance et la situation actuelle (fin des années 1990), où se joue la lutte pour les libertés et la démocratie.

L'avenir est un long passé.
Une pupille noire entourée de blanc. Le visage fatigué braqué sur un lieutenant.
L'ordre sera donné dans quelques instants.
Deuxième assaut de la journée et Marcel attend.
Il a placé au bout de son fusil une baïonnette pour lutter contre une mitraillette de calibre 12.7.
Près de sa tranchée, placés à 20 ou 30 mètres, la guerre des bouchers, nous sommes en 1917.
Tant de journée qu'il est là ! À voir tomber des âmes. Tant de journées déjà passées sur le Chemin des Dames. Marcel sent que la fin a sonné. Au fond de sa tranchée, ses mains se sont mises à trembler.
L'odeur de la mort se fait sentir, il n'y aura pas de corps à corps, il sent qu'il va bientôt mourir. Comment un homme peut-il accepter d'aller au combat ? Et quand il sent au fond de lui qu'il ne reviendra pas.
L'homme est-il un animal ? Comme à cette époque le mai est déjà caporal. La main du lieutenant doucement vers le ciel s'est levée. La suite, l'avenir est un long passé.
Une pupille noire entourée de blanc. Le visage ciré, son regard est terrifiant. Placés à quelques pas de là, des Allemands.
1944 Jean-Marc est un résistant.
Il a eu pour mission de faire sauter un chemin de fer. Lui qui n'est pas homme d'action est devenu maître de guerre.
Après le cyclone qui frappa sa mère et son père d'une étoile jaune, idée venue droit de l'enfer.
Tant d'années passées à prendre la fuite. Tant de journées consacrées à lutter contre l'antisémite. Jean Marc sait qu'il n'a plus de recours. Le câble qu'il a placé pour faire sauter le train est bien trop court. La mort se fait sentir, mais il n'a pas

de remords, comment le définir ? C'est la nature de l'homme qui l'a poussé à être comme ça. Se sacrifier pour une idée, je crois qu'on ne résiste pas. Le mal est maintenant général, de toutes les forces armées occultes de la mauvaise époque de l'Allemagne. Au loin le train s'approche et l'on peut distinguer sa fumée. La suite, l'avenir est un long passé.

Une pupille noire entourée de blanc. C'est ce que je peux voir devant la glace à présent. Je viens de me lever, il y a quelques instants.

C'est difficile à dire à fond ce que je ressens. Après la nuit que j'ai passée, dur a été mon réveil. À tout ce que j'ai pu penser avant de trouver le sommeil. À toutes ces idées qui m'ont causé que des problèmes. La réalité et toutes ces images de haine.

Tant d'années passées à essayer d'oublier. Tant de journées cumulées et doucement il s'est installé. Je me suis posé ce matin la question. Est-ce que tout recommence, avons-nous perdu la raison car j'ai vu le mal qui doucement s'installe sans aucune morale.

Passer à la télé pour lui est devenu normal. Comme à chaque fois avec un nouveau nom. Après le nom d'Hitler, j'ai entendu le nom du front.

Et si l'avenir est un long passé, je vous demande maintenant ce que vous en pensez ? Comme Marcel et Jean-Marc ma vie est-elle tracée ? La suite, l'avenir est-il un long passé ?

Je vous demande ce que vous en pensez. Verrai-je un jour le mal à l'Élysée ? La France est-elle en train de s'enliser ?

L'avenir est-il un long passé ?

Manau,
« L'Avenir est un long passé », 1999

© BMG Music Publishing

■ CLAUDE NOUGARO
« Armstrong », 1965

Chanteur-compositeur-poète, Nougaro (1929-2004) rend ici hommage au musicien noir Louis Armstrong et à l'apport des anciens esclaves noirs à la musique de jazz.

Armstrong je ne suis pas noir
Je suis blanc de peau
Quand on veut chanter l'espoir
Quel manque de pot
Oui j'ai beau voir le ciel, l'oiseau
Rien, rien, rien ne luit là-haut
Les anges zéro
Je suis blanc de peau.
Armstrong tu te fends la poire
On voit toutes tes dents
Moi je broie plutôt du noir
Du noir en dedans
Chante pour moi Louis, Oh oui !
Chante, chante, chante ça tient chaud
J'ai froid… oh moi
Qui suis blanc de peau.
Armstrong la vie, quelle histoire !
C'est pas très marrant
Qu'on l'écrive blanc sur noir
Ou bien noir sur blanc
On voit surtout du rouge, du rouge
Sang, sang, sans trêve ni repos
Qu'on soit, ma foi, noir ou blanc de peau.
Armstrong, un jour, tôt ou tard
On n'est que des os
Est-ce que les tiens seront noirs ?
Ce s'rait rigolo
Allez Louis Alléluia !

Au-delà de nos oripeaux,
Noir et blanc sont ressemblants
Comme deux gouttes d'eau
Oh ! Yeah !

Claude Nougaro,
« Armstrong », 1965

■ PIERRE PERRET
« Lily », 1977

Dans cette chanson de 1977, le chanteur retrace l'itinéraire et les difficultés d'intégration d'une jeune Africaine immigrée dans la société occidentale.

– I –

On la trouvait plutôt jolie, Lily
Elle arrivait des Somalies, Lily
Dans un bateau plein d'émigrés
Qui venaient tous de leur plein gré
Vider les poubelles à Paris.
Elle croyait qu'on était égaux, Lily
Au pays d'Voltaire et d'Hugo, Lily
Mais pour Debussy en revanche
Il faut deux noires pour une blanche
Ça fait un sacré distinguo.
Elle aimait tant la liberté, Lily
Elle rêvait de fraternité, Lily
Un hôtelier rue Secrétan
Lui a précisé en arrivant
Qu'on ne recevait que des Blancs.

– II –

Elle a déchargé des cageots, Lily
Elle s'est tapé les sales boulots, Lily
Elle crie pour vendre des choux-fleurs
Dans la rue ses frères de couleur
L'accompagnent au marteau piqueur.
Et quand on l'appelait Blanche Neige, Lily
Elle se laissait plus prendre au piège, Lily
Elle trouvait ça très amusant
Même s'il fallait serrer les dents
Ils auraient été bien trop contents.
Elle aima un beau blond frisé, Lily

Qui était tout prêt à l'épouser, Lily
Mais la bell'famille lui dit :
« Nous ne sommes pas racistes pour deux sous,
Mais on n'veut pas de ça chez nous ! »

– III –

Elle a essayé l'Amérique, Lily
Ce grand pays démocratique, Lily
Elle n'aurait pas cru sans le voir
Que la couleur du désespoir
Là-bas aussi ce fût le noir.
Mais dans un meeting à Memphis, Lily
Elle a vu Angela Davis, Lily
Qui lui dit : « Viens ma petite sœur,
En s'unissant on a moins peur
Des loups qui guettent le trappeur ».
Et c'est pour conjurer sa peur, Lily
Qu'elle lève aussi son poing rageur, Lily
Au milieu de tous ces gugusses
Qui foutent le feu aux autobus
Interdits aux gens de couleur.

– IV –

Mais dans ton combat quotidien, Lily
Tu connaîtras un type bien, Lily
Et l'enfant qui naîtra un jour
Aura la couleur de l'amour
Contre laquelle on ne peut rien.
On la trouvait plutôt jolie, Lily
Elle arrivait des Somalies, Lily
Dans un bateau plein d'émigrés
Qui venaient tous de leur plein gré
Vider les poubelles à Paris.

Pierre Perret,
« Lily », 1977

© Adèle

■ ZEBDA
« Je crois que ça va pas être possible », 1998

> Le groupe toulousain, rendu célèbre en 1998 par le grand succès populaire de « Tomber la chemise », dénonce ici la discrimination et le racisme dans la société française à la fin des années 1990.

Voici... ce que je vous propose comme entrée
Je fais des fixations devant les portes d'entrée
Pas n'importe lesquelles, surtout les bien gardées
Avec 100 kilos de muscles à la clé
Devant trop de barbaque, c'est vrai je fais des rejets
Et je peux dire que je maîtrise le sujet
Les portes je connais, j'en ouvre tous les jours
Mais j'en ai vu claquer plus souvent qu'à mon tour
Je vous fais un topo sur l'accueil
À l'entrée des boîtes
« Veuillez entrer monsieur, votre présence nous flatte »
Non je plaisante, car ça se passe pas ainsi
Devant les boîtes, moi je suis toujours à la merci
D'un imbécile à qui je sers de cible et qui me dit :
Je crois que ça va pas être possible
Pas être possible, pas être possible
J'ai pas fini, voici mon plat de résistance
Comme tout un chacun j'ai bossé pour ma pitance
Et histoire de vivre convenablement
Je me suis mis à la recherche d'un appartement
J'ai bichonné un excellent curriculum vitæ
Couleur et Macintosh enfin toute la qualité
En prime : irréprochable situation morale
Et même quelques feuilles de salaire : la totale
Vas-y Dieudo, fais leur le proprio
« C'est un honneur pour moi. Je vais vous montrer le patio »
Non, je plaisante car ça s'est pas passé ainsi
Quand il m'a vu. J'ai vu que tout s'est obscurci

A-t-il senti que je ne lisais pas la Bible et il m'a dit :
Je crois que ça va pas être possible
Pas être possible, pas être possible
Le bonheur étant toujours pour demain
J'ai placé quelques thunes pour un petit jardin
Un petit nid et balcon sur « la prairie des filtres »
Avec piscine au bord de la Garonne, si j'insiste !
Mais ce putain de bonheur n'est jamais dans le pré
J'ai appelé « le bon sens près de chez vous » pour un prêt
Mais les banques, c'est les banques !
Comment vous dire… eh bien, les mots me manquent
Enfin je vous fais le topo des grosses têtes
« Il vous manque des points pour compléter votre retraite
Vous devriez me semble-t-il pour assurer les traites
Mettre à jour et un terme à l'ensemble de vos dettes »
Et puis, il a souri en me disant « c'est terrible mais…
Je crois que ça va pas être possible
Je crois que ça va pas être possible »
Mais je lâcherai pas l'affaire, cousins, cousines
J'ai la patate à faire peur à la pile alcaline
Et je ferai pas comme celui qui va prendre un billet dans… La chaleur de la nuit
Et je sais tous les noms d'oiseaux dont on nous traite
Et un jour je sais bien que c'est nous qu'on fera la fête
À tous ces gens qui vivent dans les autres sphères
Je vais les inviter à mon joyeux anniversaire
Et là plus de « Qu'est-ce qu'y fait ? Qu'est-ce qu'il a ? »
De rebelote « Qui c'est celui-là ? »
Et à toutes ces taches qui vous jugent à la figure
Je leur ferai une justice avec mes chaussures
Quand ils voudront sortir, là ! ce sera terrible
Je leur dirai
Je crois que ça va pas être possible
Pas être possible, pas être possible

Zebda,
« Je crois que ça va pas être possible », 1998

© Corida Éditions

Poèmes

■ LOUIS ARAGON
« L'Affiche rouge », 1955

> Aragon (1897-1982) s'inspire pour ce poème de 1955, de l'affiche rouge apposée par l'occupant nazi à la suite de l'arrestation et de l'exécution (février 1944) de membres du groupe Manouchian, composé de résistants communistes immigrés du réseau des FTP-MOI. Une partie du poème reprend les mots de la dernière lettre de Missak Manouchian[1] à sa femme.

Vous n'avez réclamé ni gloire ni les larmes
Ni l'orgue ni la prière aux agonisants
Onze ans déjà que cela passe vite onze ans
Vous vous étiez servis simplement de vos armes
La mort n'éblouit pas les yeux des partisans
Vous aviez vos portraits sur les murs de nos villes
Noirs de barbe et de nuit hirsutes menaçants
L'affiche qui semblait une tache de sang
Parce qu'à prononcer vos noms sont difficiles
Y cherchait un effet de peur sur les passants
Nul ne semblait vous voir Français de préférence
Les gens allaient sans yeux pour vous le jour durant
Mais à l'heure du couvre-feu des doigts errants
Avaient écrit sous vos photos MORTS POUR LA FRANCE

---

1. Voir cette lettre dans le chapitre « Voix d'hier, boussole pour aujourd'hui ».

Et les mornes matins en étaient différents
Tout avait la couleur uniforme du givre
À la fin février pour vos derniers moments
Et c'est alors que l'un de vous dit calmement
Bonheur à tous Bonheur à ceux qui vont survivre
Je meurs sans haine en moi pour le peuple allemand
Adieu la peine et le plaisir Adieu les roses
Adieu la vie adieu la lumière et le vent
Marie-toi sois heureuse et pense à moi souvent
Toi qui vas demeurer dans la beauté des choses
Quand tout sera fini plus tard en Erivan
Un grand soleil d'hiver éclaire la colline
Que la nature est belle et que le cœur me fend
La justice viendra sur nos pas triomphants
Ma Mélinée ô mon amour mon orpheline
Et je te dis de vivre et d'avoir un enfant
Ils étaient vingt et trois quand les fusils fleurirent
Vingt et trois qui donnaient le cœur avant le temps
Vingt et trois étrangers et nos frères pourtant
Vingt et trois amoureux de vivre à en mourir
Vingt et trois qui criaient « la France » en s'abattant

Louis Aragon,
« L'Affiche rouge », *Le Roman inachevé*, 1955
Gallimard, coll. « Poésie », 1978.

© Gallimard

■ PAUL FORT
« Ronde », *Ballades françaises : choix 1897-1960*

Paul Fort (1872-1960) a fait paraître, depuis le recueil *Ballades françaises* de 1897 qui connut une grande popularité, une œuvre poétique abondante. S'inspirant de formes anciennes (médiévale ou folklorique), son lyrisme s'incarne dans une poésie familière et chantante qui a souvent l'allure du langage parlé. Il nous livre ici un message de paix.

Si toutes les filles du monde voulaient s'donner la main, tout autour de la mer elles pourraient faire une ronde.
Si tous les gars du monde voulaient bien êtr'marins, ils f'raient avec leurs barques un joli pont sur l'onde.
Alors on pourrait faire une ronde autour du monde, si tous les gars du monde voulaient s'donner la main.

Paul Fort,
« Ronde », *Ballades françaises : choix 1897-1960*
Flammarion, 1984, p. 7

■ JEAN DE LA FONTAINE
« Le Lion et le Rat » et « La Colombe et la Fourmi », 1668

> « On a souvent besoin d'un plus petit que soi » : telle est la morale, commune à ces deux textes du grand fabuliste (1621-1695).

Fable XI
Le Lion et le Rat[1]

Fable XII
La Colombe et la Fourmi[2]

> Il faut, autant qu'on peut, obliger tout le monde :
> On a souvent besoin d'un plus petit que soi.
> De cette vérité deux Fables feront foi,
> Tant la chose en preuves abonde.
> Entre les pattes d'un Lion
> Un Rat sortit de terre assez à l'étourdie.
> Le Roi des animaux, en cette occasion,
> Montra ce qu'il était, et lui donna la vie.
> Ce bienfait ne fut pas perdu.
> Quelqu'un aurait-il jamais cru
> Qu'un Lion d'un Rat eût affaire ?
> Cependant il advint qu'au sortir des forêts
> Ce lion[3] fut pris dans des rets
> Dont ses rugissements ne le purent défaire.
> Sire Rat accourut, et fit tant par ses dents
> Qu'une maille rongée emporta tout l'ouvrage,
> Patience et longueur de temps
> Font plus que force ni que rage.
> L'autre exemple est tiré d'animaux plus petits.

---

1. Source : Ésope, *Le Lion et le Rat reconnaissant*. Le thème avait été repris par Marot, *Épître à Lyon Jamet*.
2. Source : Ésope, *La Fourmi et la Colombe*.
3. 1668 : *Le Lion*.

Le long d'un clair ruisseau buvait une Colombe,
Quand sur l'eau se penchant une Fourmy [4] y tombe ;
Et dans cet Océan l'on eût vu la Fourmy
S'efforcer, mais en vain, de regagner la rive.
La Colombe aussitôt usa de charité :
Un brin d'herbe dans l'eau par elle étant jeté,
Ce fut un promontoire où la Fourmy arrive.
Elle se sauve ; et là-dessus
Passe un certain Croquant [5] qui marchait les pieds nus.
Ce Croquant par hasard avait une arbalète.
Dès qu'il voit l'Oiseau de Vénus,
Il le croit en son pot, et déjà lui fait fête.
Tandis qu'à le tuer mon Villageois s'apprête,
La Fourmy le pique au talon.
Le Vilain [6] retourne la tête.
La Colombe l'entend, part, et tire de long [7].
Le soupé du Croquant avec elle s'envole :
Point de Pigeon pour une obole.

Jean de la Fontaine,
« Le Lion et le Rat » et « La Colombe et la Fourmi », *Fables*,
1668
Garnier, coll. « Classiques Garnier », 1962, p. 70-71

4. 1668 : *Fourmis* (ainsi qu'aux vers 22, 26, 33).
5. « Croquant : gueux, misérable, qui n'a aucun bien, qui en temps de guerre n'a pour toutes armes qu'un croc. Les paysans qui se révoltent sont de pauvres croquants. » (Fur.)
6. « Vilain : dans le vieux langage, signifiait un roturier, un paysan. » (Rich.) Furetière ne donne pas ce sens. Donc archaïsme caractérisé.
7. « *Tirer de long* signifie s'enfuir. » (Fur.)

ABDELWAHAB MEDDEB
« Poèmes d'Auschwitz », 2003

Né à Tunis en 1946, vivant actuellement à Paris, Abdelwahab Meddeb est écrivain, enseignant et essayiste ; il anime l'émission « Cultures d'islam » sur France Culture. Ses poèmes ont été lus à Birkenau lors de la cérémonie qui a conclu le voyage de mai 2003 fait à l'initiative du père Émile Shoufani, Arabe chrétien de Nazareth, de nationalité israélienne. Ce voyage a rassemblé des hommes de tous horizons, qui se sont retrouvés en communion avec la mémoire des victimes de l'Holocauste.

1.
La litanie des coucous
rien ne transpire ni de l'herbe
ni de la terre ni des fleurs
lignes de briques murs effondrés
seules les fondations répartissent les carrés
hermétiques les images
où bourdonnent les insectes
la blancheur des arbres fusent
vers un ciel voilé
qui filtre la chaleur
césure du chant
2.
non, les merles n'ont pas déserté
où l'infâme
ni le soleil
et la nature indifférente
au malheur
ne porte pas le deuil
3.
à l'interstice des pavés la mousse
sèche
là courent les fourmis
actives
dans le lieu qui a connu

la mort absolue usine
de la mort
vestiges de notre temps
les lieux ont-ils une mémoire ?
par le corps qui balance
au rythme de la voix
par le souffle qui ouvre
l'œil du cœur
donner au lieu
sa mémoire
par le silence l'entretenir
4.
ici fin mai
où l'infâme
retrouver un signe de l'enfance
touffes blanches qui voltigent
poils arrachés à la barbe de Satan, dit-on
accrochés aux cils voilà douze ans
à Florence
en chemin vers l'ultime Cène
du sacrifice au plus barbare
où commence où finit le siècle
5.
ferme les yeux juif ferme les yeux
sous le regard qui bondit de la dalle
béton arraché fendu brisé
par le séisme de mains d'homme
à vif le rêve noir de l'enfant
traverse le doute où le dieu se retire
dans le poids du jour
lévite à l'ombre du miroir
qui reflète un doigt
haut levé d'où la fumée
disparaît dans les cieux

Abdelwahab Meddeb,
« Poèmes d'Auschwitz »
Esprit, juillet 2003, p. 6-8

■ JACQUES PRÉVERT
« Étranges étrangers », 1951

Ce poème de Jacques Prévert (1900-1977) écrit en 1951 évoque la place des étrangers de toutes origines, immigrés, réfugiés, exilés, dans les villes et la société française des années 1950.

Kabyles de la Chapelle et des quais de Javel
hommes de pays loin
cobayes des colonies
doux petits musiciens
soleils adolescents de la porte d'Italie
Boumians de la porte de Saint-Ouen
Apatrides d'Aubervilliers
brûleurs des grandes ordures de la ville de Paris
ébouillanteurs des bêtes trouvées mortes sur pied au beau milieu des rues
Tunisiens de Grenelle
embauchés débauchés
manœuvres désœuvrés
Polaks du Marais du Temple des Rosiers
Cordonniers de Cordoue soutiers de Barcelone
pêcheurs des Baléares ou du cap Finistère
rescapés de Franco
et déportés de France et de Navarre
pour avoir défendu en souvenir de la vôtre
la liberté des autres
Esclaves noirs de Fréjus
tiraillés et parqués
au bord d'une petite mer
où peu vous vous baignez
Esclaves noirs de Fréjus
qui évoquez chaque soir
dans les locaux disciplinaires
avec une vieille boîte de cigares
et quelques bouts de fil de fer

tous les échos de vos villages
tous les oiseaux de vos forêts
et ne venez dans la capitale
que pour fêter au pas cadencé
la prise de la Bastille le quatorze juillet
Enfants du Sénégal
dépatriés expatriés et naturalisés
Enfants indochinois
jongleurs aux innocents couteaux
qui vendiez autrefois aux terrasses des cafés
de jolis dragons d'or faits de papier plié
Enfants trop tôt grandis et si vite en allés
qui dormez aujourd'hui de retour au pays
le visage dans la terre
et des hommes incendiaires labourant vos rizières
On vous a renvoyé
la monnaie de vos papiers dorés
on vous a retourné
vos petits couteaux dans le dos
Étranges étrangers
Vous êtes de la ville
vous êtes de sa vie
même si mal en vivez
même si vous en mourez.

Jacques Prévert,
« Étranges étrangers », *La Pluie et le Beau Temps*
Gallimard, coll. « Folio », 1972, p. 28-30

© Gallimard

■ LÉOPOLD SÉDAR SENGHOR
« Prière de paix », 1948

> Né à Joal, au Sénégal, Léopold Sédar Senghor (1906-2001) fait ses études à Dakar puis à Paris et est reçu à l'agrégation de grammaire en 1935. À la fois homme de lettres et homme politique, il sera le premier président de la République du Sénégal de 1960 à 1980. Écrivain reconnu dans le monde entier pour son œuvre poétique, il a été élu à l'Académie française en 1983. Le recueil de poèmes *Hosties noires* a été publié en 1948, alors que les premières voix s'élevaient pour l'indépendance de l'Afrique.

PRIÈRE DE PAIX *(pour grandes orgues)*

À Georges et Claude Pompidou
« *... Sicut et nos dimittimus debitoribus nostris* »

Seigneur Jésus, à la fin de ce livre que je T'offre comme un ciboire de souffrances
Au commencement de la Grande Année, au soleil de Ta paix sur les toits neigeux de Paris
– Mais je sais bien que le sang de mes frères rougira de nouveau l'Orient jaune, sur les bords de l'Océan Pacifique que violent tempêtes et haines
Je sais bien que ce sang est la libation printanière dont les Grands-Publicains depuis septante années engraissent les terres d'Empire
Seigneur, au pied de cette croix – et ce n'est plus Toi l'arbre de douleur, mais au-dessus de l'Ancien et du Nouveau Monde l'Afrique crucifiée
Et son bras droit s'étend sur mon pays, et son côté gauche ombre l'Amérique
Et son cœur est Haïti cher, Haïti qui osa proclamer l'Homme en face du Tyran
Au pied de mon Afrique crucifiée depuis quatre cents ans et pourtant respirante
Laisse-moi Te dire Seigneur, sa prière de paix et de pardon.

II
Seigneur Dieu, pardonne à l'Europe blanche !
Et il est vrai, Seigneur, que pendant quatre siècles de lumières elle a jeté la bave et les abois de ses molosses sur mes terres
Et les chrétiens, abjurant Ta lumière et la mansuétude de Ton cœur

Ont éclairé leurs bivouacs avec mes parchemins, torturé mes talbés, déporté mes docteurs et mes maîtres-de-science.

Leur poudre a croulé dans l'éclair la fierté des tatas et des collines

Et leurs boulets ont traversé les reins d'empires vastes comme le jour clair, de la Corne de l'Occident jusqu'à l'Horizon oriental

Et comme des terrains de chasse, ils ont incendié les bois intangibles, tirant Ancêtres et génies par leur barbe paisible.

Et ils ont fait de leur mystère la distraction dominicale de bourgeois somnambules.

Seigneur, pardonne à ceux qui ont fait des Askia des maquisards, de mes princes des adjudants

De mes domestiques des boys et de mes paysans des salariés, de mon peuple un peuple de prolétaires.

Car il faut bien que Tu pardonnes à ceux qui ont donné la chasse à mes enfants comme à des éléphants sauvages.

Et ils les ont dressés à coups de chicotte, et ils ont fait d'eux les mains noires de ceux dont les mains étaient blanches.

Car il faut bien que Tu oublies ceux qui ont exporté dix millions de mes fils dans les maladreries de leurs navires

Qui en ont supprimé deux cents millions.

Et ils m'ont fait une vieillesse solitaire parmi la forêt de mes nuits et la savane de mes jours.

Seigneur la glace de mes yeux s'embue

Et voilà que le serpent de la haine lève la tête dans mon cœur, ce serpent que j'avais cru mort...

III

Tue-le Seigneur, car il me faut poursuivre mon chemin, et je veux prier singulièrement pour la France.

Seigneur, parmi les nations blanches, place la France à la droite du Père.

Oh ! je sais bien qu'elle aussi est l'Europe, qu'elle m'a ravi mes enfants comme un brigand du Nord des bœufs, pour engraisser ses terres à cannes et coton, car la sueur nègre est fumier.

Qu'elle aussi a porté la mort et le canon dans mes villages bleus, qu'elle a dressé les miens les uns contre les autres comme des chiens se disputant un os

Qu'elle a traité les résistants de bandits, et craché sur les têtes-aux-vastes-desseins.

Oui Seigneur, pardonne à la France qui dit bien la voie droite et chemine par les sentiers obliques

Qui m'invite à sa table et me dit d'apporter mon pain, qui me donne de la main droite et de la main gauche enlève la moitié.

Oui Seigneur, pardonne à la France qui hait les occupants et m'impose l'occupation si gravement

Qui ouvre des voies triomphales aux héros et traite ses Sénégalais en mercenaires, faisant d'eux les dogues noirs de l'Empire

Qui est la République et livre les pays aux Grands-Concessionnaires

Et de ma Mésopotamie, de mon Congo, ils ont fait un grand cimetière sous le soleil blanc.

IV

Ah ! Seigneur, éloigne de ma mémoire la France qui n'est pas la France, ce masque de petitesse et de haine sur le visage de la France

Ce masque de petitesse et de haine pour qui je n'ai que haine – mais je peux bien haïr le Mal

Car j'ai une grande faiblesse pour la France.

Bénis ce peuple garrotté qui par deux fois sut libérer ses mains et osa proclamer l'avènement des pauvres à la royauté

Qui fit des esclaves du jour des hommes libres égaux fraternels

Bénis ce peuple qui m'a apporté Ta Bonne Nouvelle, Seigneur, et ouvert mes paupières lourdes à la lumière de la foi.

Il a ouvert mon cœur à la connaissance du monde, me montrant l'arc-en-ciel des visages neufs de mes frères.

Je vous salue mes frères : toi Mohamed Ben Abdallah, toi Razafymahatratra, et puis toi là-bas Pham-Manh-Tuong, vous des mers pacifiques et vous des forêts enchantées

Je vous salue tous d'un cœur catholique,

Ah ! je sais bien que plus d'un de Tes messagers a traqué mes prêtres comme gibier et fait un grand carnage d'images pieuses.

Et pourtant on aurait pu s'arranger, car elles furent, ces images, de la terre à Ton ciel l'échelle de Jacob

La lampe au beurre clair qui permet d'attendre l'aube, les étoiles qui préfigurent le soleil.

Je sais que nombre de Tes missionnaires ont béni les armes de la violence et pactisé avec l'or des banquiers

Mais il faut qu'il y ait des traîtres et des imbéciles.

V

Ô bénis ce peuple, Seigneur, qui cherche son propre visage sous le masque et a peine à le reconnaître

Qui Te cherche parmi le froid, parmi la faim qui lui rongent os et entrailles

Et la fiancée pleure sa viduité, et le jeune homme voit sa jeunesse cambriolée

Et la femme lamente oh ! l'œil absent de son mari, et la mère cherche le rêve de son enfant dans les gravats.

Ô bénis ce peuple qui rompt ses liens, bénis ce peuple aux abois qui fait front à la meute boulimique des puissants et des tortionnaires.

Et avec lui tous les peuples d'Europe, tous les peuples d'Asie tous les peuples d'Afrique et tous les peuples d'Amérique

Qui suent sang et souffrances. Et au milieu de ces millions de vagues, vois les têtes houleuses de mon peuple,

Et donne à leurs mains chaudes qu'elles enlacent la terre d'une ceinture de mains fraternelles

DESSOUS L'ARC-EN-CIEL DE TA PAIX.

Paris, janvier 1945

Léopold Sédar Senghor,
« Prière de paix », *Hosties noires*, 1948
Œuvre poétique,
Seuil, coll. « Points. Essai », 1990, p. 92 *sqq*

■ ANDRÉ VELTER
« Frontières », 2000

Né en 1945, André Velter partage son activité entre les voyages au long cours (Afghanistan, Inde, Tibet) et la mise en résonance des poésies du monde entier. Ses chroniques littéraires dans *Le Monde* s'attachent surtout à l'Orient. Son œuvre poétique, reconnue (Goncourt-Poésie en 1996), se nourrit de ses voyages.

Qui a promis la terre promise ?
Dieu avait plus d'un slogan dans son sac à prophétie,
et plus d'un rêve de sang en lieu de lait et de miel
C'est une malédiction moderne qui a imposé des
Bornes et des barrières aux horizons nomades,
aux horizons que les caravanes empruntaient à leur
guise, à leur rythme, à leurs risques et périls certes,
mais librement, librement.
Les confins les lisières avaient un goût de défi et
d'appels
un goût de mémoire inconnue.
On partait avec des cartes incertaines où tout était
possible. Le désert et le gîte. L'embuscade et la steppe
L'altitude et la soif. Le vertige et la plaine.
Zones, sans gardes ni entraves, passages livrés aux
Pèlerins, aux voyageurs, aux insoumis,
terrains si vagues qu'ils touchaient aux songes et au
ciel.
En marge se projetaient tous les élans du cœur.
Les frontières désormais tiennent le centre et les rives,
s'inventent des rendez-vous sur un surcroît de ruines,
sortent de partout comme des licols d'importation
jusqu'à étrangler le moindre désir d'espace,
le moindre sursaut de souffle
et toute vie intérieure.
La loi des États semble le contrecoup panique de la

grand-peur qui hante les sédentaires.
Et les pays cadenassés pullulent.
Ils s'accrochent à leurs limites.
Et ils contrôlent. Et ils répriment. Et ils tuent.
La loi des États est la pire imposture.
Les pays oubliés crèvent dans une poussière d'exil,
dans des bivouacs de boue,
dans le non-lieu d'une vieille blessure.
Ils échangent remords pour vengeance, légende pour
programme, servitude pour servitude,
avec dans le sablier la même dose de poison
que d'espoir.
Car les frontières existent au-dehors, au-dedans.
Les frontières existent comme rarement sur terre et dans les têtes.
Leur pouvoir d'étouffement n'a jamais été aussi nocif.
Aussi aveugle. Aussi sanglant.
Leur treillis n'a jamais été aussi serré. Aussi poisseux.
Aussi dément,
Car les frontières existent et renaissent
à la solde des milices, des clergés et des clans.
Pour un mur abattu ; combien de solitudes bardées
de barbelés ?
Combien de nations ressuscitées aux forceps et changées aussitôt en autant de
fosses communes ?
C'est la nouvelle lutte finale.
Tous contre tous. Frère contre frère. Voisin contre voisin.
Dieu contre Dieu.
Qui a promis la terre promise ?

André Velter,
« Frontières », *La Vie en dansant*, 2000
Gallimard, coll. « Blanche », 2000, p. 40-43

Récits

■ AZOUZ BEGAG
Le Gone de Chaâba, 1986

> Né en France de parents algériens en 1957, Azouz Begag évoque dans ce roman autobiographique sa vie d'enfant immigré dans la banlieue de Villeurbanne, dans les années 1960.

Pendant que je remplis ma fiche de renseignement, le prof descend dans les rangs pour ramasser les papiers de ceux qui ont déjà fini. Il parvient à mon rang, penche sa tête par-dessus mon épaule pour voir mon nom. Je me retourne. Et à cet instant, lorsque nos regards se croisent, se mélangent, je sens qu'il y a au fond de cet homme quelque chose qui me ressemble et qui nous lie. Je ne saurais dire quoi. Il retourne à son bureau, scrute les fiches et les visages correspondants, commente parfois un léger détail, demande des précisions complémentaires. Puis il me fixe : ma fiche est entre ses mains. Je déteste ces situations où l'on est obligé de tout dire de soi. Ça y est, il va me poser des questions.

– Comment se prononce votre prénom en arabe ? demande-t-il sur un ton amical. Je me sens vidé d'un seul coup. Heureusement que les Taboul ne sont pas dans la classe, sinon qu'aurais-je répondu ? Que je n'étais pas arabe ? Peut-être y a-t-il d'autres Taboul autour de moi ?

Le prof attend une réponse. Comment lui dire que je n'ai pas envie de dévoiler ma nature à tous ces élèves qui sont maintenant en train de m'observer comme une bête de cirque ? J'ai envie de lui dire : je ne suis pas celui que vous croyez, mon bon monsieur, mais c'est impossible. J'ai la sensation qu'il sait déjà tout de mon histoire. Je réponds malgré tout :

– On dit Azouz, m'sieur.

– Vous êtes Algérien ? !...

– Oui, m'sieur, dis-je timidement.

Maintenant, je suis pris au piège. Plus d'issue possible.

– De quelle région êtes-vous ?

– De Sétif, m'sieur. Enfin je veux parler de mes parents. Moi, je suis né à Lyon, à l'hôpital Grange-Blanche.

Mon voisin immigré de Paris a le nez collé à mes lèvres. Depuis le début, il m'écoute, attentif. J'ai envie de lui crier : « Maintenant, tu sais tout. T'es content ? Alors arrête de me regarder comme ça. »

– Vous habitiez à Villeurbanne ? poursuit M. Loubon.

– Oui.

– Où, exactement ?

– Avenue Monin, m'sieur.

– Dans les chalets du boulevard de ceinture ?

Intrigué par l'intuition du prof, effrayé par l'idée qu'il connaît le Chaâba, la saleté dans laquelle je vivais lorsque j'étais petit, je réponds que j'habitais effectivement dans les chalets. Ça fait plus propre.

– Et pourquoi vos parents ont-ils déménagé ?

– Je ne sais pas, m'sieur.

Puis dans ma tête : « Il est bien curieux, celui-là ! »

Un silence de quelques secondes s'abat sur la classe. Je me dis que maintenant je ne pourrais plus jamais cacher mes origines sarrasines, qu'Emma pourra venir m'attendre à la sortie du lycée. Puis je réalise qu'elle ne viendra plus jamais. Le mal est déjà fait.

M. Loubon reprend la parole, pour se présenter cette fois :

– Moi aussi j'habitais en Algérie. À Tlemcen. C'est près d'Oran. Vous connaissez ?

– Non, m'sieur. Je ne suis jamais allé en Algérie

– Eh bien, vous voyez : moi je suis Français et je suis né en Algérie, et vous, vous êtes né à Lyon mais vous êtes Algérien.

Azouz Begag,
Le Gone de Chaâba, 1986
Seuil, collection « Points virgule », 1998, p. 208-210

© Seuil

■ NINA BERBEROVA
Chroniques de Billancourt

Née à Saint-Pétersbourg en 1901, émigrée en France en 1925 puis aux États-Unis, où elle mourra en 1993, Nina Berberova écrit ses *Chroniques de Billancourt* à la fin des années 1920 et au début des années 1930. Elle y relate l'arrivée à Billancourt du petit peuple russe émigré venu chercher du travail dans les usines de « moussiou » Renault.

Anastasia Guiorguievna Seïantseva vivait à Billancourt depuis la nuit des temps en tout cas au moins depuis neuf ans. Elle était arrivée alors qu'on venait de terminer la construction de l'hôtel *Caprice*. Elle fut la première à s'y installer, c'est pourquoi le propriétaire du *Caprice* lui offrit une prime : un vase en marbre incassable qu'elle prit par une de ses anses et qu'elle posa sur sa cheminée.

Elle se souvenait comment étaient arrivés les premiers hôtes étrangers place Nationale. Ils s'étaient assis par terre, les enfants à moitié nus pleuraient, les femmes non débarbouillées, décoiffées, jambes nues et couvertes de guenilles jetaient des regards apeurés autour d'elle. Les hommes, barbus, sombres, vêtus de capotes de l'armée anglaise, étaient assis près de leurs misérables bagages qu'ils ne quittaient pas des yeux, bagages qui avaient transité par toute l'Europe et d'où émergeaient des théières, des icônes et des souliers.

Les habitants de Billancourt les avaient d'abord pris pour des romanichels, puis après des débats sur les peuples d'Orient, il fut décidé qu'il s'agissait de Polonais, mais il s'avéra que les affamés ne pratiquaient pas la religion catholique. C'est alors que l'on comprit que les malheureux étaient des Serbes, un peuple condamné à boire la coupe jusqu'à la lie et à être l'objet de toutes les humiliations.

Enfin des journalistes parisiens, munis de carnets, de crayons et d'appareils photographiques, vinrent à Billancourt et déclarèrent (eux, ils savaient) qu'il s'agissait d'Arméniens qui avaient fui Trébizonde, traversé la Mésopotamie et étaient arrivés à Billancourt pour aider *moussiou* Renault.

Les bistrots du coin offrirent des bols de bouillon KUB et des tranches de pain à ces pauvres gens. Les enfants s'accrochaient des deux mains aux jupes de leurs mères et les mères, à leur tour, agrippaient les bols de bouillon.

– Vous êtes Arméniens ? leur demandait-on. Mais ils hochaient la tête et, remerciaient.

Un jour, Anastasia Guiorguievna Seïantseva vint à passer devant eux. Elle était arrivée un mois auparavant et depuis, elle n'était presque pas sortie de l'hôtel Caprice. Lorsqu'elle les vit, elle s'étonna :
– Pourquoi est-ce que ces gens qui manquent d'hygiène sont assis par terre, alors qu'il y a des bancs sur la place ?
On lui répondit qu'ils étaient gênés de le faire.
Elle s'approcha d'une des femmes, qui berçait un nouveau-né, le passant d'un bras à l'autre. Elle venait de le nourrir et était encore toute dépoitraillée.
L'enfant avait dû naître une semaine plus tôt et n'avait, sans doute, pas encore été déclaré à la mairie de Billancourt.
La jeune mère lui chantait doucement une berceuse :
> Titatachki, titahou,
> To na etou, to na tou [1]
Anastasia Guiorguievna contemplait ce sein qui avait transité par toute l'Europe, lorsqu'elle sentit que quelque chose de tiède venait d'envahir ses yeux, débordait de ses paupières et coulait sur ses joues. Elle craignit qu'on ne la vît. Elle se rendit chez les bistrots, sortit de son sac à main la petite somme qui s'y trouvait et demanda qu'on ajoute un petit morceau de viande dans chaque bol de bouillon KUB.
L'étonnement fut général. Comment, ce sont des Russes ? De vrais Russes ? Qui aurait pu penser ?

Nina Berberova,
Chroniques de Billancourt
Actes Sud, trad. Alexandra Pletnioff-Boutin, 1992, p. 123-215

© Actes Sud

---

1. L'équivalent de *Dodo*, l'enfant do.

GENEVIÈVE BRISAC
Monelle et les footballeurs, 2000

> Geneviève Brisac a d'abord enseigné en Seine-Saint-Denis avant de se lancer dans la littérature et de jongler, avec passion, entre l'édition de romans pour enfants, l'écriture, et la critique littéraire.
> L'histoire de *Monelle et les footballeurs* a pris naissance lors du Mondial de football en 1998 : une élève veut faire du football pour devenir championne comme Zidane. Le problème est qu'elle est la seule fille du collège à avoir choisi ce sport comme activité… Une façon humoristique d'aborder le thème actuel de la mixité filles-garçons.

Les quatre filles sortent leurs feuilles d'activités.

– Nous, on s'est inscrites pour le yoga et le ping-pong, dit Yasmina, fièrement.

– Moi, escrime, calligraphie et informatique, dit Sarah.

– Moi, foot, dit Monelle.

Et il y a un silence.

– Foot et quoi ? dit Sarah. Tu ne veux pas venir en calligraphie avec moi ?

D'abord, on ne peut faire qu'une chose, alors j'ai écrit football trois fois, ça me donne plus de chances.

– Mais les filles ne peuvent pas faire partie de l'équipe de foot, dit Yasmina, mon frère me l'a dit.

– Et pourquoi elles ne pourraient pas en faire partie ? demande Monelle agacée par ce frère qui sait tout, on a parfois l'impression qu'il est derrière Yasmina comme un fantôme donneur de leçons et empêcheur de vivre tranquille.

Yasmina hausse les épaules.

– Elles peuvent pas parce que c'est comme ça, et que ce sera toujours comme ça. Elles ne peuvent pas parce que les garçons n'ont pas envie qu'elles jouent, et puis parce que…

Et là elle murmure un truc à l'oreille de Coralie, qui hurle de rire, et les voilà parties, le fou rire, les larmes aux yeux, elles ne peuvent plus s'arrêter. Il n'y a rien de plus irritant que les fous rires auxquels on ne comprend rien.

– À cause des œdèmes ! finit par articuler Coralie, en se tenant le ventre.

– Vous êtes devenues dingues ? dit Sarah, énervée à son tour.

– Qu'est-ce que tu racontes avec tes œdèmes, c'est un truc qu'on attrape quand on a chaud, ma tante en a eu aux jambes cet été ! dit Coralie, qui se désolidarise de temps en temps des originalités de Yasmina.

– Œdèmes, c'est pour dire poitrine, explique Yasmina. Les filles ne jouent pas au foot, à cause de la poitrine, un coup de ballon, et tu peux attraper un cancer ! Et puis ça gêne pour courir.

Monelle fait une grimace dégoûtée.

– Tu dis vraiment n'importe quoi ! D'abord, on n'a même pas de poitrine, alors excuse-moi de ne pas trop voir le problème. En plus, depuis quand il n'y a pas de coureuses ? Il y en a plein, et qui courent comme des lapins ! En plus, ma mère elle dit que c'est moche, poitrine. Chez nous, on dit seins, c'est bien plus joli. En plus, ça m'étonnerait qu'on attrape le cancer en prenant un coup de ballon. Avec toi, on dirait que tout donne le cancer ! Les soutiens-gorge à armature, le lait concentré sucré, les tee-shirts imprimés fluo. On n'a plus qu'à aller se coucher directement, et à l'hôpital en plus !

Geneviève Brisac,
Monelle et les footballeurs, 2000
L'école des loisirs, 2000

■ ALBERT CAMUS
Le Premier Homme

Né en 1913 en Algérie, écrivain philosophe, journaliste à Combat pendant la guerre, Albert Camus publie en 1942 *L'Étranger* et *Le Mythe de Sisyphe* (Gallimard) qui lui valent d'accéder à la notoriété. Prix Nobel en octobre 1957 pour l'ensemble de son œuvre, il meurt accidentellement en 1960. On retrouve alors le manuscrit inachevé du *Premier Homme*.

Seule l'école donnait à Jacques et à Pierre ces joies. Et sans doute ce qu'ils aimaient si passionnément en elle, c'est ce qu'ils ne trouvaient pas chez eux, la pauvreté et l'ignorance rendaient la vie plus dure, plus morne, comme refermée sur elle-même ; la misère est une forteresse sans pont-levis.

Mais ce n'était pas seulement cela, puisque Jacques se sentait le plus misérable des enfants, aux vacances, quand, pour se débarrasser de ce gamin infatigable, la grand-mère l'envoyait en colonie de vacances avec une cinquantaine d'autres enfants et une poignée de moniteurs, dans les montagnes du Zaccar, à Miliana, où ils occupaient l'école équipée avec des dortoirs, mangeant et dormant confortablement, jouant ou se promenant à longueur de journées, surveillés par de gentilles infirmières, et avec tout cela, quand le soir arrivait, que l'ombre remontait à toute vitesse les pentes des montagnes et que de la caserne voisine le clairon commençait à jeter dans l'énorme silence de la petite ville perdue dans les montagnes à une centaine de kilomètres de tout lieu vraiment visité, les notes mélancoliques du couvre-feu, l'enfant sentait monter en lui un désespoir sans bornes et criait en silence après la pauvre maison démunie de tout de son enfance [1].

Non, l'école ne leur fournissait pas seulement une évasion à la vie de famille. Dans la classe de M. Bernard du moins, elle nourrissait en eux une faim plus essentielle encore à l'enfant qu'à l'homme et qui est la faim de la découverte. Dans les autres classes, on leur apprenait sans doute beaucoup de choses, mais un peu comme on gave les oies. On leur présentait une nourriture toute faite en les priant de vouloir bien l'avaler. Dans la classe de M. Germain [2] pour la première fois ils sentaient qu'ils existaient et qu'ils étaient l'objet de la plus haute considération :

---

1. Allonger et faire exaltation de l'école laïque.
2. Ici l'auteur donne à l'instituteur son vrai nom.

on les jugeait dignes de découvrir le monde. Et même leur maître ne se vouait pas seulement à leur apprendre ce qu'il était payé pour leur enseigner, il les accueillait avec simplicité dans sa vie personnelle, il la vivait avec eux, leur racontant son enfance et l'histoire d'enfants qu'il avait connus, leur exposait ses points de vue, non point ses idées, car il était par exemple anticlérical comme beaucoup de ses confrères et n'avait jamais en classe un seul mot contre la religion, ni contre rien de ce qui pouvait être l'objet d'un choix ou d'une conviction, mais il n'en condamnait qu'avec plus de force ce qui ne souffrait pas de discussion, le vol, la délation, l'indélicatesse, la malpropreté.

Mais surtout il leur parlait de la guerre encore toute proche et qu'il avait faite pendant quatre ans, des souffrances des soldats, de leur courage, de leur patience et du bonheur de l'armistice. À la fin de chaque trimestre, avant de les renvoyer en vacances, et de temps en temps, quand l'emploi du temps le lui permettait, il avait pris l'habitude de leur lire de longs extraits des *Croix de bois* [3] de Dorgelès. Pour Jacques, ces lectures lui ouvraient encore les portes de l'exotisme, mais d'un exotisme où la peur et le malheur rôdaient, bien qu'il ne fit jamais de rapprochement, sinon théorique, avec le père qu'il n'avait pas connu. Il écoutait seulement avec tout son cœur une histoire que son maître lisait avec tout son cœur et qui lui parlait à nouveau de la neige et de son cher hiver, mais aussi d'hommes singuliers, vêtus de lourdes étoffes raidies par la boue, qui parlaient un étrange langage et vivaient dans des trous sous un plafond d'obus, de fusées et de balles. Lui et Pierre attendaient chaque lecture avec une impatience chaque fois plus grande.

Cette guerre dont tout le monde parlait encore (et Jacques écoutait silencieusement mais de toutes ses oreilles Daniel quand il racontait à sa manière la bataille de la Marne, qu'il avait faite et dont il ne savait encore comment il était revenu quand, eux les zouaves, disait-il, on les avait fait mettre en tirailleurs et puis à la charge on descendait dans un ravin à la charge et il n'y avait personne devant eux et ils marchaient et tout d'un coup les mitrailleurs quand ils étaient à mi-pente tombaient les uns sur les autres et le fond du ravin plein de sang et ceux qui criaient maman c'était terrible), que les survivants ne pouvaient oublier et dont l'ombre planait sur tout ce qui se décidait autour d'eux et sur tous les projets qu'on faisait pour une histoire fascinante et plus extraordinaire que les contes de fées qu'on lisait dans d'autres classes et qu'ils auraient écoutés avec déception et ennui si

---

3. Voir le volume.

M. Bernard s'était avisé de changer de programme. Mais il continuait, les scènes amusantes alternaient avec des descriptions terribles, et peu à peu les enfants africains faisaient la connaissance de… x y z qui faisaient partie de leur société, dont ils parlaient entre eux comme de vieux amis, présents et si vivants que Jacques du moins n'imaginait pas une seconde que, bien qu'ils vécussent dans la guerre, ils pussent risquer d'en être victimes. Et le jour, à la fin de l'année, où, parvenu à la fin du livre (roman), M. Bernard lut d'une voix plus sourde la mort de D., lorsqu'il referma le livre en silence, confronté avec son émotion et ses souvenirs, pour lever ensuite les yeux sur sa classe plongée dans la stupeur et le silence, il vit Jacques au premier rang qui le regardait fixement, le visage couvert de larmes, secoué de sanglots interminables, qui semblaient ne devoir jamais s'arrêter. « Allons petit, allons petit », dit M. Bernard d'une voix à peine perceptible et il se leva pour ranger son livre dans l'armoire, le dos à la classe.

« Attends, petit », dit M. Bernard. Il se leva péniblement, passa l'ongle de son index sur les barreaux de la cage du canari qui pépia de plus belle : « Ah ! Casimir, on a faim, on demande à son père », et il se [propagea] vers son petit bureau d'écolier au fond de la pièce, près de la cheminée. Il fourragea dans un tiroir, le referma, en ouvrit un autre, en tira quelque chose. « Tiens, dit-il, c'est pour toi. » Jacques reçut un livre couvert de papier brun d'épicerie et sans inscription sur la couverture. Avant même de l'ouvrir, il sut que c'était *Les Croix de bois*, l'exemplaire même sur lequel M. Bernard faisait la lecture en classe. « Non, non, dit-il, c'est… » Il voulait dire : c'est trop beau. Il ne trouvait pas de mots. M. Bernard hochait sa vieille tête. « Tu as pleuré le dernier jour, tu te souviens ? Depuis ce jour, ce livre t'appartient ».

Albert Camus,
Le Premier Homme, vol. 7 des Cahiers Albert Camus
Gallimard, coll. « Cahiers de la NRF », 1994, p. 137-141

■ RENÉ CHAR
Recherche de la base et du sommet, 1946

Poète et soldat de la liberté, René Char (1907-1988), l'auteur de *Fureur et mystère*, des *Mâtinaux* ou de *La Parole en archipel*, fut aussi l'un des chefs de la Résistance du Sud-Est de la France. D'un geste ferme, il sculpte ici la figure exemplaire de Dominique Corti, ce résistant parti « à l'assaut de l'impossible » et qui s'est distingué, comme il l'affirme au début du texte, de ceux qui n'ont pas su voir l'horreur nazie.

Ceux qui pensent que l'exagération et l'outrance sont toujours de rigueur dans les comptes rendus de la vie politique des peuples ont, durant onze années, haussé les épaules quand on leur affirmait que dans le plus grand quartier de l'Europe (l'Allemagne) on s'occupait à dresser, on installait dans sa fonction un formidable abattoir humain tel que l'imagination biblique se serait montrée incapable de le concevoir pour y loger ses impérissables démons et leurs lamentables victimes. La réalité est la moins saisissable des vérités. Une sorte de vertu originelle pèse à ce point sur nous que nous accordons à l'instinct que le délire a consacré sous le nom de cruauté, le bénéfice de la faute et, partant, du remords. Le bourreau ne sera qu'un passant d'exception. Rares seront ceux qui l'apercevront. À la main du diable préventivement, nous opposerons les deux doigts de Dieu... Mais LÀ-BAS ?

Là-bas triomphe une horreur qui atteint d'emblée son âge d'or par la chute calculée en poussières vivantes du corps de l'homme vivant et de sa conscience vivante. L'infaillible nouvelle nature d'une race de monstres a pris sa place parmi les mortels. Plus contagieuse que l'inondation, la chose court le monde, reconnaissant et annexant les siens. Cependant au cœur de notre brouillard, aussi peu discernable que les feux follets de la mousse, une poignée de jeunes êtres part à l'assaut de l'impossible.

Dominique Corti est né à Paris, le 13 janvier 1925. Discrètement ce jeune homme, cet enfant, va atteindre l'âge d'homme avec déjà autour de lui cette fugue de lumière propre à ceux dont la mission – qui prête à sourire – est d'« indiquer le chemin ». Il ose ce qu'il veut, il sent ce qu'il doit faire.

À dix-neuf ans, il agit. Il habite Paris, où le risque est le même au soleil que dans l'ombre. Dominique Corti, qui a traduit *Le Château d'Otrante de Walpole*, qui a écrit, en anglais, un texte étonnant : *La Littérature terrifiante en Angleterre, de Horace Walpole à Ann Radcliffe*, se détourne de la réussite littéraire et fixe les yeux de l'occupant auquel il va porter ses coups. Il adhère au réseau « Marco-Polo » et dès lors son destin est tracé. Son intelligence, son audace, son intuition militaire le font distinguer. Le 2 mai 1944, il est arrêté. Son père José Corti, et son admirable mère ne pourront désormais que tendre leurs mains vers la nuit où leur fils est enfermé. Fresnes, du 2 mai au 15 août 1944. Puis Buchenwald, Ellrich… le dernier train de déportés parti de France a emporté dans ses wagons l'un des meilleurs fils du vieux pays disloqué…

Dominique Corti, toi sur qui l'avenir comptait tant, tu n'as pas craint de mettre le feu à ta vie… Nous errerons longtemps autour de ton exemple. Il faut revenir. « J'adresse mon salut à tous les hommes libres », t'es-tu écrié. Il faut revenir. Tout est à recommencer.

1946

René Char,
Recherche de la base et du sommet, 1946
Gallimard, « Bibliothèque de la Pléiade », 1955, p. 647-648

© Gallimard

ALBERT COHEN
Ô vous, frères humains !, 1972

> C'est à 77 ans qu'Albert Cohen (1895-1981) fait paraître ce livre, qui a pour point de départ sa rencontre douloureuse avec l'antisémitisme, alors qu'il était un enfant de dix ans. Il nous fait éprouver le désastre que provoquent le refus et *a fortiori* la haine de l'autre.

Qui sait, me suis-je dit, ce que je vais leur conter va peut-être changer les haïsseurs de juifs, arracher les canines de leur âme ? Oui, si je leur explique le mal qu'ils ont fait à un petit enfant, par eux soudain fracassé de malheur, s'ils lisent ce livre jusqu'à la fin, ils comprendront, me suis-je dit, et ils auront honte de leur méchanceté, et ils nous aimeront. De plaisir, je viens de me faire un clin d'œil dans la glace en face de moi. Soudain j'ai pitié de moi, tout seul dans ma chambre, pitié de ce réformateur des haïsseurs, pitié de ce chimérique qui, de victorieux plaisir, vient de se frotter les mains, tout seul dans sa chambre, pitié de mon absurdité, pitié de mon clin d'œil ravi et de ce lamentable frottement des mains.

Mais quoi, si ce livre pouvait changer un seul haïsseur, mon frère en la mort, je n'aurais pas écrit en vain, n'est-ce pas, Maman, mon effrayée ? De quelque étrange part, cette part qui est en moi, ma mère m'approuve, je le sais, ma mère morte au temps de l'occupation allemande, ma mère qui a eu peur des haïsseurs de Juifs, ma mère qui était naïve et bonne, et qu'ils ont fait souffrir. Elle était bonne et elle croyait en Dieu. Je me rappelle qu'un jour, pour me dire la grandeur de l'Éternel, elle m'expliqua qu'il aimait même les mouches, et chaque mouche en particulier et elle ajouta : « J'ai essayé de faire comme Lui pour les mouches, mais je n'ai pas pu, il y en a trop. » […]

En ce seizième jour du mois d'août, à trois heures cinq de l'après-midi, sortant du lycée où j'étais allé suivre un cours de vacances pour cancres en arithmétique, je vis un attroupement. À l'affût de m'intéresser et de jouir de la vie, de ma vie qui venait de commencer, je m'approchai. C'était un camelot qui devant sa table pliante démontrait avec feu les mérites de son détacheur universel. Fort animé et me forgeant déjà mille félicités de connaissances nouvelles, je me faufilai au premier rang pour mieux entendre et admirer le blond camelot aux fines moustaches. J'étais très fort en admiration en ce temps de mon enfance.

Oh, comme j'étais heureux d'écouter ce séducteur, de rire avec les badauds, de participer, d'en être ! À chaque plaisanterie du cher camelot, si spirituel, je regardais mes voisins pour rencontrer leurs yeux, pour me réjouir avec eux, pour communier. Oh, comme il parlait bien, et comme je l'admirais, et combien le merveilleux langage français était plaisant au petit étranger débarqué à cinq ans de son île grecque et qui le parlait encore si mal. Extasié, physiquement charmé, j'écoutais l'enchanteur, je le contemplais avec foi, une foi de petit chien, je croyais en lui, et je l'aimais. Ainsi étais-je, ainsi était ce petit crétin aux boucles noires, aux longs cils recourbés. Quand, avec son bâton de miracle, le magicien faisait disparaître une tache, je regardais de nouveau mes voisins pour m'assurer qu'ils appréciaient, pour savourer leur admiration, pour être en union d'émerveillement. J'étais heureux, je souriais au camelot, j'étais fier de lui, fier de sa compétence, fier de son accent parisien, et je l'aimais.

J'avais trois francs dans ma poche, cadeau de ma mère en ce jour anniversaire, et je décidai d'en consacrer la moitié à l'achat de trois bâtons de détacheur ainsi le camelot m'estimerait, me trouverait intéressant, et je pourrais rester longtemps à l'écouter, du droit d'un client sérieux. Et puis Maman serait si contente ! Jamais plus de taches ! Le cœur battant, tout ému de l'important achat qui allait me valoir la considération des badauds et l'amitié du camelot, je mis la main dans la poche de mon costume marin pour en sortir la grande somme, et j'aspirai largement pour avoir le courage de m'avancer et de réclamer les trois bâtons. Mais alors, rencontrant mon sourire tendre de dix ans, sourire d'amour, le camelot s'arrêta de discourir et de frotter, scruta silencieusement mon visage, sourit à son tour, et j'eus peur. Son sourire venait de découvrir deux longues canines, et un paquet de sang massivement afflua sous ma poitrine, à hauteur du sternum, avec le choc d'un coup contre ma gorge. Sous son regard bleu pâle et son index tendu qui me désignait, je transpirai, et de panique j'humectai mes lèvres.

Toi, tu es un youpin, hein ? me dit le blond camelot aux fines moustaches que j'étais allé écouter avec foi et tendresse à la sortie du lycée, tu es un sale youpin, hein ? je vois ça à ta gueule, tu manges pas du cochon, hein ? vu que les cochons se mangent pas entre eux, tu es avare, hein ? je vois ça à ta gueule, tu bouffes les louis d'or, hein ? tu aimes mieux ça que les bonbons, hein ? tu es encore un Français à la manque, hein ? je vois ça à ta gueule, tu es un sale juif, hein ? un sale juif, hein ? ton père est de la finance internationale, hein ? tu viens manger le pain des Français, hein ? messieurs dames, je vous présente un copain à Dreyfus, un petit youtre pur sang, garanti de la confrérie du sécateur, raccourci où il faut, je les reconnais du premier coup, j'ai l'œil américain, moi, eh ben nous on aime pas les juifs par ici, c'est une sale race, c'est tous des espions vendus à l'Allemagne, voyez Dreyfus, c'est tous des traîtres, c'est tous des salauds, sont mauvais comme la gale, des sangsues du pauvre monde, ça roule sur l'or et ça fume des gros cigares pendant que nous on se met la ceinture, pas vrai, messieurs dames ? tu peux filer, on t'a assez vu, tu es pas chez toi ici, c'est pas ton pays ici, tu as rien à faire chez nous, allez, file, débarrasse voir un peu le plancher, va un peu voir à Jérusalem si j'y suis.

Ainsi me dit le camelot dont je m'étais approché avec foi et tendresse en ce jour de mes dix ans, d'avance ravi d'écouter le gentil langage français dont j'étais enthousiaste, crétinement d'avance ravi d'acheter les trois bâtons de détacheur universel pour me faire bien voir du camelot, pour lui plaire, pour en être estimé, pour m'en faire aimer, pour avoir le droit de rester, pour en être, pour participer à la merveilleuse communion, pour aimer et être aimé.

Ô honte encore à l'heure où j'écris, et c'est un aveu qui me coûte, je fis un regard suppliant à mon bourreau qui me déshonorait, j'essayai de fabriquer un sourire pour l'apitoyer, un sourire tremblant, un sourire malade, un sourire de faible, un sourire juif trop doux et qui voulait désarmer par sa féminité et sa tendresse, un pauvre sourire d'immédiate réaction apeurée et que je tentai ensuite de transformer et de faire plaisantin et complice, genre Oui c'est une bonne plaisanterie mais je sais que ce n'est pas sérieux et que vous voulez rire et qu'en réalité on est de bons amis. Un espoir fou d'enfant sans défense et tout seul. Il va avoir pitié et il me dira que c'était pour rire.

Mais mon bourreau fut impitoyable et je revois son sourire carnassier aux longues canines, rictus de jouissance, je revois son doigt tendu qui m'ordonnait de filer tandis que les badauds s'écartaient, avec des rires approbateurs [...].

Albert Cohen,
Ô vous, frères humains !, 1972
Gallimard, coll. « Folio », 1988, p. 15 *sqq* et 34 *sq*

© Gallimard

ÉRIC CONAN
Sans oublier les enfants, 1991

> Éric Conan retrace la période du 19 juillet au 16 septembre 1942 de la vie des camps d'internement français de Pithiviers et de Beaune-la-Rolande. Il décrit ce que fut la première station du calvaire pour les familles arrêtées lors de la rafle du Vél' d'Hiv à Paris : 7 618 prisonniers parmi lesquels figuraient 3 500 enfants de deux à seize ans, tous promis au camp d'Auschwitz.

Déportation de juifs du camp de Pithiviers et de Beaune-la-Rolande.

Le 6 août Dépêche de l'agence Reuter de Londres :

« Déportation massive des Juifs résidant en France. D'après les informations reçues au Quartier général de De Gaulle à Londres, M. Laval a consenti, à la demande du gouvernement allemand, à livrer à l'Allemagne des Juifs d'origine soi-disant étrangère dans la zone occupée en France et, de plus, quelque 10 000 Juifs de la zone non occupée (…).

Le Berner Tagwacht a publié un article dans lequel on fait le tableau le plus poignant des drames qui se sont déroulés à Paris où des milliers de Juifs furent entassés au Vélodrome dans les conditions les plus inhumaines. Des femmes et des enfants se sont trouvés acculés aux pires souffrances. On a enregistré des suicides nombreux.

Nous nous élevons au nom même de la civilisation et des sentiments les meilleurs contre un tel traitement ».

Un convoi est en formation à la fois à Pithiviers et à Beaune-la-Rolande. Joseph Weismann devait en faire partie, avec ses parents et sa sœur Charlotte, 13 ans.

En effet, prenant des libertés avec les consignes, l'intendant de police d'Orléans avait, dans une note datée du 3 août, précisé aux commandants des camps que « pour éviter des séparations, la limite d'âge de 15 ans pouvait être assouplie » et que « des garçonnets de 12 a 14 ans assez robustes pouvaient être admis à suivre les parents ».

Ce 6 août, tout comme le 5, cette tolérance est largement exploitée par le commandant du camp de Beaune-la-Rolande, qui fait monter dans les wagons non seulement des garçonnets de 12 ans, mais aussi de 11 ans, comme Joseph Weismann, et des fillettes comme sa sœur, qui a 13 ans.

Pour ce nouveau départ, les séparations entre mères et petits enfants sont très nombreuses, provoquant de nouveaux combats entre mères et gardiens. Joseph Weismann a toujours ces cris dans la tête :

« Des hurlements de bêtes, comme je n'en avais jamais entendu, poussés par des mères qui se roulent par terre, se tapent la tête contre le sol. Et les enfants, affolés, pris de panique en les entendant, qui se mettent à hurler aussi, qui font pipi. » Une scène terrible, qui me hante encore. Je ne sais pas combien de temps cela a duré, mais je n'ai jamais rien entendu de pire, je n'ai jamais rien vu de plus violent. Avec, instinctivement, le sentiment d'une situation de non-retour. Le lendemain régnait dans le camp un désarroi indescriptible. Les petits erraient, pleurant, la morve au nez, les fesses de plus en plus sales, désemparés. Une tristesse, une misère... La mort valait peut-être mieux que cette détresse. Je crois qu'il y a un degré dans l'interdit : faire ça à des enfants...

Le matin, les partants devaient passer à la baraque des fouilles. Il y avait là des gardes mobiles, mais aussi des Français en uniforme, qui venaient de je ne sais où. Je les revois, assis derrière des tables, avec leur béret, et leur baudrier sur la poitrine. Il fallait mettre tout ce qu'on avait, argent ou bijoux, sur la table. Ils contrôlaient en fouillant et s'ils trouvaient quelque chose qui n'avait pas été remis, ils frappaient. Cela n'est pas arrivé à mes parents, qui de toute façon n'avaient rien. Mais ce fut pour moi un choc énorme : quand on a 11 ans, les parents, les adultes, c'est sacré, et en voir se faire frapper constitue un spectacle incompréhensible. Je me souviens notamment d'une scène précise dans cette baraque des fouilles : une très grosse femme, très laide, qui était en corset, que l'on avait jetée par terre et que l'on tapait. Cela me dégoûtait : le fait qu'elle soit à demi nue, devant tout le monde, devant moi, qu'elle soit pitoyable et moche, qu'elle soit frappée. Je ne comprenais pas ce qui se passait.

Après, on nous a mis en rang dehors, on nous disait : « Vous allez être déportés », je me souviens de ce mot, « déporté ». Le bruit circulait qu'on allait nous renvoyer dans notre pays d'origine.

À l'embarquement, je suis dans le même wagon que mon père, avec beaucoup d'adolescents. Arrivent deux ou trois Allemands. L'un d'eux – j'avais remarqué ça – avait un pantalon avec des bandes rouges. Ils ont fait descendre plusieurs dizaines d'enfants. Dont moi. Et nous ont remis dans le camp.

Les Allemands, s'apercevant que les Français ont fait monter trop de jeunes enfants (alors qu'ils n'ont pour l'instant l'autorisation de ne réceptionner que des internés d'au moins 16 ans), exigent au dernier moment que l'on retire du convoi

160 enfants. Dont Joseph Weismann, ainsi séparé de sa mère, de son père et de sa sœur.

Rachel Muller, la mère d'Annette et de Michel Muller, fait partie de ce même convoi. Annette et Michel se souviennent d'une longue journée de bousculades, de cris et de hurlements, de coups de matraque et de jets d'eau.

« Et tout d'un coup, il y a ceux qui partent d'un côté et des centaines d'enfants qui restent de l'autre, avec, au milieu, plein de gendarmes. Ma mère nous regarde et nous fait signe. Cela dure longtemps. C'est la dernière image que j'ai d'elle, raconte Annette Muller. Je me souviens qu'un peu avant, elle avait cousu quelques billets dans les épaulettes du manteau de Michel. Je me souviens aussi d'un morceau de savon qui nous restait et qu'elle avait donné à une autre femme internée, qui ne partait pas, en lui demandant de s'occuper de nous pour que l'on reste propres.

Toute la nuit j'ai pleuré. Je ne cessais de me rappeler que quelques jours plus tôt, je n'avais pas voulu dormir près d'elle parce que de l'eau de pluie, qui coulait le long de la paroi de la baraque, avait mouillé la paille sur sa couche. Je regrettais, je voulais le lui dire, et je ne supportais pas son absence ».

Éric Conan,
Sans oublier les enfants, 1991
Les camps de Pithiviers et de Beaune-la-Rolande 19 juillet-16 septembre 1942
Éditions Grasset (septembre 1991)

© Grasset

■ FRANCESCO D'ADAMO
Iqbal, un enfant contre l'esclavage, 2001

> Le Bureau international du travail évalue à 250 millions le nombre d'enfants contraints de travailler de par le monde. Les pays occidentaux n'ignorent pas ce fléau, notamment parce que des jeunes filles sont amenées à s'expatrier pour y servir de bonnes, voire d'esclaves, à des familles sans scrupules.
>
> Iqbal Masih, dont il va être question ci-dessous, a vraiment existé. Très jeune, il a commencé à tisser des tapis au Pakistan. Puis, après avoir combattu l'esclavage des enfants, il a été assassiné le 16 avril 1995.

Le jour où j'étais arrivée[1], il y a très longtemps, Hussein Khan, le maître, avait pris une ardoise propre, y avait tracé des signes et m'avait déclaré :

« Ça, c'est ton nom.

— Oui, monsieur.

— Ça, c'est ton ardoise. Personne n'a le droit d'y toucher. Seulement moi. Tu as compris ?

— Oui, monsieur. »

Puis il avait tracé beaucoup de signes, l'un à côté de l'autre, tout droits, comme les poils sur le dos d'un chien apeuré, et chaque groupe de quatre signes, il l'avait barré d'un trait, et moi je ne comprenais pas.

« Tu sais compter ? m'avait demandé le maître.

— Presque jusqu'à dix.

— Regarde, m'avait expliqué Hussein Khan, voici ta dette. Chaque signe représente une roupie. Je te donnerai une roupie pour chaque journée de travail. C'est normal. Personne ne te paierait davantage. Tout le monde peut te le dire. Demande-le à qui tu veux : on te confirmera qu'Hussein Khan est un patron juste et bon. Tu auras ce à quoi tu as droit. Et chaque jour, au coucher du soleil, j'effacerai un de ces signes, devant toi. Tu pourras être fière, et tes parents aussi ils pourront être fiers, parce que ce sera le fruit de ton travail. Tu as compris ?

— Oui, monsieur », avais-je répondu, mais ce n'était pas vrai.»

[…]

---

1. La narratrice est Fatima, qui, dans le roman de F. d'Adamo, partage le sort d'Iqbal dans l'atelier d'Hussein Khan.

Cela fait trois ans qu'il efface, et les signes sont encore tous là, du moins c'est mon impression ; parfois il me semble qu'il y en a même encore plus – mais ce n'est pas possible. Les signes à la craie sur l'ardoise ne sont pas comme les herbes folles dans le jardin de mon père, qui poussaient toutes seules, en une nuit, et venaient gâter la récolte.

[…]

Iqbal, je m'en souviens parfaitement, arriva un matin, à la fin du printemps. Le soleil, déjà haut et chaud, entrait dans le hangar en tôle ondulée où nous travaillions, en de longs rais de lumière où dansaient des tourbillons de poussière. Telles deux épées engagées dans un duel à mort, deux d'entre eux se croisaient précisément sur la rame du tapis que je tissais, faisant ressortir les couleurs vives. J'avais décidé que l'une était l'épée du bon héros et l'autre, celle du méchant. En actionnant les pédales, je faisais en sorte que, pendant un instant, l'épée du premier prenne le dessus et mette en fuite le méchant qui, ensuite, revenait à la charge, implacablement. […]

Je m'étais évadée. J'eus à peine le temps de reprendre le fil qui était en train de m'échapper. Le ciel s'obscurcit. Les deux épées de lumière cessèrent de se livrer combat. Nous nous retournâmes tous : le maître était sur le seuil en tenue de voyage : une longue houppelande lui arrivait jusqu'aux pieds et il portait des bottes légères couvertes de terre rouge. Dans sa main gauche, il tenait un sac et, de la droite, il serrait le bras d'un garçon qui avait deux ou trois ans de plus que moi. Il le serrait à lui faire mal.

Ce garçon n'était pas très grand, il était mince, brun. Je le trouvai beau. Enfin, non, il n'était pas beau, mais il avait de ces yeux, les yeux de mon Iqbal dont je me souviens encore. Doux et profonds, ils n'avaient pas peur. Il se tenait immobile, à la porte de l'atelier, tandis que l'énorme main de Hussein lui meurtrissait l'avant-bras et que nous tous le regardions – nous étions quatorze à l'époque, plus Karim, le surveillant. Tous – j'en suis sûre – nous pensâmes la même chose : ce nouvel arrivant qui venait s'adjoindre à nous, un numéro parmi tous ceux passés par cet atelier, avait quelque chose de différent que nous ne parvînmes pas à saisir sur le moment. Il nous regarda, l'un après l'autre : il était triste, naturellement, comme quelqu'un qui a quitté sa maison depuis longtemps, qui est loin de ses parents et de ce qu'il aime, qui est à peu près un esclave, et qui ignore ce que sera son avenir et ce qu'il adviendra de lui ; il était triste comme un garçon qui n'a jamais pu courir après un ballon ou se balader dans un souk l'après-midi en chapardant des fruits ou en jouant au palet contre un mur.

Mais il n'avait pas froid aux yeux, nom d'un chien.

[...]

C'était une matinée particulière. Lorsque les clients étrangers arrivaient, Hussein ne pouvait pas nous malmener devant eux et il devait faire croire que nous étions heureux et contents. « Ce sont mes élèves, disait-il en distribuant des caresses en veux-tu en voilà, chez moi ils apprennent un métier honnête qui leur permettra de s'assurer un avenir meilleur, sans la faim ni la misère. Pour moi, ce sont comme des enfants. »

J'ignore si les étrangers le croyaient ou pas. Ce sont des drôles de gens. En général, ces hommes sont vêtus avec élégance et ils ont un regard froid ; parfois on voyait arriver quelques femmes, les jambes et les bras découverts. Elles nous regardaient en souriant.

« Quels beaux enfants ! » s'exclamaient-elles. [...]

Iqbal ne faisait pas la queue comme nous, il était à côté de son métier, mais personne n'y faisait attention. En effet, depuis quelques jours, tout le monde cherchait à l'éviter, par envie, et lui aussi restait dans son coin, comme s'il méditait de graves pensées. De plus, le maître lui avait enlevé sa chaîne, et cela avait été interprété comme un signe particulier de faveur.

Je n'allai pas au cabinet, ce matin-là, et je n'atteignis pas le rebord de la fenêtre par où je voyais la branche de l'amandier.

Il est étrange comme certains détails restent gravés dans notre esprit, même des années plus tard, nets et précis comme s'ils étaient advenus la veille. Cette scène, je l'ai encore devant les yeux, et mon cœur bat encore à son souvenir.

Hussein parcourait notre file, excité et nerveux. Soudain, il s'arrêta, cessa d'agiter les mains et devint blanc comme un linge. Il regardait quelque chose derrière nous. Ses yeux s'étaient dilatés et sa bouche, aux dents noircies par le tabac, s'ouvrait lentement. Nos nous retournâmes tous ensemble comme si une main gigantesque nous serrait et nous obligeait à tourner la tête. Je n'oublierai jamais la scène.

Iqbal était debout, à côté de son poste de travail. Derrière lui, on voyait le tapis, ce merveilleux tapis d'un bleu inouï, au motif floral compliqué : un tapis parfait. Iqbal en avait fait presque le tiers, il avait travaillé plus vite et mieux que quiconque. Les étrangers allaient devenir fous devant un tapis comme ça.

Iqbal était pâle, lui aussi, mais moins qu'Hussein Khan. Il prit un couteau, de ceux qui nous servaient à couper les franges et les nœuds, nous regarda tous, l'un après l'autre, se tourna avec calme et coupa le tapis de haut en bas, exactement en deux moitiés.

« Non, pensai-je, ne fais pas ça ! »

Nous entendîmes distinctement, dans le silence qui s'était fait dans l'atelier, le sstrapp des fils coupés.

Hussein Khan hurla comme un cochon qu'on égorge. La maîtresse hurla. Karim hurla, car il faisait toujours tout ce que faisaient les patrons.

Francesco d'Adamo,
Iqbal, un enfant contre l'esclavage, 2001
Collection Le Livre de poche jeunesse, « Histoires de vies »,
2002, p. 20-21, 25, 29-33, 59-63
Hachette

© Hachette

▪ VASSILI GROSSMAN
Vie et Destin, 1960

> *Vie et Destin,* achevé en 1960, est la seconde partie d'une immense fresque sur la bataille de Stalingrad. Immédiatement saisi par les autorités soviétiques, il fait partie de ces livres miraculés qui doivent leur existence à la survie de quelques copies. Vassili Grossman (1905-1964) a donné là une œuvre-somme qui pourrait rivaliser pour l'ampleur avec *Guerre et Paix* de Tolstoï.

Les « Cahiers » d'Ikonnikov livrent par le truchement d'un personnage secondaire une réflexion morale revenue de tous les dogmes, humblement réfugiée dans l'étincelle d'une bonté humaine aussi absurde qu'impossible à étouffer, et qui, seule, permet de ne pas désespérer de la fraternité des hommes.

« J'ai pu voir en action la force implacable de l'idée de bien social qui est née dans notre pays. Je l'ai vue au cours de la collectivisation totale ; je l'ai vue encore une fois en 1937. J'ai vu qu'au nom d'une idée du bien, aussi belle et humaine que celle du christianisme, on exterminait les gens. J'ai vu des villages entiers mourant de faim, j'ai vu, en Sibérie, les enfants de paysans déportés mourant dans la neige, j'ai vu les convois qui emmenaient en Sibérie des centaines et des milliers de gens de Moscou, de Leningrad, de toutes les villes de la Russie, des gens dont on avait dit qu'ils étaient les ennemis de la grande et lumineuse idée du bien social. Cette grande et belle idée tuait sans pitié les uns, brisait la vie des autres, elle séparait les femmes et les maris, elle arrachait les pères à leurs enfants. Maintenant, l'horreur du fascisme allemand est suspendue au-dessus du monde. Les cris et les pleurs des mourants remplissent l'air. Le ciel est noir, la fumée des fours crématoires a éteint le soleil. »

Mais ces crimes inouïs, jamais vus encore dans l'univers entier, jamais vus même par l'homme sur terre, ces crimes sont commis au nom du bien. [...]

Le bien n'est pas dans la nature, il n'est pas non plus dans les prédications des prophètes, les grandes doctrines sociales, l'éthique des philosophes... Mais les simples gens portent dans leur cœur l'amour pour tout ce qui est vivant, ils aiment naturellement la vie, ils protègent la vie. [...]

C'est ainsi qu'il existe, à côté de ce grand bien si terrible, la bonté humaine dans la vie de tous les jours. C'est la bonté d'une vieille, qui, sur le bord de la route, donne un morceau de pain à un bagnard qui passe, c'est la bonté d'un soldat qui tend sa gourde à un ennemi blessé, la bonté de la jeunesse qui a pitié de la vieillesse, la bonté d'un paysan qui cache dans sa grange un vieillard juif. C'est la bonté de ces gardiens de prison, qui, risquant leur propre liberté, transmettent des lettres de détenus adressées aux femmes et aux mères.

Cette bonté privée d'un individu à l'égard d'un autre individu, est une bonté sans témoin, une petite bonté sans idéologie. On pourrait la qualifier de bonté sans pensée. La bonté des hommes hors du lien religieux ou social.

Mais, si nous y réfléchissons, nous voyons que cette bonté privée, occasionnelle, sans idéologie, est éternelle. Elle s'étend sur tout ce qui vit, même sur la souris, même sur la branche cassée que le passant, s'arrêtant un instant, remet dans une bonne position pour qu'elle puisse cicatriser et revivre.

En ces temps terribles où la démence règne au nom de la gloire des États, des nations et du bien universel, en ces temps où les hommes ne ressemblent plus à des hommes, où ils ne font que s'agiter comme des branches d'arbre, rouler comme des pierres qui, s'entraînant les unes les autres, comblent les ravins et les fossés, en ces temps de terreur et de démence, la pauvre bonté sans idée n'a pas disparu.

Des Allemands, un détachement punitif, sont entrés dans le village. Deux soldats allemands avaient été tués la veille sur la route. Le soir, on réunit les femmes du village et on leur ordonna de creuser une fosse à la lisière de la forêt. Plusieurs soldats s'installèrent dans l'isba d'une vieille femme. Son mari fut emmené par un *politsaï* au bureau, et on avait déjà rassemblé une vingtaine de paysans. Elle resta éveillée toute la nuit : les Allemands avaient trouvé dans la cave un panier d'œufs et un pot de miel, ils allumèrent eux-mêmes la poêle, se firent frire une omelette et burent de la vodka. Puis, l'un d'entre eux, le plus âgé, joua de l'harmonica, les autres, tapant du pied, chantaient. Ils ne regardaient même pas la maîtresse de maison, comme si elle était un chat et non un être humain. Au lever du jour, ils vérifièrent leur mitraillette ; l'un d'entre eux, le plus âgé, appuya par mégarde sur la détente et reçut une rafale dans le ventre. Les autres criaient, couraient à travers la maison. Ils le pansèrent tant bien que mal et le couchèrent sur le lit. À ce moment-là, on les appela tous dehors. Ils ordonnèrent par signes de veiller sur le blessé. La femme voit qu'elle pourrait aisément l'étrangler : il bredouille des mots informes, ferme les yeux, pleure, claque des lèvres. Puis il ouvre soudain les yeux et demande d'une voix claire : « Mère, à boire. » « Maudit, dit la femme, je devrais t'étrangler. » Et elle lui donne à boire. Il la saisit par la main et lui montre qu'il veut s'asseoir, le sang l'empêche de respirer. Elle le soulève et lui se tient à son cou. A cet instant, on entendit la fusillade, la femme était secouée par des tremblements. Par la suite, elle raconta ce qui s'était passé, mais personne n'arrivait à comprendre, et elle ne pouvait pas expliquer ce qu'elle avait fait. […]

Elle est, cette bonté folle, ce qu'il y a d'humain en l'homme, elle est ce qui définit l'homme, elle est le point le plus haut qu'ait atteint l'esprit humain. La vie n'est pas le mal, nous dit-elle.

Vassili Grossman,
Vie et Destin, 1960
Pocket, coll. « Pocket Blanche », 1984, p. 382 *sqq*

■ PIERRE-JAKEZ HELIAS
Le Cheval d'orgueil, 1976

> Né à Pouldreuzic dans une famille pauvre mais riche d'orgueil et de mémoire, Pierre-Jakez Hélias (1914-1995) est reçu à l'agrégation de lettres et devient un des chantres du pays bigouden. À soixante ans, il fait paraître *Le Cheval d'Orgueil,* qui raconte sa jeunesse bretonne. Le livre rencontre un succès impressionnant. Dans ce passage, il évoque la rivalité scolaire et politique entre les « rouges » et les « blancs ».

Les enfants de la République

« Il y a des trésors latents dans ce peuple qui n'ont pas pu sortir. La culture française ne lui convient pas ; la sienne ne peut pas germer ; dès lors il est maintenu tout entier dans les bas-fonds des catégories sociales inférieures. »
Simone Weil, *L'Enracinement,* Gallimard, coll. « Idées », 1970.

Un après-midi d'été, je suis occupé à manipuler des bouts de ficelle que mon grand-père m'a donnés en me recommandant de ne pas les perdre. J'aimerais faire d'aussi beaux nœuds que mon ami Pierre Tymen, passé maître dans cet art. Il est vrai qu'il a de grands frères pour lui apprendre, lui. Je suis seul à la maison, mes parents battent le blé quelque part, notre terrible locataire, Jean-Marie Helou, a disparu depuis quelques jours. Alors, je me suis installé sur la première marche de l'escalier pour me délier les mains. Je commence à obtenir quelques résultats quand soudain une ombre énorme bouche complètement la porte ouverte sur le soleil du dehors. Est-ce que ce sont des manières ! Quelqu'un de notre compagnie n'entrerait jamais, ainsi, sans s'annoncer dès le dehors, sans demander à haute voix s'il y a quelqu'un. C'est sûrement un étranger, donc un danger pour moi. S'il allait m'emporter dans la poche de sa chemise comme font quelquefois, dit-on, les romanichels et les chemineaux de tout acabit ! J'ai appris à me défier des femmes sans coiffes et des hommes qui portent pas au moins une casquette à défaut d'un chapeau à rubans. Mais que faire avec mes bouts de ficelle ? Je reste immobile sur ma marche d'escalier, tout le corps noué d'angoisse.

L'étranger avance dans le couloir, tranquillement comme quelqu'un qui rentre chez lui. Il s'appuie sur un bâton mince et luisant qui casserait, me semble-t-il, sous les mains de grand-père. Sans m'accorder un regard, entre dans la cuisine. Maintenant, je le vois distinctement. Sur la tête, il a un chapeau en forme de marmite renversée. Il est vêtu d'un long manteau noir avec de la fourrure au col. En plein été. Quand il se retourne, je vois qu'il a de la barbe-à-joues comme mon grand-père sabotier. Sous le menton, il porte un col blanc à grandes pointes cassées et une cravate noire à nœud avec quelque chose qui brille dessus. C'est un monsieur. Il revient vers moi, frappe à la porte de la chambre (pourquoi donc !), l'ouvre, regarde et referme doucement. Puis il me prend la joue entre le pouce et l'index j'entends sa voix rude. J'entends, mais je ne comprends pas. Il doit parler français. Des mots français j'en ai entendu, certes, mais ce n'était pas ceux-là. Soudain j'éclate en sanglots. Et lui se fâche. Il n'a pas l'air commode, cet homme-là. Un instant après, il me demande, en breton cette-fois :

– Il n'y a que vous à la maison ? Où est votre père ?

Mais je suis trop ému pour répondre. Il frappe nerveusement le sol de son bâton plusieurs fois, hausse les épaules, s'en va vers la porte, revient, s'accroupit devant moi.

– Vous direz à votre père que Monsieur Le Bail est venu le voir. Monsieur Le Bail de Plozévet. Vous vous souviendrez ? Monsieur Le Bail.

Le voilà parti. Le temps d'avaler mes sanglots et je me hasarde sur le pas de la porte. Vers la place, devant la maison d'Alain Le Reste, le monsieur est en train de monter dans une sorte de calèche qu'un cheval qui n'est pas précisément de labour arrache aussitôt sous un claquement de fouet en direction de Plozévet. À peine l'attelage a-t-il disparu que la plupart des seuils se garnissent d'hommes, de femmes et d'enfants qui attendaient ce départ pour paraître. Devant le grand pailler de la ferme d'Henri Vigouroux, au coin du carrefour, deux hommes en bras de chemise, fourche en main, gesticulent. Des éclats de voix partout. Et Alain Le Reste, court et trapu, qui rentre chez lui en haussant les épaules. Que s'est-il passé ? Qui est Monsieur… comment déjà ?

Je ne tarderai pas à le savoir. Une heure après, comme mes parents ne rentrent pas, je vais rejoindre quelques-uns de mes petits camarades qui jouent à toquer des billes contre la porte pleine de la maison de Jean Kerdouz. À mon arrivée, ils s'arrêtent court, ramassent leurs billes sans rien dire avant même que je n'aie sorti les miennes de leur sac. Et ils se retirent lentement sans me quitter des yeux. Je reste immobile, ébahi. Alors l'un d'entre eux me désigne du doigt, lâche rageusement : tête rouge ! Et les autres de reprendre en chœur discordant : tête rouge ! Tête rouge ! Rouge d'un bout à l'autre ! Tête rouge ! Qu'est-ce qui leur prend ? Je ne suis pas rouquin, non ! Décidément, aujourd'hui, je ne comprends rien à rien. Soudain, derrière moi, j'entends la voix du gars de Pouloupri, celui qui n'a pas de père connu : culs blancs ! Sacrés culs blancs ! Allez chier de la merde blanche ! Et d'autres injures d'où il ressort que l'entrecuisse des gens en face, particulièrement le sac à deux billes, est d'une écœurante blancheur. Derrière le gars de Pouloupri, il y en a deux ou trois autres, aussi déchaînés que lui. Les blancs ne se sentent pas de taille. Ils disparaissent après que le plus hardi d'entre eux nous a traités de « verges rouges » et de « chiens de Le Bail ». Encore ce Monsieur Le Bail ! Pourtant lui non plus n'avait pas l'air d'être rouquin. Quand je demande au gars de Pouloupri et aux autres de m'expliquer la cause de cette soudaine algarade avec des gars du haut du bourg, des voisins et de bons amis d'habitude, il m'engage à ne jamais oublier que nous sommes rouges et que les autres sont blancs, qu'il y a beaucoup de blancs autour de nous et peu de rouges et que le grand chef des rouges est ce Monsieur Le Bail. Là-dessus, avant de remonter à Pouloupri, il se plante au milieu de la rue, les jambes écartées, met les mains en porte-voix autour de sa bouche et hurle en direction du bourg : « Vive la République ! ». C'est encore du français sans doute aucun. Décidément, il faudra que j'apprenne cette langue puisqu'il paraît que je suis rouge et chien de Le Bail.

Le soir, je raconte à mes parents mes aventures de l'après-midi. Alain Le Goff et mon père se montrent flattés de la visite de Monsieur Le Bail, navrés de ne pas avoir été là quand il est venu, mais enfin, chacun a pu voir qu'il est entré dans notre maison. Spécialement. Qui est Monsieur Le Bail ? C'est monsieur le maire de Plozévet. Il est aussi *député*. Il défend le pays à la *Chambre*. La *Chambre* est à Paris, pas loin de là où habite mon oncle Corentin. À la Chambre, il y a les *Blancs* et les *Rouges* qui luttent les uns contre les autres à longueur de temps, les Blancs étant pour l'Église, les *Rouges* pour la République. Monsieur Le Bail est rouge. Donc nous sommes rouges puisque la famille de mon père relève du clan Le Bail, depuis deux générations déjà. Aujourd'hui encore, mon grand-oncle Michel Hélias n'est-il pas l'homme à tout faire de Monsieur Le Bail et mon grand-père le sabotier de son frère, ne porte-t-il pas la barbe-à-joues qui fait reconnaître les Républicains ! Le reste, me dit-on, vous le saurez par la suite. C'est assez pour aujourd'hui. On espère seulement que je n'ai pas été trop niais devant Monsieur Le Bail. J'avoue qu'il m'a parlé en français, que je n'ai su lui répondre. C'est pourquoi, me dit-on, il faut aller à l'école. Monsieur Le Bail répète sans se lasser que les Rouges doivent être plus instruits que les Blancs. L'instruction est le seul bien qui ne se lègue pas de père en fils. La République la dispense à tout le monde. À chacun d'en prendre ce qu'il peut. Plus il en prend, plus il se dégage des Blancs qui détiennent la plus grande part du reste. Témoin mon oncle Jean Le Goff qui est parti d'ici sachant juste lire et écrire et qui, à force de s'instruire tout seul, est devenu un officier. S'il n'avait pas été tué à la guerre, il aurait fini capitaine, peut-être commandant. Pas colonel encore, tous les colonels que mon père a connus pendant sept ans étaient des *Blancs* et *fils de Blancs*, parfois de la noblesse. Mais cela va changer parce que les instituteurs sont déjà des *Rouges*. Et ce sont les instituteurs qui feront bientôt les colonels. Si seulement je pouvais devenir instituteur. Monsieur Le Bail serait content.

Voilà ce que me disent mes parents et sans doute ne me disent-ils pas tout ce soir-là. Ils en disent beaucoup trop pour que je puisse comprendre, mais c'est parce qu'ils comptent sur moi pour honorer les Rouges et d'abord eux-mêmes. Je me jure de faire mes sept possibles. Si seulement il n'y avait pas tout ce français à apprendre, je pourrais commencer tout de suite. Mais l'école, qui est à la République, parle français tandis que l'église, qui est blanche, parle breton. Vous voyez bien. Il y a pas à en demander plus. D'ailleurs, dit grand-père, quand vous irez voir votre oncle Corentin à Paris, boulevard Voltaire, vous n'entendrez que du français. Les gens de là-bas ne savent pas parler autrement. Si vous ne parlez pas comme eux, vous serez aussi gêné que madame Poirier, la buraliste devant l'église, qui entend à peu près le breton mais qui ne sait pas du tout s'en servir. Si elle n'était pas la seule à vendre du tabac, elle ne verrait jamais personne, la pauvre femme. Voilà ce que c'est que de vivre dans un pays dont on ne peut pas fréquenter les gens. – Mais je ne demande pas mieux que de rester ici, grand-père ! – Justement, parce que vous ne savez pas encore le français. Quand vous le parlerez aussi bien que Monsieur Le Bail, vous aurez envie d'aller ailleurs. – Alors, pourquoi Monsieur Le Bail reste-t-il à Plozévet ? – Il ne reste pas toujours à Plozévet. Il va faire des discours à la *Chambre*, à Paris. Il va défendre les gens au tribunal de Quimper. Avec le français on peut aller partout.

Pierre-Jakez Helias,
Le Cheval d'Orgueil : mémoires d'un Breton du pays bigouden,
1976
Plon, coll. « Terre humaine », 1976, p. 209 *sqq*

© Plon

JOSEPH JOFFO
Un Sac de billes, 1971

> Né à Paris en 1931, Joseph Joffo devient coiffeur comme son père et ses frères, après avoir fréquenté l'école communale et obtenu, en 1945, le certificat d'études – son seul diplôme, dit-il avec fierté et malice. En 1971, il met sur le papier ses souvenirs d'enfance : ce sera *Un Sac de billes.*

Nous étions tombés sur le curé le plus têtu, le plus humoriste et le plus acharné à arracher des Juifs des griffes des Allemands, qu'il y avait dans le département des Alpes-Maritimes.

Le lendemain, la porte n'était pas ouverte, les sentinelles de nuit n'avaient pas encore été relevées par celles de jour que le factionnaire du hall vit arriver le bon curé de la Buffa qui lui fit un petit signe d'amitié, trottina vers les escaliers, s'empara d'une chaise en murmurant : « Ne vous dérangez pas », à des SS en train de jouer aux cartes et vint s'installer face au bureau. Il s'était cette fois muni de son bréviaire et il était facile de comprendre, rien qu'à le voir qu'il serait plus facile de changer le Mont-Blanc de place que d'essayer seulement d'envisager que cet homme pouvait dévier d'un millimètre de la tâche qu'il s'était fixée.

Chaque fois qu'un interprète, un employé, une personne quelconque passait dans le couloir, elle effectuait un léger détour.

À midi, il n'avait toujours pas été reçu.

À midi cinq, le curé plongea sa main dans une poche profonde de sa soutane et en tira un morceau de papier blanc, soigneusement plié. Le papier contenait deux tranches de pain gris, et un morceau de mortadelle.

Le curé avala son sandwich avec entrain, replia soigneusement le papier qu'il remit dans sa poche, il avala un cachou qui dans son esprit devait représenter le dessert et comme un gendarme allemand le regardait suffoqué à une dizaine de mètres de là, il se leva et lui demanda dans un allemand grammaticalement correct mais à l'accent nettement niçois :

– Je m'excuse de vous déranger, militaire, mais auriez-vous l'amabilité de m'apporter un verre d'eau ?

Après cet épisode, il devint rapidement l'attraction de l'hôtel et les responsables comprirent qu'il pouvait y avoir là quelque danger, aussi à quatorze heures fut-il introduit le premier. L'entrevue fut brève, sèche, mais courtoise.

Il revint le lendemain mais n'eut pas besoin cette fois de s'asseoir. Il fut introduit immédiatement. Il apportait les papiers demandés et au-delà il y avait nos deux certificats de baptême et une lettre manuscrite de l'archevêque qui expliquait que ces deux certificats avaient été établis à la cathédrale d'Alger, ville où nous étions nés et qu'ils se trouvaient en sa possession puisque ces documents avaient été nécessaires à la cérémonie de notre communion ; qu'il certifiait également avoir eu lieu en l'église de la Buffa à la date mentionnée. En foi de quoi, il demandait notre libération immédiate et se déclarait prêt, si toutes ces preuves n'étaient pas jugées suffisantes, à venir lui-même s'expliquer au siège de la Gestapo.

Il aurait été évidemment très désagréable pour la Gestapo de voir l'épiscopat prendre officiellement position contre elle. Les raisons en sont encore obscures même aujourd'hui. On peut cependant en distinguer une. Même en ces années où la France se vide d'hommes, de nourriture, de matériel, même au moment où les travailleurs partent vers les usines allemandes, la politique de collaboration européenne n'est pas encore abandonnée, il ne faut donc pas, sous prétexte d'envoyer deux gosses dans la chambre à gaz, se brouiller avec l'Église française car les pratiquants sont nombreux. Pour sauvegarder sa politique de neutralité vis-à-vis de la catholicité niçoise, la Gestapo décide donc de relâcher après plus d'un mois d'arrestation Maurice et Joseph Joffo.

La vie tient le plus souvent à peu de chose, en cette année-là, je peux dire que pour nous, elle ne tient à rien. Simplement au fait qu'arrêtés un vendredi, nous avions pénétré à l'hôtel Excelsior alors que le convoi hebdomadaire était déjà constitué et que la manie administrative des Allemands les entraîna à ouvrir un dossier nous concernant. Peu d'entre nous ont eu cette chance.

Ce fut le curé qui nous emmena, nous tenant chacun par une main. Lorsque l'homme à la veste de tweed signa l'acte de libération, notre curé l'empocha comme quelque chose qui lui était dû depuis longtemps et ne remercia pas. Il y avait même dans son attitude une pointe d'agacement ; elle voulait dire : « Il vous en a fallu du temps pour vous décider. »

Avant de sortir du bureau, il salua de la tête et nous dit :

– Maurice, Joseph, dites au revoir au monsieur.

Nous y allâmes en chœur.

– Au revoir, m'sieur.

L'homme en tweed nous regarda partir sans un mot, l'interprète n'avait pas eu besoin de traduire.

Dehors, je fus ébloui par le soleil et le vent qui venait de la mer. Je sursautai, rangée devant l'hôtel, il y avait la camionnette qui nous avait amenés. Subinagui était au volant, il nous embrassa tout heureux.

[...]

Nous sommes descendus violacés et tremblotants sur ce quai gris, sous un ciel gris, un employé gris prit notre ticket et nous nous trouvâmes dans une ville totalement dénuée de la moindre couleur où soufflait un vent glacial. Nous étions au début d'octobre mais jamais un hiver ne fut aussi précoce que celui de cette année 1943. Les gens arpentaient les trottoirs pour se réchauffer mais le vent semblait venir de partout à la fois. Cette ville était un courant d'air glacial où malgré les superpositions, mes orteils me paraissaient être devenus de marbre dur. L'air passait par les manches de mes chemises, glissait le long des aisselles et j'avais la chair de poule depuis Valence.

Entre deux claquements de mâchoires, Maurice, frigorifié, arriva à articuler :

– Faut faire quelque chose, on va crever de pneumonie.

C'était bien mon avis et nous nous mîmes à courir à toute allure dans les rues tristes. La phrase bien connue. « Cours un peu, cela te réchauffera » est sans doute la plus grosse de ces innombrables bêtises que prononcent les adultes à l'intention des enfants. Je peux affirmer pour avoir vécu l'expérience ce jour-là, que lorsqu'on a bien froid, courir ne sert à rien. Cela essouffle, fatigue, mais ne réchauffe absolument pas. Au bout d'une demi-heure de cavalcades, de galops frénétiques, de frottements de mains, je soufflais comme un phoque mais grelottais encore davantage.

– Écoute, Jo. Il faut s'acheter un manteau.

– Tu as des points textile ?

– Non, mais il faut tenter.

Dans une rue en arc de cercle qui contournait une morne place, je vis un magasin minuscule, l'une de ces boutiques que les grandes surfaces font disparaître en trois mois de temps.

Une vitrine poussiéreuse, une façade délavée et une enseigne presque invisible : « Vêtements d'hommes, dames et enfants ».

– On y va.

J'allais éprouver là la sensation peut-être la plus agréable de toute ma vie, dès la porte refermée : le magasin était chauffé.

La chaleur entra d'un coup par chacun de mes pores, je me serais vautré par terre de bien-être. Sans un regard pour la brave dame qui nous regardait derrière son comptoir, nous nous collions contre le poêle qui ronflait doucement.

La commerçante nous regardait, les yeux ronds. Il devait y avoir de quoi, il ne devait pas être fréquent à Montluçon de voir débarquer deux garçonnets en chemisettes superposées, les bras nus par un froid de loup, serrant une musette contre leur poitrine. Je sentais mes fesses se rôtir doucement et j'étais en extase lorsque la brave dame nous questionna.

– Qu'est-ce que vous désirez, mes enfants ?

Maurice s'arracha aux délices du poêle.

– On voudrait des manteaux ou des grosses vestes, nous n'avons pas de tickets mais peut-être qu'en payant un peu plus cher…

Elle secoua la tête, navrée.

– Même en payant des millions, je ne pourrais rien vous vendre, il y a bien longtemps qu'il n'y a plus d'arrivage, les maisons de gros ne livrent plus.

– C'est que, dit Maurice, on a froid.

Elle nous regarda, apitoyée.

– Ça, dit-elle, vous n'avez pas besoin de me le dire, ça se voit.

Je me mêlai à la conversation :

– Vous n'avez pas de pull-over, quelque chose qui protège un peu ?

Elle eut un rire comme si je venais de lui raconter une histoire particulièrement drôle.

– Il y a bien longtemps qu'on ne sait plus ce que c'est qu'un pull-over, dit-elle. Tout ce que je peux vous offrir, c'est ceci.

Elle se baissa, prit sous le comptoir deux écharpes. C'était de l'ersatz, de l'imitation pure laine, ce serait toujours mieux que rien.

– On va prendre ça. Je vous dois combien ?

Maurice paya et je pris mon courage à deux mains.

– Excusez-moi, madame, mais ça ne vous dérangerait pas que nous restions encore un tout petit moment ici ?

La seule idée de replonger au-dehors me faisait dresser les cheveux sur la tête et je dus avoir le ton plaintif qui convenait car elle accepta. Elle semblait même heureuse d'avoir quelqu'un à qui parler, ce n'était pas la clientèle qui devait lui faire beaucoup de conversation.

Quand elle sut que nous arrivions de Nice, elle se récria, elle y avait passé ses vacances autrefois et elle nous fit raconter tout ce qui se passait là-bas, les changements qu'avait connus la ville.

J'étais toujours collé au poêle et j'envisageais d'enlever une de mes deux chaussettes lorsque je m'aperçus que la nuit tombait. Il n'était plus question de prendre le car pour le village où habitait ma sœur, il allait falloir trouver un hôtel.

Je fis part de mes préoccupations à Maurice lorsque la brave dame intervint :
– Écoutez, dit-elle, vous ne trouverez pas d'hôtel à Montluçon, il y en a deux qui ont été réquisitionnés par les Allemands et un autre pour la milice, si par chance vous aviez une chambre, elle ne serait pas chauffée. Je peux vous proposer la chambre de mon fils, vous serez un peu serrés dans le lit mais vous serez au chaud.

Brave marchande de Montluçon, j'en aurais sauté de joie. Le soir, elle fit le meilleur gratin dauphinois qu'il m'ait jamais été donné de manger. Elle continuait à parler tandis que je piquais du nez sur mon assiette vide. Elle nous offrit de la tisane pour finir et je m'endormis aussitôt, enfoui sous un édredon rouge bourré de plumes.

Il y eut une alerte pendant la nuit mais les sirènes ne nous réveillèrent même pas. Elle nous fit la bise en partant et refusa que nous la payions.

Joseph Joffo,
Un Sac de billes, 1971
Le livre de Poche, 1973, p. 180-193

■ PRIMO LEVI
Si c'est un homme, 1947

Arrêté comme résistant à 24 ans, Primo Levi (1919-1987) est, en tant que Juif, envoyé dans un camp d'internement puis à Auschwitz début 1944. *Si c'est un homme* est le journal de sa déportation et l'un des premiers livres sur Auschwitz. Réédité en 1958, ce chef-d'œuvre rencontre alors une immense audience, qui ne s'est pas démentie depuis.

J'ai eu la chance de n'être déporté à Auschwitz qu'en 1944, alors que le gouvernement allemand, en raison de la pénurie croissante de main-d'œuvre, avait déjà décidé d'allonger la moyenne de vie des prisonniers à éliminer, améliorant sensiblement leurs conditions de vie et suspendant provisoirement les exécutions arbitraires individuelles.

Aussi, en fait de détails atroces, mon livre n'ajoutera-t-il rien à ce que les lecteurs du monde entier savent déjà sur l'inquiétante question des camps d'extermination. Je ne l'ai pas écrit dans le but d'avancer de nouveaux chefs d'accusation, mais plutôt pour fournir des documents à une étude dépassionnée de certains aspects de l'âme humaine. Beaucoup d'entre nous, individus ou peuples, sont à la merci de cette idée, consciente ou inconsciente, que « l'étranger, c'est l'ennemi ». Le plus souvent, cette conviction sommeille dans les esprits, comme une infection latente ; elle ne se manifeste que par des actes isolés, sans lien entre eux, elle ne fonde pas un système. Mais lorsque cela se produit, lorsque le dogme informulé est promu au rang de prémisse majeure d'un syllogisme, alors, au bout de la chaîne logique, il y a le Lager ; c'est-à-dire le produit d'une conception du monde poussée à ses plus extrêmes conséquences avec une cohérence rigoureuse ; tant que la conception a cours, les conséquences nous menacent. Puisse l'histoire des camps d'extermination retentir pour tous comme un sinistre signal d'alarme.

Je suis conscient des défauts de structure de ce livre, et j'en demande pardon au lecteur. En fait, celui-ci était déjà écrit, sinon en acte, du moins en intention et en pensée dès l'époque du Lager. Le besoin de raconter aux « autres », de faire participer les « autres », avait acquis chez nous, avant comme après notre libération, la violence d'une impulsion immédiate, aussi impérieuse que les autres besoins élémentaires ; c'est pour répondre à un tel besoin que j'ai écrit mon livre ; c'est avant tout en vue d'une libération intérieure.

[...]

À l'égard des condamnés à mort, la tradition prévoit un cérémonial austère, qui marque bien que toute colère et toute passion sont désormais sans objet, et que l'accomplissement de la justice, n'étant qu'un triste devoir envers la société, peut admettre de la part du bourreau un sentiment de pitié envers la victime. Ainsi évite-t-on au condamné tout souci extérieur, il a droit à la solitude et, s'il le désire, à toute espèce de réconfort spirituel ; bref, on fait en sorte qu'il ne sente autour de lui ni haine ni arbitraire, mais la nécessité et la justice, et le pardon dont s'accompagne la punition.

Mais nous, nous n'eûmes rien de tout cela, parce que nous étions trop nombreux, et que le temps pressait. Et puis, finalement, de quoi aurions-nous dû nous repentir ? Qu'avions-nous à nous faire pardonner ? Le commissaire italien prit donc des dispositions pour que tous les services continuent à fonctionner jusqu'à l'ordre de départ définitif ; les cuisines restèrent ouvertes, les corvées de nettoyage se succédèrent comme à l'accoutumée, et même les instituteurs et les professeurs de la petite école donnèrent leur cours du soir, comme chaque jour. Mais ce soir-là les enfants n'eurent pas de devoirs à faire.

La nuit vint, et avec elle cette évidence : jamais être humain n'eût dû assister, ni survivre, à la vision de ce que fut cette nuit-là. Tous en eurent conscience : aucun des gardiens, ni italiens ni allemands, n'eut le courage de venir voir à quoi s'occupent les hommes quand ils savent qu'ils vont mourir.

Chacun prit congé de la vie à sa façon. Certains prièrent, d'autres burent outre mesure, d'autres encore s'abandonnèrent à l'ivresse d'un ultime, inexprimable moment de passion. Mais les mères, elles, mirent tous leurs soins à préparer la nourriture pour le voyage ; elles lavèrent les petits, firent les bagages, et à l'aube les barbelés étaient couverts de linge d'enfants qui séchait au vent ; et elles n'oublièrent ni les langes, ni les jouets, ni les coussins, ni les mille petites choses qu'elles connaissent si bien et dont les enfants ont toujours besoin. N'en feriez-vous pas autant vous aussi ? Si on devait vous tuer demain avec votre enfant, refuseriez-vous de lui donner à manger aujourd'hui ?

La baraque 6 A comptait parmi ses occupants le vieux Gattegno, accompagné de sa femme et d'une tribu d'enfants, de petits-enfants, de gendres et d'infatigables belles-filles. Tous les hommes de la famille étaient menuisiers ; ils étaient arrivés de Tripoli au terme de longues et nombreuses pérégrinations, et partout où ils passaient ils emportaient avec eux leurs outils, leur batterie de cuisine, et même leurs accordéons et leurs violons pour en jouer et danser le soir, après le travail, car c'étaient des hommes aussi gais que pieux. Leurs femmes, silencieuses et rapides, eurent fini avant toutes les autres les préparatifs de voyage, afin qu'il restât du temps pour célébrer le deuil ; et lorsque tout fut prêt, les galettes cuites et les paquets ficelés, alors elles se déchaussèrent et dénouèrent leurs cheveux ; elles disposèrent sur le sol les cierges funéraires, les allumèrent selon le rite des ancêtres et s'assirent en rond par terre pour les lamentations, et toute la nuit elles prièrent et pleurèrent. Nous demeurâmes nombreux à leur porte, et nous sentîmes alors descendre dans notre âme, nouvelle pour nous, l'antique douleur du peuple qui n'a pas de patrie, la douleur sans espoir de l'exode que chaque siècle renouvelle.

L'aube nous prit en traître ; comme si le soleil naissant se faisait le complice de ces hommes qui avaient résolu de nous exterminer.

Primo Levi,
Si c'est un homme, 1947
Éditions Pocket, 2003, p. 7-8 et 14-17

© Robert Laffont

■ JACK LONDON
L'Amour de la vie, 1914

Jack London (1876-1918) découvre le Grand Nord en 1897, en participant à la ruée vers l'or au Klondike. Il en revient sans or, mais en ayant puisé dans les paysages glacés et sauvages la source d'inspiration de ses plus grandes œuvres littéraires. Il y fait aussi la découverte des peuples amérindiens au moment où « l'homme blanc » impose sa domination.

« Pourquoi êtes-vous tout seuls dans le village ? demandai-je. Est-ce que tout le monde est mort ? Est-ce qu'il y a eu beaucoup de maladies ? Êtes-vous les seuls vivants qui restent ? »

Le vieux Ebbits secoua la tête, disant :

« Non, il n'y a pas eu beaucoup de maladies. Le village est allé chasser pour trouver de la viande. Nous sommes trop vieux, nos jambes ne sont pas fortes et nous ne pouvons plus porter sur le dos les fardeaux du camp et du voyage. C'est pour cela que nous restons ici et nous nous demandons quand les jeunes hommes reviendront avec la viande.

– En supposant que les jeunes hommes reviennent avec de la viande ! dit Zilla brusquement.

– Peut-être reviendront-ils avec beaucoup de viande, reprit en chevrotant le vieux.

– Et même avec beaucoup de viande ! continua-t-elle plus brusquement encore. Mais à quoi cela nous servira-t-il à toi ou à moi ? Quelques os à ronger dans notre vieillesse édentée. Mais la graisse, les rognons et les langues, tout cela ira dans d'autres bouches que les nôtres, vieil homme ! »

Ebbits remua la tête et en silence pleura.

« Il n'y aura personne pour chasser de la viande pour nous », cria-t-elle, se tournant en colère de mon côté.

Il n'y avait une accusation dans son geste et je haussai les épaules pour montrer que je n'étais pas coupable du crime inconnu dont j'étais accusé.

« Sache, homme blanc, que c'est à cause de ta race, à cause de tous les Blancs que mon homme et moi n'avons pas de viande dans notre vieillesse et que nous sommes assis sans abri contre le froid et sans tabac.

– Non, dit gravement Ebbits chez qui le sens de la justice était plus marqué : on nous a fait tort, il est vrai, mais l'homme blanc n'avait point l'intention de nous faire du tort ».

– Où donc est Moklan ? demanda-t-elle. Où est ton fils vigoureux, et le poisson qu'il était toujours prêt à apporter afin que tu puisses manger ?

Le vieux remua la tête.

« Et où est Bidarshik ton fils fort ? Il était toujours un grand chasseur et toujours il te rapportait la bonne graisse et les langues séchées du moose et du caribou. Je ne vois point de graisses ni de langues séchées. Ton estomac est plein de rien pendant des jours et il faut que ce soit un homme d'une race misérable et menteuse qui te donne à manger.

– Non, interposa le vieil Ebbits avec bonté, l'homme blanc n'est pas menteur. L'homme blanc dit la vérité : il dit toujours vrai. »

Il s'arrêta, regardant autour de lui comme pour trouver des mots qui adouciraient la sévérité de ce qu'il allait dire.

« Mais le Blanc dit la vérité de différentes façons. Aujourd'hui il dit vrai d'une manière, demain il dira vrai d'une autre manière et il est difficile de le comprendre ou de comprendre sa façon. »

« – Aujourd'hui dire la vérité d'une façon, demain la dire d'une autre, c'est mentir, conclut Zilla.

– On ne peut pas comprendre le Blanc », continua Ebbits obstiné.

La viande, le thé et le tabac semblaient l'avoir ramené à la vie, et il maîtrisa plus fermement son idée derrière ses yeux chassieux de vieillard. Il se redressa, se raidit, sa voix perdit sa note querelleuse et plaintive et devint ferme et positive. Il se tourna vers moi avec dignité et me parla comme un homme s'adresse à son égal.

« Les yeux du Blanc ne sont pas fermés, commença-t-il. Le Blanc voit toutes les choses, il pense profondément et est très sage. Mais le Blanc d'un jour n'est pas celui du lendemain et on ne peut pas le comprendre. Il ne fait pas toujours les choses de la même façon : ce que sera la prochaine action, on ne sait pas. L'Indien fait toujours la même chose de la même façon. Le moose descend toujours des hautes montagnes quand l'hiver est ici : le saumon vient toujours au printemps lorsque la glace a disparu de la rivière. Chacun fait toutes choses de la même façon, et l'Indien sait et comprend. Mais le Blanc ne fait pas de même et l'Indien ne sait ni ne comprend. »

« Le tabac est très bon : c'est de la nourriture pour l'homme qui a faim. Il rend plus fort l'homme fort, et l'homme en colère oublie son courroux. Le tabac a ainsi une valeur, une grande valeur. L'Indien donne un gros saumon pour une feuille de tabac et il mâche le tabac pendant longtemps. C'est le jus du tabac qui est bon :

lorsqu'il descend dans la gorge, il donne une agréable sensation en dedans. Mais le Blanc ! lorsque sa bouche est pleine du jus de tabac, que fait-il ? Ce jus d'une grande valeur, il le crache sur la neige, et il est perdu ? Est-ce que le Blanc aime le tabac ? Je ne sais pas. Mais s'il l'aime, pourquoi cracher sa valeur et le perdre dans la neige ? C'est une grande folie qu'on ne peut pas comprendre. »

Il se tut, tira une bouffée de sa pipe, vit qu'elle était éteinte et la passa à Zilla dont les lèvres renonçant à marquer le dédain de l'homme blanc, se posèrent sur le tuyau de la pipe. Ebbits semblait retomber dans son insensibilité sans avoir achevé l'histoire lorsque je demandai : « Qu'advint-il de tes fils Moklan et Bidarshik ? Et comment se fait-il que toi et ta vieille soyez sans viande jusqu'à la fin de vos jours ? »

Il sembla sortir d'un sommeil et se redressa avec effort.

« Cela n'est pas bon de voler, dit-il. Lorsque le chien prend votre viande, vous battez le chien avec un bâton – c'est la loi. C'est la loi que l'homme donna au chien, et le chien doit la suivre sous peine de souffrir du bâton. Lorsque l'homme prend votre viande, votre canot ou votre femme, vous tuez cet homme. – C'est la loi, et une bonne loi. C'est mauvais de voler, c'est donc la loi que l'homme qui vole mourra. Quiconque enfreint la loi doit souffrir. C'est une grande souffrance que de mourir.

– Mais si tu tues l'homme, pourquoi ne tues-tu pas le chien ? »

Le vieil Ebbits me regarda avec un étonnement d'enfant tandis que Zilla ricanait sans se cacher tant ma question était absurde.

« C'est la façon des Blancs, murmura Ebbits d'un air résigné.

– C'est la folie des Blancs, grogna Zilla.

– Alors, que le vieil Ebbits enseigne la sagesse à l'homme blanc, dis-je doucement.

– Le chien n'est pas tué parce qu'il doit tirer le traîneau de l'homme. Aucun homme ne tire le traîneau d'un autre homme : c'est pour cela que l'homme est tué.

– Oh ! murmurai-je.

– C'est la loi, continua le vieil Ebbits. Maintenant, écoute, homme blanc et je te conterai une grande folie. Il y a un Indien, son nom est Mobits. Il vole deux livres de farine à un Blanc ; que fait le Blanc ? Est-ce qu'il bat Mobits ? Non. – Est-ce qu'il le tue ? Non. – Que fait-il à Mobits ? Je vais te le dire, homme blanc. Il a une maison, il y met Mobits. Le toit est bon, les murs sont épais. Il allume un feu pour que Mobits ait chaud : il donne à Mobits beaucoup à manger, et de la bonne nourriture. Mobits n'a jamais mangé si bien de sa vie : il y a du lard, du pain et des haricots en quantité. Mobits s'en donna.

« Il y a une grosse serrure sur la porte afin que Mobits ne s'échappe pas : cela aussi est une grande folie. Mobits ne va pas s'en aller – car il a tout le temps beaucoup à manger, des couvertures chaudes et un grand feu. Ce serait bête de s'en aller, Mobits n'est pas bête. Pendant trois mois, il reste dans cette maison : il a volé deux livres de farine, et à cause de cela le Blanc a grand soin de lui. Mobits mange beaucoup de livres de farine, maintes livres de sucre, du lard et des haricots en quantité. Après trois mois, le Blanc ouvre la porte et dit à Mobits qu'il doit s'en aller. Il est comme un chien qui a été nourri longtemps à un endroit, il veut rester à cet endroit et le Blanc doit chasser Mobits. Ainsi Mobits retourne à son village et il est très gras. C'est la façon de faire du Blanc et cela ne se comprend pas. C'est de la folie, une grande folie.

– Mais tes fils insistai-je, tes fils si forts et la faim qui te suit dans tes vieux jours ?

– Il y avait Moklan, commença Ebbits.

– Un homme fort, interrompit la mère. Il pouvait manier la pagaie toute la journée et toute la nuit sans jamais s'arrêter pour se reposer… Il connaissait le saumon et il connaissait l'eau : il était très sage.

– Il y avait Moklan, répéta Ebbits sans remarquer l'interruption. Durant le printemps, il descendit le Yukon avec les jeunes hommes afin de trafiquer au Fort Campbell. Là, il y a un poste rempli des choses de l'homme blanc et un trafiquant qui s'appelait Jones. Il y a aussi un sorcier blanc que vous appelez un missionnaire. Il y a aussi à Fort Campbell un endroit dangereux, où le Yukon devient mince comme une jeune fille, et les eaux y sont rapides et les courants s'élancent de tous côtés et se rencontrent, et il y a des tourbillons et des trous. Les courants changent sans cesse et les eaux changent, de sorte que ce n'est jamais la même chose. Moklan est mon fils, donc il est brave.

– Est-ce que mon père n'était pas un homme brave ? demanda Zilla.

– Ton père était un brave, admit Ebbits de l'air d'un homme qui veut la paix du foyer à tout prix ; Moklan est mon fils et le tien, donc il est brave. Peut-être à cause de ton père qui était très brave, Moklan est trop brave. C'est comme lorsqu'on met trop d'eau dans le pot, il déborde : ainsi trop de bravoure dans Moklan et il déborde.

« Les jeunes hommes craignent fort les mauvaises eaux de Fort Campbell, mais Moklan n'a pas peur. Il rit tout haut, ho ! ho ! et va dans les eaux dangereuses. Mais là où les courants se rencontrent, le canot est chaviré. Un tourbillon prend Moklan par les jambes, il tourne et tourne, descend de plus en plus bas et on ne le revoit pas.

– Aie ! Aie ! gémit Zilla, il était adroit et sage, mon premier-né !
– Je suis le père de Moklan, dit Ebbits après avoir patiemment attendu que la femme ait fini sa bruyante interruption. Je montai dans le canot et descendis la rivière jusqu'à Fort Campbell pour me faire payer la dette.
– La dette ? dis-je ; quelle dette ?
– La dette de Jones qui est le chef trafiquant, fut la réponse. C'est la loi lorsqu'on voyage dans un pays étranger. »
Je secouai la tête en signe d'ignorance, Ebbits me regarda avec compassion tandis que Zilla renifla dédaigneusement selon son habitude.
« Écoute, homme blanc, dit-il, dans ton camp il y a un chien qui mord, lorsqu'un chien mord un homme, tu donnes à cet homme un cadeau parce que tu as des regrets et parce que c'est ton chien. Tu payes, n'est-ce pas ? De même, s'il y a dans ton pays mauvaise chasse ; ou des eaux dangereuses, il faut payer. C'est juste, c'est la loi. Est-ce que le frère de mon père n'alla pas au pays de Tanana où il fut tué par un ours ? Et est-ce que la tribu de Tanana ne paya pas à mon père beaucoup de couvertures et de belles fourrures ? C'était justice, la chasse avait été mauvaise et les gens de Tanana payèrent pour la mauvaise chasse.
« Donc, moi Ebbits, j'allai à Fort Campbell pour recouvrer la dette. Jones, le chef trafiquant, me regarda et rit. Il rit fort et ne voulut pas payer. »

Jack London,
L'Amour de la vie, 1914
Gallimard Jeunesse, « Folio junior », trad. Paul Wenz,
1978, p. 88-96

© Gallimard Jeunesse

■ ANTOINE DE SAINT-EXUPÉRY
Le Petit Prince, 1943

> Aviateur et écrivain, disparu en mission en 1944, Antoine de Saint-Exupéry (1900-1944) nous fait regarder, dans cet ouvrage au succès impression-nant et durable, les valeurs de la société dans laquelle nous vivons avec les yeux d'un enfant venu d'une autre planète.

Il se trouvait dans la région des astéroïdes 325, 326, 327, 328, 329 et 330. Il commença donc par les visiter pour y chercher une occupation et pour s'instruire. Le premier était habité par un roi. Le roi siégeait, habillé de pourpre et d'hermine, sur un trône très simple et cependant majestueux.

– Ah ! voilà un sujet, s'écria le roi quand il aperçut le petit prince.

Et le petit prince se demanda :

« Comment peut-il me reconnaître puisqu'il ne m'a encore jamais vu ? »

Il ne savait pas que, pour les rois, le monde est très simplifié. Tous les hommes sont des sujets.

– Approche-toi que je te voie mieux, lui dit le roi qui était tout fier d'être enfin roi pour quelqu'un.

Le petit prince chercha des yeux où s'asseoir, mais la planète était tout encombrée par le magnifique manteau d'hermine. Il resta donc debout, et, comme il était fatigué, il bâilla.

– Il est contraire à l'étiquette de bâiller en présence d'un roi, lui dit le monarque. Je te l'interdis.

– Je ne peux pas m'en empêcher, répondit le petit prince tout confus. J'ai fait un long voyage et je n'ai pas dormi…

– Alors, lui dit le roi, je t'ordonne de bâiller. Je n'ai vu personne bâiller depuis des années. Les bâillements sont pour moi des curiosités. Allons ! bâille encore. C'est un ordre.

– Ça m'intimide… je ne peux plus… fit le petit prince tout rougissant.

– Hum ! hum ! répondit le roi. Alors je… je t'ordonne tantôt de bâiller et tantôt de…

Il bredouillait un peu et paraissait vexé.

Car le roi tenait essentiellement à ce que son autorité fût respectée. Il ne tolérait pas la désobéissance. C'était un monarque absolu. Mais, comme il était très bon, il donnait des ordres raisonnables.

« Si j'ordonnais, disait-il couramment, si j'ordonnais à un général de se changer en oiseau de mer, et si le général n'obéissait pas, ce ne serait pas la faute du général. Ce serait ma faute. »

– Puis-je m'asseoir ? s'enquit timidement le petit prince.

– Je t'ordonne de t'asseoir, lui répondit le roi, qui ramena majestueusement un pan de son manteau d'hermine.

Mais le petit prince s'étonnait. La planète était minuscule. Sur quoi le roi pouvait-il bien régner ?

– Sire…, lui dit-il, je vous demande pardon de vous interroger…

– Je t'ordonne de m'interroger, se hâta de dire le roi.

– Sire… sur quoi régnez-vous ?

– Sur tout, répondit le roi, avec une grande simplicité.

– Sur tout ?

Le roi d'un geste discret désigna sa planète, les autres planètes et les étoiles.

– Sur tout ça ? dit le petit prince.

– Sur tout ça… répondit le roi.

Car non seulement c'était un monarque absolu mais c'était un monarque universel.

– Et les étoiles vous obéissent ?

– Bien sûr, lui dit le roi. Elles obéissent aussitôt, je ne tolère pas l'indiscipline.

Un tel pouvoir émerveilla le petit prince. S'il l'avait détenu lui-même, il aurait pu assister, non pas à quarante-quatre, mais à soixante-douze, ou même à cent, ou même à deux cents couchers de soleil dans la même journée, sans avoir jamais à tirer sa chaise ! Et comme il se sentait un peu triste à cause du souvenir de sa petite planète abandonnée, il s'enhardit à solliciter une grâce du roi :

– Je voudrais voir un coucher de soleil… Faites-moi plaisir… Ordonnez au soleil de se coucher…

– Si j'ordonnais à un général de voler d'une fleur à l'autre à la façon d'un papillon, ou d'écrire une tragédie, ou de se changer en oiseau de mer, et si le général n'exécutait pas l'ordre reçu, qui, de lui ou de moi, serait dans son tort ?

– Ce serait vous, dit fermement le petit prince.

– Exact. Il faut exiger de chacun ce que chacun peut donner, reprit le roi. L'autorité repose d'abord sur la raison. Si tu ordonnes à ton peuple d'aller se jeter à la mer, il fera la révolution. J'ai le droit d'exiger l'obéissance parce que mes ordres sont raisonnables.

– Alors mon coucher de soleil ? rappela le petit prince qui jamais n'oubliait une question une fois qu'il l'avait posée.

– Ton coucher de soleil tu l'auras. Je l'exigerai. Mais j'attendrai, dans ma science du gouvernement, que les conditions soient favorables.

– Quand ça sera-t-il ? s'informa le petit prince.

– Hem ! hem ! lui répondit le roi, qui consulta d'abord un gros calendrier, hem ! hem ! ce sera, vers... vers... ce sera ce soir vers sept heures quarante. Et tu verras comme je suis bien obéi.

Le petit prince bâilla. Il regrettait son coucher de soleil manqué. Et puis il s'ennuyait déjà un peu :

– Je n'ai plus rien à faire ici, dit-il au roi. Je vais repartir !

– Ne pars pas, répondit le roi qui était si fier d'avoir un sujet. Ne pars pas, je te fais ministre !

– Ministre de quoi ?

– De... de la justice !

– Mais il n'y a personne à juger !

– On ne sait pas, lui dit le roi. Je n'ai pas fait encore le tour de mon royaume. Je suis très vieux, je n'ai pas de place pour un carrosse, et ça me fatigue de marcher.

– Oh ! mais j'ai déjà vu, dit le petit prince qui se pencha pour jeter encore un coup d'œil sur l'autre côté de la planète. Il n'y a personne là-bas non plus...

– Tu te jugeras donc toi-même, lui répondit le roi. C'est le plus difficile. Il est bien plus difficile de se juger soi-même que de juger autrui. Si tu réussis à bien te juger, c'est que tu es un véritable sage.

– Moi, dit le petit prince, je puis me juger moi-même n'importe où. Je n'ai pas besoin d'habiter ici.

– Hem ! hem ! dit le roi, je crois bien que sur ma planète il y a quelque part un vieux rat. Je l'entends la nuit. Tu pourras juger ce vieux rat. Tu le condamneras à mort de temps en temps. Ainsi sa vie dépendra de ta justice. Mais tu le gracieras chaque fois pour l'économiser. Il n'y en a qu'un.

– Moi, répondit le petit prince, je n'aime pas condamner à mort, et je crois bien que je m'en vais.

– Non, dit le roi.

Mais le petit prince, ayant achevé ses préparatifs, ne voulut point peiner le vieux monarque :

– Si Votre Majesté désirait être obéie ponctuellement, elle pourrait me donner un ordre raisonnable. Elle pourrait m'ordonner, par exemple, de partir avant une minute. Il me semble que les conditions sont favorables...

Le roi n'ayant rien répondu, le petit prince hésita d'abord, puis, avec un soupir, prit le départ.

– Je te fais mon ambassadeur, se hâta alors de crier le roi.

Il avait un grand air d'autorité.

« Les grandes personnes sont bien étranges », se dit le petit prince, en lui-même, durant son voyage.

Antoine de Saint-Exupéry,
Le Petit Prince, 1943
Folio Junior, p. 36-41
Gallimard Jeunesse, 1988

© Gallimard Jeunesse

■ JORGE SEMPRUN
L'Écriture ou la Vie, 1994

> Jorge Semprun est né en 1923 dans une famille républicaine espagnole
> qui émigre en France en 1939. Il entame des études de philosophie, entre
> dans la Résistance et est déporté à Buchenwald en janvier 1944.
> Cinquante ans plus tard, il fait paraître *L'Écriture ou la Vie*, inspirée par son
> expérience de la déportation.

J'arrivais au block 56, le dimanche, dans le Petit Camp. Doublement close,
cette partie de l'enceinte intérieure, réservée à la période de quarantaine de
nouveaux arrivés. Réservée aux invalides le block 56 en particulier et à tous les
déportés qui n'avaient pas encore été intégrés dans le système productif de
Buchenwald.

J'y arrivais le dimanche après-midi, tous les après-midi de dimanche de cet
automne-là, en 1944, après l'appel de midi, après la soupe aux nouilles des dimanches. Je disais bonjour à Nicolaï, mon copain russe, le jeune barbare. Je bavardais
un peu avec lui. Il valait mieux l'avoir à la bonne. Qu'il m'eût à la bonne, plutôt. Il
était chef du *Stubendienst*, le service d'intendance du block 56. Il était aussi l'un
des caïds des bandes d'adolescents russes, sauvages, qui contrôlaient les trafics
et les partages de pouvoir dans le Petit Camp.

Il m'avait à la bonne, Nicolaï. Il m'accompagnait jusqu'au châlit où croupissaient
Halbwachs et Maspero.

De semaine en semaine, j'avais vu se lever, s'épanouir dans leurs yeux l'aurore
noire de la mort. Nous partagions cela, cette certitude, comme un morceau de
pain. Nous partagions cette mort qui s'avançait, obscurcissant leurs yeux, comme
un morceau de pain : signe de fraternité. Comme on partage la vie qui vous reste.
La mort, un morceau de pain, une sorte de fraternité. Elle nous concernait tous,
était la substance de nos rapports. Nous n'étions rien d'autre, rien de plus – rien
de moins, non plus – que cette mort qui s'avançait. Seule différence entre nous,
le temps qui nous en séparait, la distance à parcourir encore.

Je posais une main que je voulais légère sur l'épaule pointue de Maurice Halbwachs.
Os quasiment friable, à la limite de la brisure. Je lui parlais de ses cours en Sorbonne,
autrefois. Ailleurs, dehors, dans une autre vie : la vie. Je lui parlais de son cours sur
le *potlatch*. Il souriait, mourant, son regard sur moi, fraternel. Je lui parlais de ses
livres, longuement.

Les premiers dimanches, Maurice Halbwachs s'exprimait encore. Il s'inquiétait de la marche des événements, des nouvelles de la guerre. Il me demandait – ultime souci pédagogique du professeur dont j'avais été l'étudiant à la Sorbonne – si j'avais déjà choisi une voie, trouvé ma vocation. Je lui répondais que l'histoire m'intéressait. Il hochait la tête, pourquoi pas ? Peut-être est-ce pour cette raison que Halbwachs m'a alors parlé de Marc Bloch, de leur rencontre à l'université de Strasbourg, après la Première Guerre mondiale.

Mais il n'a bientôt plus eu la force de prononcer le moindre mot. Il ne pouvait plus que m'écouter, et seulement au prix d'un effort surhumain. Ce qui est par ailleurs le propre de l'homme.

Il m'écoutait lui parler de l'automne finissant, lui donner de bonnes nouvelles des opérations militaires, lui rappeler des pages de ses livres, des leçons de son enseignement. Il souriait, mourant, son regard sur moi, fraternel.

Le dernier dimanche, Maurice Halbwachs n'avait même plus la force d'écouter. À peine celle d'ouvrir les yeux.

Nicolaï m'avait accompagné jusqu'au châlit où Halbwachs croupissait, aux côtés d'Henri Maspero.

– Ton monsieur professeur s'en va par la cheminée aujourd'hui même, a-t-il murmuré.

Ce jour-là, Nicolaï était d'humeur particulièrement joviale. Il m'avait intercepté, hilare, dès que j'avais franchi le seuil du block 56 pour plonger dans la puanteur irrespirable de la baraque.

J'avais compris que ça marchait pour lui. Il avait dû réussir un gros coup.

[...]

Je ne saisissais pas entièrement ce qu'il voulait dire. Ce que j'en saisissais était plutôt déconcertant. Mais je ne lui ai pas posé de questions. Il n'en dirait pas plus, d'ailleurs, c'était clair. Il avait tourné les talons et m'accompagnait jusqu'au châlit de Maurice Halbwachs.

– Dein Herr Professor, avait-il chuchoté, kommt heute noch durch's Kamin !

J'avais pris la main de Halbwachs qui n'avait pas eu la force d'ouvrir les yeux. J'avais senti seulement une réponse de ses doigts, une pression légère, message presque imperceptible.

Le professeur Maurice Halbwachs était parvenu à la limite des résistances humaines. Il se vidait lentement de sa substance, arrivé au stade ultime de la dysenterie qui l'emportait dans la puanteur.

Un peu plus tard, alors que je lui racontais n'importe quoi, simplement pour qu'il entende le son d'une voix amie, il a soudain ouvert les yeux. La détresse immonde, la honte de son corps en déliquescence y étaient lisibles. Mais aussi une flamme de dignité, à l'humanité vaincue mais inentamée. La lueur immortelle d'un regard qui constate l'approche de la mort, qui sait à quoi s'en tenir, qui en a fait le tour, qui en mesure face à face les risques et les enjeux, librement : souverainement.

Alors, dans une panique soudaine, ignorant si je puis invoquer quelque Dieu pour accompagner Maurice Halbwachs, conscient de la nécessité d'une prière, pourtant, la gorge serrée, je dis à haute voix, essayant de maîtriser celle-ci, de la timbrer comme il faut, quelques vers de Baudelaire. C'est la seule chose qui me vienne à l'esprit.

O Mort, vieux capitaine, il est temps, levons l'ancre…

Le regard de Halbwachs devient moins flou, semble s'étonner.

Je continue de réciter. Quand j'en arrive à

… nos cœurs que tu connais sont remplis de rayons,

un mince frémissement s'esquisse sur les lèvres de Maurice Halbwachs.

Il sourit, mourant, son regard sur moi, fraternel.

Jorge Semprun,
L'Écriture ou la Vie, 1994
Gallimard, coll. « Blanche », 1994, p. 30 *sqq*

© Gallimard

WILLIAM STYRON
Le Choix de Sophie, 1979

Déjà connu pour plusieurs romans – dont *Les Confessions de Nat Turner*, inspiré par une révolte d'esclaves noirs –, William Styron (1925) devient célèbre grâce au succès mondial du *Choix de Sophie*. « [...] deux veines, autobiographique et historique, irriguent en profondeur ce roman et fusionnent en une émouvante parabole sur l'omniprésence du Mal [...]. »

– Salut, Stingo ! disait Sophie, en levant en retour le verre, que Nathan lui avait fourré dans la main, et le sourire grave délectable dont elle me gratifia, dents étincelantes luisant dans un visage heureux et récuré de frais encore meurtri par l'ombre des privations, me remua, d'une émotion si profonde qu'involontairement je laissai échapper un hoquet de satisfaction. Je me sentais à deux doigts du salut absolu. Pourtant, sous la surface de ma sublime exaltation, je demeurais capable de deviner que quelque chose clochait. L'odieuse scène de la veille entre Sophie et Nathan aurait dû suffire à m'avertir que notre petite réunion si fraternelle, malgré ses rires, son atmosphère bon enfant et sa douce intimité, était loin d'être le reflet fidèle de la situation qui existait entre eux. Mais je suis un faible, qui se laisse trop souvent abuser par les apparences extérieures, prompt à s'illusionner, au point de croire que l'affreuse scène dont j'avais été témoin, était un moment d'aberration certes lamentable, mais exceptionnel dans une relation amoureuse dont la tonalité dominante était une félicité et une harmonie sans nuages. Sans doute la réalité est-elle que tout au fond de moi-même, j'avais une telle faim d'amitié – étais tellement amoureux de Sophie, et envoûté par la fascination perverse qu'exerçait sur moi ce jeune homme dynamique, vaguement exotique, diaboliquement impérieux qui était son amant – que je n'osais considérer leur relation que sous un jour des plus roses. Malgré tout, je le répète, je sentais clairement que quelque chose sonnait faux. Tapie sous toute cette allégresse, cette tendresse, cette sollicitude, il me semblait sentir une inquiétante tension dans la chambre. Je ne prétends pas qu'en cet instant précis ladite tension impliquait les deux amants. Mais il existait bel et bien une tension, une tension exaspérante, qui semblait surtout émaner de Nathan. Il était devenu distrait, agité, se leva pour fouiller dans ses disques, remplaça le Haendel par un nouveau Vivaldi, en proie à un émoi manifeste, avala d'un trait un verre d'eau, se rassit, et se mit à pianoter contre la jambe de son pantalon au rythme des cors déchaînés.

Soudain, se retournant vivement vers moi, il me scruta d'un air perplexe avec ses yeux inquiets et sombres :

– Un bon vieux coureur des bois, hein, pas vrai ? dit-il.

Après un instant de silence et avec une touche de cet accent bidon qu'il avait déjà pris pour me provoquer, il ajouta :

« Tu sais, vous m'intéressez, vous autres Confédérés. Vous autres – et ici il insista lourdement sur le "autres" –, vous m'intéressez beaucoup, beaucoup, vous autres. »

Je commençais à sentir couver ou bouillonner ou monter en moi ce qu'on appelle je crois une colère froide. Ce Nathan était incroyable ! Comment pouvait-il être aussi lourd, aussi cruel – aussi *salaud* ? Le brouillard de mon euphorie s'évapora tout à coup comme un nuage fait de milliers de minuscules bulles de savon. Quel salaud ! pensai-je. Il m'avait bel et bien eu ! Comment expliquer autrement cet insidieux changement d'humeur, sinon qu'il visait à m'acculer à la défensive. Si ce n'était pas de la muflerie, c'était du machiavélisme : comment interpréter autrement ses paroles, alors que si peu de temps auparavant et avec tant d'insistance, j'avais mis comme condition à notre amitié – mais s'agissait-il vraiment d'amitié – qu'il m'épargnerait ses énormités à propos du Sud. Une fois de plus et malgré un ultime effort pour préserver mon calme, une bouffée d'indignation me remonta à la gorge, comme un os mal digéré. J'en rajoutai délibérément et exagérai mon accent du Tidewater. Je dis :

– Ben à dire vrai, Nathan, vieille bourrique, vous autres les gens de Brooklyn, vous aussi vous nous intéressez là-bas au pays, vous savez.

Ceci eut sur Nathan un effet clairement inverse à celui recherché. Non seulement il ne trouva pas la chose drôle, mais ses yeux lancèrent des éclairs belliqueux ; il me foudroyait maintenant du regard avec une méfiance implacable, et le temps d'un instant j'aurais juré voir dans ces pupilles brillantes l'image du monstre, du péquenot, de l'étranger que j'étais à ses yeux.

– Oh, et puis merde, dis-je, en esquissant le geste de me lever. Ça suffit, je vais...

Mais sans me laisser le temps de poser mon verre ni de me lever, il m'avait saisi le poignet. La prise n'était ni brutale ni douloureuse, mais néanmoins, de toute sa force, impérieusement, il me contraignit à me rasseoir, et sa poigne me plaqua dans le fond du fauteuil. Il y avait dans cette étreinte quelque chose d'épouvantablement tyrannique qui me glaça.

– Y a guère de quoi plaisanter, dit-il.

Sa voix, bien que contrôlée, était, je le sentis, chargée d'émotions tumultueuses. Les paroles qu'il prononça alors, avec une lenteur délibérée, presque comique, ressemblaient à une incantation :

– Bobby… Weed… *Bobby Weed* ! Tu ne crois pas que Bobby Weed mérite un peu mieux que ta tentative pour… faire… de l'humour ?

– Ce n'est pas *moi* qui me suis mis à singer cet accent de cueilleur de coton, répliquai-je.

En même temps je pensais : *Bobby Weed* ! Oh merde, merde alors ! Voilà qu'il va me casser les oreilles avec Bobby Weed. Que je fiche le camp et vite.

Ce fut alors que Sophie, à croire qu'elle avait deviné le sinistre changement d'humeur survenu chez Nathan, s'approcha vivement et, d'une main hésitante, inquiète, lui effleura l'épaule pour l'amadouer.

– Nathan, dit-elle, assez avec cette histoire de Bobby Weed. Je t'en prie Nathan ! Nous étions tous si heureux, tu vas seulement réussir à te rendre malheureux.

Elle me lança un regard de détresse.

« Toute la semaine, il n'a pas arrêté de parler de Bobby Weed. Je n'arrive pas à l'en empêcher. Je t'en supplie, implora-t-elle de nouveau, Nathan, chéri, on était tous si heureux !

Mais Nathan n'était pas du genre à se laisser détourner :

– Et alors, Bobby Weed ? me somma-t-il.

– Et alors, quoi, Bobby Weed, bonté divine ? grognai-je en me redressant pour échapper à sa prise. Je m'étais mis à lorgner vers la porte et les meubles qui m'en séparaient, et décidai soudain de la meilleure façon de leur fausser sur-le-champ compagnie.

– Merci pour la bière, marmonnai-je.

– Je vais te dire, moi, ce qu'il en est de Bobby Weed, s'obstina Nathan.

Il n'avait pas l'intention de me laisser décrocher, et d'un geste brutal, versa une nouvelle giclée de bière mousseuse dans le verre qu'il me fourrait dans la main. En apparence, son expression demeurait relativement calme, mais l'index velu et didactique qu'il m'agitait sous le nez trahissait son bouleversement intérieur.

« Stingo, mon ami, moi je vais te dire quelque chose à propos de Bobby Weed. Voilà ! Vous autres, Blancs, du Sud, quand les choses en arrivent à ce degré de bestialité, vous avez un tas de comptes à rendre. Tu le nies ? Eh bien, écoute. Si je dis ça, c'est que je suis un de ceux dont les proches ont souffert dans les camps de la mort. Si je dis ça, c'est que je suis un homme qui se trouve par hasard profondément amoureux d'une femme qui en a réchappé.

Avançant la main, il enserra le poignet de Sophie tandis que l'index de son autre main continuait à se tortiller comme un ver au-dessus de ma pommette.

« Mais si je parle ainsi, c'est avant tout parce que je suis Nathan Landau, un citoyen comme les autres, un chercheur, un biologiste, un être humain, témoin de la cruauté que l'homme inflige à l'homme. Je dis qu'abandonner le sort de Bobby Weed aux mains des Américains blancs du Sud est un acte d'une barbarie aussi absolue que tous les forfaits accomplis par les Nazis sous le joug d'Adolf Hitler ! Tu es d'accord ?

Dans un effort pour garder mon calme, je me mordis l'intérieur de la joue.

– Nathan, ce qui est arrivé à Bobby Weed, répliquai-je, était horrible. Innommable ! Mais je ne vois pas à quoi rime de vouloir mettre en équation un mal et un autre mal, ni de leur attribuer je ne sais quelle stupide échelle de valeur. Les *deux choses* sont horribles ! Ça vous ennuierait d'éloigner votre doigt de ma figure ?

Je sentais mon front se couvrir d'une moiteur fiévreuse.

« Et puis, je trouve bougrement idiot ce gros filet que vous essayez de lancer pour ramasser tous ceux que vous baptisez *vous autres Blancs du Sud*. Nom de Dieu, pas question de me faire avaler ce genre de conneries ! Je suis du *Sud* et j'en suis *fier*, mais je ne suis pas un de ces salauds – un de ces troglodytes qui ont fait subir ce que l'on sait à Bobby Weed. » Je suis né en Virginie, dans le Tidewater, et si vous voulez bien excuser l'expression, je me considère comme un gentleman ! Aussi, sans vouloir vous vexer, vos absurdités simplistes, tant d'*ignorance* chez quelqu'un d'aussi manifestement intelligent que vous l'êtes, ça me donne littéralement la *nausée* !

J'entendis ma voix grimper, vaciller, puis se fêler et échapper à mon contrôle, et je redoutai de céder à une nouvelle et désastreuse quinte de toux, tandis que devant moi Nathan se levait calmement et se redressait de toute sa taille, si bien qu'en fait nous étions face à face. En dépit de la nature maintenant plutôt menaçante et agressive de son attitude et du fait que par la masse et la taille il me dépassait largement, j'éprouvai un besoin impérieux de lui envoyer mon poing dans la figure.

– Nathan, laissez-moi à mon tour vous dire une bonne chose, à vous. Ce que vous nous servez en ce moment, c'est ce qu'on fait de plus minable comme baratin hypocrite de libéral new-yorkais ! D'où tirez-vous le droit de juger des millions de gens, dont la plupart préféreraient mourir plutôt que de faire du mal à un Nègre !

– Ha ! répliqua-t-il. Voyez donc, regardez – ça se sent même dans ta façon de parler. *Nè-ègre* ! Je trouve ça *tellement* insultant.

– C'est notre façon de *dire*, à nous, là-bas. Bon, d'accord – *Né-gro*. En tout cas, poursuivis-je excédé, qu'est-ce qui vous donne le droit de vous ériger en juge ? Je trouve ça insultant.

– En tant que Juif, je me considère comme une autorité en matière d'angoisse et de souffrance.

Il se tut, et tandis qu'il me contemplait, il me sembla pour la première fois lire du mépris dans ses yeux, et un dégoût croissant.

« Quant au coup du "libéral new-yorkais" et de son "baratin hypocrite" – c'est une diversion facile à mes yeux, une réplique sans consistance à une accusation honnête, et d'une faiblesse risible. Es-tu donc incapable de percevoir la vérité toute simple ? Es-tu incapable de discerner la vérité sous ses traits les plus horribles ? En d'autres termes, que ton refus d'admettre une part de responsabilité dans la mort de Bobby Weed est du même ordre que celui des Allemands qui tout en désavouant le parti nazi, regardaient sans s'émouvoir ni protester les voyous saccager les synagogues et perpétrer la *Kristallnacht*. N'es-tu pas capable de te regarder en face et de voir la vérité à propos de toi-même. Et du Sud ? Après tout, ce ne sont pas les citoyens de New York qui ont massacré Bobby Weed. »

La plus grande partie de ses arguments – entre autres quant à *ma* « responsabilité » – étaient spécieux, irrationnels, snobinards et ignoblement faux, pourtant en cet instant et à ma consternation quasi absolue, je m'aperçus que je ne pouvais y répondre. J'étais provisoirement démoralisé. J'émis un bizarre gargouillis tout au fond de mon gosier et, genoux flageolants, me dirigeai en titubant gauchement vers la fenêtre. Épuisé, frappé d'impuissance bien qu'intérieurement révulsé de colère, je cherchais des mots qui refusaient de sortir. J'avalai d'une rasade la plus grande partie de ma bière, contemplant avec des yeux embués de vaine fureur les pelouses pastorales et ensoleillées de Flatbush, les sycomores et les érables aux feuillages frissonnants, les rues coquettes qu'animait l'activité paresseuse du dimanche matin ; joueurs de ballon en manches de chemise, cyclistes qui pédalaient de bon cœur, promeneurs mouchetés de soleil, dans les allées du parc. L'odeur d'herbe fraîchement tondue montait forte et sucrée, chaudement tonique, et me rappelait des paysages et des décors champêtres – des prés et des sentiers pas tellement différents peut-être de ceux que sillonnait jadis le jeune Bobby Weed, que Nathan avait implanté dans mon cerveau comme une tumeur maligne. Et plus je songeais à Bobby Weed, plus je me sentais submergé par un désespoir amer et paralysant. Comment cet infernal Nathan pouvait-il évoquer le spectre de Bobby Weed par une journée aussi merveilleuse ?

J'écoutais la voix de Nathan derrière moi, aiguë maintenant, didactique et pompeuse, qui me rappela celle d'un jeune militant communiste trapu et à demi hystérique, la bouche pareille à une poche béante, que j'avais un jour entendu invectiver l'empyrée désert qui coiffait Union Square.

– Aujourd'hui, le Sud a abdiqué tous droits à de quelconques liens avec la race humaine, me haranguait Nathan. Tous les Blancs du Sud sont personnellement responsables de la tragédie de Bobby Weed. Aucun Sudiste ne peut échapper à cette responsabilité !

Je fus secoué d'un grand frisson, ma main tressauta, et je regardai ma bière clapoter lourdement dans le fond de mon verre. Mille neuf cent quarante-sept. Un, neuf, quatre, sept. Cet été-là, presque vingt ans mois pour mois avant que la ville de Neward ne soit réduite en cendres et que le sang des Noirs coule incarnat dans les caniveaux de Detroit, il était possible – à condition d'être né dans les États du Sud, d'être de nature sensible, évolué, et conscient de son patrimoine terrifiant et impie –, il était possible de se cabrer sous ce genre d'invectives, même sachant qu'entachées d'un regain de bonne conscience et de moralisme abolitionniste, elles s'attribuaient une supériorité morale à ce point hygiénique qu'elles provo-quaient immanquablement une réaction d'indulgence amusée encore que sans joie. Sous une forme moins violente, à coups de pointes subtiles et de condes-cendantes petites calomnies de salon, les gens du Sud qui s'aventuraient dans le Nord s'exposaient à subir des agressions de ce genre, spéculant sur leur culpa-bilité latente et ce, tout au long d'une ère d'implacable malaise qui prit officielle-ment fin un matin d'août 1963, lorsque, à Adgartown, Massachusetts, dans North Water Street, une toute jeune femme aux cheveux couleur paille et aux genoux marqués de fossettes, l'épouse du commodore du yacht-club local, un banquier d'affaires brahmanes très en vue, se mit à brandir en public un exemplaire du livre de James Baldwin, *La Prochaine Fois, le feu*, tandis que, mâchoires crispées par la consternation et d'une voix tendre, elle interpellait une de ses amies :

– Ma chère, mais ça va vous arriver à tous !

Mais comment alors, en 1947, aurais-je pu trouver cette litote à ce point omnis-ciente. À cette époque, le noir Béhémoth assoupi, malgré ses premiers tressaille-ments, n'était pas encore considéré comme un problème dans le Nord. Peut-être précisément pour cette raison – bien que j'aurais eu honnêtement des raisons de me rebeller contre les sarcasmes injustes des Yankees que j'avais parfois été contraint d'essuyer (même le bon vieux Farrell m'avait refilé quelques coups de langue plus ou moins caustiques) – c'était *vrai*, tout au tréfonds de moi-même j'éprouvais un authentique fardeau de honte à l'idée de cette parenté qu'il me fallait bien admettre avec ces primates solidement anglo-saxons qui s'étaient fait les bourreaux de Bobby weed. Ces bûcherons de Georgie – qui habitaient, comme par hasard, cette même côte plantée de pinèdes de la région de Brunswick où Artiste, mon sauveur, avait sué sang et eau, avait souffert et était mort – avaient fait de Bobby Weed, l'adolescent de seize ans, l'une des dernières victimes de la loi du lynch dans le Sud et sans conteste l'une des plus odieusement massacrées. [...] J'avais lu de la vengeance médiévale de ces paysans il y avait une semaine tout au plus, debout dans un wagon de métro de la ligne de Lexington Avenue, coincée entre une énorme bonne femme chargée d'un sac à provisions de chez S. Klein et un petit Portoricain vêtu d'une veste d'aide-serveur qui suçait un eskimo, aux cheveux enduits de brillantine dont l'odeur de gardénia mûr montait douceâtre jusqu'à mes narines, tandis qu'il parcourait sans vergogne mon *Mirror*, partageant avec moi les photographies diaboliques. [...]

La voix de Nathan, obstinée à me fouailler, me parvint de nouveau, comme à travers un brouillard.

– Tiens, même dans les *camps de concentration*, les brutes qui gardaient les détenus n'auraient pas été capables de s'abaisser à une bestialité *pareille* ! En auraient-ils été *capables* ? *Incapables* ? Le point me paraissait plutôt académique, et j'étais écœuré de la discussion, écœuré de ce fanatisme que j'étais impuissant à contrer et dont je ne pouvais me protéger, écœuré par la vision de Bobby Weed – et quand bien même je ne me sentais nullement complice de l'abomination perpétrée en Georgie – brusquement écœuré d'un passé, d'un pays et d'un héritage en lesquels je ne pouvais croire et que je ne pouvais comprendre. J'éprouvais maintenant l'envie dérisoire – au risque de me retrouver avec le nez cassé – de lancer le fond de mon verre à la figure de Nathan. Je me contins, et crispant les épaules, dis d'une voix glacée par le mépris :

– En tant que représentant d'une race injustement persécutée pendant des siècles pour avoir soi-disant crucifié le Christ, vous, oui, vous, bordel de Dieu, devriez pourtant savoir à quel point il est inexcusable de condamner isolément un peuple, et pour *n'importe* quel acte ! Sur quoi, emporté par une fureur folle, je lâchai quelque chose qui pour des Juifs, en cette année lointaine et torturée que quelques mois à peine séparaient des fours crématoires, avait un côté tellement provocant et incendiaire que je regrettai mes paroles sitôt qu'elles eurent échappé à mes lèvres. Mais je ne m'en excusai pas.

– Et ceci vaut pour *n'importe quel* peuple, dis-je, bonté divine, même pour les Allemands !

William Styron,
Le Choix de Sophie, 1979
Gallimard, coll. « Folio », 2003, p. 129 *sqq*

© Gallimard

■ KRESSMANN TAYLOR
Inconnu à cette adresse, 1938

> Cette nouvelle, écrite en 1938 par l'Américaine Katherine Taylor (1903-
> 1997), née Kressmann, fille d'un banquier d'origine allemande, est un
> échange épistolaire entre un Juif américain et un Californien d'origine alle-
> mande, retourné au pays et gagné par l'antisémitisme ambiant. Choquée
> par l'enthousiasme nazi d'anciens amis allemands, l'auteur y dévoile
> avec une clairvoyance surprenante la véritable nature du régime. Ce livre
> a été « redécouvert » et publié en anglais en 1995.

Galerie Schulse-Eisenstein, San-Francisco, Californie, USA

Le 18 mai 1933

Herrn Martin Schulse
Schloss Rantzenburg
Munich, Allemagne

Cher Martin,

Je suis bouleversé par l'afflux de reportages sur ta patrie qui nous parviennent.
Comme ils sont assez contradictoires, c'est donc tout naturellement vers toi que
je me tourne pour y voir plus clair. Je suis sûr que les choses ne vont pas aussi mal
qu'on veut bien le dire. Notre presse s'accorde à parler d'un « terrible pogrom ».
Qu'en est-il ?
Je sais que ton esprit libéral et ton cœur chaleureux ne pourraient tolérer la bruta-
lité, et que tu me diras la vérité. Le fils d'Aaron Silberman vient tout juste de rentrer
de Berlin et il paraît qu'il l'a échappé belle. Il raconte sur ce qu'il a vu – les flagel-
lations, le litre d'huile de ricin forcé entre les lèvres et les heures d'agonie consé-
cutives par éclatement de l'intestin – des histoires affreuses. Ces exactions
pourraient être vraies, et elles pourraient en effet n'être que le résidu malpropre
d'une révolution par ailleurs humaine – l'« écume trouble », comme tu dis. Malheureusement pour nous, les Juifs, la répétition ne les rend que par trop familières, et
je trouve presque incroyable qu'on puisse, aujourd'hui, au sein d'une nation civi-
lisée, faire revivre à nos frères le martyre ancestral. Écris-moi, mon ami, pour me
rassurer sur ce point. La pièce dans laquelle joue Griselle fait un triomphe et se

donnera jusqu'à la fin du mois de juin. Elle m'écrit qu'on lui a proposé un autre rôle à Vienne, et un autre encore, superbe, à Berlin pour cet automne. C'est surtout de ce dernier qu'elle me parle, mais je lui ai répondu d'attendre pour s'engager que les sentiments antijuifs se calment. Bien entendu, son nom de scène n'a pas une consonance juive (de toute façon, il était exclu qu'elle monte sur les planches avec un nom comme Eisenstein) ; mais, pseudonyme ou non, tout, chez elle, trahit ses origines : ses traits, ses gestes, la passion qui vibre dans sa voix. Si les sentiments antisémites évoqués plus haut sont une réalité, elle ne doit à aucun prix s'aventurer en Allemagne en ce moment.

Pardonne-moi, mon ami, pour la brièveté de ma lettre et l'absence de liberté d'esprit dont elle témoigne, mais je n'aurai pas de repos tant que tu ne m'auras pas rassuré. Je sais que tu m'écriras en toute honnêteté. Je t'en prie, fais-le vite.

C'est haut et fort que je proclame ma foi en toi et mon amitié pour toi et les tiens.

Ton fidèle,
Max

Kressmann Taylor,
Inconnu à cette adresse, 1938
Autrement, coll. « Littératures »,
trad. Michèle Lévy-Bram, 2002, p. 23-24

© Autrement

■ TAHAR BEN JELLOUN
Le Racisme expliqué à ma fille, 1998

Écrivain marocain d'expression française, Tahar Ben Jelloun (1944) est l'auteur d'une œuvre romanesque importante, qui lui a notamment valu le Goncourt en 1987. *Le Racisme expliqué à ma fille* s'inscrit dans une collection, dans laquelle les auteurs essaient de mettre de grandes questions à la portée des enfants et des jeunes. Elle comporte des volumes consacrés à la République, à l'amour de la France, à l'immigration, à Auschwitz, à la Résistance ou encore à la non-violence[1].

La lutte contre le racisme doit être un réflexe quotidien. Notre vigilance ne doit jamais baisser. Il faut commencer par donner l'exemple et faire attention aux mots qu'on utilise. Les mots sont dangereux. Certains sont employés pour blesser et humilier, pour nourrir la méfiance et même la haine. D'autres sont détournés de leur sens profond et alimentent des intentions de hiérarchie et de discrimination. D'autres sont beaux et heureux. Il faut renoncer aux idées toutes faites, à certains dictons et proverbes qui vont dans le sens de la généralisation et par conséquent du racisme.

Il faudra arriver à éliminer de ton vocabulaire des expressions porteuses d'idées fausses et pernicieuses. La lutte contre le racisme commence avec le travail sur le langage. Cette lutte nécessite par ailleurs de la volonté, de la persévérance et de l'imagination. Il ne suffit plus de s'indigner face à un discours ou un comportement raciste. Il faut aussi agir, ne pas laisser passer une dérive à caractère raciste. Ne jamais se dire : « Ce n'est pas grave ! ». Si on laisse faire et dire, on permet au racisme de prospérer et de se développer même chez des personnes qui auraient pu éviter de sombrer dans ce fléau.

En ne réagissant pas, en n'agissant pas, on rend le racisme banal et arrogant. Sache que des lois existent. Elles punissent l'incitation à la haine raciale. Sache aussi que des associations et des mouvements qui luttent contre toutes les formes de racisme existent et font un travail formidable.

À la rentrée des classes, regarde tous les élèves et remarque qu'ils sont tous

---

1. Voir ci-après le texte de Jacques Sémelin.

différents, que cette diversité est une belle chose. C'est une chance pour l'humanité. Ces élèves viennent d'horizons divers, ils sont capables de t'apporter des choses que tu n'as pas, comme toi tu peux leur apporter quelque chose qu'ils ne connaissent pas. Le mélange est un enrichissement mutuel.

Sache enfin que chaque visage est un miracle. Il est unique. Tu ne rencontreras jamais deux visages absolument identiques. Qu'importe la beauté ou la laideur. Ce sont des choses relatives. Chaque visage est le symbole de la vie.

Toute vie mérite le respect. Personne n'a le droit d'humilier une autre personne. Chacun a droit à sa dignité. En respectant un être, on rend hommage à travers lui, à la vie dans tout ce qu'elle a de beau, de merveilleux, de différent et d'inattendu. On témoigne du respect pour soi-même en traitant les autres dignement.

Juin-octobre 1997

Tahar Ben Jelloun,
Le Racisme expliqué à ma fille, conclusion, 1998
Seuil, 1998, p. 59-61

© Seuil

■ AMIN MAALOUF
Les Identités meurtrières, 1998

> Se situant lui-même « à la lisière de deux pays, de deux ou trois langues et de plusieurs traditions culturelles », Amin Maalouf (1949), Libanais installé à Paris depuis 1976, s'interroge ici sur la notion d'identité, sur les passions qu'elle suscite, sur ses dérives meurtrières.

Avant de devenir un immigré, on est un émigré ; avant d'arriver dans un pays, on a dû en quitter un autre, et les sentiments d'une personne envers la terre qu'elle a quittée ne sont jamais simples. Si l'on est parti, c'est qu'il y a des choses que l'on a rejetées, la répression, l'insécurité, la pauvreté, l'absence d'horizon. Mais il est fréquent que ce rejet s'accompagne d'un sentiment de culpabilité. Il y a des proches que l'on s'en veut d'avoir abandonnés, une maison où l'on a grandi, tant et tant de souvenirs agréables. Il y a aussi des attaches qui persistent, celles de la langue ou de la religion, et aussi la musique, les compagnons, les fêtes, la cuisine. Parallèlement, les sentiments qu'on éprouve envers le pays d'accueil ne sont pas moins ambigus. Si l'on y est venu, c'est parce qu'on y espère une vie meilleure pour soi-même et pour les siens ; mais cette attente se double d'une appréhension face à l'inconnu – d'autant qu'on se trouve dans un rapport de forces défavorable ; on redoute d'être rejeté, humilié, on est à l'affût de toute attitude dénotant le mépris, l'ironie, ou la pitié.

Le premier réflexe n'est pas d'afficher sa différence, mais de passer inaperçu. Le rêve secret de la plupart des migrants, c'est qu'on les prenne pour des enfants du pays. Leur tentation initiale, c'est d'imiter leurs hôtes, et quelquefois ils y parviennent. Le plus souvent, ils n'y parviennent pas. Ils n'ont pas le bon accent, ni la bonne nuance de couleur, ni le nom ni le prénom ni les papiers qu'il faudrait, leur stratagème est très vite éventé. Beaucoup savent que ce n'est même pas la peine d'essayer et se montrent alors, par fierté, par bravade, plus différents qu'ils ne le sont.

Certains même – faut-il le rappeler ? – vont bien plus loin encore, leur frustration débouche sur une contestation brutale.

[...]

La sagesse est un chemin de crête, la voie, étroite entre deux précipices, entre deux conceptions extrêmes. En matière d'immigration, la première de ces conceptions extrêmes est celle qui considère le pays d'accueil comme une page blanche où chacun pourrait écrire ce qu'il lui plaît, ou, pire, comme un terrain vague où chacun pourrait s'installer avec armes et bagages, sans rien changer à ses gestes et à ses habitudes. L'autre conception extrême est celle qui considère le pays d'accueil comme une page déjà écrite et imprimée, comme une terre dont les lois, les valeurs, les croyances, les caractéristiques culturelles et humaines auraient déjà été fixées une fois pour toutes, les immigrants n'ayant plus qu'à s'y conformer.

Les deux conceptions me paraissent également irréalistes, stériles et nuisibles. Les aurais-je représentées de manière caricaturale ? Je ne le crois pas, hélas. D'ailleurs, à supposer même que je l'aie fait, il n'est pas inutile de brosser des caricatures, elles permettent à chacun de mesurer l'absurdité de sa position si elle était poussée jusqu'à sa conséquence ultime ; quelques-uns continueront à s'entêter, tandis que les hommes de bon sens avanceront d'un pas vers l'évident terrain d'entente, à savoir que le pays d'accueil n'est ni une page blanche, ni une page achevée ; c'est une page en train de s'écrire.

Amin Maalouf,
Les Identités meurtrières, 1998
Grasset, 1998, p. 54 *sqq*

© Grasset

■ JACQUES SÉMELIN
La Non-Violence expliquée à mes filles, 2000

Chercheur en histoire contemporaine et science politique, Jacques Sémelin est membre du comité de rédaction de la revue d'histoire contemporaine *Vingtième Siècle* et de la revue *Alternatives non-violentes* associée à l'Institut de recherche sur la résolution non-violente des conflits (IRNC).

– Mais comment peut-on se battre sans violence ? Ça me paraît bien difficile !

– Quand les hommes veulent vraiment se combattre, ils en viennent souvent à la violence. La violence et la guerre sont au cœur de notre histoire. Dans les films, dans les bandes dessinées, on te montre souvent que la violence est le moyen de dominer l'autre. On t'explique que la violence paie si tu as plus d'armes que l'autre, tu peux lui dire « Obéissez-moi », parce que tu lui fais peur. La loi du plus fort, c'est souvent la loi du plus violent.

Il y a pourtant des cas dans l'Histoire où cela ne marche pas ainsi, où tu ne veux plus obéir, même si on te fait peur ; des cas où les plus faibles, les plus pauvres, essaient de se défendre… sans armes. Ça te paraît incroyable ? Mais comment pourraient-ils faire autrement ? Ils n'ont rien : ni fusils ni chars. Et s'ils cherchent à en avoir, ils savent que leur adversaire en aura toujours beaucoup plus. Alors, ils sont obligés de se défendre autrement. Il faut qu'ils apprennent à être forts sans avoir les moyens de la violence. C'est la force des faibles. J'ai fait des recherches pour percer ce mystère de la force des faibles.

– Justement, donne-moi un exemple.

– Un des exemples les plus connus est celui de la lutte de Martin Luther King pour les Noirs, aux États-Unis. Il y a une BD sur lui qui est assez bien faite. Si tu veux, on peut en parler.

Cela commence en 1955. Dans le sud du pays, il y a beaucoup de racisme et de ségrégation raciale.

Cela veut dire que les Noirs n'ont pas le droit de se mélanger aux Blancs. Dans les autobus, par exemple, ils doivent s'asseoir à l'arrière et laisser les places de devant aux Blancs. Dans certains restaurants ou cafés, ils n'ont pas le droit d'entrer. Parfois, des pancartes proclament : « Interdit aux Noirs et aux chiens ».

Il arrive que des Blancs extrémistes attaquent les Noirs, les battent et même les tuent.

Mais un jour, dans une ville particulièrement raciste, à Montgomery, en Alabama, il va se passer un événement extraordinaire. Il débute par quelque chose de très simple. Le 1er décembre 1955, une couturière noire, Rosa Parks, rentre chez elle après son travail. Elle est très fatiguée et quand elle monte dans l'autobus, au lieu d'aller à l'arrière comme elle aurait dû le faire, elle s'assied devant. Évidemment, un Blanc veut s'asseoir à sa place et va se plaindre auprès du chauffeur : « Que fait cette sale Négresse à la place des Blancs ? ». La femme est arrêtée par les policiers. Un voyageur noir se précipite pour payer la caution aux policiers afin qu'elle n'aille pas en prison. Cependant, Rosa Parks est toujours en colère. Tu dirais aujourd'hui : « Elle a la haine. » Elle ne supporte plus cette ségrégation. Avec l'homme qui l'a aidée, ils décident d'aller voir un jeune pasteur noir qui vient d'arriver dans la ville : Martin Luther King. Il a 26 ans, il est marié et père d'un premier enfant. Lui aussi ne supporte plus la ségrégation raciale.

Il veut que ça change. C'est vrai, les Noirs ne sont plus des esclaves comme il y a un siècle. On dit qu'ils sont libres. Mais, en réalité, tous les jours, ils sont humiliés par les Blancs ; tous les jours, ils sont traités comme des chiens. Martin Luther King a l'énergie pour se battre, mais il ne veut pas utiliser la violence. Alors, comment faire ?

Le lendemain soir, réunion avec Martin Luther King et d'autres amis. Ils sont tous d'accord : cela ne peut plus durer. Soudain, quelqu'un a une idée géniale : « Organisons un boycott. Refusons tous de prendre les bus ! Quand la compagnie des bus, évidemment dirigée par des Blancs, verra qu'elle perd de l'argent, elle nous traitera un peu mieux. » Dès le lendemain, ils demandent à tous les Noirs de la ville de ne plus prendre les bus : « Ne prenez plus le bus pour aller au travail, à l'école, à la ville. » Résultat ? Un immense succès : les bus circulent à vide ou presque. Mais il faut que les Noirs s'organisent : pour se déplacer, ils montent à plusieurs dans une même voiture ; ils prennent des taxis. Beaucoup vont à pied, même s'ils doivent faire plusieurs kilomètres.

Les Blancs n'en reviennent pas : « Ces Noirs ont trouvé un nouveau jeu : ils vont finir par avoir mal aux pieds et ils en auront assez ! ». Les plus racistes passent à l'attaque ; Martin Luther King reçoit des menaces par téléphone : « Sale nègre, ordure, on aura ta peau ! » Ces insultes deviennent régulières. Une bombe explose devant sa maison, le 30 janvier 1956 : heureusement, personne n'est blessé. Des Noirs veulent se venger et attaquer des Blancs avec des armes. Mais Martin

Luther King les en empêche : « Notre arme, c'est la non-violence, dit-il. On veut être respecté des Blancs. Si on commence par leur faire la peau, on n'obtiendra rien. De plus, il y a des Blancs non racistes qui nous soutiennent. » Mais c'est dur. Martin Luther King est arrêté plusieurs fois par la police, emprisonné, puis relâché. Les racistes veulent le faire craquer, mais ils n'ont rien à lui reprocher, puisqu'il refuse la violence.

Le boycott continue durant des mois, et la compagnie des bus ne cède pas. Mais le mouvement commence à être connu dans tous les États-Unis et à l'étranger. Ce n'est pas seulement King mais tous les Noirs de Montgomery qui deviennent des vedettes, et pourtant ils ne détruisent rien ! Les journalistes s'intéressent enfin à eux ! On leur donne la parole :

« Nous voulons les mêmes droits que les Blancs. » Finalement, le 10 novembre 1956, la Cour suprême des États-Unis déclare que la ségrégation dans les bus est contraire à la loi, car tous les citoyens sont égaux. Les Noirs obtiennent le droit de s'asseoir à côté des Blancs. Le boycott a duré 382 jours.

– *Dans la BD que tu m'as montrée, j'aime bien cette femme qui dit : « Avant, mes pieds se reposaient, mais mon esprit était fatigué. Maintenant, mes pieds se fatiguent mais mon esprit se repose ! » Elle marche plusieurs kilomètres par jour, mais ce n'est pas grave : elle a sa dignité.*

J'aime bien aussi le passage quand ils ont gagné et que Martin Luther King leur dit : « Notre victoire n'a pas supprimé le racisme. Il faudra faire attention à ne pas choquer les Blancs et à ne pas se moquer d'eux dans les bus. Respectons-les. Ainsi, ils apprendront à nous respecter. »

– Pourquoi ?

– *Parce qu'on voit qu'ils ne veulent pas le pouvoir, mais seulement qu'on les respecte.*

– C'est vrai : le but d'un combat non violent comme celui-ci, c'est de se faire respecter. Pas seulement de conquérir des droits, de s'asseoir où on veut dans un bus ; il s'agit de gagner le respect des autres. Mais Martin Luther King ajoute : « Respectons les Blancs et ils apprendront à nous respecter. La non-violence, cela marche dans les deux sens : D'accord, tu demandes qu'on te respecte, mais toi aussi respecte les autres. » Logique, non ? En France, un mouvement de lycéens a justement lancé ce slogan en 1997 : « Plus puissant que la violence, le respect. » Tu te souviens ? Dans la définition de base que je t'ai donnée de la non-violence, il est indiqué que c'est une manière d'être. Eh bien, cet état d'esprit, c'est le respect. Or, ce n'est pas facile de se respecter. Cela commence dans la famille entre parents et enfants, entre frères et sœurs. Même nous, les adultes, on n'y arrive pas toujours. On se traite parfois de tous les noms. On cherche à écraser les autres, notamment dans le travail. On apprend à faire des mauvais coups pour être le plus fort, pour être le premier, pour gagner toujours plus d'argent. On ne donne pas l'exemple aux jeunes.

Il existe pourtant des gens qui se battent en respectant leurs adversaires. Ils croient en l'Homme ou en Dieu et refusent de faire certaines choses au nom de leurs principes ou de leur foi. C'est rare, mais cela existe. Souvent, on dit d'eux qu'ils ont une « parole », c'est-à-dire qu'on peut leur faire confiance. Ils pensent qu'on ne doit pas traiter les gens comme des objets, des marchandises. Ils ne sont pas naïfs pour autant : ils savent se défendre et peuvent aussi réussir dans la vie. Ces gens-là ont un esprit de non-violence, même s'ils n'ont jamais entendu le mot.

– *En somme, le message non violent de base, c'est : « Défends-toi mais respecte ton adversaire »* ?

– Tout à fait.

Jacques Sémelin,
La Non-Violence expliquée à mes filles, 2000
Seuil, 2000, p. 11-16

■ ADY STEG
Témoignage donné le 2 octobre 1987 devant la commission réfléchissant au Code de la nationalité

> Juif d'origine slovaque, l'auteur s'installe en France avec ses parents en 1932. Il explique ici le rôle joué par l'école dans son intégration.

Je suis né en Slovaquie, dans les fins fonds de la Slovaquie, peut-on dire, dans ce qu'on appelait la Ruthénie subcarpatique, au bout du monde en quelque sorte. Je suis arrivé en France en 1932, gamin. J'avais tout pour plaire à l'époque ! J'étais juif, métèque, classé globalement dans la catégorie des Moldovalaques, dans *Gringoire* ou dans *Je suis partout*. Par conséquent, j'avais tous les facteurs de rejet, si vous voulez. Eh bien, je suis entré à l'école communale et la notion qui m'apparaît maintenant en vous parlant, c'est que très rapidement à l'école communale, je me suis senti français.

J'ai appris à lire et à écrire comme mes camarades, j'ai joué aux billes comme eux, j'ai reçu les « témoignages de satisfaction » qu'on donnait à l'époque. J'ai collectionné les images de Jeanne d'Arc et de Vercingétorix ou d'Henri IV. Non seulement je me sentais français mais j'ai le sentiment que j'étais considéré comme français par mes camarades. J'en ai non seulement le sentiment mais j'en ai la certitude qui, elle, alors, s'illustre par un épisode plus tardif pendant la guerre et sous l'Occupation allemande, le jour précis où je suis arrivé au lycée Voltaire porteur de l'étoile jaune le premier matin. Cela a suscité l'émotion dans la classe, la consternation. Consternation car la plupart de mes camarades ignoraient que j'étais juif ou que j'étais étranger. Et j'étais à la fois désigné comme juif et étranger. Dans un silence très impressionnant, le professeur de lettres, de français, M. Binon dont j'évoque la mémoire ici, a dit : « Mes enfants » – il ne s'adressait pas toujours à la classe en disant « mes enfants », mais là il a dit « mes enfants » –, ouvrez votre livre de textes à la page X et nous allons étudier un texte de Montesquieu qui s'intitule « De la tolérance ». J'ai le souvenir de cette heure où, vraiment, dans un silence absolu, nous avons parlé de la tolérance pendant une heure et, quand nous sommes descendus à la récréation dans la cour, mes camarades de classe se sont véritablement agglutinés autour de moi et certain d'entre eux, cela ne se faisait pas du tout à l'époque, m'ont embrassé. J'ai eu là l'émotion la plus profonde et l'illustration de mon intégration totale.

Ady Steg, *Être Français aujourd'hui et demain*, 10/18, 1994, p. 340-341, La Documentation française

TABLE

LITTÉRATURE DE JEUNESSE : POUR EN SAVOIR PLUS

Une sélection actualisée des centres de ressources spécialisés en littérature de jeunesse.

Aux lecteurs souhaitant des bibliographies actualisées de littérature de jeunesse (romans et documentaires), nous proposons cette sélection de centres de ressources suivants :

Le Centre National du Livre pour Enfants

Le centre de documentation de « La Joie par les livres » est ouvert à tous les adultes qui s'intéressent aux livres pour enfants. Ils peuvent y consulter la production française presque exhaustive de ces trente-cinq dernières années ainsi que des ouvrages de référence, des revues spécialisées et des dossiers sur tous les aspects du livre et de la lecture des enfants.

Adresse :
La Joie par les livres
Centre national du livre pour enfants
25 bld de Strasbourg
75010 Paris
Tél. : 01 55 33 44 44
Fax : 01 55 33 44 55
Contacts :
E-Mail : cnle@lajoieparleslivres.com
Site Web : www.lajoieparleslivres.com

Livres au trésor

Cette structure permanente d'informations et d'échanges s'adresse à toutes les personnes et institutions du département qui s'intéressent au livre de jeunesse. C'est aussi un lieu de réflexion commune sur la promotion du livre de jeunesse et l'accès des enfants à la littérature. Il vous propose en consultation sur place un fonds d'étude et de référence sur le livre de jeunesse (livres, périodiques, bibliographies, dossiers, catalogues, cassettes vidéo, cédéroms), ainsi qu'un fonds de livres (albums, contes, romans, poésie, théâtre), de journaux et de cédéroms pour enfants.

Adresse :
Bibliothèque municipale de Bobigny
4, rue de l'Union
93000 Bobigny (métro Pablo Picasso)
Tél. : 01 48 30 54 72
Fax : 01 48 30 51 92
Contacts :
E-Mail : livres.au.tresor@ville-bobigny.fr
Site Web : en cours de réalisation

Télémaque

Le fonds Télémaque, composé de livres de littérature de jeunesse et de livres didactiques, est empruntable au CRDP à Champigny.

Vous pouvez le consulter en ligne, de même que le fonds littérature jeunesse de l'Atelier du Livre de Melun, ainsi que les fonds documentaires des quatre centres du réseau CRDP de l'académie de Créteil.

Le sommaire de l'espace Télémaque vous donne accès à des fiches pédagogiques, bibliographies, comptes-rendus d'animations, exemples de pratiques, répertoires d'adresses, références officielles…

Adresse :
CRDP
7, rue Roland Martin
94500 Champigny-sur-Marne
Tél. : 01 41 81 20 20
Fax : 01 41 81 20 21
Contacts :
E-Mail : crdp@ac-creteil.fr
Site Web : www.crdp.ac-creteil.fr/

IV. FILMOGRAPHIE

PRODUITS AUDIOVISUELS DIFFUSÉS PAR LE SCÉRÉN (CNDP-CRDP)

Les produits du SCÉRÉN-CNDP sont libres de droit pour une utilisation collective en classe.

LE RACISME ET L'IMMIGRATION

CONTRE LE RACISME
SÉRIE « L'ESPRIT DES LOIS »
Auteurs : Zerwetz Agnès, Kimmerling Philippe, Le Merdy Sophie, Bayrou Isabelle
(autres films sur la vidéo : Tricher n'est pas jouer *et* Quel avenir pour les OGM*)*
Paris : CNDP, 2000, collection « Gali-lée ».
1 VHS 3 × 13 min et 1 livret d'accompagnement.
La législation antiraciste en France prend son origine dans les catastrophes mondiales de la guerre de 1939-1945. Mais aucune société ne peut se vanter d'avoir définitivement résolu ce problème. Ainsi la loi Gayssot, en juillet 1990, veut-elle renforcer les armes juridiques de l'antiracisme et lutter contre les courants révisionnistes et négationnistes qui se font jour. La lutte antiraciste a aussi un besoin d'un relais éducatif, car rien ne remplace la militance, l'éducation et l'information de la population.
Les films traitent du développement de l'arsenal juridique depuis 1945 et de l'insuffisance de la loi pour éradiquer le racisme.

ICI ET LÀ-BAS :
PAROLES D'IMMIGRÉS
Auteur : Blais Maryvonne
Paris : CNDP, 2000.
1 VHS de 32 min et 1 livret d'accompagnement.
Témoignage des différentes vagues d'immigration en France de 1915 à nos jours : les Arméniens en 1915, les Polonais et Italiens dix ans plus tard, les Maghrébins et Portugais entre 1960 et 1970, les Asiatiques en 1975. En dépit des obstacles et parfois des drames, les populations issues de l'immigration ont fini par s'adapter et se fondre dans la nation française à partir de la deuxième génération. Seuls les Maghrébins pourtant culturellement intégrés sont les plus victimes du racisme.

PAS D'HISTOIRES !
12 REGARDS SUR LE RACISME QUOTIDIEN
Auteur : Dupeyron F., Benguigui Y., Lioret P., Corsini C., Otzenberger C., Boujenah P., Nacro F. R., DFCR (dire, faire contre le racisme), Lindon V., Deleuze E., Lemouland J.-P., Durringer X., Angelo Y., Jullien P.

Paris : CNDP, 2000 : Little Bear, 2000 : DFCR (Dire, Faire Contre le Racisme). Comment parler du racisme quotidien aux jeunes ? Un appel à scénarios auprès des 16-26 ans leur a donné la parole, et près de 500 scénarios ont été reçus en provenance de toute la France. Douze réalisateurs, parmi lesquels Yasmina Benguigui et Vincent Linon, ont filmé douze histoires de racisme ordinaire à partir de ces scénarios. Ces petits films de quatre à six minutes, tous aussi différents les uns que les autres, cherchent moins à fustiger le racisme qu'à faire comprendre le mécanisme qui amène un individu à adopter un comportement discriminatoire. Plus encore, ces regards sur le racisme quotidien racontent ceux qui en sont les victimes. Dans presque tous les films apparaît le mépris affiché à l'égard de l'étranger et l'affirmation d'une culture dominante refusant et dévalorisant la culture de l'autre. Ces films se situent dans des lieux que le téléspectateur connaît et fréquente (transports en commun, rue, supermarché, lieu de travail et aussi banlieue et cité) et mettent en scène des personnages différents, enfants, adolescents et adultes. On y parle du racisme des « Blancs » mais aussi de celui des Maghrébins et des Africains.

D'ICI ET D'AILLEURS, 1851-1918 SÉRIE « UN SIÈCLE D'IMMIGRATIONS EN FRANCE », (VOL. 1)
Auteur : Mehdi Lallaoui
Paris : CNDP, France 3, Mémoires Vives Productions, 2001.
1 VHS de 55 min ; 1 livret pédagogique (collection « Côté télé »).
Aujourd'hui un Français sur quatre est d'origine étrangère. La série documentaire illustre la chronologie des différentes immigrations depuis 1850. Ce document montre la place des étrangers dans la seconde moitié du XIXe siècle, de leur contribution à la vie économique, sociale et politique de la France. Il montre également l'apport des travailleurs des colonies dans la deuxième guerre.

DU PAIN ET DE LA LIBERTÉ, 1919-1939 SÉRIE « UN SIÈCLE D'IMMIGRATIONS EN FRANCE », (VOL. 2)
Auteur : Mehdi Lallaoui
Paris : CNDP, France 3, Mémoires Vives Productions, 2001.
1 VHS de 55 min ; 1 livret pédagogique (collection « Côté télé »).
Du Pain et de la liberté évoque les difficultés économiques et politiques de l'entre-deux-guerres, à l'origine de mouvements migratoires bien plus

importants que dans la période précédente. Ces migrations correspondent à la fois à la demande impérative de la France, dépeuplée par la Première Guerre mondiale, et à une nécessité pour les populations fuyant la misère ou les persécutions.

ÉTRANGES ÉTRANGERS, 1939-1974
SÉRIE « UN SIÈCLE D'IMMIGRATIONS EN FRANCE », (VOL. 3)

Auteur : Mehdi Lallaoui

Paris : CNDP, France 3, Mémoires Vives Productions, 2001.
1 VHS de 55 min ; 1 livret pédagogique (collection « Côté télé »).

Ce document est le dernier d'une série de trois émissions intitulée « Un siècle d'immigrations en France ». *Étranges étrangers* évoque l'arrivée en France, de 1939 à 1974, de populations venues du Sud, péninsule Ibérique et Maghreb, leur rôle dans la guerre et dans l'économie de la France durant les Trente Glorieuses. Une grande variété de documents iconographiques et sonores (gravures, photographies, photomontages, films d'archives...) illustrent et rythment le propos.

IMMIGRATION, LE GRAND DÉBAT
SÉRIE « LES TRENTE DERNIÈRES »

Auteurs : Bataille Philippe, Kimmerling Philippe, Zerwetz Agnès

(autres films sur la vidéo : Être une femme *et* Vieillir*)*
Paris : CNDP, 1999 / Issy-les-Moulineaux : la Cinquième, 1999, collection « Galilée ».
1 VHS 3 × 13 min et 1 livret d'accompagnement.

Mêlant archives et images actuelles commentées par le sociologue Philippe Bataille, cette série se propose d'analyser les évolutions majeures qui ont marqué la société française de la fin des années 60 à aujourd'hui.

Avec l'appel de main-d'œuvre des années 60 vinrent massivement en France des hommes d'abord seuls, puis suivis de leur famille. L'arrêt de ce mouvement se produisit après 1970, et cela ne fit que se durcir ensuite. En 1990 on compte encore beaucoup de clandestins dont les « sans-papiers »... On évoque ici une société multiculturelle, ainsi que les notions de citoyenneté européenne ou mondiale. L'immigration en France reflète les contradictions de la société.

VIVRE ENSEMBLE
Auteurs : Bertrand Michel, Gibson Philippe, Kimmering Philippe, Kimmerling Philippe, Perriault Monique
Paris : CNDP/la Cinquième, 1999, collection « Raconte moi... avec des albums ».

1 VHS de 45 min.
Adaptations audiovisuelles pour élèves de l'école primaire. Parmi les titres : Les Bons Amis, Voisin voisine...

LA SECONDE GUERRE MONDIALE, L'ANTISÉMITISME ET LE CRIME CONTRE L'HUMANITÉ

SHOAH (EXTRAITS)
Auteur : Claude Lanzmann
Paris : CNDP, 2001.
DVD vidéo de 173 min accompagné d'un livret pédagogique et d'un livre de 128 pages.
Ce DVD présente six extraits du film de Claude Lanzmann en introduction à l'œuvre entière qui dure 570 min.
Les extraits : La disparition des traces ; Les chambres à gaz de Treblinka et d'Auschwitz ; Polonais de Grabow ; Polonais de Chelmno ; Le processus de la mise à mort à Treblinka ; Vie et mort...

1940-1944, PARIS AU TEMPS DES RAFLES (...)
Auteurs : Breit Annie, Cros Roland, Goupil Catherine, Marques Manuella, Pernot Hervé
Paris : CNDP, 1999/Issy-les-Moulineaux : la Cinquième, 1999, Parcours d'histoire

(1), série 2, collection « Galilée ».
1 VHS de 13 min et 1 livret d'accompagnement.
Cette émission permet de revisiter les bâtiments du camp de Drancy devenus aujourd'hui logements sociaux.

AIDE-MÉMOIRES DU CRIME CONTRE L'HUMANITÉ
Auteurs : Cayeux Jean-Paul, Le Berre Pascal
Rouen : CRDP de Haute-Normandie, 1994.
1 VHS, 52 min ; 1 livret de 24 pages.
Le point sur la spécificité des crimes nazis et la responsabilité du régime de Vichy à travers les témoignages de survivants d'Auschwitz et les commentaires de deux spécialistes, l'historien H. Rousso et l'avocat H. Leclerc. Une analyse structurée et didactique de la notion de crime contre l'humanité.

APRÈS BUCHENWALD

Auteur : Milles-Affif Edouard
Paris : CNDP, 1996 ; Passerelles, 1996 ; Issy-les-Moulineaux : la Cinquième, 1996, collection « Galilée ».
1 VHS de 25 min et 1 livret pédagogique.

Alternant visite du camp et images d'archives, ce film donne la parole à cinq anciens déportés qui font le récit de leur retour à la vie après avoir connu l'horreur et côtoyé la mort. Des déportés du camp de Buchenwald témoignent de leurs retrouvailles avec la France. C'est le temps des confrontations avec l'administration qui leur demande des justifications, avec leur famille ou ce qu'il en reste, avec eux-mêmes, leur détresse morale incommunicable, leur délabrement physique, leurs souvenirs…

AUTOPSIE D'UN MENSONGE : LE NÉGATIONNISME

Auteurs : Tarnero Jacques, Tarnero Jacques, Cohn Bernard
Paris : CNDP – Paris, 2000 : Lili Productions, collection « Côté télé ».
1 VHS d'1 h 40 et 1 livret pédagogique.

Le négationnisme, quand on l'examine d'un peu plus près, correspond aux multiples aspects de l'antisémitisme. La vidéo contient d'une part des témoignages sur la Shoah, d'autre part une analyse historique du négationnisme, en partant de l'antisémitisme traditionnel et ancien, en passant par les thèses d'extrême droite et par les positions de l'ultra gauche sur la question. Antisionisme, antisémitisme et négationnisme y sont distingués et abordés selon une perspective historique. Le rapport entre le catholicisme et le négationnisme est abordé notamment avec l'affaire du carmel d'Auschwitz.

HISTOIRE DU CONVOI DU 24 JANVIER 1943 AUSCHWITZ-BIRKENAU

Auteur : Cheraft Alain, Peyrottes Claude-Alice
Paris, CNDP : Les Films à Lou, 2001 ; Tournesol Productions, 2001 ; Touza Production, collection « Côté télé ».
1 VHS de 59 min et 1 livret d'accompagnement.

Le 24 janvier 1943, 230 détenues politiques françaises sont déportées vers le camp d'extermination d'Auschwitz-Birkenau. 49 d'entre elles survivront, dont Charlotte Delbo. En 1965, elle publie la biographie de ses 229 camarades dans *Le Convoi du 24 janvier*. Son devoir de mémoire se poursuit avec *Auschwitz et après* en 1970-1971. Une lecture simultanée et radiodiffusée de l'œuvre de Charlotte Delbo dans les 22 communes d'origine de ces femmes déportées amène Claude-Alice Peyrottes à les rencontrer. De cette double rencontre, avec l'œuvre de Charlotte

Delbo et avec ses camarades, est né ce film comme un prolongement nécessaire. Onze camarades de Charlotte Delbo témoignent. Quoique non juives, elles ont été déportées dans un camp d'extermination. Elles ont donc vu l'application de la solution finale de très près, avec pourtant la distance que leur conférait leur statut de prisonnier politique.

JORGE SEMPRUN

Auteur : Cerf Claudine, Margueritte Jacqueline
Paris : CNDP, 1996 – Issy-les-Moulineaux : la Cinquième, 1996, collection « Écrivains témoins de leur temps ».
1 VHS de 13 min et 1 livret pédagogique.
Ce film est composé d'entretiens avec l'auteur, de photographies et de films sur les différents événements qu'il a vécus, d'extraits de ses romans et enfin d'images et de sculptures de différents artistes. La souffrance, vécue lors de sa déportation à Buchenwald, nourrit chacun de ses romans, chacune de ses réflexions et a donné un sens à tous ses engagements.

NUIT ET BROUILLARD

Auteur : Alain Resnais
Paris : CNDP – Argos FILMS, 1956.
1 VHS de 32 min.
La réalité sur l'organisation systématique du génocide à partir de documents tirés des archives allemandes de l'époque. Les camps de concentration ; les déportés. L'arrivé au camp, le décor, la hiérarchie. La vie au camp. Les exterminations systématiques au gaz, au four. La libération.

ZAKHOR

Auteurs : Rousso-Lenoir Fabienne
Paris : CNDP – Paris, 1996 : Autour du Film, collection « Côté télé ».
1 VHS de 22 min et 1 livret d'accompagnement.
Des photos de jeunes Juifs, saisis dans l'intensité de leur vie d'hommes et de femmes et devenus ensuite des victimes de la barbarie nazie... C'est l'utilisation de voix off qui permet d'animer ces images. On sait la difficulté pour les survivants de la Shoah de parler des disparus. Il s'agit ici d'en parler non avec le regard du bourreau, mais en leur restituant leur identité de vivants au sein d'un peuple dont on a voulu effacer toute trace.

RÉPUBLIQUE, RELIGION ET LAÏCITÉ

VIVRE LA RÉPUBLIQUE
Auteurs : Le Merdy Sophie, Basuyau Claude, Lagelée Guy, Samadi Nicolle
SCÉRÉN-CNDP, Paris, 2004, collection « Dévédoc ».
2 DVD :
• Le premier DVD (1 h 45) intitulé « Une loi suprême : la constitution » comprend 4 films de 13 minutes, 1 film de 52 minutes, 85 séquences regroupées par thèmes (Naissance et évolution de la Ve République, La souveraineté, L'organisation des pouvoirs, Les contrôles et les conseils, Les lieux).
• Le second DVD (3 h) intitulé « La démocratie en pratiques » comporte 5 films de 13 minutes, 2 heures d'extraits de reportages, 160 séquences regroupées par thèmes (Des acteurs de la démocratie, Des règles, des lois, La justice).

Les enseignants et les élèves de collèges et lycées trouveront sur ces deux DVD un ensemble de documents se rapportant à l'éducation du citoyen afin de connaître, conformément aux objectifs des programmes, les fondements de la vie démocratique dans le cadre de la République française.

L'ÉCOLE POUR TOUS,
LES LOIS JULES FERRY (1882),
SÉRIE « LES GRANDES BATAILLES DE LA RÉPUBLIQUE »
Auteurs : Jeanneney Jean-Noël, Duhamel Olivier
Coproduction CNDP/Cinétévé, 2003, collection « côté Télé ».
1 VHS de 52 minutes et un livret d'accompagnement pédagogique (parution prévue en juin 2004).
Ce documentaire relate en détail le combat parlementaire extrêmement rude qui accompagne l'adoption de la loi dont les trois aspects : obligation, gratuité et laïcité, sont présentés et mis en perspective jusqu'à aujourd'hui.

SÉRIE « LES LIEUX DE POUVOIRS »
Coproduction CNDP/la Cinquième, 2001, émission « Galilée ».
3 VHS de 3 × 13 minutes
Une enquête à partir de lieux représentatifs où se prennent des décisions qui impliquent la vie quotidienne du citoyen.

SÉRIE « L'ESPRIT DES LOIS »
Coproduction CNDP/la Cinquième, 2000, émission « Galilée ».
7 VHS de 3 × 13 min et un livret d'accompagnement pédagogique.
Une présentation des grandes lois qui accompagnent l'évolution de la société française.

1883, LE PROGRÈS EN MARCHE :
L'ÉCOLE DE JULES FERRY,
SÉRIE « PARCOURS D'HISTOIRE (5) »
Auteurs : Gauthier Patrice, Marques Manuella, Pernot Hervé
Coproduction CNDP/la Cinquième, 1999, collection « Galilée ».
1 VHS de 13 minutes et un livret d'accompagnement pédagogique.
EN 1883, Jules Ferry fait décréter l'école laïque, gratuite et obligatoire. À Paris, dans le XVe arrondissement, à travers un établissement scolaire datant de cette époque, on peut retrouver l'école qu'il a instaurée.

LA LAÏCITÉ (1905), SÉRIE
« LES GRANDES BATAILLES
DE LA RÉPUBLIQUE »
Auteurs : Jeanneney Jean-Noël, Duhamel Olivier
Coproduction Cinétévé/la Cinquième, 1996, collection « côté Télé ».
Durée : 50 minutes.

1 VHS comprenant les titres La Laïcité *et* L'élection du président par le peuple *(1962) et un livret d'accompagnement pédagogique.*
La bataille parlementaire replacée dans une perspective historique, autour de l'adoption de la loi du 9 décembre 1905 sur la séparation de l'Église et de l'État.

DES RELIGIONS ET DES HOMMES
Auteur : Delumeau Jean
Coproduction la Cinquième/Vidéa, 1996, collection « Côté Télé », 48 × 13 minutes sur 6 VHS.
Jean Delumeau, professeur au collège de France, présente l'histoire des religions et l'évolution de l'humanité pour mieux comprendre le passé, mieux appréhender le présent, mieux présenter l'avenir.

FILMS CINÉMATOGRAPHIQUES ET TÉLÉVISUELS

Les œuvres audiovisuelles sont protégées par la législation relative aux droits des auteurs. En conséquence, tout enregistrement et toute diffusion même à finalité purement pédagogique dans un cadre scolaire, doivent faire l'objet d'une autorisation préalable du titulaire des droits.

Les résumés des œuvres sont extraits pour partie ou inspirés des sites monsieurcinema.com et editionsmontparnasse.fr

L'ABSURDITÉ DU RACISME

AMISTAD
de Steven Spielberg (1997)

Avec Morgan Freeman, Matthew McConaughey, Anthony Hopkins, Djimon Hounsou, Nigel Hawthorne...

En 1839, une révolte a lieu à bord du navire « La Amistad », transportant des esclaves d'Afrique à Cuba. Le chef de la rébellion, Cinque, fait massacrer tous les membres de l'équipage à l'exception des armateurs José Ruiz et Pedro Montes, sur lesquels il compte pour le ramener, avec ses camarades, dans son pays. Récit du combat que durent mener les abolitionnistes américains pour qu'enfin soit réclamé, en leur nom, le respect d'un droit fondamental et inaliénable, la liberté, au-delà de la raison d'État, du racisme et des intérêts économiques.

ÉLISE OU LA VRAIE VIE
de Michel Drach (1970)

Avec Marie-José Nat, Mohamed Chouikh, Bernadette Lafont...

Élise, jeune provinciale ouvrière dans une usine automobile, rencontre Arezki, un militant algérien dont elle tombe amoureuse. Exaspéré par un contremaître, Arezki le frappe et perd aussitôt sa place. Une rafle le happe, il ne reviendra plus. Élise abandonne Paris, mais s'accroche au souvenir d'Arezki. Le film décrit avec réalisme le climat d'incompréhension qui régnait à Paris pendant la guerre d'Algérie, tout en montrant les difficultés d'un couple mixte à se faire accepter.

LE THÉ AU HAREM D'ARCHIMÈDE
de Mehdi Charef (1985)

Avec Kader Boukhanef, Rémi Martin, Laure Duthilleul, Saïda Bekkouche, Nicole Hiss...

Une cité HLM, quelque part dans la banlieue parisienne. Un soir Balou, chassé de l'école, il y a longtemps, pour avoir écrit au tableau « thé au harem d'Archi Ahmed » (au lieu de « Théorème d'Archimède »...), revient au volant d'une superbe voiture. Témoignage autobiographique d'un univers de chômage, de misère, de délinquance, de racisme, mais aussi d'amour, de respect, de tendresse, de tolérance et de solidarité.

TOUS LES AUTRES S'APPELLENT ALI (ANGST ESSEN SEELE AUF)
de Rainer Werner Fassbinder (1973)
Avec Brigitte Mira, El Hedi Ben Salem, Barbara Valentin...
Emmi, femme de ménage, est une veuve de 60 ans. Pour s'abriter de la pluie, elle entre, attirée par un air de musique arabe, dans un café où se réunissent des travailleurs immigrés. Elle rencontre Ali, un ouvrier marocain, et l'épouse. Dans ce mélodrame, Fassbinder montre le racisme quotidien, s'attachant à la vie d'un couple interdit.

LA SECONDE GUERRE MONDIALE, L'ANTISÉMITISME ET LE CRIME CONTRE L'HUMANITÉ

SHOAH
de Claude Lanzmann (1985)
Enquête et témoignages sur l'un des drames les plus terribles de l'histoire de l'Humanité : l'extermination d'hommes, de femmes et d'enfants juifs pendant la Seconde Guerre mondiale par les nazis. « Une enquête sur le présent de l'Holocauste, ou à tout le moins sur un passé dont les cicatrices sont encore si fraîchement et si vivement inscrites dans les lieux et les consciences qu'il se donne à voir dans une hallucinante intemporalité » (Claude Lanzmann).

NUIT ET BROUILLARD
de Alain Resnais (1955)
Un film commandé par le Comité d'histoire de la Deuxième Guerre mondiale à l'occasion du 10e anniversaire de la libération des camps de concentration qui doit son titre au régime NN (Nacht und Nebel), régime spécial des camps nazis pour les résistants destinés à disparaître sans avoir été jugés et sans laisser aucune trace. L'image est accompagnée d'un texte en voix off de Jean Cayrol. Mêlant archives en noir et blanc et images en couleurs tournées à Auschwitz, ce document se veut « un appel », un « dispositif d'alerte contre

toutes les nuits et tous les brouillards qui tombent sur une terre qui naquit pourtant dans le soleil et pour la paix ».

DE NUREMBERG À NUREMBREG
de Frédéric Rossif (1988)

Frédéric Rossif dresse la terrible fresque de la Seconde Guerre mondiale en deux chapitres, de 1933 à 1945, de la montée en puissance d'Hitler et du parti nazi jusqu'à son ultime défaite. Une page d'histoire illustrée par un grand nombre de documents inédits.

LE CHAGRIN ET LA PITIÉ
de Marcel Ophuls (1969)

Clermont-Ferrand et l'Auvergne, pendant les années 40 à 45, la guerre, la défaite, l'occupation allemande, le départ de l'occupant, la résistance triomphante, la fin de la guerre. Les images de l'époque, bandes cinématographiques des archives les plus diverses – allemandes, anglaises, françaises – s'entremêlent avec les témoignages de personnalités ayant vécu diversement l'Occupation.

VICHY ET LES JUIFS
de Patrick Rotman et Virginie Linhart (1997)

52 min, France 3

S'appuyant sur de nombreuses archives (dont un document rare de la Croix-Rouge américaine sur les camps d'internement français) et les analyses des historiens Jean-Pierre Azéma, Henry Russo et Serge Klarsfeld, les auteurs montrent comment le régime de Vichy instaura, au fil des mois, un antisémitisme d'État.

LE DICTATEUR (THE GREAT DICTATOR)
de Charles Chaplin (1940)

Avec Charles Chaplin, Jack Oakie, Henry Daniell, Paulette Goddard, Billy Gilbert, Grace Hayle...

Dans le ghetto juif, un petit barbier, sosie d'un dictateur, est arrêté au cours d'une rafle, en compagnie d'un compagnon, farouche adversaire du dictateur qui a décidé l'extermination de la race juive. Les deux hommes parviennent à s'évader. Le dictateur, pris pour le barbier, est arrêté et le barbier, pris pour le dictateur, est amené à prononcer un discours célébrant ses victoires. Ce sera, contre toute attente, un appel à la fraternité des hommes. Un célèbre plaidoyer contre le racisme.

LE VIEIL HOMME ET L'ENFANT
de Claude Berri (1967)

Avec Michel Simon, Luce Fabiole, Alain Cohen, Roger Carel, Paul Préboist, Charles Denner...

Pendant l'Occupation à Paris, Claude, petit garçon juif, est reconduit chez lui après avoir volé un tank dans un magasin de jouets. Craignant que son geste n'attire l'attention de la Gestapo, son père le confie à une voisine qui le conduit chez ses vieux parents près de Grenoble. Pépé, ancien de Verdun, maréchaliste et antisémite, ignore que Claude est juif. Il se prend d'affection pour lui, et bientôt une profonde complicité unit cet enfant perturbé par ses origines à ce vieillard misanthrope en manque d'amour et de reconnaissance. Une leçon d'humanisme et de tolérance sur fond de vie quotidienne dans la France profonde des années 1943-1944.

AU REVOIR LES ENFANTS
de Louis Malle (1987)
Avec Gaspard Manesse, Raphaël Fejto, Francine Racette...
En janvier 1944, au Collège Sainte-Croix où Julien Quentin est pensionnaire, arrivent trois nouveaux élèves. L'un d'eux, Jean Bonnet, est le voisin de dortoir de Julien. Ce garçon renfermé n'est guère apprécié au début et puis, petit à petit, il devient son ami. Julien croit comprendre qu'il est juif ; mais il ne dit rien. Pourtant, à la suite d'une dénonciation, la Gestapo fait irruption dans le collège... Une recomposition du paysage des années 1940 et un plaidoyer passionné contre l'intolérance, le racisme et l'antisémitisme.

LA LISTE DE SCHINDLER (SCHINDLER'S LIST)
de Steven Spielberg (1993)
Avec Liam Neeson, Ben Kingsley, Ralph Fiennes, Caroline Goodall, Embeth Davidtz...
En 1939, la Pologne est envahie et les Allemands regroupent les Juifs dans les ghettos. Un industriel Oskar Schindler qui souhaite faire fortune, convertit sa fabrique en usine d'armements qui n'emploie que des Juifs. Il prend conscience du sort terrible qui s'abat sur eux notamment après la liquidation du ghetto de Cracovie. Il s'emploie alors à les sauver. Il devra fuir à la fin de la guerre comme « criminel de guerre » mais tous ceux qu'il a sauvés lui ont rendu hommage. L'histoire d'un homme qui refusa les crimes du nazisme.

LE PIANISTE (THE PIANIST)
de Roman Polanski (2001)
Avec Adrien Brody, Thomas Kretschmann, Emilia Fox, Ed Stoppard, Frank Finlay, Julia Rayner...
Pendant la Seconde Guerre mondiale, Wladyslaw Szpilman, un célèbre pianiste juif polonais, réussit à éviter la déportation. Mais il se retrouve tout de même enfermé dans le ghetto de Varsovie où, comme les autres, il va devoir survivre. Un jour, il parvient à s'échapper. Il se réfugie dans des

ruines où un officier allemand, qui apprécie sa musique, l'aide à rester en vie.

LA VIE EST BELLE (LA VITA E BELLA)
de Roberto Benigni (1997)
Avec Roberto Benigni, Nicoletta Braschi, Giorgio Cantarini, Marisa Paredes, Giustino Durano, Sergio Bust...
Un traitement « comique » du thème de la déportation : un père juif, déporté à Auschwitz, parvient à y cacher son enfant ; pour que celui-ci puisse traverser cette horreur, son père lui présente ce qu'ils vivent comme un jeu, auquel l'enfant ne doit pas se laisser prendre. Au prix de divers tours de passe-passe, l'illusion est maintenue. Devenu adulte, il nous raconte cette histoire.

MONSIEUR KLEIN
de Joseph Losey (1976)
Avec Alain Delon, Jeanne Moreau, Suzanne Flon, Michael Lonsdale, Juliet Berto, Massimo Girotti...
En 1942, un riche marchand de tableaux alsacien, Robert Klein, rachète à bas prix les biens des Juifs obligés de fuir Paris. Il découvre par hasard l'existence d'un homonyme juif et résistant qui, pour échapper à la police, s'abrite derrière son identité. Son enquête l'entraîne dans la chambre de son homonyme, puis dans un château proche de Paris. Il rencontre, puis perd, la maîtresse de l'autre Klein et s'enlise dans une quête impossible qui le mènera à être raflé, au Vel d'Hiv', en juillet 1942. Avec 15 000 juifs parisiens, il part pour Auschwitz... Un film dérangeant sur le Paris de l'Occupation et un homme dont le destin brusquement bascule.

LE CHOIX DE SOPHIE (SOPHIE'S CHOICE)
de Alan J. Pakula (1982)
Avec Meryl Streep, Kevin Kline, Peter MacNicol, Rita Karin, Gunther Maria Halmer, Melanie Pianka...
Un écrivain, à Brooklyn, devient le confident puis l'amant de Sophie, une jeune juive d'origine polonaise rescapée des camps où elle a perdu ses deux enfants. Sophie (incarnée par Meryl Streep) vit un amour orageux avec Nathan, rescapé lui aussi. Le couple finit par se donner la mort, après qu'on a appris en quoi consistait le terrible, l'innommable choix de Sophie (dans un camp de la mort, Sophie a été placée devant un terrible choix, garder un seul de ses enfants et désigner l'autre pour un massacre immédiat ; Sophie a choisi de garder son fils, et les cris de sa fille qu'on lui arrache la hanteront à jamais).

LE DERNIER MÉTRO
de François Truffaut (1980)
Avec Catherine Deneuve, Gérard Depardieu, Jean Poiret, Heinz Bennent, Andréa Ferréol...
En 1942, un directeur de théâtre juif, Lucas, se réfugie dans les caves du théâtre et confie à sa femme Marion et à un ami, les indications de mise en scène pour une pièce qu'ils doivent monter pour éviter la réquisition du local par la puissance occupante. La pièce est un triomphe mais la Gestapo vient perquisitionner. Lucas réussit cependant à se cacher avec l'aide d'un acteur, amoureux de Marion. Altruisme et générosité en temps de guerre et de dénonciation.

LE JOURNAL D'ANNE FRANK
(THE DIARY OF ANNE FRANK)
de George Stevens (1959)
Avec Millie Perkins, Joseph Schildkraut, Shelley Winters...
Amsterdam. Afin d'échapper à la Gestapo, un groupe de juifs hollandais trouve refuge dans le grenier de Mr Kraler. Sa secrétaire, Miep, les ravitaille chaque jour. L'été 1942, Anne Frank, alors âgée de 13 ans, pénètre pour la première fois dans cette cachette où vit déjà une famille. Afin de l'aider à supporter cette terrible épreuve, son père lui offre un gros cahier qui va devenir son journal intime...

LE JOURNAL D'ANNE FRANK
(dessin animé)
Film d'animation en 35 mm, en VHS ou DVD + livret pédagogique
Production : Globe Trotter Network SA
Première sortie en France : mars 2000
Le film montre Anne à Amsterdam, ses balades à vélo le long des canaux, ses discussions avec son amie Lies, ses premiers amours et ce jour de l'été 1942 où elle reçoit son journal encore vierge de ses confidences...
C'est la guerre. Les jeunes Juifs sont convoqués par l'armée allemande d'occupation pour le travail obligatoire. La famille Frank laisse croire qu'ils ont pu quitter le pays et va se cacher...

LES JUSTES
De Marek Halter, 1994
Film documentaire, VHS, secam, durée 2 × 50 min
Conception et scénario : Marek Halter et Clara Halter. Une coproduction franco-suisse Kurtz Production, Sara Films, Vega Films, France 2 Cinéma, Télévision Suisse Romande, Palmyre Productions, C.E.C. Rhône-Alpes.
Ce film raconte la quête d'un homme, Marek Halter, qui ne pouvait accepter l'idée que d'autres hommes aient pu être, sans exception, tous, complices de la Shoah. 50 ans après la Seconde Guerre mondiale, il est parti à la recherche des Justes...

LES COMBATS POUR LA DIGNITÉ DE LA PERSONNE

À CINQ HEURES DE L'APRÈS-MIDI (AT FIVE IN THE AFTERNOON)
de Samira Makhmalbaf (2002)
Avec Agheleh Rezaïe, Abdolgani Youse-frazi, Razi Mohebi, Herzieh Amiri...
À 5 heures de l'après-midi, après la chute du régime taliban en Afghanistan, un vieux cocher dévot cherche un endroit pour abriter sa famille. Il attend également le retour de son fils, dont il ne sait rien depuis son départ pour le Pakistan. Sa fille tente de profiter de cette nouvelle liberté pour s'épanouir socialement et devenir Présidente de la République. Un film sur l'après-taliban avec un engagement politique fort.

EUROPE 51 (EUROPA 51)
de Roberto Rossellini (1952)
Avec Ingrid Bergman, Alexander Knok, Ettore Giannini...
Irène Gérard, épouse d'un industriel américain installé à Rome, mène une existence futile jusqu'au jour où le suicide de son fils de douze ans la rappelle douloureusement à l'ordre et l'incite à changer de vie. Elle décide d'être désormais à l'écoute des autres pour accomplir ailleurs ce qu'elle a manqué auprès de son fils. Un ami, journaliste communiste, la met en contact avec la misère. Son entourage, surpris, croit à une passade. Quand elle en arrive à protéger un jeune voyou et que son mysticisme s'amplifie, tous, même sa mère, signent son acte d'internement. De l'asile où elle est enfermée, elle regarde partir sa famille. Seuls, sous sa fenêtre aux lourds barreaux, restent les pauvres gens qu'elle a aidés, indignés qu'on emprisonne une sainte.

L'IDIOT (HAKUCHI)
de Akira Kurosawa (1951)
Avec Masayuki Mori, Toshiro Mifune, Setsuko Hara...
« L'Idiot » transposé dans le Japon de l'après-guerre. Kameda, frappé d'une sorte « d'idiotie » qui le rend naïf et altruiste s'éprend de Taeko que se disputent deux hommes. Celle-ci est achetée à son père par l'un deux. Ayako, amoureuse sans espoir de Kameda décide d'épouser l'autre homme. Une jalousie injustifiée conduira le mari de Taeko à la tuer. Kameda deviendra fou. Le Japon encore enfermé dans des traditions d'un autre âge.

ORANGE MÉCANIQUE
(A CLOCKWORK ORANGE)
de Stanley Kubrick (1971)

Avec Malcolm McDowell, Patrick Magee, Michael Bates, Adrienne Corri, Warren Clarke...

Dans un futur proche, Alex, jeune chef d'une bande de voyous, sème la terreur au hasard de ses virées. Mais Alex, arrêté, devra subir une cure de « dé-criminilisation » et de « dé-sexualisation ». On lui rendra sa liberté après une dernière épreuve où il léchera les bottes de celui qui l'a rossé ou ne répondra pas à l'appel d'une fille qui s'offre. Il tentera de se suicider.

ROSETTA
de Luc, Jean-Pierre Dardenne (1999)

Avec Émilie Dequenne, Fabrizio Rongione, Anne Yermaux, Olivier Gourmet, Frédéric Bodson...

Rosetta vit avec sa mère, dépressive et alcoolique, dans l'inconfort d'une caravane posée sur un terrain de camping. Elle parcourt la ville à la recherche d'un emploi. Elle rencontre Riquet, qui tient une baraque à gaufres et se montre bienveillant envers elle. Dès qu'il veut se montrer plus affectueux, elle se dérobe et fuit. La perte des repères et la survie dans nos sociétés « modernes » pour un film à l'humanisme brutal.

SALAAM BOMBAY !
de Mira Nair (1988)

Avec Shafiq Syed, Sarfuddin Qurrassi, Raju Barnad...

Krishna travaille dans un cirque, mais le cirque part en l'oubliant. Il devient livreur de thé dans un quartier pauvre de Bombay et se lie d'amitié avec Chillum, qui revend (et consomme) la drogue que lui fournit Baba, petit mafieux du quartier. Krishna se prend d'affection pour Solasaal, une jeune adolescente du Népal, achetée par la matrone d'une maison close. Baba est chargé de la rendre plus docile. Pour repartir dans son village natal, Krishna travaille dur pour économiser les 500 roupies (150 F) qu'il lui faut. Il voit mourir d'une overdose Chillum, perd son travail et se fait arrêter et envoyer dans un centre de rééducation. Il s'échappe et propose à Solasaal de s'enfuir avec lui. Mais elle est tombée amoureuse de Baba... L'enfance impossible à vivre pour les orphelins des grandes villes du monde.

SAMIA
de Philippe Faucon (2000)

Avec Lynda Benahouda, Mohamed Chaouch, Kheira Oualhaci, Nadia El Koutei, Yamina Amri...

Samia, quinze ans, vit dans la périphérie de Marseille. Sixième d'une famille de huit enfants d'origine algérienne très traditionaliste, elle étouffe sous le poids d'une morale faite de croyances et d'interdits qu'elle respecte mais ne partage plus... Yacine, le grand frère au chômage, ne retrouve de légitimité qu'en se faisant le gardien des traditions familiales et religieuses.

LA SOIF DU MAL (TOUCH OF EVIL)
de Orson Welles (1957)
Avec Charlton Heston, Janet Leigh, Orson Welles, Joseph Calleia, Akim Tamiroff, Marlene Dietrich...
À Los Robles, ville-frontière entre les États-Unis et le Mexique, Rudy Linnekar, un important homme d'affaires meurt dans un attentat. L'enquête qui s'ensuit oppose deux policiers, Vargas, un haut fonctionnaire mexicain, et Quinlan, le chef de la police locale et, à travers eux, deux conceptions de la justice. Quinlan obéit à son intuition et forge des preuves pour faire condamner celui qu'il croit coupable. Vargas est bien décidé à le dénoncer et, après une âpre bataille – un crime, un viol et une course-poursuite nocturne –, Quinlan est abattu. On apprend finalement que son intuition était fondée. Une réflexion complexe sur la justice et la morale.

YOL (LA PERMISSION)
de Serif Goren, Yilmaz Güney (1982)
Avec Tarik Akan, Serif Sezer, Halil Ergün...
Cinq détenus turcs, en permission de huit jours, font la difficile expérience de la liberté dans leur pays soumis à un régime militaire. C'est une liberté toute relative, limitée par les contraintes d'une morale archaïque et patriarcale et par l'oppression des minorités. Cinq histoires sombres et fortes qui condamnent l'intolérance des hommes.

L'AUTRE

ELEPHANT MAN
(THE ELEPHANT MAN)
de David Lynch (1980)
Avec Anthony Hopkins, John Hurt, Sir John Gielgud, Anne Bancroft, Freddie Jones, Wendy Hiller...
En 1884, un chirurgien londonien découvre dans une fête foraine John Merrick un jeune homme hideusement déformé par une étrange maladie et exhibé comme « homme-éléphant ». Un mélodrame émouvant qui sait rendre sensible au spectateur le respect dû à tout être humain.

LES ENFANTS DU SILENCE
(CHILDREN OF A LESSER GOD)
de Randa Haines (1986)
Avec William Hurt, Marlee Matlin, Piper Laurie, Philip Bosco, Allison Gompf, John F Cleary...
Professeur aux méthodes non traditionnelles, James Leeds apprend à lire à des sourds et à des malentendants. Il s'attache surtout à la jeune Sarah, intelligente mais emmurée dans son silence. Amoureux l'un de l'autre, ils s'aperçoivent vite que leurs univers n'ont rien de commun. Ils se séparent mais le jour du bal de fin d'année, Sarah est de retour et leur attirance est la plus forte. Le monde du bruit et le monde du silence qui communiquent enfin...

E.T. L'EXTRA-TERRESTRE
(E.T. THE EXTRA-TERRESTRIAL)
de Steven Spielberg (1982)
Avec Dee Wallace, Henry Thomas, Peter Coyote, Drew Barrymore, Robert MacNaughton, KC Martel...
Une soucoupe spatiale se pose pour une mission d'exploration botanique. Un des extra-terrestres s'aventure vers la ville... L'armée cherche les intrus. La navette s'envole, laissant sur Terre une petite créature apeu-rée... À la recherche d'un refuge pour échapper à ses poursuivants, E.T. se retrouve dans un pavillon de banlieue où il est bientôt découvert par un jeune garçon de dix ans, Elliot, qui lui installe un abri dans son armoire. Mais E.T., symbole de magie, d'enfance, d'humanisme et de rêve, découvre le monde des Hommes... Un hymne à la compassion et à la tolérance.

FAMILY LIFE
de Ken Loach (1971)
Avec Sandy Ratcliff, Grace Cave, Bill Dean...
Janice, une adolescente étouffée par les conventions familiales, est poussée par sa mère à avorter. Traumatisée, elle se replie sur elle-même, et sa famille la fait interner. Remise sur pied grâce à une thérapie de groupe, elle ne tarde

pas à replonger, devant la froideur et l'incompréhension dont font preuve ses parents. Gavée de tranquillisants, elle sombre dans le mutisme. Une critique des blocages de la société et de la cellule familiale.

LE GARÇON AUX CHEVEUX VERTS (THE BOY WITH GREEN HAIR)
de Joseph Losey (1948)
Avec Pat O'Brien, Dean Stockwell, Robert Ryan, Barbara Hale, Richard Lyon, Walter Catlett...
Dans un commissariat d'une petite ville, Peter, un orphelin d'une dizaine d'années, raconte son histoire. Recueilli par Gramp, vieux chanteur de music-hall, il menait une vie insouciante et heureuse. Mais un beau jour, ses cheveux deviennent verts. Autour de lui l'étonnement amusé fait bientôt place à l'hostilité, puis au rejet. Peter accepte de se laisser conduire chez le coiffeur. Ses belles boucles de cheveux verts tombent sous la tondeuse. Motivé par une lettre que son père lui avait écrite, il décide de faire face à l'hostilité et de laisser repousser ses cheveux verts. Une fable antiraciste et pacifiste.

MA VIE EN ROSE
de Alain Berliner (1997)
Avec Michèle Laroque, Jean-Philippe Ecoffey, Hélène Vincent...

La famille Fabre coule des jours heureux dans sa maison d'une commune de l'Essonne. Le dernier des quatre enfants, Ludovic, surprend tout le monde, au cours d'une fête, lorsqu'il se déguise... en fille. C'est décidé : plus tard, il sera une fille et il épousera Jérôme, fils d'Albert, le collègue de travail de son père. Il garde les cheveux longs, adore mettre des robes, et s'évade dans le monde rose bonbon des séries télévisées pour fillettes. Comédie douce-amère sur la différence, l'incompréhension et le rejet, la douceur et l'innocence comme trop fragiles remparts contre l'homophobie.

LA MOINDRE DES CHOSES
de Nicolas Philibert (1996)
Au cours de l'été 1995, fidèles à ce qui est désormais devenu une tradition, pensionnaires et soignants de la clinique psychiatrique de La Borde se rassemblent pour préparer la pièce de théâtre qu'ils joueront le 15 août. « Un film qui parle de ce qui nous relie à l'autre, de notre capacité – ou incapacité – à lui faire une place. Et finalement, de ce que l'autre, dans son étrangeté, peut nous révéler de nous-mêmes... » (Nicolas Philibert).

MONSIEUR IBRAHIM ET LES FLEURS DU CORAN

de François Dupeyron (2003)

Avec Pierre Boulanger, Omar Sharif, Gilbert Melki, Isabelle Renauld, Lola Naymark, Anne Suarez...

À Paris, dans les années soixante, Moïse, un garçon de treize ans, se retrouve livré à lui-même. Il a un seul ami, Monsieur Ibrahim, l'épicier arabe et philosophe de la rue Bleue. Celui-ci va lui faire découvrir la vie, les femmes, l'amour et quelques grands principes. Une œuvre empreinte de tendresse et de tolérance.

RAIN MAN

de Barry Levinson (1988)

Avec Dustin Hoffman, Tom Cruise, Valeria Golino, Jerry Molen, Jack Murdock, Michael D Roberts...

Charlie Rabbitt, jeune chef d'entreprise au bord de la faillite à Cincinnati, apprend que son père qui vient de mourir laisse toute sa fortune à son frère Raymond, autiste, depuis vingt ans en hôpital psychiatrique à Los Angeles. Il décide de demander la tutelle de son frère pour en obtenir l'héritage. Après un long périple au cours duquel Charlie découvrira les angoisses et les dons surprenants de Raymond, Charlie devra ramener Raymond à son hôpital. La rencontre émouvante de deux frères que tout sépare.

ROMÉO ET JULIETTE (ROMEO AND JULIET)

de Franco Zeffirelli (1967)

Avec Leonard Whiting, Olivia Hussey, John McEnery, Michael York, Roberto Bisacco, Milo O'Shea...

Deux familles de Vérone, les Montai-gu et les Capulet se livrent une bataille acharnée quand Roméo Montaigu tombe amoureux de Juliette Capulet. Ils se marient en secret mais le père de Juliette Capulet organise le mariage de sa fille avec un cousin. Pour échapper à ce mariage, Juliette prend une potion qui la fera croire morte. Roméo, trompé par les apparences, se suicide. Le lendemain Juliette accomplira le même geste. Deux destins détruits par la haine de deux clans.

WEST SIDE STORY

de Robert Wise, Jerome Robbins (1961)

Avec Natalie Wood, Richard Beymer, Russ Tamblyn, Rita Moreno, George Chakiris, Simon Oakland...

Deux bandes rivales se disputent la suprématie d'un quartier populaire de New York. La tension monte quand l'ancien chef des Jets, le groupe des Américains blancs, tombe amoureux de Maria, une Portoricaine. Une comédie musicale électrisante qui replace l'éternelle tragédie de Roméo et Juliette au cœur d'une guerre de gangs rivaux et une histoire universelle de jeunesse, d'amour et de tolérance.

LES VIOLENCES SOCIALES, LES CRISES ET LES GUERRES

ALLEMAGNE ANNÉE ZÉRO (GERMANIA ANNO ZERO)
de Roberto Rossellini (1947)

Avec Edmund Moeschke, Ingetraut Hintze, Ernst Pittschau...

Dans les ruines du Berlin d'après-guerre, sous l'occupation alliée, Edmund subvient, par divers trafics, aux besoins de son père infirme, de son frère ancien SS, qui se cache, et de sa sœur, prostituée. Il est conseillé par son ancien instituteur nazi... Celui-ci lui rappelle les principes d'Hitler sur l'élimination des faibles et des inutiles. Le père hospitalisé répétant machinalement qu'il vaudrait mieux pour tous qu'il soit mort, Edmund, sans mesurer la portée de son geste, l'empoisonne. Le professeur, mis au courant par Edmund, ne veut pas endosser la responsabilité de ce qu'il considère à présent comme un crime. Désespéré, l'enfant erre tristement dans les rues au milieu des décombres et finit par se jeter du cinquième étage d'une maison en ruines. Le désarroi moral et social d'un pays en quête d'une nouvelle identité.

UNE JOURNÉE PARTICULIÈRE (UNA GIORNATA PARTICOLARE)
de Ettore Scola (1977)

Avec Sophia Loren, Marcello Mastroianni, John Vernon...

À Rome, le 8 mai 1938, Hitler fait une visite officielle à Mussolini afin de renforcer les alliances. Dans un immeuble devenu désert, les habitants étant partis assister à la rencontre, Antonietta, une mère de famille, et Gabriele, un homosexuel consigné par la police dans son appartement, sont restés chez eux. À la faveur d'un incident (le perroquet d'Antonietta s'échappe), ils vont se rencontrer, se parler, avant de réaliser qu'ils sont tous deux exclus, pour des raisons différentes, de la grande parade fasciste. Peu après la cérémonie, Gabriele est arrêté et déporté en Sardaigne, tandis qu'Antonietta poursuit sa vie. L'intolérance et la répression de la différence à l'époque fasciste à travers l'histoire de deux êtres isolés : lorsque l'homophobie est inscrite ou implicite dans la loi, l'exclusion devient tellement légitime qu'elle en paraît naturelle aux yeux de tous et de l'exclu lui-même.

LA CIOCIARA
de Vittorio De Sica (1961)
Avec Sophia Loren, Eleonora Brown, Raf Vallone...
Durant l'été 1943, Cesira, une jeune veuve accompagnée de sa fille Rosetta décide de quitter Rome pour regagner son village natal. Après une dangereuse pérégrination au cours de laquelle elles rencontreront un jeune fermier Michele dont Rosetta tombe amoureuse, les deux femmes sont obligées de fuir à nouveau. Réfugiées dans une église, elles sont violées par des soldats. Recueillies par un jeune camionneur, elles apprendront la mort de Michele. Un film sur les atrocités de la guerre, mais, en filigrane, la découverte de l'amour par une adolescente.

AVOIR 20 ANS DANS LES AURÈS
de René Vautier (1972).
Avec Alexandre Arcady, Hamid Djellouli, Philippe Léotard, Jacques Canselier, Jean-Michel Ribes...
Un groupe de jeunes Bretons réfractaires et pacifistes est envoyé en Algérie. Refusant d'abord de faire la guerre, ils acceptent finalement de constituer, sous les ordres d'un lieutenant, un commando « spécial » et de se livrer aux excès qu'ils voulaient éviter. L'un des soldats, refusant cette logique, s'enfuit avec un Algérien qui devait être fusillé sans jugement le lendemain. Dans un style quasi documentaire une douloureuse réflexion sur la guerre d'Algérie.

LA BALLADE DE NARAYAMA (NARAYAMA BUSHIKO)
de Shohei Imamura (1983)
Avec Ken Ogata, Sumiko Sakamoto, Tonpei Hidari...
Au XIXe siècle au Japon, la coutume d'un village montagnard de Shinshu exige qu'à l'âge de soixante-dix ans, les vieux soient abandonnés au sommet du mont Nara. Cette tradition terrible procède de l'instinct de conservation d'une société soumise à une extrême pauvreté naturelle. Par respect de cette tradition, une vieille femme décide d'aller, accompagnée de son fils aîné, mourir dans la montagne. Le sacrifice de l'héroïne Orin prend un sens dans la certitude qu'elle a de rencontrer le dieu qui a guidé sa vie. L'unité du sacré et du trivial dans des images cruelles et sublimes.

INTOLÉRANCE
de David Wark Griffith (1916)
Avec Lillian Gish, Mae Marsh, Robert Harron...
Quatre récits sur l'intolérance reliés entre eux par le leitmotiv d'une femme berçant un enfant.

LES SENTIERS DE LA GLOIRE
(PATHS OF GLORY)
de Stanley Kubrick (1958)

Avec Kirk Douglas, Ralph Meeker, Adolphe Menjou, George MacReady, Wayne Morris...

1916, tandis que le conflit s'est enlisé depuis longtemps dans la guerre de tranchées, l'état-major français ordonne de prendre une position allemande surnommée « La fourmilière » réputée imprenable. Repoussé par le feu ennemi, le 701e régiment, commandé par le colonel Dax, doit se replier. Les soldats tombent par dizaines et leurs compagnons refusent alors d'avancer. Le général Mireau, chef de l'offensive, demande alors de traduire en conseil de guerre le régiment pour « lâcheté ». Malgré l'opposition de Dax, trois hommes tirés au sort seront condamnés à mort et exécutés. Dax avait entre-temps soumis au général Broulard, chef de l'état-major, les preuves que le général Mireau avait fait tirer sur sa propre armée pendant l'attaque. Broulard révoque celui-ci et propose son poste à Dax persuadé que celui-ci avait agi par simple ambition. Écœuré, Dax lui crie son indignation.

Une comédie humaine qui vire à la tragédie féroce au milieu des tranchées.

LE VENT DES AURÈS
(ASSIFET AOURES)
de Mohamed Lakhdar-Hamina (1967)

Avec Keltoum, Mohamed Chouikh, Hassan Hassani...

Une famille paysanne est détruite par la guerre d'Algérie. Le fils vaque aux travaux domestiques pendant la journée et parcourt la nuit les montagnes pour ravitailler les maquisards de l'armée de libération nationale. Après son arrestation, la mère quitte le douar pour retrouver son fils. Sans perdre espoir, elle rôde inlassablement autour des camps, jusqu'au jour où, finalement, elle voit Lakhdar derrière les barbelés. Mère et fils ne peuvent pas se parler, mais la vieille femme revient tous les jours. Un matin, elle ne le trouve plus et ses compagnons détournent la tête. La nuit, alors que le vent souffle en tempête, la mère apparaît pour clamer sa détresse. Ravagée par la douleur, elle se jette contre les barbelés et meurt électrocutée.

Achevé d'imprimer en mai 2004

par Normandie Roto Impression s.a.s. - Lonrai

N° d'imprimeur : 04-1243

Imprimé en France

Dépôt légal : Juin 2004

Éditions Delagrave

N° d'édition : 8835 - N01 - Juin 2004